KOLEKCJA GAZETY WYBORCZEJ
28

Kolekcja Gazety Wyborczej
28

Oddział chorych na raka
Aleksander Sołżenicyn

Tytuł oryginału: *Раковый корпус*
Tłumaczenie z oryginału: *Michał B. Jagiełło*

ISBN 83-89651-77-7
ISBN 84-9789-725-0

Mediasat Poland Sp. z o.o.
ul. Mikołajska 26
31-027 Kraków, Polska

Printed in EU
by CPI Group

ALEKSANDER SOŁŻENICYN

Oddział chorych na raka

Przekład Michał B. Jagiełło

KOLEKCJA GAZETY WYBORCZEJ

Część pierwsza

1

Pawilon onkologii oznaczony był numerem trzynastym. Paweł Nikołajewicz Rusanow nigdy nie wierzył i nie mógł wierzyć w przesądy, ale kiedy przeczytał na skierowaniu: „pawilon trzynasty" – coś się w nim załamało. Że też nikt nie miał na tyle rozumu, żeby umieścić pod trzynastką jakąś protezownię albo urazówkę!

Był to jednak jedyny szpital w całej republice, w którym leczono takie choroby.

– Ale to przecież nie rak, prawda? To nie rak? – pytał z nadzieją Paweł Nikołajewicz i ostrożnie dotykał prawej strony szyi, gdzie pod bezbronną białą skórą rozrastał się złowieszczy, z dnia na dzień coraz większy guz.

– Ależ skąd, oczywiście, że nie – zapewniała po raz dziesiąty doktor Doncowa, zamaszyście wypisując historię choroby. Do pisania wkładała prostokątne zaokrąglone okulary; gdy przestawała pisać, natychmiast je zdejmowała. Była niemłoda, blada, mizerna i wyglądała na bardzo zmęczoną.

Poznali się kilka dni temu w przychodni. Samo skierowanie na onkologię, choćby tylko do przychodni, odbiera ludziom sen. A Pawłowi Nikołajewiczowi Doncowa kazała kłaść się do szpitala. I to jak najszybciej.

Niespodziewana choroba, która w ciągu dwóch tygodni zwaliła się jak burza na szczęśliwego i beztroskiego dotychczas człowieka, była wystarczającym powodem do strapienia, ale nie mniej niż ona dręczyła Pawła Nikołajewicza świadomość, że musi iść do szpitala jak pierwszy lepszy, zupełnie zwyczajny pacjent: nie leczył się tak od niepamiętnych czasów. Zaczęli wydzwaniać – do Jewgienija Siemionowicza, do Szendiapina, do Ulmasbajewa, ci zaś dzwonili do swoich znajomych, podpytywali, czy w tym szpitalu są sale specjalne i czy ewentualnie nie dałoby się załatwić choćby małej izolatki do wyłącznej dyspozycji Pawła Nikołajewicza. Wszystkie starania spełzły jednak na niczym.

I poprzez lekarza naczelnego uzyskali tylko tyle, że Paweł Nikołajewicz miał być przyjęty z pominięciem izby przyjęć, wspólnej łaźni i przebieralni.

I przywiózł Jura ojca i matkę ich niebieściutkim moskwiczem pod same drzwi trzynastego pawilonu.

Mimo silnego mrozu na murowanym tarasie przed pawilonem stały dwie kobiety w spranych, barchanowych szlafrokach – szczękały zębami, ale stały.

Poczynając od tych niechlujnych szlafroków, wszystko tu wywierało przygnębiające wrażenie: zniszczony cement tarasu; klamki, zmatowiałe od dotyku rąk pacjentów; izba przyjęć z odrapaną podłogą, wysoką oliwkową lamperią (sam kolor wydawał się brudny) i dużymi żeberkowymi ławkami, na których nie mieścili się i siedzieli na podłodze pacjenci, najwyraźniej przybyli tu z daleka – Uzbecy w pikowanych chałatach, stare Uzbeczki w białych chustach, młode – w liliowych lub czerwono-zielonych, a wszyscy w buciorach albo kaloszach. Na jednej z ławek leżał jakiś chłopak, Rosjanin, w rozpiętym, zwisającym do podłogi płaszczu, wynędzniały, ale z brzuchem jak bania, i bez przerwy krzyczał z bólu. Ten straszny krzyk ogłuszył Pawła Nikołajewicza i przeniknął tak głęboko, jakby chłopak krzyczał nie o sobie, a o nim.

Paweł Nikołajewicz zbladł, stanął i wyszeptał zbielałymi wargami:

– Kapa! Ja tu umrę. Nie chcę. Wracamy do domu. Kapitolina Matwiejewna wzięła go energicznie za rękę i powiedziała:

– Paszeńka! Wrócimy – i co? Co dalej?

– Może coś wyjdzie z tą Moskwą...

Kapitolina Matwiejewna zwróciła ku mężowi swą okazałą głowę w bujnym obramowaniu gęstych miedzianych loków.

– Paszeńka! Moskwa – to co najmniej dwa tygodnie czekania, a może wcale nie da się załatwić? Nie możemy czekać! Przecież t o rośnie jak na drożdżach!

Żona mocno ściskała jego dłoń, dodawała otuchy. W pracy, w sprawach służbowych Paweł Nikołajewicz był człowiekiem zdecydowanym i stanowczym, w domu jednak z przyjemnością zdawał się na żonę: podejmowała decyzje szybko i bezbłędnie.

A chłopak na ławce krzyczał rozdzierająco, zanosił się tym krzykiem!

– Może lekarze zgodziliby się leczyć w domu... Zapłacimy... – mamrotał Paweł Nikołajewicz bez przekonania.

– Pasik! – Żona przekonywała, cierpiała wraz z nim. – Sam wiesz najlepiej, że ja też jestem za tym: wezwać człowieka i zapłacić. Ale nie da rady. Tłumaczyłam ci już: ci lekarze nie przychodzą, nie biorą pieniędzy. Tu mają całą potrzebną aparaturę. W domu – nie da rady...

Paweł Nikołajewicz też rozumiał, że to niemożliwe. Powiedział tylko tak, na wszelki wypadek.

Uzgodnili z lekarzem naczelnym, że będzie na nich czekać pielęgniarka – punktualnie o drugiej, przy schodach, po których ostrożnie schodził właśnie jakiś pacjent o kulach. Pielęgniarka oczywiście nie czekała, a jej klitka pod schodami była zamknięta na klucz.

– Na nikogo nie można liczyć! – wybuchnęła Kapitolina Matwiejewna. – Za co im płacą?

Tak jak stała, poszła korytarzem w swoich srebrnych lisach, nie zważając na tabliczkę: „W odzieży wierzchniej wstęp wzbroniony".

Paweł Nikołajewicz został w poczekalni. Pochylił głowę nieco w prawo i bojaźliwie nacisnął nią guz między obojczykiem i dolną szczęką. Doznał wrażenia, że przez ostatnie pół godziny – od chwili gdy otulając szalikiem widział go w lustrze przed wyjściem z domu – guz urósł jeszcze bardziej. Zrobiło mu się słabo i zapragnął usiąść. Ławki wyglądały jednak na brudne, a poza tym trzeba by przeprosić babę w chustce, żeby się posunęła. Baba trzymała między nogami zatłuszczony worek. Paweł Nikołajewicz nawet z tej odległości czuł jego obrzydliwą woń.

Kiedyż wreszcie nasze społeczeństwo nauczy się podróżować z czystymi i schludnymi walizkami! (Zresztą teraz, wobec guza, nie miało to żadnego znaczenia.)

Udręczony bezustannym krzykiem chłopaka i tymi wszystkimi widokami, tymi wszystkimi zapachami, Rusanow stał, lekko wsparty o załom ściany. Z zewnątrz wszedł jakiś chłop, w ręku trzymał półlitrowy słoik z naklejką, pełen żółtej cieczy. Chłop niósł ten słoik bez żadnego skrępowania, prawie triumfalnie, jak kufel piwa, wystany w kolejce. Zatrzymał się przed Pawłem Nikołajewiczem, podsunął mu niemal pod sam nos swój słoik i chciał o coś zapytać, ale zauważył futrzaną czapkę i odwrócił się, szukał dalej, wreszcie zaczepił pacjenta o kulach:

– Kochanieńki! A gdzie to się zanosi, co? Beznogi wskazał mu drzwi laboratorium. Pawłowi Nikołajewiczowi zbierało się na wymioty.

Do poczekalni weszła z zewnątrz pielęgniarka – w samym tylko fartuchu, nieładna, o zbyt długiej twarzy. Od razu zauważyła Pawła Nikołajewicza, domyśliła się, podeszła do niego.

– Proszę wybaczyć – powiedziała zadyszana, z twarzą koloru szminki do ust, tak się śpieszyła. – Najmocniej przepraszam. Przywieźli lekarstwa, musiałam przyjmować.

Paweł Nikołajewicz chciał rzucić jakąś zjadliwą uwagę, ale powstrzymał się. Był rad, że nareszcie skończyło się to czekanie. Podszedł Jura z walizką i torbą owoców – bez czapki, w garniturze, prosto z samochodu – bardzo spokojny, z wysokim chwiejącym się czubem blond włosów.

– Chodźmy! – Pielęgniarka prowadziła go do swojego pokoiku pod schodami. – Wiem o wszystkim. Nizamutdin Bachramowicz powiedział, że ma pan własną bieliznę i zabrał pan swoją piżamę, tylko nie używaną, tak?

– Prosto ze sklepu.

– To konieczne, w przeciwnym razie trzeba by dezynfekować. Proszę się tutaj przebrać.

Otworzyła drzwi z dykty i zapaliła światło. W klitce z ukośnym sufitem nie było okna, a na ścianach wisiało mnóstwo różnobarwnych wykresów.

Jura w milczeniu wniósł walizkę, wyszedł i Paweł Nikołajewicz zaczął się przebierać. Pielęgniarka też już chciała wyjść, ale zatrzymała ją Kapitolina Matwiejewna.

– Siostra się śpieszy?

– Tak, trochę...

– Jak się siostra nazywa?

– Mita.

– Jakieś dziwne imię. Siostra nie jest Rosjanką?

– Jestem Niemką...

– Przez siostrę musieliśmy czekać!

– Bardzo przepraszam. Przyjmuję teraz...

– Proszę posłuchać, Mito, chcę, żeby wszystko było jasne. Mój mąż to zasłużony człowiek i bardzo ceniony pracownik. Paweł Nikołajewicz Rusanow.

– Paweł Nikołajewicz. Dobrze, będę pamiętać.

– Mąż mój przywykł do wygód i starannej opieki, a teraz jest poważnie chory. Czy nie można by przydzielić mu specjalnej pielęgniarki, która by przy nim dyżurowała?

Zatroskana, niespokojna twarz Mity zatroskała się jeszcze bardziej. Pokręciła głową.

– Nie licząc personelu operacyjnego, na sześćdziesięciu pacjentów mamy tutaj trzy pielęgniarki. To w dzień. W nocy dyżurują tylko dwie.

– No właśnie: można tu sobie krzyczeć, umierać, a nikt nie podejdzie!

– Dlaczego? Do wszystkich się podchodzi.

„Do wszystkich”? Skoro powiedziała: „do wszystkich” – to nawet nie warto jej tłumaczyć.

– I pewnie pielęgniarki się zmieniają?
– Tak, co dwanaście godzin.
– Żadnej troski o człowieka! Chyba będę musiała dyżurować tu osobiście, na zmianę z córką! Wynajęłabym prywatną pielęgniarkę, ale podobno tu nie wolno?
– To raczej niemożliwe. Nikt jeszcze tak nie robił. Zresztą w sali i tak nie ma gdzie krzesła postawić...
– Boże, wyobrażam sobie, co to za sala! Muszę ją zobaczyć! Ile tam jest łóżek?
– Dziewięć. I tak dobrze, że przyjęli od razu na salę. Nowi leżą u nas na schodach i na korytarzu.
– Siostro, mimo wszystko będę miała prośbę – siostra zna tu cały personel, siostrze będzie łatwiej... Proszę umówić pielęgniarkę albo salową, żeby Pawła Nikołajewicza traktowano tu bardziej po ludzku... – z trzaskiem otworzyła czarną torebkę i wyjęła z niej trzy pięćdziesiątki.
Milczący syn odwrócił głowę. Mita schowała ręce za plecy.
– Nie, nie! Ja w żadnym wypadku...
– Przecież to nie dla siostry! – Kapitolina Matwiejewna wpychała jej do kieszonki na piersi zmięte banknoty. – Skoro jednak nie można załatwić tego oficjalnie... Płacę za pracę! A siostrę proszę tylko o przysługę!
– Nie, nie – zesztywniała pielęgniarka. – U nas tak się nie robi.
Skrzypnęły drzwi – z klitki wyszedł Paweł Nikołajewicz w nowiutkiej zielono-brązowej piżamie i ciepłych bamboszach z futrzaną obszywką. Na czubku prawie łysej głowy miał nowiutką bordową tiubietiejkę. Nie maskowany kołnierzem i szalikiem, wielki jak pięść guz wyglądał teraz szczególnie groźnie. Paweł Nikołajewicz nie mógł już trzymać głowy prosto, stale ją przekrzywiał.
Syn poszedł po rzeczy. Żona schowała pieniądze i z niepokojem popatrzyła na męża.
– Nie zmarzniesz? Trzeba było wziąć ciepły szlafrok. Przywiozę ci. A tu masz szalik – wyciągnęła go z kieszeni. – Owiń sobie szyję, bo się przeziębisz! – W futrze ze srebrnych lisów wydawała się trzy razy większa od męża. – Teraz idź do sali. Rozpakuj jedzenie, rozejrzyj się co i jak, pomyśl, czego jeszcze potrzebujesz, ja tu zaczekam. Zejdziesz i powiesz, a ja ci wieczorem przywiozę.
Nie traciła głowy, zawsze o wszystkim pamiętała. Była prawdziwą towarzyszką życia. Rozczulony Paweł Nikołajewicz popatrzył na nią z wdzięcznością. Potem na syna.
– A więc jedziesz?

– Wieczorem mam pociąg, tato – Jura podszedł bliżej. Odnosił się do ojca z szacunkiem, ale nigdy nie okazywał żywszych uczuć, teraz też – choćby wzruszenia, przecież żegnał ojca, który zostaje w szpitalu. Na wszystko reagował jakoś dziwnie apatycznie.

– No więc tak, synku. To twoja pierwsza poważna delegacja. Musisz od razu przyjąć właściwy ton. I żadnej pobłażliwości! Bądź surowy! Ta pobłażliwość cię gubi! Zawsze pamiętaj, że nie jesteś Jurą Rusanowem – osobą prywatną, ale przedstawicielem prawa! Rozumiesz?

Rozumiał Jura czy nie – Pawłowi Nikołajewiczowi trudno było teraz znaleźć jakieś bardziej stosowne słowa. Mita przestępowała z nogi na nogę, śpieszyła się.

– Poczekam z mamą – uśmiechnął się Jura. – Tato, nie żegnaj się, przecież zaraz wrócisz.

– Dojdzie pan sam? – spytała Mita.

– O Boże, człowiek ledwie stoi na nogach, nie może siostra pomóc mu dojść do łóżka? Proszę mu zanieść torbę!

Paweł Nikołajewicz popatrzył żałośnie na rodzinę, odtrącił pomocną dłoń Mity, mocno chwycił się poręczy i zaczął wchodzić na górę. Serce mu łomotało, ale nie z wysiłku. Wchodził na schody jak na ten... no, taką trybunę, na której ucinają głowy.

Pielęgniarka wyprzedziła go, wbiegła na górę z torbą, zawołała jakąś Marię, i zanim Paweł Nikołajewicz dotarł do półpiętra, już zbiegała schodami do wyjścia, uświadamiając w ten sposób Kapitolinę Matwiejewnę, jaka to troskliwość czeka tu jej męża.

Tymczasem Paweł Nikołajewicz wszedł powoli na półpiętro, przestronne, głębokie, jakie można zobaczyć tylko w starych budynkach. Na półpiętrze tym, nie tarasując wcale drogi, stały dwa łóżka, a nawet i szafki. W łóżkach leżeli pacjenci. Jeden, w bardzo złym stanie, zupełnie wycieńczony przylgnął do poduszki tlenowej.

Paweł Nikołajewicz zadarł głowę, żeby nie patrzeć na jego umęczoną twarz, skręcił i powoli wszedł jeszcze wyżej. Ale i na górze nie znalazł żadnej pociechy. U szczytu schodów stała pielęgniarka Maria. Na jej śniadym, ascetycznym obliczu nie było cienia życzliwości ani uśmiechu. Wysoka, chuda i płaska czekała na niego jak żołnierz, odwróciła się bez słowa i poprowadziła Pawła Nikołajewicza do sali. Szli korytarzem, mijali różne drzwi, i tylko te drzwi nie były zastawione łóżkami: wzdłuż ścian też leżeli pacjenci. Na zakręcie, pod stale zapaloną lampą stało biurko dyżurnej pielęgniarki i stolik zabiegowy, na ścianie wisiała szafka z matowymi szybkami i czerwonym krzyżem. Minęli biurko, minęli jeszcze kilka łóżek, a potem Maria wyciągnęła długą kościstą rękę i powiedziała:

– Drugie od okna.

I już się śpieszyła, już odchodziła – przykry nawyk personelu lecznictwa ogólnego; nie zaczeka, nie porozmawia.

Chociaż drzwi były stale otwarte, Paweł Nikołajewicz już od progu poczuł zastarzały smród wilgoci, lekarstw i jeszcze czegoś – bardzo męczący dla jego wrażliwego powonienia.

Stłoczone łóżka stały prostopadle do ścian, dzieliły je od siebie tylko ciasne przejścia na szerokość szafki, a w przejściu na środku sali mogły wyminąć się najwyżej dwie osoby.

W tym to środkowym przejściu sterczał krępy, barczysty mężczyzna w pasiastej różowej piżamie. Gruby i szczelny opatrunek spowijał całą jego szyję – wysoko, aż do płatków uszu. Białe chomąto nie pozwalało mu poruszać ciężką, toporną głową, porośniętą burymi włosami.

Pacjent opowiadał coś ochryple innym chorym. Po wejściu Rusanowa obrócił ku niemu cały tułów z unieruchomioną głową, popatrzył obojętnym wzrokiem i powiedział:

– Jeszcze jeden raczek.

Paweł Nikołajewicz nie uznał za stosowne odpowiedzieć na tę poufałość. Czuł, że wszyscy na niego patrzą, ale nie miał ochoty odwzajemniać spojrzenia i oglądać tych przypadkowych ludzi, a tym bardziej witać się z nimi. Machnął więc tylko ręką, żeby bury się odsunął. Tamten przepuścił Pawła Nikołajewicza i znów zwrócił ku niemu swój tułów z przyklejoną głową:

– No, bracie, a ty masz raka c z e g o? – spytał charkotliwym głosem.

Pawła Nikołajewicza, który już zdołał dotrzeć do swego łóżka, aż ścisnęło w dołku. Podniósł wzrok na ordynusa i, starając się opanować drżenie, odpowiedział z godnością:

– N i c z e g o. To w ogóle nie rak.

Bury prychnął i zawyrokował na całą salę:

– Ale dureń! Jakby to nie był rak – tobyś tu nie leżał!

2

Już po kilku godzinach pobytu w sali Pawła Nikołajewicza ogarnęła groza.

Twarda gula na szyi – niespodziewana, bezsensowna, nikomu niepotrzebna – przyciągnęła go tu jak haczyk rybę i cisnęła na to żelazne łóżko – wąskie, nędzne, ze skrzypiącą siatką i byle jakim materacykiem. Wystarczyło przebrać się pod schodami, pożegnać rodzinę i wejść do sali, by zatrzasnęło się całe dotychczasowe życie, a naparło nań nowe, tak ohydne, że budziło jeszcze większe przerażenie niż sam guz. Już nie mógł wybierać wedle własnego uznania przyjemnych i uspokajających widoków – musiał patrzeć na osiem nieszczęsnych, w dodatku teraz mu równych istot – ośmiu pacjentów w biało-różowych, spranych i znoszonych piżamach, tu rozdartych, tam załatanych, z reguły za krótkich albo za długich. I nie mógł już decydować, czego będzie słuchać, bo do wyboru zostały mu tylko beznadziejne rozmowy tej ludzkiej zbieraniny, rozmowy, które ani nie dotyczyły Pawła Nikołajewicza, ani nie interesowały go. Najchętniej kazałby wszystkim zamilknąć, szczególnie temu burowłosemu natrętowi z opatrunkiem na szyi i unieruchomioną głową: pozostali pacjenci nie wiadomo dlaczego mówili mu po prostu Jefriem, choć miał już swoje lata. Jefriem w żaden sposób nie chciał się uspokoić, nie kładł się, nie wychodził z sali, tylko bezustannie wędrował tam i z powrotem po wolnej przestrzeni między łóżkami. Chwilami marszczył i wykrzywiał twarz jak przy zastrzyku, chwytał się rękami za głowę i znów zaczynał chodzić. Następnie przystawał akurat koło łóżka Rusanowa, przeginał przez poręcz całą swą górną połowę ciała, przybliżał szeroką, dziobatą, ponurą twarz i uświadamiał:

– Koniec z tobą, profesorze. Nie wrócisz ty już do domu!

W sali było bardzo ciepło, Paweł Nikołajewicz leżał na kocu w piżamie i tiubietiejce. Poprawił na nosie okulary w złoconej oprawie, spojrzał na Jefriema surowo, tak jak potrafił patrzeć, i odpowiedział:

– Nie rozumiem, towarzyszu, czego wy ode mnie chcecie? I po co mnie straszycie? Ja was o nic nie pytam.

Jefriem tylko prychnął ze złością:

– A pytaj sobie, ale do domu – nie wrócisz! Okulary możesz odesłać. I tę nową piżamę też.

Wygłosiwszy takie grubiaństwo, wyprostował niezdarny tułów i znów podjął wędrówkę środkiem sali – licho go nosiło.

Paweł Nikołajewicz mógł oczywiście przywołać chama do porządku, ale nie znajdował w sobie zwykłej energii i woli: opuszczały go, a po słowach tego obwiązanego czorta zniknęły zupełnie. Potrzebował otuchy, wsparcia, a spychano go na dno. W ciągu zaledwie kilku godzin Rusanow utracił pozycję, zasługi, plany na przyszłość – i stał się tylko siedmioma dziesiątkami kilogramów ciepłego białego ciała, które nie zna swego jutra.

Widocznie żałość ta odmalowała się na jego twarzy, gdyż przy kolejnym nawrocie Jefriem powiedział niemal łagodnie:

– Nawet jak wrócisz do domu, to nie na długo: rraz – i znowu tutaj! Rak człowieka lubi. Jak kogo rak szczypcami chwyci, to już na amen.

Paweł Nikołajewicz nie miał siły oponować, i Jefriem pomaszerował dalej. Kto w sali mógłby go zresztą osadzić? Wszyscy leżeli apatycznie, niektórzy nie byli nawet Rosjanami. Pod przeciwległą ścianą, gdzie ze względu na występ przewodu kominowego mieściły się tylko cztery łóżka, łóżko naprzeciwko Rusanowa należało do Jefriema, a na trzech pozostałych leżała sama młodzież: koło pieca prostoduszny smagły chłopak, obok niego – młody Uzbek o kuli, a pod oknem – skurczony, pożółkły, chudy jak glista wyrostek, który cały czas wił się z bólu i jęczał. W rzędzie Pawła Nikołajewicza na lewo od niego leżeli dwaj nie-Rosjanie, za nimi, najbliżej drzwi, siedział na łóżku i czytał książkę krótko ostrzyżony chłopak, Rosjanin, zaś po prawej stronie, pod oknem – niby też Rosjanin, ale nie było to sympatyczne sąsiedztwo: mordę miał bandycką. Wygląd taki nadawała mu blizna (zaczynała się koło ust i szła dołem lewego policzka prawie do szyi), a może rozczochrane czarne włosy, które sterczały w nieładzie na wszystkie strony, a może cała grubo ciosana twarz o twardych i odpychających rysach. Oprycha ciągnęło jednak do kultury: właśnie kończył czytać książkę.

Paliło się już światło – dwie jaskrawe lampy sufitowe. Za oknami zapadała ciemność. Czekali na kolację.

– Jest tu jeden staruszek – nie przestawał Jefriem. – Leży na dole, jutro ma operację. W czterdziestym drugim wycięli mu takiego malutkiego raka i powiedzieli: drobiazg, głupstwo, żyj sobie na zdrowie. Rozumiesz? – Jefriem mówił niby dziarsko, ale głos miał taki, jak gdyby to jego operowali. – No i żył sobie trzynaście lat, dawno zapomniał o całej historii, wódkę pił, baby obracał – chłop jak trza, sam zobaczysz. A teraz ta-a-kie raczysko mu wyskoczyło! – Jefriem aż cmoknął z zachwytu. – Pojedzie z tej operacji nogami do przodu. Jak nic – prosto do kostnicy!

– Dobrze już, dobrze, starczy tego krakania! – machnął ręką Paweł Nikołajewicz, odwrócił się. Nie poznawał własnego głosu – tak nieprzekonywająco, tak żałośnie brzmiał.

A pozostali milczeli. Przyprawiał go o mdłości tamten wychudzony, wiercący się bez ustanku chłopak pod przeciwległym oknem. Siedział – nie siedział, leżał – nie leżał, wił się, przyciskał kolana do piersi, w żaden sposób nie mógł znaleźć wygodnej pozycji, chwilami nieruchomiał z głową nie na poduszce, ale w nogach łóżka. Jęczał cichutko, wykrzywiał twarz i cały napinał się z bólu.

Paweł Nikołajewicz odwrócił się od niego, usiadł, wsunął stopy w bambosze i zaczął bezmyślnie penetrować swoją szafkę. Otwierał i zamykał to drzwiczki, za którymi leżało na półeczce jedzenie, to górną szufladkę, gdzie ułożył przybory toaletowe i elektryczną maszynkę do golenia.

A Jefriem wciąż krążył z rękami splecionymi na piersi, niekiedy wzdrygał się, gdy kłuło go w środku, i zawodził jak refren, jak płacz nad nieboszczykiem:

– Oj, kiepsko z nami... Oj, kiepsko...

Za plecami Pawła Nikołajewicza rozległo się ciche klapnięcie. Obrócił ostrożnie głowę, gdyż każdy ruch sprawiał ból. To sąsiad, ten półbandyta, zamknął przeczytaną książkę i trzymał ją teraz w wielkich szorstkich łapach. Na granatowej okładce i grzbiecie książki widniało wytłaczane złotymi, poczerniałymi już literami nazwisko autora, ale Paweł Nikołajewicz nie zdołał go odcyfrować, a pytać takiego typa nie miał ochoty. Wymyślił dla niego przezwisko – Ogłojed. Bardzo pasowało.

Ogłojed przyjrzał się książce swoimi posępnymi ślepiami i oznajmił na całą salę:

– Gdybym nie wiedział, że to Diomka przyniósł tę książkę, to można by pomyśleć, że chyba specjalnie nam ją podrzucili!

– Co Diomka? Jaką książkę? – spytał chłopak spod drzwi, nie odrywając się od swojej lektury.

– Ta książka! Tak pasuje, że lepszej byś nie znalazł! – Ogłojed patrzył na masywną potylicę Jefriema (dawno nie strzyżone włosy spadały na opatrunek), a potem na jego stężałą twarz. – Jefriem! Przestań skamleć. Lepiej poczytaj sobie książkę.

Jefriem stanął pochylony jak byk, wlepił w Ogłojeda mętne spojrzenie:

– A po co? Po co czytać, skoro i tak niedługo zdechniemy? Ogłojed poruszył blizną:

– Właśnie dlatego trzeba się śpieszyć. Weź, weź. Podawał książkę Jefriemowi, ale ten ani drgnął.

– Za dużo do czytania. Nie chcę.

– Może jesteś niepiśmienny, co? – nawet nie próbował namawiać Ogłojed.

– Jestem nawet bardzo piśmienny. Jak potrzebuję, to jestem. Ogłojed poszukał ołówka na parapecie, otworzył książkę, przejrzał spis treści i zaznaczył kilka miejsc.

– Nie bój się – mruknął. – To króciutkie opowiadanka. Masz tu parę – spróbuj. Obrzydło mi już twoje marudzenie. Lepiej sobie poczytaj.

– Jefriem niczego się nie boi! – Obwiązany wziął książkę i cisnął ją na swoje łóżko.

Z korytarza wkuśtykał o kuli młody Uzbek, Achmadżan – jedyny wesoły człowiek w sali. Obwieścił:

– Łyżki do boju!

Smagły pod piecem też się ożywił:

– *Wieczieriu niesut, chłopcy*!

Weszła pielęgniarka w białym fartuchu, z tacą na ramieniu. Wysunęła ją przed siebie i zaczęła obchodzić łóżka. Wszyscy z wyjątkiem umęczonego chłopaka pod oknem żwawo sięgnęli po talerze. Na każdego przypadała jedna szafka, tylko nieletni Dimka nie miał swojej i dzielił ją z sąsiadem, grubokościstym Kazachem, któremu nawisł nad wargą bezkształtny ciemnobury strup.

Paweł Nikołajewicz w ogóle nie miał ochoty na jedzenie, nawet na to z domu, zaś sam widok tej kolacji: prostokątnych gumiastych kawałków kaszy manny, polanych galaretowatym żółtym sosem, i tej brudnej, szarej aluminiowej łyżki z podwójnie przekręconym trzonkiem – jeszcze raz przypomniał mu boleśnie, gdzie się znajduje i jak wielki błąd popełnił, zgadzając się na leczenie w tym szpitalu.

A wszyscy oprócz jęczącego chłopaka zgodnie zabrali się do kolacji. Paweł Nikołajewicz nie wziął talerza do rąk, popukał tylko paznokciem o jego brzeżek i rozejrzał się, komu by tu odstąpić swoją porcję. Jedni siedzieli odwróceni do niego bokiem, inni tyłem, i tylko chłopak przy drzwiach patrzył prosto na Pawła Nikołajewicza.

– Jak się nazywasz? – spytał Paweł Nikołajewicz półgłosem (tylko tamten powinien go usłyszeć). Dzwoniły łyżki, ale chłopiec zrozumiał, że chodzi o niego, i powiedział:

– Proszka... e-e-e... Prokofij Siemionycz.

– Weź.

– Jak dają... – Proszka podszedł, wziął talerz, podziękował skinieniem głowy.

A Paweł Nikołajewicz czując twardą gulę pod szczęką zdał sobie nagle sprawę, że jego przypadek wcale nie należy do lekkich. Z całej dziewiątki tylko jeden pacjent miał opatrunek – Jefriem, i to akurat w tym samym miejscu, które mogli zoperować i jemu. I tylko jeden pacjent wił się z bólu. I tylko u tego krzepkiego Kazacha pęczniał nad wargą ciemnobordowy strup. I jeszcze tamten młody Uzbek – chodził o kuli, ale prawie się o nią nie opierał. Tych można było uznać za chorych. Pozostali wyglądali na zupełnie zdrowych. Szczególnie Proszka – ze swoją rumianą cerą przypominał raczej wczasowicza, a nie pacjenta szpitala, siedział sobie i z apetytem wylizywał talerz. Ogłojed miał wprawdzie poszarzałą twarz, ale poruszał się bez wysiłku, mówił nonszalancko, a kaszę pochłaniał tak łapczywie, że Paweł Nikołajewicz nabrał podejrzeń, czy to aby nie symulant – urządził się na państwowym wikcie, wiadomo, w naszym kraju w szpitalach karmią za darmo.

Guz rozpierał szyję, uwierał w szczękę, przeszkadzał poruszać głową, rósł z godziny na godzinę, ale lekarze nie liczyli tu godzin: od obiadu do kolacji nikt nie badał Pawła Nikołajewicza i nie zalecił żadnej terapii. A przecież doktor Doncowa zwabiła go tu obietnicą natychmiastowego leczenia! Co za brak odpowiedzialności, jakie karygodne lekceważenie obowiązków! Rusanow uwierzył jej i tracił teraz bezcenny czas w ciasnej, brudnej i zapyziałej sali, zamiast załatwiać sobie leczenie w Moskwie i lecieć tam jak najszybciej.

Ta świadomość popełnionego błędu i bezsensownej zwłoki, połączona z lękiem przed guzem tak przytłoczyły Pawła Nikołajewicza, że nie mógł znieść nawet szczęku łyżek o blaszane talerze, nie mógł patrzeć na te żelazne łóżka, ordynarne koce, na ściany, lampy, ludzi. Znalazł się w potrzasku i aż do rana nie był w stanie podjąć żadnych konkretnych działań.

Okropnie nieszczęśliwy położył się i domowym ręcznikiem zasłonił sobie oczy, by nie widzieć światła i całej reszty. Żeby oderwać się od zmartwień, zaczął myśleć o domu i rodzinie – co też teraz porabiają? Jura jedzie pociągiem. Jego pierwsza samodzielna inspekcja. Musi dobrze wypaść. Ale Jura jest ustępliwy, to mięczak, żeby tylko się nie zbłaźnił! Awieta ma wakacje, pojechała do Moskwy – rozerwać się trochę, pochodzić do teatrów, a przede wszystkim zorientować się, co i jak, nawiązać odpowiednie kontakty, bądź co bądź ostatni rok studiów, trzeba się jakoś urządzić. Awieta jako zdolna i rzutka dziennikarka musi oczywiście pracować w Moskwie, tutaj nie rozwinie skrzydeł. Jest taka mądra, taka utalentowana, jak nikt w rodzinie – wprawdzie brakuje jej jeszcze doświadczenia, ale tak szybko się uczy! Ławrik... Urwis, w szkole ma dość przeciętne stopnie, ale to prawdziwy talent sportowy, był nawet na zawodach w Rydze, mieszkał tam w hotelu jak dorosły. Umie już prowadzić samochód, chodzi na kurs na prawo jazdy. W drugim okresie złapał dwie dwóje – musi poprawić. Majka pewnie jest teraz w domu, gra na pianinie (pierwsza w całej rodzinie!). A w korytarzu leży na dywaniku Dżulbars. Przez ostatni rok Paweł Nikołajewicz przyzwyczaił się do spacerów z psem – takie przechadzki wychodzą na zdrowie i psu, i panu. Teraz Dżulbarsa będzie wyprowadzać Ławrik. Lubi to – najpierw po cichutku szczuje psa na jakiegoś przechodnia, a potem woła: „Proszę się nie bać, trzymam go!"

I oto cała zgodna, wzorowa rodzina Rusanowów, spokojna i beztroska egzystencja, wygodne mieszkanie – wszystko to w ciągu kilku dni zniknęło, znalazło się po *tamtej stronie* guza. Żona, dzieci żyją własnym życiem i będą żyć dalej bez względu na to, jak zakończy się choroba ojca. Mogą martwić się, płakać, rozpaczać – wszystko na nic, guz oddzielał go od nich jak ściana, i po *tej* jego stronie Paweł Nikołajewicz był zupełnie sam.

Myśli o domu nie pomogły, zaczął więc myśleć o sprawach państwowych. W sobotę zbiera się Rada Najwyższa ZSRR. Chyba nie wydarzy się nic ciekawego, będą zatwierdzać budżet. Gdy wyjeżdżał dziś z domu do szpitala, radio nadawało audycję o przemyśle ciężkim. A tutaj nie ma nawet głośnika, w korytarzu też nie ma. Ładne porządki! Trzeba załatwić, żeby przynajmniej dostarczali „Prawdę". Dziś mówiono o przemyśle ciężkim, wczoraj zapadła decyzja o zwiększeniu produkcji mięsa. Tak! Gospodarka rozwija się w bardzo szybkim tempie, a to oczywiście oznacza poważną reorganizację rozmaitych instytucji państwowych.

I oczami wyobraźni widział już Paweł Nikołajewicz te reorganizacje w skali republiki i obwodu. Wszelkie reorganizacje zawsze wywoływały miły dreszczyk emocji, urozmaicały monotonię codziennych zajęć, pracownicy wydzwaniali do siebie, spotykali się, snuli przypuszczenia co do ewentualnych roszad kadrowych. I choć rozmaite bywały te reorganizacje – takie, owakie, czasem sprzeczne z poprzednimi – to nigdy nikogo, w tym Pawła Nikołajewicza, nie reorganizowano w dół, tylko zawsze awansowano.

Jednak i te rozmyślania nie poprawiły mu nastroju. Ukłuło pod szyją – i natychmiast bezlitosny, obojętny na wszystko guz przesłonił cały świat. Budżet, przemysł ciężki, hodowla, reorganizacje znów znalazły się po *tamtej* stronie. A po *tej* został tylko Paweł Nikołajewicz Rusanow. Sam.

W sali dał się słyszeć sympatyczny kobiecy głosik. I choć w obecnym stanie nic nie mogło sprawić Pawłowi Nikołajewiczowi przyjemności, to chciwie wsłuchał się w ten głosik – tak miło brzmiał.

– A teraz zmierzymy temperaturkę! – Kobieta mówiła takim tonem, jakby miała rozdawać cukierki.

Rusanow ściągnął ręcznik z twarzy, uniósł się na łokciu i założył okulary. Co za szczęście! – nie była to tamta ponura czarna Maria, ale postawna dziewczyna o złocistych włosach. Miała na nich lekarski czepek, a nie chustkę.

– Azowkin! No, Azowkin! – perswadowała wesoło chłopakowi spod okna. Leżał jeszcze dziwaczniej niż poprzednio – po przekątnej łóżka, plackiem, z poduszką pod brzuchem; wparł podbródek w materac jak pies i patrzył przez pręty poręczy udręczonym wzrokiem. Przypominał zwierzę w klatce. Przez wychudłą twarz przebiegały cienie wewnętrznych boleści. Jedna ręka bezwładnie zwisała na podłogę.

– No, weź się w garść! – zawstydzała go pielęgniarka. – Przecież masz dość siły! Bierz termometr!

Chłopak dźwignął rękę z podłogi jak wiadro ze studni, sięgnął po termometr. Nie chciało się wprost wierzyć, że ma najwyżej siedemnaście lat – tak był bezsilny i pochłonięty swoim bólem.

– Zoja! – jęknął. – Proszę mi dać termofor!

– Nie wolno – oświadczyła Zoja stanowczo. – Dawaliśmy ci termofor, a ty kładłeś go sobie na brzuch, a nie na zastrzyk.

– Bo wtedy mi lżej – nalegał cierpiącym głosem.

– Ciepło pobudza wzrost nowotworu, przecież już ci mówiłam. Na onkologii w ogóle nie wolno używać termoforów, dostałeś w drodze wyjątku.

– To nie dam zrobić sobie zastrzyku.

Ale Zoja już go nie słuchała, tylko postukując palcem o puste łóżko Ogłojeda spytała:

– A gdzie Kostogłotow?

(Strzał w dziesiątkę! Paweł Nikołajewicz trafił bez pudła: Kostogłotow – Ogłojed! Dokładnie to samo!)

– Poszedł zapalić – odezwał się Diomka. Nadal czytał.

– Już ja mu dam zapalić! – zagroziła Zoja.

Jakie świetne bywają dziewczyny! Paweł Nikołajewicz z przyjemnością patrzył na jej wydatne krągłości i ciut wypukłe oczy – patrzył z bezinteresowną lubością i czuł, że się odpręża. Podała mu termometr i uśmiechnęła się. Stała od strony guza, ale w ogóle nie dała po sobie poznać, że brzydzi się go albo widzi coś takiego pierwszy raz w życiu.

– Czy przepisano mi już jakąś terapię? – spytał Paweł Nikołajewicz.
– Na razie nie – uśmiechnęła się przepraszająco.
– Dlaczego? Gdzie są lekarze?
– Lekarze poszli już do domu.
Na Zoję nie można było się gniewać, ale ktoś przecież był winien, że Rusanowa nie zaczęto jeszcze leczyć! Należało działać. Rusanow nie znosił bezczynności i ślamazarności, toteż gdy Zoja przyszła po termometr, spytał:
– Gdzie tu macie telefon? Jak do niego dojść?
Koniec końców można by się teraz zdecydować i zadzwonić do towarzysza Ostapienki! Myśl o telefonie przywróciła Pawłowi Nikołajewiczowi całą jego dawną energię. I męstwo. Znów poczuł, że walczy.
– Trzydzieści siedem – zakomunikowała Zoja z uśmiechem i postawiła pierwszą kreskę na wykresie wiszącym w nogach łóżka. – Telefon jest w rejestracji. Ale teraz pan tam nie przejdzie. Wchodzi się z innej strony.
– Za pozwoleniem – nastroszył się Paweł Nikołajewicz. – Jak w klinice może nie być telefonu? A gdyby coś się stało? Na przykład ze mną?
– To pobiegniemy i zadzwonimy – nie przejęła się Zoja.
– A jeśli będzie klęska żywiołowa, huragan, powódź?
Zoja stała już przy sąsiedzie, starym Uzbeku, pisała coś na jego wykresie.
– W dzień można pójść, ale teraz zamknięte.
Miła bo miła, ale niegrzeczna: nie wysłuchała do końca, poszła do Kazacha. Mimowolnie podnosząc głos Paweł Nikołajewicz zawołał za nią:
– Tu powinien być telefon! Koniecznie!
– Jest – odparła Zoja znad łóżka Kazacha. – W gabinecie lekarza naczelnego.
– No więc dlaczego...
– Dioma... Trzydzieści sześć i osiem... Gabinet jest zamknięty. Nizamutdin Bachramowicz nie lubi...
I wyszła.
No tak, była w tym pewna logika. Nikt nie lubi, kiedy osoby postronne wchodzą do gabinetu pod nieobecność jego gospodarza. Ale w szpitalu powinni coś wymyślić...
Wątła nić, która na chwilę związała go ze światem zewnętrznym, drgnęła – i pękła. I znów wszystko przesłonił wpierający się w szczękę guz wielkości pięści.

Paweł Nikołajewicz spojrzał w lusterko. Ależ to rośnie! Strach patrzeć! Zwłaszcza własnymi oczami. Przecież coś takiego nie może istnieć! Nikt nie ma takiego guza! Przez czterdzieści pięć lat życia Paweł Nikołajewicz ani razu nie spotkał się w równie odrażającą chorobą!

Nie sprawdzał już, czy guz urósł, czy nie, schował lusterko, wyciągnął z szafki jakieś jedzenie, zjadł trochę.

Dwóch największych gburów – Jefriema i Ogłojeda – nie było w sali, wyszli. Azowkin leżał w jeszcze wymyślniejszej pozycji, ale już nie jęczał. Pozostali zachowywali się cicho, szeleściły tylko przewracane kartki, niektórzy już spali. Rusanow też postanowił zasnąć. Skrócić noc, nie myśleć, a rano popędzić lekarzom kota. Zdjął szlafrok, wsunął się pod koc, nakrył głowę ręcznikiem i próbował zasnąć.

Było cicho, ale w ciszy tej szczególnie donośnie i drażniąco brzmiał przenikliwy szept – ktoś szeptał i szeptał prosto w ucho Pawła Nikołajewicza. Nie wytrzymał, zerwał ręcznik z twarzy, uniósł głowę, uważając, by nie zabolało, i stwierdził, że szepcze jego sąsiad Uzbek – wyschnięty, chudziutki, prawie brązowy staruszek z klinem czarnej bródki i w brązowej wytartej tiubietiejce.

Leżał na plecach z rękami pod głową, patrzył w sufit i szeptał – modlił się stary dureń, czy co?

– Ej, aksakał! – Paweł Nikołajewicz pogroził mu palcem.

– Przestań! Przeszkadzasz!

Stary umilkł. Rusanow znów nakrył się ręcznikiem. Sen jednak nie nadchodził. Paweł Nikołajewicz zrozumiał, że przeszkadza mu jaskrawe światło dwóch lamp sufitowych. Ich blask przenikał nawet przez ręcznik. Paweł Nikołajewicz zgrzytnął zębami i znów uniósł się na łokciu, starając się nie urazić guza.

Proszka stał przy swoim łóżku tuż koło wyłącznika i rozbierał się do snu.

– Młody człowieku! Proszę zgasić światło! – zadysponował Paweł Nikołajewicz.

– *Ta szcze... lekarstwa ne prynesli* – stropił się Proszka, ale wyciągnął rękę w stronę kontaktu.

– Co to znaczy: „zgasić"? – ryknął za plecami Rusanowa Ogłojed. – Co się pan rządzi? Sam pan tu jest, czy co?

Paweł Nikołajewicz usiadł jak należy, założył okulary i ostrożnie odwrócił się z metalicznym zgrzytem sprężyn łóżka.

– A nie mógłby pan rozmawiać trochę g r z e c z n i e j?

Grubianin skrzywił swoją paskudną gębę i odpowiedział basowo:

– Co się pan nadymasz, tu nie pański gabinet.

Paweł Nikołajewicz spiorunował go wzrokiem, ale na Ogłojedzie nie wywarło to żadnego wrażenia.

– No dobrze, ale po co panu światło? – spytał Paweł Nikołajewicz bardziej pojednawczym tonem.

– Żeby w tyłku pogmerać – rąbnął Kostogłotow.

Pawłowi Nikołajewiczowi zabrakło nagle powietrza, choć przyzwyczaił się już do zaduchu sali. Tego chama należałoby w ciągu dwudziestu minut wypisać ze szpitala i posłać do roboty! Niestety nie dysponował żadnymi konkretnymi możliwościami działania.

– Przecież poczytać można na korytarzu – zauważył trafnie Paweł Nikołajewicz. – Dlaczego uzurpuje pan sobie prawo do decydowania za wszystkich? Są tu różni pacjenci i trzeba uwzględnić pewne różnice...

– Uwzględnią – odciął się tamten. – Panu nekrolog napiszą, członek od tego i tego roku, a nas – nogami do przodu.

Nigdy jeszcze Paweł Nikołajewicz nie zetknął się z tak niesłychaną bezczelnością i tak ostentacyjnym brakiem posłuszeństwa. Speszył się. Jak na to zareagować? Przecież nie pójdzie na skargę do pielęgniarki! Należało z godnością zakończyć tę przykrą dyskusję. Zdjął okulary, położył się i nakrył głowę ręcznikiem.

Trzęsło go z gniewu i rozgoryczenia. Że też uległ namowom i zgodził się na tę klinikę! No nic, jeszcze nie jest za późno. Jutro rano będzie można się wypisać.

Zegarek wskazywał dziewiątą. Paweł Nikołajewicz postanowił wszystko wytrzymać. Tamci przecież kiedyś się uspokoją.

Znów jednak zaczęły się spacery i potrącanie łóżek – to oczywiście wrócił Jefriem. Stare deski podłogi uginały się pod jego stopami i drgania te poprzez łóżko wstrząsały Rusanowem. Paweł Nikołajewicz cierpiał jednak w milczeniu i nie odzywał się do Jefriema.

Ileż jeszcze chamstwa uchowało się w naszym społeczeństwie! Jak z takimi można budować nowe życie!?

A wieczór ciągnął się w nieskończoność! Przychodziła pielęgniarka – raz, drugi, trzeci, czwarty, jednemu przyniosła miksturę, drugiemu proszki, trzeciemu i czwartemu zrobiła zastrzyk. Azowkin krzyczał podczas zastrzyku, a potem błagał o termofor, żeby lek się wchłonął. Jefriem tupał, chodził tam i z powrotem, nie mógł znaleźć sobie miejsca. Achmadżan rozmawiał z Proszką, każdy na swoim łóżku. Wraz z nadejściem wieczoru wszyscy jakby odżyli, zachowywali się jak zdrowi i beztroscy ludzie. Nawet Diomka nie poszedł spać, usiadł na łóżku Kostogłotowa i dudnili teraz obaj prosto w ucho Pawła Nikołajewicza.

– Chcę jak najwięcej przeczytać – mówił Diomka. – Póki starczy czasu. Chciałbym dostać się na uniwersytet.

– To dobrze. Tylko pamiętaj: od wykształcenia rozumu nie przybywa.

(Oto czego Ogłojed uczy dzieciaka!)

– Jak to?

– A tak to.

– A skąd się bierze rozum?

– Z życia.

Diomka pomilczał i odpowiedział:

– Nie zgadzam się.

– Mieliśmy w oddziale takiego komisarza, Paszkina, i on zawsze powtarzał: od wykształcenia rozumu nie przybywa. Od rangi też. Dadzą człowiekowi gwiazdkę, a on myśli, że i rozumu mu od tego przybyło. A – nie przybyło.

– To jak – nie warto się uczyć? Nie zgadzam się.

– Czemu nie warto? Warto. Ucz się na zdrowie. Tylko pamiętaj, że rozum – to nie wiedza.

– A co?

– Co? Rozum – to własnym oczom wierzyć, a uszom nie. Na jaki wydział chcesz zdawać?

– Jeszcze nie wiem. Chciałbym na historię. I na literaturę.

– A na jakiś techniczny?

– Nieee...

– Dziwne. Za moich czasów też wszyscy chcieli na kierunki humanistyczne. A dziś wolą technikę. Nie lubisz techniki?

– Nie... Interesuje mnie życie społeczne.

– Społeczne? Oj, Diomka, technika to spokojniejsze zajęcie. Ucz się lepiej radia robić.

– A na co mi – spokojniejsze? Tak sobie myślę, że jeśli poleżę tu jeszcze z miesiąc albo dwa, to będę musiał nadrobić dziewiątą klasę, całe drugie półrocze.

– A podręczniki?

– Dwa mam ze sobą. Stereometria jest bardzo trudna...

– Stereometria? Pokaż no!

Słychać było, jak młokos poszedł i wrócił.

– Tak, tak, tak... Geometria staruszka Kisielowa... Ta sama... Prosta i płaszczyzna, proste równoległe... Prosta równoległa do innej prostej na płaszczyźnie jest równoległa do tej płaszczyzny... Do diabła, Diomka, to ci dopiero książka! Żebyż to wszyscy tak pisali! Żadnego wodolejstwa! Taka cienka, a ile tu treści!

– W szkole przerabia się ją w półtora roku...
– Ja też się z niej uczyłem. Nieźle wkuwałem!
– Kiedy?
– Zaraz ci powiem... Też w dziewiątej klasie, drugie półrocze. Czyli... w trzydziestym siódmym i w trzydziestym ósmym. Aż miło popatrzeć. Geometrię lubiłem najbardziej.
– A potem?
– Co potem?
– Po szkole.
– Po szkole poszedłem na wspaniały wydział. Na geofizykę
– Gdzie?
– No, w Leningradzie.
– I co?
– Zaliczyłem pierwszy rok, a we wrześniu trzydziestego dziewiątego zaczęli brać do wojska od dziewiętnastu lat, no i wzięli mnie.
– A potem?
– Potem służyłem w wojsku.
– A potem?
– Nie wiesz, co było potem? Wojna.
– Był pan oficerem?
– Nie, sierżantem. – Dlaczego?
– Bo jakby wszyscy zostali generałami, nie miałby kto wojen wygrywać... Jeżeli płaszczyzna przechodzi przez prostą równoległą do innej płaszczyzny i przecina tę płaszczyznę, to linia przecięcia... Wiesz co, Diomka? Możemy co wieczór razem powtarzać stereometrię. Powkuwamy! Chcesz?
– Pewnie!
(Masz ci los! Jeszcze tylko tego brakowało!)
– Będę ci zadawać.
– Dobra.
– Bo faktycznie czas ucieka... Zaczniemy od razu. Na początek te trzy pewniki. Na pierwszy rzut oka są niby prościutkie, ale potem będą w każdym twierdzeniu, a ty musisz rozgryźć, gdzie. Pierwsze: jeżeli dwa punkty jednej prostej leżą na tej samej płaszczyźnie, to każdy inny punkt tej prostej leży na tej samej płaszczyźnie. O co tu chodzi? Niech ta książka będzie płaszczyzną, a ołówek prostą. O tak. A teraz spróbuj określić...

Zagłębili się w rozważania i długo jeszcze brzęczeli nad uszami o twierdzeniach i pewnikach. Paweł Nikołajewicz odwrócił się do nich plecami i cierpiał w milczeniu. Wreszcie przestali i Diomka wrócił na swoje łóżko. Po podwójnej dawce środka nasennego uspokoił się w końcu Azowkin. Natychmiast jednak zaczął kaszleć aksakał, którego Paweł Nikołajewicz miał przed sobą. Światło dawno już zgasło, a ten przeklętnik kaszlał i kaszlał, w dodatku tak obrzydliwie, długo i świszcząco, jakby miał lada chwila skonać.

Paweł Nikołajewicz ponownie przewrócił się na drugi bok. Ściągnął ręcznik z twarzy, lecz w sali wcale nie było ciemno: z korytarza sączyło się światło, dobiegały stamtąd różne hałasy, kroki, brzęk wiader i spluwaczek.

Sen nie nadchodził. Guz uciskał szyję. Takie przemyślane, takie pożyteczne życie znalazło się na skraju przepaści. I tak było żal samego siebie! I tak bardzo chciało się płakać! Łzy były tuż, tuż, brakowało jednego małego impulsu, by przerwały zaporę powiek.

I oczywiście Jefriem nie omieszkał go dostarczyć. Kotłował się w ciemności i po sąsiedzku opowiadał Achmadżanowi zupełnie idiotyczną bajkę:

– A po co człowiek ma żyć sto lat? Nie musi. A było to tak. Rozdawał Allach życie i dawał wszystkim zwierzętom po pięćdziesiąt lat, że niby wystarczy. A człowiek przyszedł ostatni i Allach miał dla niego już tylko dwadzieścia pięć.

– Znaczy, ćwiartkę? – spytał Achmadżan.

– Tak jakby. Obraził się człowiek: mało! Allach powiada: wystarczy. A człowiek swoje: za mało! No to idź, mówi Allach, i poproś, może ci kto odda ze swoich. Poszedł człowiek, spotkał konia. „Słuchaj – mówi – dostałem za krótkie życie. Odstąp mi trochę lat." – „Proszę, weź sobie dwadzieścia pięć." Poszedł dalej, spotkał psa. „Ty, pies, odstąp mi trochę lat życia!" – „Proszę, weź sobie dwadzieścia pięć!" Poszedł dalej. Małpa. Ona też odstąpiła mu dwadzieścia pięć. Wrócił do Allacha. A Allach mówi tak: „Sam zadecydowałeś. Przez pierwsze dwadzieścia pięć lat życia będziesz żyć jak człowiek. Drugie dwadzieścia pięć będziesz harować jak koń. Trzecie dwadzieścia pięć będziesz szczekać jak pies. A przez ostatnie dwadzieścia pięć lat będą się z ciebie śmiać jak z małpy..."

3

Chociaż Zoja była sprawną i zręczną pielęgniarką, choć błyskawicznie obsługiwała swoje piętro, bez przerwy biegając od biurka do łóżek i z powrotem – stwierdziła, że do końca dyżuru nie upora się ze wszystkimi obowiązkami. Zwiększyła więc tempo, by jak najszybciej zgasić światło w sali męskiej i małej kobiecej. W dużej kobiecej – ogromnej, na ponad trzydzieści łóżek, stale panował babski rejwach, i zgaszenie światła wcale nie uspokajało pacjentek. Niektóre leżały tam od dawna, miały dość szpitala, źle spały, bez przerwy kłóciły się o drzwi od balkonu – czy mają być otwarte, czy zamknięte. Było też kilka niezmordowanych gaduł, gotowych bez końca rozmawiać przez całą salę. Do północy, a czasem i do pierwszej pytlowały o cenach, zaopatrzeniu, meblach, dzieciach, mężach, sąsiadkach, a nawet o zupełnie bezwstydnych sprawach.

Na dobitkę myła tam dziś podłogę salowa Nella – pyskata dziewucha o wystającym tyłku, gęstych brwiach i szerokich ustach. Marudziła z robotą, nie mogła skończyć, wtrącała się do wszystkich rozmów. A na korytarzu czekał na swoją kąpiel Sibgatow, którego łóżko stało koło drzwi do sali męskiej. Właśnie z powodu tych kąpieli, a także krępując się smrodu rany na plecach Sibgatow z własnej woli chciał leżeć na korytarzu, choć przebywał w szpitalu najdłużej ze wszystkich weteranów – właściwie był już bardziej pracownikiem niż pacjentem.

Zoja zwróciła Nelli uwagę raz, potem drugi, ale Nella odszczeknęła się tylko i nadal pracowała po swojemu: obie były mniej więcej w tym samym wieku i Nella żywiła urazę, że musi słuchać takiej smarkatej. Zoja przyszła dziś do pracy w dobrym humorze, lecz fochy salowej zirytowały ją. Uważała, że każdy człowiek ma prawo do swojej odrobiny wolności i w pracy nie musi tyrać do upadłego, ale pewnych granic nie można przekraczać, zwłaszcza gdy chodziło o pacjentów.

Wreszcie Zoja rozdała wszystkie leki, Nella umyła podłogę, zgasiły światło w sali kobiecej, zgasiły w korytarzu, była już dwunasta, gdy Nella przygotowała ciepły roztwór na parterze i przyniosła go w miednicy Sibgatowowi.

– Alem się natyrała – ziewnęła głośno. – Kimnę sobie teraz parę godzin. Ty, chory – siedzisz w tej miednicy godzinę, przecież nie będę na ciebie czekać. Znieś potem miednicę na dół i wylej, dobrze?

(W tym solidnym starym budynku z przestronnymi korytarzami na piętrze nie było zlewów.)

Jak wyglądał Szaraf Sibgatow w pełni sił i zdrowia nie sposób sobie nawet wyobrazić; chorował tak długo, że nie zostało w nim już nic z dawnego, normalnego człowieka. Ale po trzech latach nieustannego cierpienia ten młody Tatar był najbardziej zgodnym, cierpliwym i uprzejmym pacjentem w całym szpitalu. Na jego twarzy często pojawiał się leciutki uśmiech, tym cieniem uśmiechu jak gdyby przepraszał za kłopoty związane z jego osobą. Leżał na onkologii po cztery albo po sześć miesięcy, znał doskonale wszystkich lekarzy, wszystkie pielęgniarki, salowe i sprzątaczki, jego też znał cały personel. A Nella była nowa, pracowała dopiero od paru tygodni.

– To za ciężkie – cicho zaprotestował Sibgatow. – Gdybym mógł do czegoś odlać, zaniósłbym wodę po trochu.

Biurko Zoi stało w pobliżu, usłyszała tę rozmowę, zerwała się z krzesła.

– Jak ci nie wstyd! On nie może zginać pleców, jak ma nieść tę miskę, co?

Brzmiało to jak krzyk, ale krzyk szeptem, i nikt poza nimi nic nie słyszał. Nella natomiast odezwała się spokojnym głosem, ale na całe piętro:

– O, zaraz wstyd! Naharowałam się jak suka!

– Jesteś na dyżurze! Bierzesz za to pieniądze! – jeszcze ciszej oburzyła się Zoja.

– Ło! Pieniądze! Takie tam pieniądze! W przędzalni więcej bym zarobiła!

– Ćśśś... Nie możesz trochę ciszej?

– Oj – westchnęła, jęknęła Nella na cały korytarz. – Spać mi się chce! Całą noc balowałam z szoferakami... Dobra, chory, wsuń miskę pod łóżko, rano wyniosę.

Rozdziawiła usta w szerokim ziewnięciu.

– Będę w konferencyjnej, na kanapce.

I nie czekając na pozwolenie poszła do drzwi w rogu – mieściła się tam salka konferencyjna – pokój lekarzy z kanapką i fotelami.

Nie dokończyła sprzątania, nie umyła spluwaczek, nie tknęła podłogi w korytarzu, ale Zoja spojrzała na jej krzepkie plecy i powstrzymała się od komentarzy. Sama pracowała tu niezbyt długo, lecz pojęła już podstawową i przygnębiającą zasadę: kto nie robi, ten nic nie zrobi, kto robi, to i za dwóch zrobi. Od rana zaczyna dyżur Jelizawieta Anatolijewna – wyszoruje, posprząta za siebie i za Nelkę.

Gdy Sibgatow został sam, obnażył plecy, z trudem usiadł w miednicy i znieruchomiał cichutko. Każdy nieostrożny ruch wywoływał ból kości, każde dotknięcie chorego miejsca, nawet tarcie bielizny, paliło żywym ogniem. Nigdy nie widział rany na plecach, czasem tylko dotykał jej palcami. Dwa lata temu wnieśli go do tej kliniki na noszach – nie był w stanie się poruszyć. Badało go wielu lekarzy, ale leczenie prowadziła Ludmiła Afanasjewna. I po czterech miesiącach ból ustąpił! Znów mógł chodzić, schylać się i nic mu nie dolegało. Przy wypisie całował Ludmiłę Afanasjewnę po rękach, a ona uprzedzała: „Uważaj, Szaraf! Nie skacz, unikaj urazów!" Co z tego, skoro nie było dla niego takiej pracy, wrócił na stanowisko ekspedytora. A ekspedytor – wiadomo, nieraz skacze z ciężarówki na ziemię. Jak ma nie pomóc kierowcy i ładowaczom? Do czasu wszystko było dobrze, a potem zdarzył się wypadek – beczka stoczyła się z samochodu i uderzyła Szarafa. Uderzyła akurat w chore miejsce. I otworzyła się rana. I w ogóle nie chciała się zagoić. Przykuła Sibgatowa do szpitala onkologicznego jak łańcuch.

Wciąż jeszcze zirytowana Zoja usiadła przy biurku i sprawdziła, co jeszcze zostało do zrobienia. Uzupełniła zeszyt dyżurów – litery rozpływały się na lichym papierze, zalewając równie niewyraźne poprzednie zapisy. Może napisać raport na Nellę? I tak nie pomoże. Nie leżało to zresztą w naturze Zoi. Sama powinna radzić sobie z personelem, ale akurat wobec Nelli była zupełnie bezradna. Chce dziewczyna pospać – co w tym złego? Przy dobrej salowej Zoja przespałaby pół nocy. A tak trzeba siedzieć.

Patrzyła w swoje papiery, ale usłyszała, że podszedł i stanął obok jakiś mężczyzna. Podniosła wzrok. Przy biurku stał Kostogłotow – potargany, z rozczochraną, czarną jak smoła głową, wielkie dłonie nie mieściły się w ciasnych kieszonkach szpitalnej piżamy.

– Jest noc – powiedziała Zoja z naciskiem. – Dlaczego pan nie śpi?

– Dobry wieczór, Zojeńko – Kostogłotow starał się mówić jak najłagodniejszym, nawet rozwlekłym głosem.

– Dobranoc – uśmiechnęła się przelotnie. – Na „dobry wieczór" uganiałam się za panem z termometrem.

– Wtedy była pani służbowo: A teraz przyszedłem w gości.

– Ach tak? – (W podobnych sytuacjach jej brwi same unosiły się do góry, a oczy odruchowo otwierały się szerzej.) – Dlaczego pan uważa, że przyjmuję dziś gości?

– Dlatego, że na nocnych dyżurach zawsze pani wkuwała, a dziś nie widzę żadnych podręczników. Koniec egzaminów, tak?

– Jest pan spostrzegawczy. Owszem, zdałam ostatni egzamin.

– I co pani dostała? A zresztą to nieważne.

– „Zresztą" dostałam czwórkę. A czemu to ma być nieważne?

– Pomyślałem sobie, że może trójkę i nie chce pani o tym rozmawiać... I co, ferie?

Przytaknęła wesoło: rzeczywiście, z jakiej racji ma się przejmować Nellą? Dwa tygodnie ferii – co za frajda! Tylko szpital – i nic więcej! Ile wolnego czasu! Nawet na dyżurze: można poczytać sobie książkę albo nawet porozmawiać. Tak jak teraz.

– A więc mogę posiedzieć z panią w charakterze gościa?

– Niech pan siada.

– Zoja, jak to jest: o ile pamiętam, ferie zaczynały się kiedyś dwudziestego piątego stycznia?

– Tak, ale jesienią pomagaliśmy przy zbiorze bawełny, co roku jeździmy.

– Kiedy kończy pani studia?

– Jeszcze półtora roku.

– A potem nakaz pracy? Dokąd mogą panią skierować?

Wzruszyła ramionami.

– Ojczyzna jest wielka.

Oczy miała nieco wypukłe, nawet gdy patrzyła spokojnie, sprawiały wrażenie, że nie mieszczą się pod powiekami.

– Ale tu nie pozwolą pani zostać?

– Nie, na pewno nie.

– I opuści pani rodzinę?

– Jaką rodzinę? Mam tylko babcię. Zabiorę ją ze sobą.

– A rodzice?

Zoja westchnęła.

– Mama nie żyje.

Kostogłotow spojrzał na nią i nie spytał o ojca.

– Pani pochodzi stąd?

– Nie, ze Smoleńska.

– O! Dawno pani stamtąd wyjechała?

– Podczas ewakuacji.

– To miała pani wtedy... dziewięć lat?

– Aha. Skończyłam tam dwie klasy... A potem utknęłyśmy z babcią tutaj.

Sięgnęła do dużej jaskrawopomarańczowej torby, stojącej pod ścianą na podłodze, wyciągnęła z niej lusterko, zdjęła czepek, poprawiła ściśnięte czepkiem włosy i sczesała na czoło łagodną falę złocistej grzywki.

Złoty odblask padł na twarz Kostogłotowa, złagodził jej twarde rysy. Kostogłotow przyglądał się Zoi z wyraźną przyjemnością.

– A co robi pańska babcia? – zażartowała Zoja chowając lusterko.

– Moja babcia – Kostogłotow potraktował pytanie całkiem poważnie – i mama zmarły w czasie blokady.

– W Leningradzie?

– Yhm. A siostrę zabił pocisk. Też była pielęgniarką. Taka smarkula.

– Tak – westchnęła Zoja. – Ilu to ludzi wtedy zginęło! Przeklęty Hitler!

Kostogłotow skrzywił się ironicznie.

– Co do Hitlera nie ma żadnych wątpliwości. Ale blokada to nie tylko jego zasługa.

– Jak to? Dlaczego?

– Jak to, jak to! Hitler – wiadomo, po to zaczął wojnę, żeby nas zniszczyć. Nikt przecież nie oczekiwał, że raptem otworzy furtkę i powie naszym z blokady: ależ proszę bardzo, wychodźcie sobie, tylko się nie podepczcie... Walczył z nami, był wrogiem. Ale nie on ponosi winę za blokadę.

– A kto? – wyszeptała oszołomiona Zoja. Czegoś takiego nigdy nie słyszała.

Kostogłotow zmarszczył czarne brwi.

– Powiedzmy, że ten albo ci geniusze, którzy tak świetnie byli przygotowani do wojny, nawet na wypadek, gdyby Anglia, Francja i Ameryka połączyły się z Hitlerem. Ci, którzy przez dziesiątki lat brali pieniądze za obmyślanie planów obrony. Ci, którzy w porę zwrócili uwagę na strategiczne położenie Leningradu. Ci, którzy przewidzieli skalę ewentualnych bombardowań i zawczasu przygotowali podziemne magazyny żywności. To oni zabili moją matkę – z Hitlerem do spółki.

Brzmiało to bardzo zwyczajnie, a było całkiem niepojęte. Sibgatow siedział cichutko w swojej miednicy.

– Ale w takim razie...? Trzeba by ich... pod sąd? – szepnęła Zoja.

– Nie wiem – Kostogłotow skrzywił i tak krzywe wargi. – Nie wiem.

Zoja nie włożyła już czepka. Górny guzik jej fartucha był odpięty, spod spodu wystawał szarozłoty kołnierzyk sukienki.

– Zojeńko! Właściwie to mam do pani mały interes.

– Ach tak! – Rzęsy drgnęły. – To proszę przyjść w dzień, kiedy znów będę miała dyżur. A teraz spać! Myślałam, że przyszedł pan w gości.

– Tak, w gości. Ale – póki nie jest jeszcze pani lekarką, póki jeszcze pani nie zważniała, proszę mi podać człowieczą dłoń!

– A lekarze nie podają?

– Oni mają inne ręce... I nie podają ich. Zojeńko, nigdy w życiu nie lubiłem wychodzić na durnia. Leczą mnie tu, ale nic nie mówią o chorobie. Ja tak nie chcę. Widziałem u pani podręcznik anatomopatologii. Ma pani taką książkę, prawda?

– Mam.

– Czy jest tam coś o nowotworach?

– Owszem.

– Niech więc pani będzie człowiekiem i pożyczy mi ją! Chciałbym przeczytać to i owo, dowiedzieć się paru rzeczy. Na własny użytek.

Zoja wydęła usta i pokręciła głową.

– Pacjenci nie powinni czytać książek medycznych. To niewskazane. Kiedy się czyta o chorobach, to nawet nam, studentom, wydaje się, że...

– Mnie to nie dotyczy! – Kostogłotow uderzył o biurko swoim wielkim łapskiem. – Tak mnie w życiu straszyli, że niczego się już nie boję! W szpitalu obwodowym chirurg – Koreańczyk, który stawiał mi diagnozę – niedawno, na początku roku – też nie chciał nic powiedzieć. A ja twardo: „Mów pan!" – „Tego się nie praktykuje!" – „Mów pan – na moją odpowiedzialność! Muszę uporządkować sprawy rodzinne!" No i walnął prosto z mostu: „Najwyżej trzy tygodnie życia, za więcej nie ręczę!"

– Nie miał prawa!

– Zuch! Człowiek! Uścisnąłem mu dłoń. Ja muszę wiedzieć! Skoro miałem wtedy za sobą pół roku męczarni, a przez ostatni miesiąc nie mogłem bez bólu ani leżeć, ani siedzieć, ani stać i spałem po kilka minut na dobę, to przecież niejedno już przemyślałem! Tamtej jesieni doświadczyłem na samym sobie, że człowiek może przekroczyć granicę śmierci, choć jego ciało jeszcze żyje. Krew jeszcze krąży, soki żołądkowe jeszcze trawią, a psychicznie jesteś już martwy. I przeżyłeś samą śmierć. Na wszystko patrzysz jakby z grobu, beznamiętnie. I choć nie uważasz się za chrześcijanina, a nawet wręcz przeciwnie, to nagle zauważasz, że przebaczyłeś wszystkim swoim krzywdzicielom, że odpuściłeś im całe zło, jakie ci wyrządzili. Obojętniejesz, niczego nie chcesz zmieniać, naprawiać, niczego ci nie żal. Powiedziałbym nawet, że to stan naturalnej równowagi. Teraz wytrącono mnie z niego, ale nie wiem, czy mam się cieszyć. Wrócą uczucia, namiętności – i te dobre, i te złe.

– Co też pan mówi! Jak można się nie cieszyć! Kiedy pan tu przyszedł... Ile to już dni?

– Dwanaście.

– ... i skręcał się z bólu na leżance w izbie przyjęć, strach było na pana patrzeć – twarz nieboszczyka, nic nie je, temperatura trzydzieści osiem stopni... A teraz? Chodzi pan w gości... Prawdziwy cud – tak odżyć w ciągu dwunastu dni! To się u nas rzadko zdarza.

Faktycznie – dwa tygodnie temu bezustanny ból żłobił jego twarz głębokimi ziemistymi bruzdami. Teraz było ich o wiele mniej. I pojaśniały.

– Całe szczęście, że dobrze znoszę radioterapię.

– Szczęście to za mało! To sukces! – z przekonaniem powiedziała Zoja.

Kostogłotow uśmiechnął się.

– Miałem w życiu tak mało sukcesów, że ten z rentgenem słusznie mi się należy. Nawet sny mam teraz jakieś takie mgliste i przyjemne. To chyba oznaka powrotu do zdrowia.

– Być może.

– A więc tym bardziej muszę się zorientować, co i jak. Chcę zrozumieć, na czym polega terapia, jakie są rokowania, czy grożą komplikacje. Czuję się o wiele lepiej – może wystarczy już tej kuracji? Muszę wiedzieć! Ani Ludmiła Afanasjewna, ani Wiera Korniljewna nic nie mówią, leżę jak ten królik doświadczalny. Zoja, proszę, niech pani przyniesie anatomopatologię! Nie puszczę pary z ust!

Nalegał z takim zapałem, że zawahała się i dotknęła gałki szuflady biurka.

– Ma ją pani tutaj? – domyślił się Kostogłotow. – Zojeńko, proszę! – Wyciągnął nawet rękę. – Kiedy ma pani następny dyżur?

– W niedzielę.

– Oddam pani w niedzielę! Załatwione? Umowa stoi?

Jaka była ładna i dobra z tą złotą grzywką, z tymi wypukłymi oczami!

Nie widział natomiast siebie – rozkudłanych włosów, sterczących na wszystkie strony jak na poduszce, i nie dopiętej piżamy, spod której ze szpitalną prostotą wystawał rąbek bawełnianego podkoszulka.

– Tak, tak, tak – już wertował książkę, przeglądał treści. – Bardzo dobrze. Wszystko tu jest. Dziękuję. Czort wie, jeszcze mnie przeleczą ci lekarze. Oni myślą tylko o swoich wykresach, a nie o pacjencie. Może jakoś im się urwę. Za dobra apteka wykańcza człowieka.

– No tak! – Zoja plasnęła w dłonie. – I po co ja to panu dawałam? Proszę oddać!

Pociągnęła książkę do siebie – najpierw jedną ręką, potem obiema. Nie puszczał.

– Podrze pan książkę z biblioteki! Proszę oddać!

Napięta tkanina fartucha jak gdyby oblewała krągłe jędrne ramiona i jędrne drobne ręce. Szyję miała Zoja bardzo proporcjonalną – ani chudą, ani grubą, ani za krótką, ani za długą.

Walcząc o książkę znaleźli się blisko siebie. Jego nieregularna twarz rozpłynęła się w uśmiechu. Nawet blizna nie wyglądała już tak strasznie, była blada, zadawniona. Wolną ręką delikatnie odrywał jej palce od książki i perswadował szeptem:

– Zojeńko, przecież na pewno popiera pani oświatę i wykształcenie. Jak można odmawiać człowiekowi prawa do wiedzy? Żartowałem, nie przerwę leczenia.

Ona też szeptała z wyrzutem:

– Nie zasługuje pan na tę książkę! Dlaczego pan tak zaniedbał własne zdrowie? Dlaczego nie przyjechał pan wcześniej? Dlaczego zjawił się pan tak późno, prawie w agonii?

– E – westchnął półgłosem Kostogłotow. – Nie było środka transportu.

– A cóż to za miejsce, z którego nie można wyjechać? A samolotem? Dlaczego pan tak zwlekał? Żeby doprowadzić się do takiego stanu! Czemu wcześniej nie przeniósł się pan w jakieś bardziej cywilizowane okolice? Był tam w ogóle lekarz albo przynajmniej felczer?

Puściła książkę.

– Jest lekarz, ginekolog. Nawet dwóch...

– Dwóch ginekologów? – zdumiała się Zoja. – To tam są same kobiety?

– Wręcz przeciwnie, kobiet tam brakuje. Ale jest dwóch ginekologów. Nie ma za to lekarzy innych specjalności. Nie ma też laboratorium. Nie było gdzie zbadać krwi. Miałem OB sześćdziesiąt i nikt o tym nie wiedział.

– Straszne! I pan ma jeszcze wątpliwości, czy leczyć się, czy nie! Jeśli nie żal panu siebie, to niech pan chociaż pomyśli o rodzinie, o dzieciach!

– O dzieciach? – Kostogłotow ocknął się, jakby te wesołe targi o książkę były tylko snem, rysy znów mu stężały, mówił wolno i z wysiłkiem:

– Nie mam żadnych dzieci.

– No to o żonie! Mówił jeszcze wolniej:

– Żony też nie mam.

– Mężczyźni zawsze tak mówią. A te „sprawy rodzinne", o których wspominał pan Koreańczykowi?

– Okłamałem go.
– A teraz okłamuje pan mnie?
– Nie, naprawdę nie mam żony. – Rysy twarzy twardniały coraz bardziej. – Jestem wyjątkowo wybredny.
– Pewnie nie mogła znieść pańskiego charakteru? – Zoja pokiwała głową ze współczuciem.
– Nigdy nie byłem żonaty.
Zoja zastanowiła się, ile też Kostogłotow może mieć lat. Poruszyła wargami – i nie zadała tego pytania. Poruszyła jeszcze raz – i zrezygnowała.
Zoja siedziała plecami do Sibgatowa, Kostogłotow natomiast widział, jak tamten bardzo ostrożnie dźwignął się z miednicy i, podtrzymując rękami krzyż, czekał aż woda obeschnie. Wyglądał na człowieka, który dawno przekroczył wszelkie granice cierpienia: do nieszczęścia przywykł, a powodów do radości nie miał.
Kostogłotow wciągnął powietrze i wypuścił je z takim wysiłkiem, jak gdyby oddychanie było ciężką pracą.
– Ech, żeby tak zapalić! Tu nie wolno?
– W żadnym wypadku. Palenie to dla pana pewna śmierć.
– Absolutnie nie wolno?
– Absolutnie. Zwłaszcza w mojej obecności.
Uśmiechnęła się jednak.
– Tylko jednego...
– Jak można, przecież pacjenci śpią!
Mimo to wyciągnął drewnianą rzeźbioną cygarniczkę własnej roboty i zaczął ją ssać.
– Wie pani, jak to się mówi: młodemu na żeniaczkę za wcześnie, staremu za późno. – Oparł się o blat i zapominając o cygarniczce zanurzył palce we włosach. – O mało co nie ożeniłem się po wojnie, choć oboje byliśmy na studiach. Pobralibyśmy się, ale wszystko wyszło na opak.
Zoja obserwowała niezbyt przystojną, lecz wyrazistą twarz Kostogłotowa. Kościstość rąk i ramion była następstwem choroby.
– Nie ułożyło się?
– Ona... jak by tu powiedzieć... zginęła. – Zmrużył jedno oko w krzywym grymasie. – Zginęła, ale żyje. W zeszłym roku napisaliśmy do siebie parę listów.
Znów patrzył normalnie. Zauważył, że trzyma w palcach cygarniczkę i schował ją do kieszeni.
– I wie pani, że kiedy czytałem te listy, to zastanawiałem się, czy ona naprawdę była takim ideałem, jak mi się wydawało? A może nie

była? W końcu co my wiemy mając dwadzieścia pięć lat? Wlepił w Zoję ciemnobrązowe spojrzenie.

– Na przykład pani: co pani może wiedzieć o mężczyznach? Nic a nic!

Zoja roześmiała się:

– A może jednak wiem?

– Niemożliwe – stanowczo stwierdził Kostogłotow. – Tak się tylko pani wydaje. Po wyjściu za mąż sama się pani o tym przekona.

– Ładna perspektywa! – Zoja pokręciła głową, po czym wyciągnęła z tej samej pomarańczowej torby robótkę, rozłożyła ją – na kawałku tkaniny błysnął wyhaftowany zieloną nicią żuraw; lis i dzbanek czekały dopiero na swoją kolej.

Kostogłotow przyglądał się temu ze zdumieniem:

– Pani haftuje?

– A czemu to pana dziwi?

– Nie myślałem, w dzisiejszych czasach, że studentka medycyny może zajmować się czymś takim.

– Nigdy pan nie widział, jak dziewczęta wyszywają?

– Może kiedyś, w dzieciństwie. W latach dwudziestych. Ale już wtedy uważano to za przejaw burżuazyjnych nawyków. Na zebraniu Komsomołu roznieśliby panią w strzępy.

– A teraz taka moda. Nie zauważył pan?

Pokręcił głową.

– I nie podoba się panu?

– Ależ tak! To takie miłe, domowe. Patrzę i podziwiam.

Zaczęła wyszywać, pozwalając mu podziwiać swoją biegłość.

Patrzyła na robótkę, on patrzył na nią. Żółte światło lampy igrało złotymi refleksami na jej rzęsach. Złociście połyskiwał odsłonięty kołnierzyk sukienki.

– Pani to taka pszczółka z grzywką – szepnął.

– Słucham? – uniosła brwi.

Powtórzył.

– Tak? – Chyba spodziewała się bardziej wyszukanego komplementu. – A czy tam, gdzie pan mieszka, można dostać moulinet?

– Co proszę?

– Mou – li – net. To te nici – zielone, czerwone, niebieskie, żółte. U nas bardzo trudno je kupić.

– Moulinet. Zapamiętam i zapytam. Jeżeli będzie, to na pewno pani przyślę. Zoju, a gdyby się okazało, że mamy tam nieograniczone zasoby tych nici... Może byłoby prościej, gdyby to pani przyjechała do nas?

– Do was, czyli właściwie dokąd?
– Można powiedzieć – na ugory.
– A więc, jak to się mówi, zagospodarowuje pan nowe tereny?
– Kiedy tam przyjechałem, nikomu nie przychodziło nawet do głowy, że to ugory. A teraz okazało się, że tak, i przyjeżdżają do nas pionierzy rolnictwa. Po studiach musi pani poprosić o skierowanie do nas. Koniecznie! Nie odmówią. Do nas – na pewno nie odmówią.
– Aż tak tam źle?
– Ależ skąd. Po prostu ludzie sami już nie wiedzą, co dla nich dobre, a co złe. Dobre – to gnieździć się w sześciopiętrowej klatce i słuchać, jak wszędzie ryczą radia albo sąsiedzi tupią nad głową. A pędzić pracowity żywot rolnika w glinianej chatce na skraju stepu – o, to dla nich dno upadku!
Mówił najzupełniej poważnie, ale z tą znużoną pewnością, że nie warto strzępić języka, bo i tak nikogo się nie przekona.
– To step czy pustynia?
– Step. Nie ma tam piaszczystych wydm. Rośnie trochę trawy. Na przykład żantak – wielbłądzi oset. Pewnie nigdy pani o nim nie słyszała? To taki cierń, ale w lipcu ma różowawe kwiaty, nawet pachną. Mają bardzo delikatny zapach. Kazachowie robią z niego sto lekarstw.
– A więc to w Kazachstanie?
– Uhm.
– A jak się nazywa?
– Usz-Terek.
– Auł?
– Jak pani woli: auł albo stolica rejonu. Jest tam nawet szpital. Tylko lekarzy brakuje. Niech pani przyjedzie!
Zmrużył oczy.
– I nic więcej tam nie rośnie?
– Rośnie! Nawadniamy grunt, rosną buraki cukrowe, kukurydza. A w ogrodach – co tylko pani zechce! Tyle że wymaga to dużego wysiłku. Trzeba ciężko pracować. Motyką. A na bazarze Grecy sprzedają mleko, Kurdowie baraninę, Niemcy wieprzowinę... Takiego malowniczego bazaru nigdy pani nie widziała! Wszyscy w strojach ludowych, przyjeżdżają na wielbłądach...
– Pan jest agronomem?
– Nie, kopaczem.
– A właściwie dlaczego pan tam mieszka?
Kostogłotow podrapał się w nos.
– Klimat mi odpowiada.
– I nie ma tam żadnej komunikacji?

– Dlaczego? Jest. Całe mnóstwo ciężarówek.
– Ale z jakiej racji miałabym tam jechać? Po co?
Zerknęła na niego z ukosa. Gdy tak rozmawiali, twarz Kostogłotowa odprężyła się i złagodniała.
– Pani? – Zmarszczył czoło, jakby przygotowując się do wygłoszenia uroczystego toastu. – A skąd pani wie, Zojeńko, w którym miejscu na ziemi będzie pani szczęśliwa, a w którym nie? Czy ktokolwiek jest w stanie to przewidzieć?

4

Dla pacjentów chirurgicznych, czyli tych, których nowotwory można było usunąć operacyjnie, brakowało miejsca na parterze, toteż leżeli także na górze razem z „rentgenowcami", leczonymi naświetlaniami i chemią. Z tego też względu przez sale na piętrze każdego ranka przeciągały dwa obchody: radiolodzy badali swoich pacjentów, a chirurdzy – swoich.

Czwartego lutego był jednak piątek, dzień operacyjny, i chirurdzy nie robili obchodu. Również lekarz prowadzący „rentgenowców", doktor Wiera Korniljewna Ganhart, nie zaczęła obchodu od razu po porannej odprawie, a tylko przechodząc obok drzwi sali męskiej zajrzała na chwilę do środka.

Doktor Ganhart była niewysoka i bardzo zgrabna – wrażenie to potęgowała niezwykle cienka talia. Włosy, upięte w niemodny kok, miały kolor jaśniejszy niż czerń, ale ciemniejszy niż ciemnoblond – taki, który zazwyczaj określa się nieprecyzyjnym słowem „szatynka", choć bardziej pasowałoby: czarnoblond – coś pomiędzy brunetką i blondynką.

Zauważył ją Achmadżan i radośnie pokiwał głową. Kostogłotow oderwał się od dużej księgi, skłonił się z daleka. Lekarka uśmiechnęła się do obydwóch i podniosła palec – tak jak ostrzega się dzieci, żeby siedziały cicho. I momentalnie zniknęła za drzwiami.

W obchodzie miała jej dziś towarzyszyć ordynator oddziału radioterapii Ludmiła Afanasjewna Doncowa, ale Ludmiłę Afanasjewnę wezwał do siebie i zatrzymał Nizamutdin Bachramowicz, lekarz naczelny szpitala.

Jedynie w dni swoich obchodów, raz na tydzień, Doncowa odrywała się od diagnostyki radiologicznej. Pierwsze dwie godziny pracy, gdy ma się najbystrzejsze spojrzenie i najjaśniejszy umysł, spędzała zawsze przed ekranem w towarzystwie kolejnej asystentki. Uważała to za najtrudniejszy element swojej pracy: po ponad dwudziestu latach praktyki doskonale zdawała sobie sprawę, jak drogo kosztuje pomyłka w diagnozie. Miała trzy lekarki-asystentki, młode kobiety. Żeby umiały tyle samo i nie zaniedbywały diagnostyki, Doncowa na zasadzie rotacji trzymała je kolejno po trzy miesiące w przychodni, w pracowni diagnostycznej i na oddziale.

Doktor Ganhart przechodziła właśnie trzeci etap tego cyklu. Najważniejszą, najbardziej ryzykowną i najmniej zbadaną sprawą było tu ustalenie właściwej dawki promieniowania. Nie istniała żadna zasada, żadna reguła, która pozwalałaby bezbłędnie obliczyć optymalną dawkę rentgenów, zabójczą dla nowotworu i nieszkodliwą dla zdrowej tkanki. Ustalenie tej dawki opierało się więc na pewnym doświadczeniu, pewnym wyczuciu i obserwacji stanu pacjenta. To też była operacja, tyle że dokonywana niewidzialnym skalpelem, na oślep i rozłożona w czasie. Promieniowanie zabijało jednak i zdrowe komórki.

Inne obowiązki lekarza prowadzącego polegały głównie na systematycznym przeprowadzaniu analiz, kontroli ich wyników i zapisywaniu danych w trzydziestu historiach choroby. Żaden lekarz nie lubi tej papierkowej roboty, ale Wiera Korniljewna pogodziła się z nią, gdyż po trzech miesiącach miała już swoich pacjentów – nie jakieś abstrakcyjne plątaniny plam i cieni na zdjęciach rentgenowskich, lecz żywych, znajomych ludzi, którzy ufali jej, czekali na każde jej słowo i spojrzenie. I za każdym razem, gdy musiała przekazać obowiązki lekarza prowadzącego, było jej żal tych wszystkich pacjentów, których leczenia nie dokończyła.

Pielęgniarka dyżurna, Olimpiada Władysławowna, niemłoda już, siwiejąca, majestatyczna, bardziej poważna niż niejeden lekarz, poleciła, by „rentgenowcy" nie opuszczali sal. Oczywiście dla pacjentek z dużej sali kobiecej był to sygnał do rozlezienia się po całej klinice – kobiety w jednakowych szarych szlafrokach jedna za drugą wymykały się na schody i na parter – popatrzeć, czy nie przyszedł człowiek ze śmietaną, czy nie zjawiła się baba z mlekiem, zajrzeć z tarasu pawilonu do sali operacyjnej (ponad zamalowaną na biało dolną częścią szyby można było dostrzec czepki chirurgów i pielęgniarek oraz jaskrawe lampy sufitowe), wymyć słoik pod kranem i odwiedzić koleżanki w innej sali.

Nie tylko szpitalna niedola, ale także te szare barchanowe szlafroki, niechlujne nawet po upraniu, pozbawiały kobiety wdzięku, odbierały im cały urok kobiecości. Szlafroki szyto tak, by w workowatym wnętrzu każdego z nich mogła bez trudu zmieścić się nawet najtęższa pacjentka; rękawy zwisały jak bezkształtne i sflaczałe rury. Biało-różowe pasiaste kurtki mężczyzn były o wiele zgrabniejsze. Kobietom natomiast nie wydawano żadnej innej odzieży, tylko te okropne szlafroki bez guzików i pętelek. Niektóre skracały je, niektóre podłużały, wszystkie zaś w identyczny sposób przewiązywały szlafroki barchanowymi paskami, żeby zasłonić bieliznę, i takim samym gestem przytrzymywały klapy na piersiach. Udręczona chorobą, zakutana w obrzydliwy szlafrok kobieta nie mogła cieszyć niczyjego oka i wiedziała o tym.

Natomiast w sali męskiej wszyscy oprócz Rusanowa czekali na obchód spokojnie i bez emocji.

Stary Uzbek, stróż kołchozowy Mursalimow, leżał na wznak na zasłanym łóżku w swojej starej wytartej tiubietiejce. Najwyraźniej rozkoszował się chwilą wytchnienia między atakami kaszlu. Splótł dłonie na obolałej piersi i nieruchomo wpatrywał się w jakiś punkt na suficie. Ciemnobrązowa skóra opinała ciasno czaszkę, wyraźnie rysowały się pod nią chrząstki nosa, kości policzkowe i ostra kość szczęki, ukryta pod klinem bródki. Z uszu pozostały tylko zupełnie płaskie płatki. Mursalimow ciemniał i wysychał, coraz bardziej upodobniając się do mumii.

Na sąsiednim łóżku siedział pastuch Jegenbierdijew, Kazach w średnim wieku: nie leżał, a właśnie siedział ze skrzyżowanymi nogami jak na wojłokowej derce u siebie w domu. Dłońmi dużych, silnych rąk trzymał się za krągłe, szerokie kolana: jego krzepkie, masywne ciało zastygło w tej pozycji tak mocno, że gdy czasem lekko chwiał się w swoim bezruchu, to chwiał się cały, jak komin fabryczny albo wieża. Barczyste plecy rozpierały biało-różową kurtkę, a szwy rękawów trzeszczały pod naporem muskularnych ramion. Niewielki wrzodzik na wardze, z którym przyjechał do tego szpitala, pod wpływem naświetlań zamienił się w rozległy ciemnopurpurowy strup; strup przeszkadzał w jedzeniu i piciu, ale Jegenbierdijew nie rozpaczał z tego powodu, nie szalał, nie miotał się, tylko statecznie i do czysta zjadał wszystko z talerza, a potem godzinami siedział właśnie tak, patrząc przed siebie.

Przy drzwiach szesnastoletni Diomka leżał na łóżku z wyprostowaną chorą nogą i bez przerwy delikatnie głaskał, masował bolącą goleń. Drugą nogę podwinął pod siebie po kociemu i czytał, nie zwracając uwagi na otoczenie. Nie czytał tylko wtedy, gdy spał albo miał zabiegi. W laboratorium analitycznym stała szafka z książkami, starsza laborantka pozwalała Diomie wybierać sobie książki nie czekając na dzień wymiany lektur dla całej sali. Dziś czytał czasopismo w niebieskiej okładce, ale stare, podarte i wyblakłe od słońca – nowych w szafce nie było.

Również Proszka, który starannie, bez żadnych zmarszczek i nierówności, zasłał swoje łóżko, siedział teraz na nim z nogami opuszczonymi na podłogę jak zupełnie zdrowy człowiek. Bo też był zupełnie zdrowy – na nic się nie uskarżał, nie miał żadnych widocznych oznak choroby, policzki tryskały rumieńcem, zaś czoło zdobił gładko przyczesany kosmyk włosów. Chłopak jak malowanie, do tańca i do różańca.

Jego sąsiad Achmadżan z braku partnera rozłożył na kocu szachownicę i grał sam ze sobą w warcaby.

Jefriem w swoim pancernym opatrunku na nieruchomej głowie nie krążył już po sali, nie drażnił pacjentów, siedział na łóżku oparty o dwie poduszki i zawzięcie czytał książkę, którą podsunął mu Kostogłotow. Co prawda kartki przewracał tak rzadko, że sprawiało to raczej wrażenie drzemki z książką w ręku, a nie lektury.

Azowkin zaś męczył się tak samo jak wczoraj. Chyba nawet w ogóle nie spał tej nocy. Po szafce i parapecie walały się jego rzeczy, pościel była zmięta i porozrzucana. Czoło i skronie Azowkina pokrywały krople potu, przez żółtą twarz przebiegały cienie wewnętrznych boleści. To spełzał na podłogę i stał zgięty, przytrzymując się poręczy łóżka, to chwytał się za brzuch i zwijał całe ciało w kłębek. Od wielu już dni nie odpowiadał na żadne pytania i z nikim nie rozmawiał. Odzywał się wyłącznie do lekarzy i pielęgniarek, żeby wybłagać dodatkowe lekarstwa. Gdy odwiedzali go najbliżsi, posyłał ich do apteki po wszystkie leki, jakie tylko zdołał zauważyć w szpitalu.

Za oknem był pochmurny, bezwietrzny i bezbarwny dzień. Kostogłotow wrócił z porannego zabiegu i nie pytając Pawła Nikołajewicza o zgodę otworzył lufcik, z dworu napływało nieco wilgotne, ale niezbyt zimne powietrze.

Bojąc się przeziębić guz Paweł Nikołajewicz owinął szyję szalikiem i usiadł bliżej ściany. Jacy oni wszyscy są tępi, pokorni – jak kloce! Od razu widać, tak naprawdę to poza Azowkinem nie ma tu poważnie chorych. Jak powiedział chyba Gorki, ten tylko godzien jest wolności, kto co dzień toczy o nią bój. Tak. Godzien wolności i wyzdrowienia. Paweł Nikołajewicz od rana poczynił już pewne kroki. Natychmiast po otwarciu rejestracji poszedł tam, zadzwonił do domu i poinformował żonę o swojej nocnej decyzji: należy wszelkimi dostępnymi kanałami zabiegać o przeniesienie do Moskwy, ratować się, uciekać stąd. Kapa jest energiczna, już działa. Tak, nie trzeba było wpadać w panikę z powodu guza i kłaść się do tej kliniki! Przecież to skandal – od wczoraj, od trzeciej po południu nikt do niego nie zajrzał, nie sprawdził nawet, czy guz urósł. Nikt nie dał żadnego lekarstwa. Powiesili tylko ten idiotyczny wykres temperatury. Tak, tak, poziom naszego lecznictwa pozostawia jeszcze wiele do życzenia!

Wreszcie zjawili się lekarze, ale nie weszli do sali; zatrzymali się za drzwiami i długo marudzili koło Sibgatowa. Pokazywał im plecy. (Przez ten czas Kostogłotow schował książkę pod materac.)

Teraz raczyli wejść do sali – doktor Doncowa, doktor Ganhart oraz dostojna siwa pielęgniarka z brulionem w ręku i ręcznikiem zawieszonym na przedramieniu. Pojawienie się kilku białych fartuchów naraz zawsze wywołuje przypływ uwagi, lęku i nadziei. A im bielsze fartuchy i czepki, im poważniejsze twarze, tym silniejsze są te trzy uczucia. Najpoważniej i najbardziej uroczyście wyglądała siostra Olimpiada Władysławowna: dla niej obchód był tym, czym msza dla diakona. Należała do tego gatunku pielęgniarek, które uważają lekarzy za istoty wyższego rzędu, wszechmocne, wszechwiedzące i nieomylne. Wpisując do brulionu ich dyspozycje doznawała szczęścia, jakiego nie znają już dzisiejsze pielęgniarki.

Jednak nawet po wejściu do sali lekarze nie skierowali się od razu do łóżka Rusanowa! Ludmiła Afanasjewna – duża kobieta o prostych, wyrazistych rysach twarzy i przyprószonych siwizną, lecz starannie ułożonych włosach rzuciła półgłosem ogólne „Dzień dobry!", po czym stanęła przy łóżku Diomy i popatrzyła na niego badawczo.

– Co czytasz?

(I to ma być pytanie lekarza! W czasie służbowego obchodu!) Zwyczajem wielu ludzi Dioma w odpowiedzi pokazał tylko niebieską okładkę czasopisma. Doncowa przymrużyła oczy.

– Ojej, jakie stare, sprzed dwóch lat. Dlaczego to czytasz?

– Tu jest ciekawy artykuł – znacząco powiedział Diomka.

– O czym?

– O s z c z e r o ś c i – oznajmił jeszcze dobitniej. – O tym, że literatura bez szczerości...

Zaczął opuszczać chorą nogę na podłogę, ale Ludmiła Afanasjewna uprzedziła szybko:

– Nie trzeba! Podwiń.

Diomka podwinął nogawkę. Doncowa usiadła na łóżku i ostrożnie, z daleka, kilkoma palcami zaczęła obmacywać nogę.

Oparta o poręcz łóżka Wiera Korniljewna poinformowała cicho:

– Piętnaście seansów, trzy tysiące „er".

– Tu boli?

– Boli.

– A tu?

– Wyżej też boli.

– To czemu nic nie mówisz? Znalazł się bohater! Mów, gdzie boli.

Pomalutku namacała granice bolącego miejsca.

– A bez dotykania też boli? W nocy?

Na czystej twarzy chłopaka nie było jeszcze nawet cienia zarostu. Stałe napięcie nadawało jej jednak wyraz przedwczesnej dorosłości.

– Szarpie i w dzień, i w nocy.

Ludmiła Afanasjewna wymieniła spojrzenie z doktor Ganhart.

– A jak czujesz, czy przez ten czas zaczęło szarpać mocniej?

- Nie wiem. Może trochę słabiej. A może mi się zdaje.

– Krew – poprosiła Ludmiła Afanasjewna. Ganhart już podawała jej historię choroby. Doncowa poczytała, spojrzała na chłopaka.

– Masz apetyt?

– Lubię jeść – oświadczył Diomka z godnością.

– Dostaje dodatkowe porcje – pieszczotliwym tonem dobrej niani powiedziała Wiera Korniljewna i uśmiechnęła się do Diomki. Odwzajemnił uśmiech. – Transfuzja? – spytała krótko, odbierając od Doncowej historię choroby.

– Tak. No i co, Dioma? – Ludmiła Afanasjewna znów patrzyła na niego badawczo. – Naświetlamy dalej?

– Jasne! – rozpromienił się chłopak. I spojrzał na nią z wdzięcznością.

W jego mniemaniu radioterapia zastępowała operację. Był przekonany, że Doncowa też tak uważa. (Ona zaś wiedziała, że naświetlania to tylko profilaktyka – przed operacją raka kości należało osłabić jego aktywność i zapobiec późniejszym przerzutom.)

Jegenbierdijew od dłuższej chwili czekał w pogotowiu, i gdy tylko Doncowa skończyła z Diomką, stanął w przejściu między łóżkami, wypiął pierś i wyprężył się przed lekarką jak żołnierz.

Doncowa uśmiechnęła się do niego i zaczęła oglądać strup na wardze. Ganhart półgłosem czytała jej jakieś liczby.

– No, bardzo dobrze – trochę zbyt głośno, jak zwykle, gdy rozmawia się z cudzoziemcem, pochwaliła Ludmiła Afanasjewna. – Bardzo dobrze, Jegenbierdijew! Niedługo pojedziesz do domu!

Achmadżan, który pełnił obowiązki tłumacza, powtórzył jej słowa po uzbecku (mógł porozumieć się z Jegenbierdijewem, choć każdy z nich był przekonany, że ten drugi mówi łamanym językiem).

Jegenbierdijew wlepił w Ludmiłę Afanasjewnę wzrok pełen ufności, nadziei, a nawet podziwu – tego podziwu, jakim takie proste natury darzą naprawdę mądrych i naprawdę pożytecznych ludzi. Przesunął jednak ręką po strupie i spytał:

– Ale urosło? Jest większe?

Achmadżan przetłumaczył.

– Odpadnie! Tak powinno być! – przesadnie głośno zapewniła Doncowa. – Odpadnie! Odpoczniesz trzy miesiące w domu, a potem znowu przyjedziesz!

Przeszła do starego Mursalimowa. Siedział już z opuszczonymi nogami, próbował nawet wstać, ale Doncowa powstrzymała go i usiadła obok. Z tą samą niezachwianą wiarą w jej wszechmoc patrzył ten zasuszony brązowy starzec. Z pomocą Achmadżana wypytywała go o kaszel, kazała zadrzeć koszulę, uciskała bolesne miejsca na piersi, opukiwała palcami przez dłoń, słuchała informacji Wiery Korniljewny o ilości naświetlań, krwi, zastrzykach, w milczeniu sama studiowała historię choroby. Kiedyś wszystko w tym ciele było potrzebne, zdrowe, normalne, a teraz stało się zbędne, nadmierne, rozrastało się - jakieś węzły, gruczoły...

Doncowa zaleciła dodatkowe zastrzyki i poprosiła Mursalimowa, żeby pokazał lekarstwa, które zażywa. Mursalimow wyjął z szafki pusty słoiczek po multiwitaminie.

– Kiedy kupiłeś? – spytała Ludmiła Afanasjewna.

Achmadżan przetłumaczył: – Trzeciego dnia.

– A gdzie tabletki?

– Połknąłem.

– Jak to? – zdumiała się Doncowa. – Wszystkie naraz?

– Nie, na dwa razy – przetłumaczył Achmadżan.

Parsknęły śmiechem obie lekarki, pielęgniarka, pacjenci-Rosjanie, wyszczerzył zęby nic jeszcze nie rozumiejący Mursalimow.

I tylko Pawła Nikołajewicza oburzył ten niestosowny śmiech. Już on im zaraz pokaże! Zastanowił się, w jakiej pozie przywitać lekarki, i uznał, że półleżąca będzie odpowiednio dostojna.

– Nic, nic! – uspokoiła Doncowa Mursalimowa. Zaordynowała witaminę C, wytarła ręce w ręcznik, który skwapliwie podsunęła jej pielęgniarka, i z zatroskaną miną ruszyła do następnego łóżka. Teraz, gdy znalazła się blisko okna, widać było wyraźnie, że jej twarz ma niezdrowy szary odcień i maluje się na niej wyraz chorobliwego wręcz zmęczenia.

Łysy, w tiubietiejce i okularach, dostojnie rozparty w swoim łóżku, Paweł Nikołajewicz nie wiadomo dlaczego przypominał nauczyciela, i to nie byle jakiego nauczyciela, ale zasłużonego wychowawcę wielu pokoleń uczniów. Wyczekał, aż Ludmiła Afanasjewna podejdzie do jego łóżka, poprawił okulary i zakomunikował:

– Tak, towarzyszko Doncowa. Będę zmuszony porozmawiać w Ministerstwie Zdrowia o porządkach w tej klinice. I zadzwonić do towarzysza Ostapienki.

Nie zadrżała, nie zbladła, może tylko jej twarz stała się jeszcze bardziej ziemista. Poruszyła ramionami: był to dziwny ruch, kolisty, jakby ciążyły jej niewidoczne pęta i nie mogła się od nich uwolnić.

– Jeżeli ma pan dojście do Ministerstwa Zdrowia – od razu zgodziła się z jego opinią – i może pan zadzwonić nawet do towarzysza Ostapienki, to dorzucę panu jeszcze trochę materiału, dobrze?

– Materiału jest dosyć! Taka obojętność, taka bezduszność! To Przekracza wszelkie granice! Jestem tu już o s i e m n a ś c i e godzin! I nikt mnie nie leczy! A przecież ja... (Po co miał zresztą mówić! Sama powinna wiedzieć!)

Wszyscy w milczeniu patrzyli na Rusanowa. Jego słowa bardziej niż w Doncową ugodziły w Ganhart – zacisnęła usta, spochmurniała i zmarszczyła czoło jak na widok czegoś karygodnego, czemu nie można zapobiec.

A Doncowa, pochylona nad Rusanowem, duża, nie pozwoliła sobie na żadną reakcję, tylko powiedziała cicho, ustępliwie:

– Właśnie przyszłam pana leczyć.

– Teraz już za późno! – uciął Paweł Nikołajewicz. – Napatrzyłem się na tutejsze porządki i wypisuję się. Nikt się mną nie zajmuje, nikt nie stawia diagnozy!

Głos załamał mu się niespodziewanie. Taka krzywda!

– Diagnozę już ustaliliśmy – powoli powiedziała Doncowa, opierając się o poręcz łóżka. – Z tą chorobą nie ma pan żadnego wyboru. To jedyny szpital w całej republice, w którym można leczyć pański przypadek.

– Ale mówiła pani, że to nie rak? Jakie więc jest rozpoznanie?

– W zasadzie nie informujemy pacjentów o naszych ustaleniach. Skoro jednak pan nalega, to proszę bardzo: Limfogranulomatoza.

– A więc nie rak?

– Oczywiście że nie. – W jej twarzy i głosie nie było nawet śladu irytacji czy zniecierpliwienia. Widziała przecież ten guz wielkości pięści. Na kogo miała się gniewać? Na nowotwór?

– Zgłosił się pan do nas z własnej woli. W każdej chwili może się pan wypisać. Ale proszę pamiętać... – zawahała się. I uprzedziła łagodnie: – Ludzie umierają nie tylko na raka.

– Chce mnie pani zastraszyć? – obruszył się Paweł Nikołajewicz. – Proszę nie straszyć! To wbrew zasadom terapii! – pokrzykiwał dziarsko, ale słowo „umierają" zmroziło go do głębi. I już pokorniej spytał: – Czy pani doktor chce powiedzieć, że to aż tak groźne?

– Jeżeli będzie pan jeździć z kliniki do kliniki, to oczywiście. A teraz proszę zdjąć szalik. I wstać.

Ściągnął szalik i stanął na podłodze.

Doncowa zaczęła delikatnie obmacywać guz, potem zdrową stronę szyi – porównywała. Następnie kazała maksymalnie odchylić głowę do tyłu (nie bardzo to wyszło, guz natychmiast dał znać o sobie), pochylić do przodu, obrócić w lewo i w prawo.

No tak! Doszło już do tego, że głowa prawie zupełnie utraciła swobodę ruchu – tę naturalną, cudowną swobodę, której zdrowy człowiek w ogóle nawet nie odczuwa.

– Proszę się rozebrać.

Rozpięcie luźnej zielono-brązowej piżamy wydawało się całkiem proste, ale przy ruchu ręki szyją targnął taki ból, że Paweł Nikołajewicz jęknął. A więc sprawa zaszła aż tak daleko! Siwa majestatyczna pielęgniarka pomogła mu zdjąć kurtkę.

– Nie boli pana pod pachami? – dopytywała się Doncowa. – Nic nie przeszkadza?

– A co, tam też może być coś nie w porządku? – spytał Rusanow zupełnie załamanym głosem, mówił jeszcze ciszej niż Ludmiła Afanasjewna.

– Proszę podnieść ręce! – Mocno i dokładnie obmacywała go pod pachami.

– Na czym będzie polegać leczenie? – chciał wiedzieć Paweł Nikołajewicz.

– Już panu mówiłam: zastrzyki.

– Bezpośrednio w guz?

– Nie, dożylnie.

– Często?

– Trzy razy w tygodniu. Proszę się ubrać.

– A nie można zoperować?

(Pytał o to, choć właśnie operacji bał się najbardziej. Jak każdy pacjent wolał jakikolwiek inny, nawet najuciążliwszy sposób leczenia, byle tylko nie iść pod nóż!)

– Operacja nie ma sensu – wycierała ręce podsuniętym ręcznikiem.

No i bardzo dobrze! Paweł Nikołajewicz rozważał wszystkie za i przeciw. Trzeba naradzić się z Kapą. Wyjazd do Moskwy wymagał wielu starań. Wcale nie miał aż takich znajomości, jak sugerował Doncowej. I nie tak łatwo było zadzwonić do towarzysza Ostapienki.

– Dobrze, zastanowię się. Jutro podejmę decyzję.

– Nie – bezlitośnie ucięła Doncowa. – Dziś. Jutro nie możemy podać chemii. Jutro jest sobota.

Znowu jakieś przepisy! W końcu po to są przepisy, żeby je łamać!!!

– A czemu w sobotę nie można?

– Dlatego, że po zastrzyku przez czterdzieści osiem godzin musimy dokładnie obserwować reakcję pańskiego organizmu. W niedzielę to niemożliwe.

– A co to za zastrzyk? Taki niebezpieczny?

Ludmiła Afanasjewna nie odpowiedziała, podeszła do łóżka Kostogłotowa.

– A gdyby zaczekać do poniedziałku?

– Towarzyszu Rusanow! Przed chwilą zarzucaliście nam, że od osiemnastu godzin nikt was nie leczy. A teraz chcecie czekać aż siedemdziesiąt dwie? (Już zwyciężyła, starła go na proch, nie miał co odpowiedzieć!) – Proszę zrozumieć: albo zaczniemy pana leczyć, albo nie. Jeżeli tak, to dziś o jedenastej dostanie pan pierwszy zastrzyk. Jeżeli nie, to proszę o oświadczenie na piśmie, że rezygnuje pan z leczenia, i natychmiast pana wypisujemy. Ale na trzy dni zwłoki nie możemy sobie pozwolić. Daję panu czas do końca obchodu. Proszę to sobie przemyśleć i powiedzieć, co pan zadecydował.

Rusanow ukrył twarz w dłoniach.

Doktor Ganhart minęła go bez słowa. I majestatyczna Olimpiada Władysławowna przepłynęła obok łóżka jak okręt.

Doncowa zmęczyła się scysją; miała nadzieję, że następny pacjent poprawi jej humor.

– No, Kostogłotow, a co u pana?

Przyczesany na tę okazję Kostogłotow obwieścił donośnym i pewnym głosem zdrowego człowieka:

– Wspaniale, Ludmiło Afanasjewna! Naprawdę wspaniale!

Lekarki wymieniły spojrzenia. Na wargach Wiery Korniljewny drżał leciutki uśmieszek, ale oczy po prostu śmiały się z radości.

– Konkretnie – Doncowa przysiadła na jego łóżku. – Proszę opowiedzieć, co pan czuje. Co się przez ten czas zmieniło?

– A więc tak – chętnie zgodził się Kostogłotow. – Bóle osłabły po drugim seansie, a po czwartym ustąpiły. Nie mam gorączki. Śpię teraz bardzo dobrze, po dziesięć godzin, w każdej pozycji – i nie boli. Przedtem w ogóle nie mogłem się położyć. Nic nie brałem do ust, a teraz zjadam wszystko i proszę o dokładkę. I nic nie boli!

– Nie boli? – śmiała się Ganhart.

– A dają tę dokładkę? – śmiała się Doncowa.

– Czasem dają. Co tu zresztą dużo gadać – czuję się jak nowo narodzony. Przyjechałem tu jako nieboszczyk, a teraz żyję!

– Nie ma pan mdłości?

– Nie mam.

Obie lekarki patrzyły na Kostogłotowa wręcz rozczulonym wzrokiem: tak patrzy nauczyciel na swojego najzdolniejszego ucznia, którego odpowiedź napawa go większą dumą niż własna wiedza i doświadczenie. Takiego ucznia darzy się szczególnym sentymentem.

– Wyczuwa pan guz?

– Już mi nie przeszkadza.

– Ale wyczuwa go pan?

– Kiedy się kładę, to czuję taki dodatkowy ciężar, nawet jakby się przemieszczał. Ale nie przeszkadza – zapewniał Kostogłotow.

– Niech się pan położy.

Kostogłotow z wprawą (przez ostatni miesiąc jego guz w różnych szpitalach obmacywali niezliczeni doktorzy, lekarze i stażyści, i jeszcze ściągali kolegów z innych gabinetów, żeby też sobie pomacali, a potem wszyscy byli bardzo zdziwieni) wyciągnął się na wznak, podkurczył nieco kolana i obnażył brzuch. Od razu poczuł ciężar tego przyczajonego gdzieś tam głęboko paskudztwa.

Ludmiła Afanasjewna siedziała obok niego i delikatnymi okrężnymi ruchami docierała do guza.

– Nie napinać mięśni, nie napinać – przypominała. Wiedział o tym, ale mimowolnie napinał je w obawie przed bólem i utrudniał badanie. Po chwili namacała w głębi miękkiego ufnego brzucha zarys nowotworu i przesunęła po nim palcami – najpierw delikatnie, potem mocniej i jeszcze mocniej.

Wiera Korniljewna zaglądała Doncowej przez ramię. Kostogłotow przyglądał się Wierze Korniljewnie. Była bardzo pociągająca. Chciała być poważna – i nie mogła: szybko przyzwyczajała się do pacjentów. Chciała być dorosła – i nie potrafiła: miała w sobie coś z małej dziewczynki.

– Zarys bez zmian – zawyrokowała Ludmiła Afanasjewna. – Wyczuwalne spłaszczenie. Cofnął się w głąb, zmniejszył nacisk na żołądek, dlatego ustąpiły bóle. Zmiękł. Ale zarys prawie bez zmian. Chce pani sprawdzić?

– Nie, nie, robię to codziennie. OB – dwadzieścia pięć, leukocyty – pięć osiemset... Granulocyty segmentowane... Proszę spojrzeć...

Rusanow oderwał ręce od twarzy i spytał szeptem pielęgniarkę:

– A te zastrzyki? Czy są bardzo bolesne?

Kostogłotow też miał pytanie:

– Ludmiło Afanasjewna! Ile jeszcze będzie naświetlań?

– Na razie trudno powiedzieć.

– A może jednak? Kiedy mnie pani wypisze?

– Co!? – Doncowa oderwała wzrok od historii choroby. – O co pan pyta!?

– Kiedy mnie pani stąd wypisze? – powtórzył nie speszony Kostogłotow. Siedział obejmując kolana rękami i miał zdecydowanie niezależny wygląd.

Najlepszy uczeń zniknął. Był tylko trudny i uparty pacjent o zaciętym wyrazie twarzy.

– Wypisać? Przecież ja dopiero zaczynam pana leczyć! – osadziła go gniewnie. – Od jutra! Na razie to była tylko lekka rozgrzewka!

Ale Kostogłotow obstawał przy swoim.

– Ludmiło Afanasjewna, chciałbym coś wyjaśnić. Zdaję sobie sprawę, że do końca leczenia jeszcze daleko, ale ja wcale nie domagam się wyleczenia.

Co za pacjenci! Jeden lepszy od drugiego. Ludmiła Afanasjewna zmarszczyła brwi. Zdenerwowała się.

– Co pan bredzi? Czy pan jest normalny?

– Ludmiło Afanasjewna – Kostogłotow spokojnie uniósł swoją wielką dłoń – dyskusja o normalności i nienormalności współczesnego człowieka... Darujmy ją sobie. Jestem głęboko wdzięczny, że podleczyła mnie pani i doprowadziła do tak przyjemnego stanu. Teraz chciałbym trochę w nim pożyć. Jest mi dobrze. A skąd mogę wiedzieć, czym się skończy dalsze leczenie? – W miarę jak mówił, dolna warga Ludmiły Afanasjewny wydymała się coraz bardziej, nadając twarzy wyraz zniecierpliwionego oburzenia. Doktor Ganhart niepewnie spoglądała to na Doncową, to na Kostogłotowa, pragnęła wtrącić się do sporu, uspokoić, załagodzić. Olimpiada Władysławowna patrzyła na buntownika z wyniosłą pogardą. – Jednym słowem, nie chcę teraz zapłacić zbyt drogo za szansę życia w odległej przyszłości. Chcę zdać się na siły obronne organizmu...

– Ze swoimi siłami obronnymi przywlókł się pan tutaj na czworakach! – przypomniała mu Doncowa i wstała. – Pan w ogóle nie wie, co mówi! Nie będę z panem rozmawiać!

Machnęła po męsku ręką i odwróciła się do Azowkina, ale Kostogłotow patrzył na nią nieprzejednanym wzrokiem jak wielkie czarne psisko.

– A ja, Ludmiło Afanasjewna, proszę o rozmowę! Panią być może interesuje wynik tego eksperymentu, ale ja chciałbym pożyć sobie w spokoju. Choćby rok. To wszystko.

– Dobrze – rzuciła Doncowa przez ramię. – Wezwę pana.

Wciąż rozgniewana podeszła do Azowkina.

Azowkin nie wstawał. Siedział i trzymał się za brzuch. Na widok lekarek uniósł tylko głowę. Jego wargi nie zbiegały się w usta, każda z osobna wyrażała własne cierpienie. Oczy były już tylko jednym wielkim błaganiem o ratunek.

– No co, Kola? – Ludmiła Afanasjewna objęła go ramieniem.

– Nie-do-brze – poruszył samymi ustami, nie wydychając powietrza, guz w brzuchu reagował bólem na każdy ruch płuc.

Jeszcze pół roku temu z łopatą na ramieniu prowadził oddział komsomolców na czyn społeczny i śpiewał co tchu w piersi, a teraz nawet o swoim bólu mógł mówić najwyżej szeptem.

– Wiesz co, Kola, musimy się razem zastanowić – równie cicho mówiła Doncowa. – Może zmęczyłeś się już szpitalem? Może znudziło ci się tak leżeć i leżeć?

– Tak...

– Jesteś stąd, z miasta, prawda? A nie chciałbyś wrócić na jakiś czas do domu? Odpocząłbyś sobie... Może wypiszemy cię na miesiąc albo półtora?

– A potem... przyjmiecie?

– Oczywiście! Jesteś przecież nasz. Odpoczniesz od zastrzyków... Zamiast nich kupisz w aptece lekarstwo i trzy razy dziennie będziesz je wkładać pod język.

– Sinestrol?

– Tak.

Doncowa i Ganhart nie wiedziały, że przez wszystkie te miesiące Azowkin rozpaczliwie żebrał u każdej pielęgniarki, u każdego dyżurującego lekarza o dodatkowe środki przeciwbólowe, o dodatkowe środki nasenne, o wszelkie proszki i tabletki – oprócz tych, którymi go leczono. Ów skarb, ukryty w pękatym płóciennym woreczku, był ratunkiem na czarną godzinę, na czas po wyroku lekarzy.

– Musisz odpocząć, Koleńka... Odpocząć...

W sali zapadła cisza. Rusanow westchnął, uniósł głowę i oznajmił:

– Pani doktor, zgadzam się. Proszę o zastrzyk!

5

Gdy robi nam się ciężko na duszy, to jaka ona jest – przygnębiona? Rozstrojona? Niewidzialny, lecz gęsty, bardzo gęsty opar szczelnie wypełnia pierś, oblepia serce i wgniata je gdzieś w głąb, do środka. A my czujemy tylko ten ucisk, ten ciężar, i nie od razu uświadamiamy sobie, co nas tak przytłoczyło.

I właśnie to czuła Wiera Korniljewna, gdy po obchodzie szła z Doncową na oddział radiologii. Była w paskudnym nastroju.

W takich wypadkach dobrze jest wsłuchać się w siebie i ustalić przyczynę zmartwienia. A potem zastosować jakąś obronę.

Wiera Korniljewna nie musiała niczego ustalać.

Bała się, bała się o mamę – tak nazywały Ludmiłę Afanasjewnę jej trzy asystentki. Była mamą i z racji wieku – one dobiegały trzydziestki, ona – pięćdziesiątki, i ze względu na zapobiegliwą troskliwość, z jaką zmuszała je do pracy. Sumienna aż do przesady, starała się wpoić tę sumienność i przesadę swoim „córkom": należała do nielicznej już grupy lekarzy, dysponujących wiedzą z zakresu radioterapii i diagnostyki rentgenowskiej. Wbrew najnowszym tendencjom do wąskiej specjalizacji wymagała, by asystentki były równie wszechstronne. Dzieliła się z nimi całą swoją wiedzą. I ilekroć Wiera Ganhart w tej lub innej dziedzinie okazywała się lepsza od „mamy", „mama" była uszczęśliwiona. Wiera pracowała u niej już osiem lat, od chwili ukończenia studiów – i moc, którą obecnie posiadała, moc wyrywania błagających o ratunek ludzi z objęć śmierci, zawdzięczała wyłącznie Ludmile Afanasjewnie.

Ten Rusanow mógł przysporzyć „mamie" poważnych kłopotów. Głowę trudno przymocować, ale stracić – bardzo łatwo.

Gdybyż chodziło tylko o Rusanowa! Niestety, coś takiego mógł zrobić pierwszy lepszy pacjent. Ludzie bywają okrutni. Każdy pogrom zaczyna się od drobiazgów: jakieś słowo, pretensja, podejrzenie – jedno, drugie, trzecie... A to nie kręgi na wodzie, to ślady w pamięci. Można je potem wygładzać, piaseczkiem zasypywać – wszystko na nic, zostają, są... A potem wystarczy, że ktoś krzyknie, choćby po pijanemu: „bij lekarzy!", „bij inżynierów!" – i pałki idą w ruch. Komórki wpojonej podejrzliwości nie giną, żyją w ludzkiej psychice, dają przerzuty. Niedawno leżał w ich klinice chory na raka żołądka kierowca z NKWD. Był pacjentem chirurgicznym i jako taki nie podlegał Wierze Korniljewnie, ale którejś nocy miała dyżur i zetknęła się z nim na wieczornym obchodzie. Uskarżał się na bezsenność. Poleciła podać bromburał, a gdy zorientowała się, że jest w mniejszych dawkach, niż sądziła, poleciła dać dwie tabletki. Pacjent wziął tabletki, ona zaś nawet nie zauważyła szczególnego spojrzenia, jakim ją obrzucił. I o niczym by się nie dowiedziała, gdyby nie laborantka, która była sąsiadką kierowcy i odwiedzała go w sali. Przybiegła do Wiery Korniljewny bardzo zdenerwowana: kierowca nie zażył tabletek (dlaczego aż dwie!?), nie spał całą noc, a teraz wypytywał laborantkę: „Dlaczego ona nazywa się Ganhart? Co o niej wiesz? Chciała mnie otruć. Trzeba się nią zająć!"

Przez kilka następnych tygodni Wiera Korniljewna czekała, że się nią z a j m ą. I przez wszystkie te tygodnie musiała jak gdyby nigdy nic stawiać bezbłędne, nieomylne, wręcz natchnione diagnozy, precyzyjnie wyznaczać dawki promieniowania i uśmiechem dodawać otuchy pacjentom, którzy trafili do tego onkologicznego piekła. I bać się, że nagle wyczyta w ich spojrzeniach: „Jesteś trucicielką!"

A do tego jeszcze ten Kostogłotow, rokujący tak wielkie nadzieje Kostogłotow, pacjent, którego Wiera Korniljewna traktowała szczególnie życzliwie, sprawił „mamie" przykrość, zachowując się tak, jakby posądzał ją o eksperymenty na jego osobie!

Ludmiła Afanasjewna też była przygnębiona po obchodzie, też myślała o nieprzyjemnym incydencie – z Poliną Zawodczikową, pyskatą babą, której syn leżał na onkologii. Zawodczikowa dyżurowała przy synu. Po operacji przyczepiła się do chirurga i zażądała wycinka guza. Gdyby trafiła na kogoś innego, a nie na Lwa Leonidowicza, pewnie by ten wycinek dostała. Miała zamiar zanieść go do innej kliniki i tam sprawdzić prawidłowość diagnozy Doncowej, a w razie stwierdzenia pomyłki zaskarżyć szpital do sądu o odszkodowanie.

Obie znały wiele takich przypadków.

Teraz, po obchodzie, szły omówić to wszystko, czego nie można było omawiać przy pacjentach. I podjąć decyzje.

Na onkologii panowała ciasnota i radiolodzy nie mieli pokoju lekarskiego. Nie nadawało się do tego celu ani pomieszczenie bomby radowej, ani pracownia długoogniskowych aparatów rentgenowskich na sto dwadzieścia i dwieście tysięcy woltów. W gabinecie diagnostycznym było za ciemno. Dlatego też stół, przy którym omawiały sprawy bieżące, pisały historie choroby i wypełniały dokumentację, ustawiły w pracowni krótkoogniskowych aparatów rentgenowskich – jak gdyby po tylu latach mało im jeszcze było mdlącego rentgenowskiego powietrza z jego specyficznym zapachem i ciepłem.

Weszły do pracowni i usiadły przy topornym stole. Wiera Korniljewna zaczęła segregować historie choroby: na jedną kupkę kładła te, którymi mogła zająć się sama, na drugą – wymagające wspólnych ustaleń. Ludmiła Afanasjewna z lekko wydętą dolną wargą wpatrywała się w deski stołu i cicho postukiwała ołówkiem o blat.

Wiera Korniljewna zerkała na nią ze współczuciem, ale nie zaczynała rozmowy – ani o Rusanowie, ani o Kostogłotowie, ani o ciężkiej doli lekarza. Powtarzanie oklepanych prawd nie miało sensu, a nie dość oględny czy niezbyt taktowny komentarz mógł zranić zamiast pocieszyć.

Ludmiła Afanasjewna odezwała się pierwsza:

– Straszna jest ta nasza bezsilność! – (To mogło dotyczyć wielu badanych dziś pacjentów.) Znów postukała ołówkiem. – A przecież nie popełniłyśmy żadnego błędu! – (Aha, Azowkin albo Mursalimow!) – Miałyśmy trochę kłopotów z diagnozą, ale leczenie było prawidłowe. Dawki musiały być duże. Wszystko przez tę beczkę!

A więc myślała o Sibgatowie! Zdarzają się takie niewdzięczne choroby, że dwoisz się i troisz, a dla pacjenta i tak nie ma ratunku. Gdy Sibgatowa po raz pierwszy wniesiono na noszach do kliniki, zdjęcia rentgenowskie wykazywały pełny rozkład kości krzyżowej. Kłopoty z diagnozą polegały na tym, że początkowo po konsultacji z profesorem określono chorobę jako raka kości, a dopiero później ustalono, że to guz makrokomórkowy, który zamienia kości w galaretowatą masę. Leczenie było jednak prawidłowe.

Kości krzyżowej nie da się wyciąć, nie da się usunąć – to kamień węgielny układu kostnego. Pozostawały wiec naświetlania – i to od razu końskie dawki, mniejsze nie mogły pomóc. I Sibgatow wyzdrowiał! Kości wzmocniły się. Wyzdrowiał, ale nadmierne dawki promieniowania zwiększyły podatność organizmu na inne rodzaje nowotworów. Po uderzeniu beczką wystąpiło owrzodzenie troficzne. Teraz, gdy krew i tkanki Sibgatowa nie reagowały już na promieniowanie, w głębi ciała rozwijał się nowy guz – i nie było żadnego sposobu, żeby go zniszczyć, zahamowano go tylko.

Dla lekarza oznaczało to świadomość własnej klęski, a dla jego serca – uczucie żalu, zwyczajnego ludzkiego żalu: oto leży sympatyczny, skromny, smutny Tatar, tak wdzięczny za wszystkie starania, a lekarze mogą najwyżej przedłużyć jego mękę, nic więcej.

Dziś rano Nizamutdin Bachramowicz wezwał Doncową na rozmowę. Stwierdził, że należy zwiększyć przepustowość oddziału, czyli wypisywać do domu pacjentów nie rokujących nadziei na wyleczenie. Doncowa nie oponowała: w hallu izby przyjęć dzień i noc koczowali chorzy, dla których nie było miejsca, a rejonowe przychodnie onkologiczne bezustannie bombardowały klinikę prośbami o zgodę na przysłanie swoich pacjentów. Zgadzała się z lekarzem naczelnym, że przypadki beznadziejne trzeba wypisywać, Sibgatow był właśnie takim przypadkiem, ale akurat jego wypisać nie mogła. Zbyt długo i zaciekle walczyła, żeby teraz zrezygnować, odrzucić ten nikły cień nadziei, że jednak myli się śmierć, a nie lekarz. Przypadek Sibgatowa wpłynął nawet na zmianę jej zainteresowań naukowych: zaczęła studiować patologię kości, wiedziona jednym jedynym impulsem – uratować Sibgatowa. I choć w izbie przyjęć czekali zapewne równie chorzy i potrzebujący pomocy ludzie, Doncowa wiedziała, że nie wypisze Sibgatowa, że w tajemnicy przed lekarzem naczelnym będzie trzymać go w szpitalu tak długo, jak tylko się da.

Nizamutdin Bachramowicz nalegał też, by bez wahania wypisywać pacjentów terminalnych. W miarę możności powinni umierać poza kliniką – zwiększa to współczynnik przepustowości, pozytywnie wpływa na pozostałych pacjentów i poprawia statystykę, gdyż wypis nastąpi nie „z powodu zgonu", a jedynie ze względu na „pogorszenie stanu zdrowia".

Właśnie ze względu na „pogorszenie stanu zdrowia" opuścił dziś klinikę Azowkin. Jego historia choroby w ciągu tych kilku miesięcy urosła do rozmiarów pokaźnego kajetu, pełnego brązowawych posklejanych kartek z lichego papieru, o który stale zaczepiała stalówka. Kajet zawierał długie kolumny niebieskich i fioletowych cyfr. Obie lekarki widziały zamiast nich skręcającego się z bólu chłopaka o zlanej potem twarzy, lecz czytane cichym, monotonnym głosem liczby były bardziej nieubłagane niż najsurowszy trybunał, wyrok nie podlegał apelacji: dwadzieścia sześć tysięcy rentgenów, dwanaście tysięcy w ostatniej serii naświetlań, pięćdziesiąt iniekcji sinestrolu, siedem transfuzji, a poziom leukocytów i tak trzy tysiące czterysta, erytrocytów... Przerzuty parły jak czołgi, twardniały już w śródpiersiu, rosły w płucach, atakowały węzły chłonne, a organizm nie mógł ich powstrzymać.

Lekarki pracowały przy swoim stole, a siostra przyjmowała pacjentów ambulatoryjnych. Właśnie wprowadziła czteroletnią dziewczynkę w niebieskiej sukieneczce i jej matkę. Na buzi dziecka czerwieniały guzki naczyniowe, jeszcze małe, jeszcze nie złośliwe, ale naświetlano je, żeby nie zwyrodniały. Dziewczynka nie przejmowała się chorobą, nie wiedziała, że na swej filigranowej wardze dźwiga już być może straszne brzemię śmierci. Była tu nie pierwszy raz, nie bała się, szczebiotała, wyciągała rączki do niklowanych części aparatu, cieszyło ją to lśniące otoczenie. Naświetlanie miało trwać trzy minuty, ale dziewczynka w żaden sposób nie mogła usiedzieć spokojnie pod głowicą aparatu, skierowaną punktowo w chore miejsce. Wierciła się, kręciła główką, i zdenerwowana siostra raz po raz musiała wyłączać aparat, żeby ponownie ustawić głowicę. Matka pokazywała zabawkę, odwracała uwagę dziecka, obiecywała różne prezenty za jedną chwilę spokoju. Następna była ponura staruszka, która nieskończenie długo zdejmowała chustkę i kaftanik. Potem w szarym szlafroku weszła pacjentka szpitalna, kobieta z czerwoną kulką guza na stopie – skutek wystającego w bucie gwoździa – i wesoło rozmawiała z pielęgniarką, nie podejrzewając nawet, że ten centymetrowy guzek, którego nie wiadomo dlaczego nie chcą zoperować, to królowa wszystkich nowotworów złośliwych – melanoblastoma.

Siedzące tuż obok lekarki chcąc nie chcąc zajmowały się i tymi pacjentkami, badały je, udzielały rad (i tak było już po jedenastej, Rusanow dostał zastrzyk pod nieobecność Wiery Korniljewny) – aż wreszcie nadeszła ta chwila, gdy Wiera Korniljewna podsunęła Ludmile Afanasjewnie ostatnią już, specjalnie odłożoną historię choroby – Kostogłotowa.

– Jak na tak zaniedbany przypadek rezultaty są wręcz wspaniałe – powiedziała. – Tyle że to bardzo uparty człowiek. Żeby tylko naprawdę nie zrezygnował z leczenia!

– Niech spróbuje! – Ludmiła Afanasjewna energicznie stuknęła ołówkiem o blat. Kostogłotow chorował na to samo co Azowkin, ale leczenie rokowało ogromne nadzieje. – Nie ma prawa zrezygnować!

– Pani pewnie by go przekonała – powiedziała Ganhart. – Ale ja chyba nie dam rady. Nie posłucha. Przysłać go do pani? – Strąciła z paznokcia jakiś okruszek. – Mam z nim pewne problemy... Nie potrafię być wobec niego stanowcza. Sama nie wiem, dlaczego.

Problemy zaczęły się od chwili ich pierwszego spotkania.

Był paskudny styczniowy dzień, lał deszcz. Doktor Ganhart miała nocny dyżur. Około dziewiątej wieczorem przyszła do niej tęga salowa z parteru i poskarżyła się:

– Pani doktor, tam jeden pacjent rozrabia. Sama se nie poradzę. Trza się za nich wziąć, bo inaczej na łeb nam wlezą!

Wiera Korniljewna zeszła na parter i zobaczyła, że na podłodze koło zamkniętego pokoiku siostry przełożonej, tuż przy schodach, rozciągnął się tyczkowaty mężczyzna. Miał na sobie wojskowe buty, zrudziały szynel i cywilną przyciasną uszankę. Podłożył pod głowę wojskowy worek i najwyraźniej układał się do snu. Wiera Korniljewna podeszła bliżej – szczupłonoga, na wysokich obcasach (zawsze dbała o wygląd) – i spojrzała na mężczyznę surowo, chcąc w ten sposób zawstydzić go i skłonić do wstania. Zauważył ją oczywiście, ale patrzył zupełnie obojętnym wzrokiem, w ogóle się nie poruszył, a nawet przymknął oczy.

– Kim pan jest? – spytała.

– Czło-wiekiem – odpowiedział apatycznie.

– Ma pan skierowanie?

– Mam.

– Kiedy je pan dostał?

– Dziś.

Po plamach na podłodze widać było, że jego płaszcz, buty i worek są doszczętnie przemoczone.

– Tu nie wolno leżeć. My... tu nie pozwalamy. Poza tym to niewygodnie...

– Wy-godnie – zaprzeczył znużonym głosem. – Jestem w swoim kraju, kogo mam się wstydzić?

Wiera Korniljewna zmieszała się. Poczuła nagle, że nie może na niego krzyknąć, kazać mu wstać. Zresztą i tak by pewnie nie usłuchał.

Spojrzała w stronę hallu, gdzie za dnia stale mrowił się tłum oczekujących na przyjęcie, a na trzech ławkach odbywały się widzenia pacjentów z rodzinami; w nocy, gdy klinika była zamknięta, pozwalano tam spać ciężko chorym przyjezdnym, którzy nie mieli gdzie przenocować. Teraz w hallu stały tylko dwie ławki, na jednej spała jakaś staruszka, na drugiej zaś młoda Uzbeczka w kwiecistej chustce ulokowała swoje dziecko.

W ostateczności można by mu pozwolić położyć się tam na podłodze, ale podłoga w hallu była brudna i zadeptana.

Tu natomiast wolno było wchodzić wyłącznie w szpitalnych piżamach albo w fartuchach.

Wiera Korniljewna znów popatrzyła na tego dziwacznego pacjenta o nieobecnym już, gasnącym spojrzeniu i wychudłej, pobrużdżonej cierpieniem twarzy.

– Nie ma pan gdzie przenocować?

– Nie.

– A próbował pan w hotelu?

– Tak – mówienie wyraźnie go męczyło.

– Mamy tu pięć hoteli.

– Nie chcieli w ogóle rozmawiać – zamknął oczy jak gdyby kończąc audiencję.

– Szkoda, że jest tak późno – zastanawiała się Ganhart. – Niektóre pielęgniarki wynajmują łóżka przyjezdnym. Niedrogo.

Leżał z zamkniętymi oczami.

– Powiada: będę tak leżeć choćby tydzień! – rozjazgotała się dyżurna. – Póki mi łóżka nie znajdziecie! Widzita go, łobuza! Wstawaj! Tu ma być sterylnie!

– Dlaczego są tylko dwie ławki? – zdziwiła się Wiera Korniljewna. – Chyba były trzy...

– Trzecią zabrali, o tam – dyżurna wskazała oszklone drzwi. Racja, ławkę przeniesiono za te właśnie drzwi, na korytarz radiologii, gdzie w dzień czekali na naświetlanie pacjenci ambulatoryjni.

Wiera Korniljewna poleciła otworzyć drzwi i powiedziała do chorego:

– Znajdę panu wygodniejsze miejsce, proszę wstać.

Popatrzył na nią nieufnie. Po chwili wahania zaczął jednak wstawać – niezdarnie, z twarzą wykrzywioną bólem. Każdy ruch, każdy obrót ciała sprawiał mu wyraźną trudność. Wstając nie wziął worka, a teraz nie mógł się po niego schylić.

Wiera Korniljewna podniosła białymi palcami ten przemoczony brudny worek i podała mu go.

– Dziękuję – uśmiechnął się krzywo. – Czego to ja dożyłem... Na podłodze została mokra plama.

– Przemókł pan? – przyglądała mu się z coraz większym zainteresowaniem. – Tam na korytarzu jest ciepło, niech pan zdejmie płaszcz. Nie ma pan dreszczy? A gorączki?

Czoło mężczyzny szczelnie zakrywała ta czarna podarta czapka z obwisłymi futrzanymi uszami, dotknęła więc policzka. Od razu zorientowała się, że gorączkuje.

– Zażywa pan coś?

Teraz patrzył na nią jakoś inaczej, nie tak obojętnie.

– Analginę.

– Ma pan tabletki?

– Uhm.

– Przynieść panu coś na sen?

– Jeśli można.

– Chwileczkę – przypomniała sobie. – Proszę mi pokazać skierowanie!

Jego usta wykrzywił ni to uśmiech, ni to skurcz bólu.

– A bez papierka – na deszcz, tak?

Rozpiął górne haftki płaszcza i z kieszeni bluzy wyjął skierowanie – rzeczywiście wypisane tego samego dnia w przychodni. Przeczytała i zorientowała się, że to jej pacjent, radiologiczny. Ze skierowaniem w ręku ruszyła do drzwi, żeby przynieść środek nasenny.

– Zaraz przyniosę. Proszę się tam położyć.

– Ale, ale! – ożywił się. – Niech mi pani odda skierowanie! Znamy te numery!

– Czego się pan obawia? – spytała obrażona. – Nie wierzy mi pan?

Przyjrzał się jej podejrzliwie. Wreszcie burknął:

– A niby dlaczego mam pani wierzyć? Beczki soli razem nie zjedliśmy...

I poszedł w stronę ławki.

Nadąsana, nie wróciła już do niego, tylko przez pielęgniarkę posłała środek nasenny i skierowanie, na którym napisała „cito!" – podkreślone i z wykrzyknikiem.

Dopiero w nocy przeszła obok ławki. Spał. Ławka nadawała się do spania: wygięte oparcie i pochyłe siedzenie zabezpieczały przed upadkiem. Zdjął swój mokry płaszcz, ale nakrył się nim: jedna poła otulała nogi, druga ramiona. Buty wystawały poza ławkę. Na podeszwach nie było ani jednego całego miejsca – łatano je wielokrotnie skrawkami czarnej i czerwonej skóry. Na czubkach miały stalowe fleki, na obcasach – stalowe „żabki".

Rano Wiera Korniljewna poleciła siostrze przełożonej umieścić pacjenta na korytarzu pierwszego piętra.

Tylko ten jeden jedyny raz Kostogłotow zachował się wobec niej opryskliwie. Później rozmawiał grzecznie i całkiem normalnym językiem, pierwszy mówił dzień dobry, a nawet uśmiechał się przyjaźnie. Mimo to stale miała wrażenie, że pacjent ten w każdej chwili może zrobić coś nieobliczalnego.

I rzeczywiście, gdy wezwała go na ustalenie grupy krwi i czekała z przygotowaną strzykawką, Kostogłotow opuścił podwinięty już rękaw i powiedział stanowczo:

– Wiero Korniljewno, bardzo mi przykro, ale musi pani sobie poradzić bez tej próby.

– Dlaczego?

– Ze mnie już dość krwi wyssali różni tacy. Niech dają ci, co mają jej za dużo.

– Jak panu nie wstyd! I to ma być mężczyzna! – Popatrzyła na niego z tą odwieczną kobiecą ironią, której mężczyzna nie może znieść.

– A po co to?

– Może trzeba będzie przetoczyć panu krew...

– Mnie? Transfuzję? W żadnym wypadku! Po co mi cudza krew? Cudzej nie chcę, swojej nie dam. A grupę mogę pani podać, pamiętam z frontu.

Przekonywała, nalegała – nie ustępował, wynajdywał coraz to nowe wykręty. Twierdził, że wszystko to niepotrzebne.

Obraziła się wreszcie.

– Stawia mnie pan w bardzo głupiej sytuacji. Ostatni raz proszę pana.

Oczywiście był to błąd – po co się poniżać? On jednak natychmiast podsunął ramię.

– Dla pani – choćby pięć litrów!

Nie umiała sobie z nim poradzić, traciła całą pewność siebie. Kiedyś zdarzył się dziwny incydent. Kostogłotow powiedział:

– Nie wygląda pani na Niemkę. To nazwisko po mężu?

– Tak – odparła bez zastanowienia.

Dlaczego skłamała? Poczuła wtedy, że inna odpowiedź byłaby przykra dla niej samej.

O nic więcej nie pytał.

A przecież Ganhart to nazwisko jej ojca, dziadka. Byli zniszczonymi Niemcami. Co miała powiedzieć? – „Nie mam męża”? „Nigdy nie byłam zamężna”?

Nie mogła inaczej.

6

Ludmiła Afanasjewna zaprowadziła Kostogłotowa do pracowni radioterapii, z której dopiero co wyszła poprzednia pacjentka. Od ósmej rano niemal bez przerwy odbywały się tu naświetlania lampą rentgenowską o napięciu stu osiemdziesięciu tysięcy woltów. Aparatura była stale włączona, okno zamknięte i w powietrzu unosił się słodkawy i drażniący zapach rozgrzanego rentgena.

Do ciepła tego (tak odczuwały je płuca, choć nie było ono zwyczajnym ciepłem!) pacjenci nabierali wstrętu mniej więcej po dziesięciu seansach. Ludmiła Afanasjewna zdążyła się już przyzwyczaić. Przez dwadzieścia lat pracy na radiologii, w czasach, gdy lampy nie miały żadnych osłon (kiedyś o mało co nie zabił jej prąd), Doncowa co dzień wdychała powietrze pracowni rentgenowskich i godzinami przesiadywała tuż obok aparatów, przekraczając wszelkie dopuszczalne normy. Mimo różnych ekranów osłonowych i rękawic ochronnych wchłonęła więcej „er" niż najwytrzymalsi i najdłużej leczeni pacjenci – tyle że jej dawek nikt nie obliczał, nie podsumowywał.

Śpieszyła się – nie dlatego, żeby jak najszybciej wyjść z pomieszczenia, lecz żeby skrócić do minimum czas przestoju aparatury. Kazała Kostogłotowowi położyć się pod lampą i obnażyć brzuch. Wodziła po skórze jakimś zimnym łaskoczącym pędzelkiem, coś obrysowywała i coś pisała – chyba cyfry.

Nie tracąc ani chwili zapoznała technika ze schematem i wytłumaczyła, jak naświetlać każdy kwadrat. Potem poleciła Kostogłotowowi obrócić się na brzuch i pokreśliła mu plecy. Powiedziała:

– Po seansie zajdzie pan do mnie.

I wyszła. A technik rentgenolog ponownie kazała przewrócić się brzuchem do góry, obłożyła pierwszy kwadrat prześcieradłami, następnie zaczęła przynosić ciężkie dywaniki z powleczonej ołowiem gumy i osłaniać nimi wszystkie miejsca, które nie powinny ulec napromieniowaniu. Giętkie dywaniki przyjemnie uciskały ciało.

Pielęgniarka wyszła, zamknęła drzwi, obserwowała go teraz przez okienko w grubej ścianie. Rozległo się ciche buczenie, zapłonęły lampy zasilania, rozjarzyła się lampa rentgenowska.

I przez obnażony kwadrat skóry, potem przez tkanki i narządy, których nazw nie znał nawet ich posiadacz, przez miąższ nowotworu, przez żołądek i jelita, przez krążącą żyłami i tętnicami krew, przez płyny, przez komórki, przez kręgosłup i drobniejsze kości, potem przez błony, naczynia i skórę pleców, wreszcie przez dermę leżanki, przez czterocentymetrowe deski podłogi, przez stropy, przez fundamenty, coraz głębiej i głębiej, runęły twarde promienie rentgenowskie, niepojęte dla ludzkiego rozumu wektory pola elektrycznego i magnetycznego, albo bardziej zrozumiale – pociski kwantów, niszczące wszystko na swej drodze.

I ten barbarzyński ostrzał cząsteczek, bezgłośny i niewyczuwalny, po dwunastu seansach przywrócił Kostogłotowowi chęć życia, smak życia, apetyt, a nawet humor! Już po drugim i trzecim seansie, gdy bóle całkowicie ustąpiły, postanowił dowiedzieć się i zrozumieć, jakim cudem te przenikliwe pociski mogą zabijać nowotwór, nie naruszając zdrowych komórek. Aby z pełnym zaufaniem poddać się leczeniu, Kostogłotow musiał najpierw poznać zasady tego leczenia i przekonać się do ich celowości.

Spróbował więc porozmawiać o radioterapii z Wierą Korniljewną, tą sympatyczną lekarką, która tak rozbroiła go wtedy koło schodów, gdy zły i nieufny poprzysiągł sobie, że nie ruszy się stamtąd za żadną cenę.

– Pani doktor, ja chcę się tylko dowiedzieć – perswadował. – Jestem jak ten świadomy żołnierz: musi zrozumieć zadanie bojowe, bo inaczej nie będzie dobrze walczyć. Dlaczego rentgen rozkłada nowotwór, a nie niszczy zdrowej tkanki?

Wszystkie uczucia Wiery Korniljewny można było odczytać nie z jej oczu, ale z ust. Usta miała jakieś takie niezwykle wyraziste, leciutkie – jak skrzydełka. Natychmiast odmalowało się na nich wahanie. (Cóż mogła mu powiedzieć o tej morderczej artylerii, która z równaj zaciekłością ostrzeliwuje na oślep i wroga, i swoich?)

– To niewskazane... A zresztą zgoda. Promieniowanie niszczy oczywiście wszystkie tkanki. Tyle że zdrowe komórki szybko się odbudowują, a nowotworowe nie.

Prawdę mówiła, czy nie – Kostogłotow był zadowolony.

– O, na takich warunkach mogę grać. Dziękuję. Teraz będę wracać do zdrowia!

I rzeczywiście wracał. Chętnie chodził na naświetlania, a leżąc pod rentgenem przekonywał w myślach komórki guza, że muszą się rozpaść, zginąć, że dla nich to c z a p a.

Myślał zresztą o różnych sprawach, a czasem nawet drzemał.

Dziś obejrzał dokładnie liczne węże, rurki i przewody aparatu – zastanawiał się, dlaczego jest ich tak dużo i czym chłodzi się lampy – wodą czy olejem? Myślami błądził jednak zupełnie gdzie indziej.

A myślał o Wierze Ganhart. O tym, że taka urocza kobieta nigdy nie zjawi się u nich, w Usz-Tereku. I że wszystkie takie kobiety mają mężów. O mężu, owszem, pamiętał, ale nigdy jakoś nie łączył go z jej osobą. I myślał jeszcze, że przyjemnie byłoby z nią porozmawiać – lecz nie krótko i zdawkowo, ale długo, długo, albo przynajmniej pospacerować po szpitalnym parku. I od czasu do czasu zaszokować ją ostrością sądów – tak zabawnie się peszy! Za każdym razem, kiedy wchodzi do sali albo mija człowieka na schodach, uśmiecha się, a dobroć rozświetla ten uśmiech jak słońce. Jest dobra, po prostu dobra. I te usta...

Brzęcząca lampa podzwaniała cichutko.

Myślał też o Zoi. Rano najżywszym wspomnieniem tamtej nocnej rozmowy były piersi Zoi – sterczały zgodnie, tworząc coś w rodzaju niemal poziomej półeczki. Na biurku leżała ciężka drewniana linijka do kreślenia rubryk. Przez cały wieczór nie mógł oprzeć się pokusie, by położyć linijkę na tej intrygującej półeczce i sprawdzić – spadnie czy nie? Był przekonany, że nie.

Myślał również z wdzięcznością o ciężkim ołowianym dywaniku poniżej brzucha. Dywanik uciskał podbrzusze i zapewniał radośnie: „Nie bój się! Osłonię!"

A jeżeli nie osłoni? Może jest za cienki? Może leży nie tak, jak trzeba?

Prawdę mówiąc, w ciągu tych dwunastu dni Kostogłotow odzyskał nie tylko chęć życia, apetyt i dobry humor. Odzyskał także zdolność odczuwania tego, co w życiu najpiękniejsze, a co utracił przez miesiące cierpienia i bólu. A więc ołów spełniał swoje zadanie!

Tak czy owak, trzeba jednak będzie pryskać z tego szpitala, póki nie przedobrzyli z leczeniem.

Nie zauważył nawet, że buczenie ustało, a różowe nici zgasły. Weszła pielęgniarka, zaczęła zdejmować z jego ciała ołowiane osłony i prześcieradła. Opuścił nogi, usiadł, popatrzył na swój brzuch – widniały tam fioletowe kwadraty i cyfry.

– Jak się z tym myć? – spytał.

– Tylko za zgodą lekarzy.

– Sprytnie pomyślane. Co to jest? Harmonogram na cały miesiąc?

Poszedł do Doncowej. Siedziała przy stole w pracowni aparatów krótkoogniskowych i przez swoje prostokątne zaokrąglone okulary oglądała pod światło zdjęcia rentgenowskie. Oba aparaty były wyłączone, lufciki otwarte, technik rentgenolog już wyszła.

– Proszę siadać – powiedziała Doncowa oschle. Usiadł.

Nadal porównywała zdjęcia.

Kostogłotow pokłócił się z nią, ale chodziło mu wyłącznie o to, żeby lekarze nie przedobrzyli z leczeniem. Samą Ludmiłę Afanasjewnę darzył pełnym zaufaniem. Zadecydowała o tym nie tylko jej męska stanowczość, wiek, doświadczenie, precyzja wydawanych poleceń i bezgraniczne oddanie się pracy, ale przede wszystkim wyczucie, z jakim od pierwszego dnia odnajdywała zarys guza. O dokładności tych badań mówił sam guz, który też przecież reagował na dotyk. Tylko pacjent potrafi ocenić, czy lekarz bezbłędnie wyczuwa nowotwór. Doncowa lokalizowała guz z taką wprawą, że mogła obejść się bez prześwietlania promieniami rentgena.

Odłożyła zdjęcia i zdejmując okulary powiedziała:

– Kostogłotow. Pańska historia choroby zawiera bardzo istotne luki. Potrzebujemy absolutnie pewnego rozpoznania guza pierwotnego.

Ilekroć przechodziła na język medyczny, zaczynała mówić bardzo szybko, jednym tchem wyrzucała z siebie długie zdania i skomplikowane terminy fachowe.

– To, co pan powiedział o operacji sprzed dwóch lat, i obecne usytuowanie przerzutu potwierdza naszą diagnozę. Nie wykluczamy jednak innej ewentualności. To komplikuje terapię. Powinniśmy pobrać wycinek, ale sam pan rozumie, że to obecnie niemożliwe.

– No i chwała Bogu! I tak bym się nie zgodził.

– Nie rozumiem tylko, dlaczego nie przesłano nam preparatu wycinka guza pierwotnego. Czy pan jest pewien, że dwa lata temu robiono badanie histopatologiczne?

– Jestem absolutnie pewien.

– Dlaczego więc nie poinformowano pana o wyniku? – pytała rzeczowo i w takim tempie, że niektórych słów trzeba się było domyślać.

A Kostogłotow odzwyczaił się od pośpiechu:

– Wynik? Ludmiło Afanasjewno, wtedy działy się u nas takie rzeczy, że słowo daję... Aż głupio było pytać o tę moją biopsję. Głowy spadały! Zresztą i tak nawet nie wiedziałem, po co ją robili. – W rozmowie z lekarzami Kostogłotow lubił wtrącać słowa z ich specjalności.

– Pan miał prawo nie wiedzieć, to oczywiste. Ale lekarze musieli przecież zdawać sobie sprawę, że z tym nie ma żartów!

– Le – ka – rze?

Spojrzał na siwiejące włosy, których nie ukrywała i nie farbowała, na skupiony i rzeczowy wyraz jej twarzy o nieco wystających kościach policzkowych.

Jak to jest, że oto siedzi przed nim jego rodaczka, osoba dobra i życzliwa, oboje żyją w tych samych czasach, mówią tym samym językiem, a on w żaden sposób nie może wytłumaczyć jej najprostszych rzeczy. Zbyt daleko trzeba by się cofnąć w przeszłość. Albo zbyt wiele przemilczeć.

– Ludmiło Afanasjewno, lekarze też nic nie mogli poradzić. Pierwszego chirurga, Ukraińca, który miał mnie operować, wzięli na etap w przeddzień operacji.

– I co?

– Jak to co? Wywieźli.

– Ale zapewne uprzedzono go o tym, mógł więc...

Kostogłotow roześmiał się. Był szczerze ubawiony.

– Ludmiło Afanasjewno, o etapie się nie uprzedza. Na tym polega cała sztuka, żeby zgarnąć człowieka przez zaskoczenie.

Doncowa zmarszczyła wysokie czoło. Kostogłotow opowiadał jakieś niestworzone historie.

– No, ale skoro miał operować pacjenta?

– Nawet dwóch! Ten drugi był w jeszcze lepszym stanie niż ja. Litwin, połknął aluminiową łyżkę. Stołową.

– Jak to!?

– Specjalnie. Żeby się wyrwać z karceru. Nie wiedział, że chirurga właśnie wywieźli.

– No a... potem? Przecież pański guz rósł?

– I to jak szybko! Dosłownie w oczach, naprawdę! Po pięciu dniach przywieźli z innego łagpunktu nowego chirurga, Niemca, Karla Fiodorowicza. Tak... Rozejrzał się trochę i na drugi dzień zrobił mi operację. Ale nikt nic nie mówił o „nowotworach złośliwych" i „przerzutach". Nie znałem tych słów.

– I on pobrał wycinek?

– Nawet o tym nie wiedziałem. Leżałem po operacji z workiem piasku na brzuchu. Pod koniec tygodnia uczyłem się już opuszczać nogi na podłogę i wstawać. A tu z łagru wywożą jeszcze jeden etap, siedmiuset ludzi, „buntowników". I Karla Fiodorowicza też. Zabrali go z baraku, nawet nie pozwolili zrobić ostatniego obchodu.

– To niesłychane!

– To jeszcze nic – Kostogłotow ożywiał się coraz bardziej. – Przybiegł mój kumpel i powiada, że ja też jestem na liście, szefowa izby chorych, madame Dubinskaja, zgodziła się. Wiedziała, że nie mogę chodzić, że szwów jeszcze nie zdjęto – i zgodziła się, swołocz jedna! Przepraszam... Powiedziałem sobie tak: trząść się w bydlęcym wagonie ze świeżymi szwami, to pewna gangrena, śmierć! Więc kiedy po mnie przyjdą, to niech lepiej zastrzelą na łóżku, nigdzie nie pojadę, koniec! Ale nie przyszli. Wcale nie dlatego, że się madame Dubinskaja ulitowała, nie, ona była nawet zdziwiona, że jeszcze leżę w izbie chorych. Po prostu w komendanturze połapali się, że do końca odsiadki zostało mi mniej niż rok. Ale to już inna historia... Dowlokłem się do okna, patrzę. Za płotem, dwadzieścia metrów od izby chorych, był plac apelowy, właśnie formowali etap. Karl Fiodorowicz zobaczył mnie w oknie i woła: „Kostogłotow! Otwórz lufcik!" Konwojent do niego: „Zamknij mordę, bydlaku!" A on woła dalej: „Kostogłotow! Zapamiętaj! To bardzo ważne! Wycinek guza wysłałem do analizy! Omsk, katedra anatomopatologii, zapamiętaj!" No i... popędzili ich. To byli moi lekarze, pani poprzednicy. Zrobili, co mogli.

Kostogłotow odchylił się do tyłu. Był wzburzony. Znów oddychał powietrzem t a m t e g o szpitala, nie tego.

Oddzielając przydatne informacje od nieprzydatnych (pacjenci zawsze opowiadają mnóstwo niepotrzebnych rzeczy) Doncowa uparcie wracała do zasadniczego tematu:

– No i jaka była odpowiedź z Omska? Co napisali? Przysłali diagnozę? Zapoznano pana z nią?

Kostogłotow wzruszył kościstymi ramionami:

– Nikt mnie z niczym nie zapoznawał. Nie miałem nawet pojęcia, po co Karl Fiodorowicz kazał mi to zapamiętać. Dopiero zeszłej jesieni, na zesłaniu, kiedy już ostro mnie wzięło, pewien stary ginekolog, mój przyjaciel, zaczął nalegać, żebym się dowiedział o to rozpoznanie. Napisałem do swojego łagru. Nie odpowiedzieli. Napisałem więc zażalenie do administracji. Po dwóch miesiącach przyszło pisemko: „Po dokładnym zbadaniu danych archiwalnych dotyczących rzeczonej sprawy informujemy, że nie istnieje możliwość odnalezienia wspomnianej analizy lekarskiej". Czułem się już tak źle, że chciałem machnąć ręką na całą tę korespondencję, ale ponieważ komendantura i tak nie chciała puścić mnie na leczenie, napisałem bezpośrednio do Omska, do katedry anatomopatologii. I po paru dniach odpowiedzieli – w styczniu, kiedy miałem zgodę na przyjazd tutaj.

– No właśnie, właśnie! Ta odpowiedź! Gdzie ona jest?

– Ludmiło Afanasjewno, gdy wyjeżdżałem, to mnie... Zresztą nieważne. To był tylko papierek, bez pieczątki, bez podpisu, po prostu list od jakiejś laborantki z anatomopatologii. Napisała, że w czasie, o którym wspominałem, właśnie z tej miejscowości nadesłano preparat. Analiza potwierdziła... no, ten rodzaj nowotworu, który pani u mnie podejrzewa. Laborantka napisała jeszcze, że opis i rozpoznanie przesłano do nadawcy, czyli do izby chorych w moim łagrze.

Znając tamtejsze porządki mogę domyśleć się dalszego ciągu: przysłali wynik badania wycinka, nikomu nie był potrzebny, i madame Dubinskaja...

Nie, Doncowa stanowczo nie rozumiała takiej logiki! Słuchała z założonymi rękami i niecierpliwie klasnęła dłońmi o ramiona.

– Ale przecież z rozpoznania wynikało, że pan natychmiast musi poddać się radioterapii!

– Że co? – Kostogłotow żartobliwie przymrużył oczy i popatrzył na Ludmiłę Afanasjewnę. – Radioterapia?

No tak, tłumaczy jej przecież od kwadransa – i nic nie zrozumiała.

– Ludmiło Afanasjewno! To zupełnie inny świat! Żeby go sobie wyobrazić... Nie, to niemożliwe. Jaka radioterapia! Jeszcze mnie nie przestało boleć po operacji, tak jak teraz Achmadżana, a już wylewałem beton na robotach ogólnych. Nawet mi do głowy nie przyszło, że powinno być inaczej. Czy pani wie, ile waży szaflik płynnego betonu, kiedy podnosi się go we dwóch?

Spuściła głowę.

– No dobrze. Czemu jednak odpowiedź katedry anatomopatologii nadeszła jako prywatny list, nieoficjalnie?

– Dobrze, że w ogóle odpowiedzieli! – przekonywał Kostogłotow. – Trafiło na porządnego człowieka. Nawiasem mówiąc, zauważyłem, że dobrzy ludzie częściej zdarzają się wśród kobiet niż wśród mężczyzn. A co do tego prywatnego listu... Wszystko przez tę naszą, niech ją szlag, tajemnicę. Laborantka napisała, że wycinek guza przysłano do Omska anonimowo, bez nazwiska chorego. Dlatego nie mogli wysłać oficjalnej analizy i preparatu. – Na twarzy Kostogłotowa malowało się rozdrażnienie. – Wielka tajemnica państwowa! Idioci! Trzęsą się ze strachu, że w jakiejś tam katedrze ktoś może się dowiedzieć, że w jakimś łagrze siedzi jakiś Kostogłotow! Żelazna Maska, brat króla Ludwika! Pisemko będzie gdzieś tam sobie leżeć, a pani musi łamać teraz głowę, jak mnie leczyć. Wiadomo – tajemnica!

Doncowa patrzyła na niego twardym i zdecydowanym wzrokiem. Konsekwentnie zmierzała do celu:

– Ten list muszę załączyć do historii choroby.

– Dobrze, wrócę do swojego aułu i przyślę go pani.

– Nie, to za późno. Jest mi potrzebny już teraz. A ten ginekolog... Może on mógłby przysłać?

– Może i mógłby... A kiedy mnie pani wypisze?

– Wtedy – z naciskiem powiedziała Doncowa – kiedy sama uznam za stosowne przerwać pańską kurację. A i to tylko na jakiś czas.

Na tę właśnie chwilę Kostogłotow czekał od początku rozmowy!

Nadszedł moment ataku!

– Ludmiło Afanasjewno! Niech pani przestanie traktować mnie jak dziecko. Porozmawiajmy poważnie jak dwoje dorosłych ludzi. Dziś na obchodzie...

– Dziś na obchodzie – rysy Doncowej stwardniały – urządził pan karczemną scenę. O co panu chodziło? Żeby podburzyć pacjentów? Co im pan wbija do głów?

– Czego chciałem? – Mówił spokojnie, też z naciskiem; siedział na krześle wyprostowany i pewien swojej racji. – Chciałem tylko pani przypomnieć, że mam prawo rozporządzać własnym życiem. Człowiek ma prawo rozporządzać własnym życiem, prawda? Czy przyznaje mi pani takie prawo?

Doncowa patrzyła na jego bezbarwną krzywą bliznę i milczała. Kostogłotow ciągnął dalej:

– Wychodzi pani z błędnego założenia, że skoro pacjent trafił do szpitala, to lekarz może nawet myśleć za niego. Za pacjenta myślą wasze instrukcje, odprawy, wykresy, harmonogramy, plan i reputacja kliniki. I znów jestem tylko drobinką, jak w łagrze, znów nic ode mnie nie zależy, nie mam nic do powiedzenia!

– Pacjenci mają wolność wyboru, przed operacją muszą wyrazić zgodę na piśmie – przypomniała Doncowa.

(Co ona tak o operacji... Za skarby świata nie zgodzi się na operację!)

– Piękne dzięki! Dzięki i za to, chociaż klinika robi to we własnym interesie. Nie pytacie jednak pacjentów o zgodę na inne rodzaje leczenia, nic im nie mówicie! A taki rentgen to co – drobiazg?

– Już się pan nasłuchał o rentgenie? – domyśliła się Doncowa. – Pewnie od Rabinowicza?

– Nie znam żadnego Rabinowicza! – energicznie zaprzeczył Kostogłotow. – Chodzi mi o zasadę!

(Oczywiście to Rabinowicz opowiedział mu o złowieszczych następstwach leczenia promieniowaniem, ale Kostogłotow obiecał, że go nie wyda. Rabinowicz był pacjentem dochodzącym, zaliczył już ponad dwieście naświetlań, znosił je bardzo źle i uważał, że każda nowa seria zabiegów przybliża raczej zgon niż wyzdrowienie. W najbliższym otoczeniu – w mieszkaniu, w domu, w mieście – nikt go nie rozumiał: ludzie zdrowi od rana do wieczora uganiali się nie wiadomo za czym i zaprzątali sobie głowę kompletnie nieważnymi sprawami, które w ich mniemaniu miały jakieś niesłychane znaczenie. Obecność Rabinowicza męczyła wszystkich, nawet rodzinę. Współczucie i zrozumienie znajdował jedynie tu, na onkologii: chorzy godzinami słuchali jego opowieści. Oni rozumieli, jak to jest, gdy martwieją kości, a skóra w naświetlanych miejscach staje się jedną wielką raną!)

Coś podobnego! On mówił o zasadzie! Jeszcze tego tylko brakowało, żeby lekarze mieli dyskutować z pacjentami o zasadach ich leczenia! A kiedy leczyć?

Taki namolny i docieklіwy uparciuch jak Kostogłotow albo Rabinowicz zdarzał się mniej więcej raz na pięćdziesięciu pacjentów i nie było sposobu, żeby wykręcić się od odpowiadania na mnóstwo idiotycznych pytań. Przypadek Kostogłotowa był szczególny również z punktu widzenia medycyny: najpierw tamto nieodpowiedzialne, wręcz celowo szkodliwe leczenie, które doprowadziło pacjenta niemal do stanu agonii, a teraz ta gwałtowna i wyjątkowo szybka pozytywna reakcja na radioterapię.

– Kostogłotow! Po dwunastu seansach rentgen dosłownie wskrzesił pana – jak więc pan śmie uskarżać się na leczenie! Narzekał pan, że w obozie i na zesłaniu nikt pana nie leczył – a teraz ma pan za złe, że chcemy pana leczyć! Gdzie tu logika?

– Rzeczywiście – potrząsnął czarnymi kudłami. – Logiki w tym nie ma. A może w ogóle nie powinno jej być? Przecież człowiek to bardzo skomplikowana istota, dlaczego kluczem do niego miałaby być tylko logika? Albo ekonomia? Albo fizjologia? Tak, przyjechałem tu jako prawie nieboszczyk, chciałem się leczyć, warowałem jak pies pod schodami – a pani wyciąga z tego logiczny wniosek, że przyjechałem do szpitala ratować się za wszelką cenę. A ja nie chcę za wszelką cenę! Nie ma takiej rzeczy na świecie, której pragnąłbym za wszelką cenę! – Mówił coraz szybciej: nie lubił tego, ale Doncowa chciała mu przerwać, a tyle jeszcze miał do powiedzenia. – Przyjechałem, żeby znaleźć ulgę w cierpieniu! Wołałem: boli mnie, ratunku! Pomóżcie! I pani mi pomogła! Bóle ustąpiły. Dziękuję. Jestem pani dozgonnie wdzięczny. Ale teraz – proszę mnie wypisać. Chcę zaszyć się w swojej norze jak zwierzę, wyleżeć się i wylizać.

– A kiedy znów pana przyciśnie, to znów się pan tu przywlecze, tak?

– Możliwe. Możliwe, że się przywlokę.

– I będziemy musieli pana przyjąć?

– Tak! Tak rozumiem waszą rolę! Wasze miłosierdzie! A panią interesuje – co? Wskaźnik wyzdrowień? Sprawozdawczość? Jak napisać, że zostałem wypisany po piętnastu seansach, skoro Akademia Nauk zaleca co najmniej sześćdziesiąt?

Nigdy nie słyszała podobnych bredni. Gdyby lekarzom zależało wyłącznie na procentach i wskaźnikach, to właśnie teraz byłby najlepszy moment, żeby go wypisać z uzasadnieniem; „znaczna poprawa zdrowia". Po sześćdziesięciu seansach nie da się tego napisać...

A Kostogłotow plótł dalej:

– Mnie tam wystarczy, że guz przestał rosnąć. Zatrzymała go pani. Przeszedł do obrony. Ja też. I dobrze. Dla żołnierza nie ma lepszej rzeczy niż obrona. A wyleczyć mnie „do końca" pani i tak nie da rady, bo leczenie nowotworów nie ma żadnego k o ń c a. Zjawiska natury są asymptotyczne, im większe wysiłki, tym mniejsze efekty. Na początku mój guz kurczył się bardzo szybko, a teraz zwolni – proszę więc mnie wypisać, póki mam choć trochę własnej krwi.

– Ciekawe, skąd się pan tego wszystkiego dowiedział? – zmrużyła oczy Doncowa.

– Od dziecka lubiłem czytać książki medyczne.

– A wracając do leczenia: czego k o n k r e t n i e pan się obawia?

– Ludmiło Afanasjewno, nie wiem, nie jestem lekarzem. Pani być może wie, ale nie chce mi powiedzieć. Na przykład Wiera Korniljewna ma zamiar zaaplikować mi glukozę w zastrzykach...

– Słusznie.

– A ja nie chcę!

– Dlaczego?

– Po pierwsze, to wbrew naturze. Jeżeli mój organizm potrzebuje tego cukru, to podawajcie mi go doustnie! Dwudziesty wiek, a u nas każde lekarstwo – w zastrzykach! Widział kto w przyrodzie coś takiego? Na przykład u zwierząt? Za sto lat będą się z nas śmiać jak z dzikusów. A poza tym, jak się robi te zastrzyki? Jedna pielęgniarka trafi w żyłę, a druga pokłuje cały ten... staw łokciowy. Nie chcę! I jeszcze chcą mi zrobić transfuzję...

– Powinien się pan cieszyć! Ktoś oddaje panu własną krew! To samo zdrowie, samo życie!

– A ja nie chcę! Widziałem, jak dawali krew jednemu Czeczeńcowi, trzęsło go potem trzy godziny, a lekarka mówi: „niepełna zgodność grupy". Innemu wprowadzili krew obok żyły, wyskoczyła mu wielka gula na ręce. Teraz likwidują to gorącymi kompresami. Od miesiąca!

– Bez transfuzji nie można stosować dużych dawek promieniowania.

– To nie dawajcie dużych dawek! Dlaczego rości sobie pani prawo do decydowania za innego człowieka? Przecież to straszne prawo, może wyrządzić więcej zła niż dobra! Proszę uważać! Lekarz też go nie ma!

– Właśnie lekarz ma takie prawo! Przede wszystkim lekarz! – z przekonaniem zawołała mocno już zirytowana Doncowa. – Bez tego prawa w ogóle nie byłoby medycyny!

– A do czego ono prowadzi? Niedługo będzie pani wygłaszać referat o chorobie popromiennej, prawda?

– Skąd pan wie? – zdumiała się Doncowa.

– Łatwo się domyśleć...

(Na stole leżała pękata tekturowa teczka z kartkami maszynopisu. Tytuł był wprawdzie odwrócony, ale Kostogłotow w trakcie rozmowy zdołał przeczytać go i zrozumieć.)

– ... i wyciągnąć wnioski. Mamy nową nazwę choroby, a więc trzeba wygłaszać referaty. A przecież dwadzieścia lat temu też naświetlała pani jakiegoś tam Kostogłotowa, który bał się leczenia, a pani zapewniała, że wszystko w porządku, bo nie wiedziała jeszcze pani o chorobie popromiennej. Ze mną jest teraz tak samo: jeszcze nie wiem, czego mam się bać. Niech mnie pani wypisze. Chcę wyzdrowieć o własnych siłach. A nuż się uda?

Lekarska zasada głosi: pacjenta nie wolno straszyć, pacjenta trzeba podnosić na duchu. Ale takiego pacjenta jak Kostogłotow należało oszołomić i złamać.

– Uda się? N i c s i ę n i e u d a! Zapewniam pana – trzepnęła czterema palcami o blat jakby zabijała muchę. – Na pewno! Pan po prostu – na chwilę zawiesiła głos dla zwiększenia efektu – u m r z e!

Spodziewała się, że drgnie. On jednak tylko umilkł.

– Czeka pana los Azowkina. Widział go pan, prawda? To jest ten sam rodzaj nowotworu i obaj jesteście mniej więcej w tym samym stadium choroby. Achmadżana ratujemy, bo naświetlania zaczęły się natychmiast po operacji. A pan stracił dwa lata, proszę o tym pomyśleć! Po pierwszej operacji powinien pan mieć drugą, i to bardzo szybko: należało usunąć najbliższy zagrożony węzeł chłonny. Nie zrobiono tego. No i ma pan rezultat – przerzuty. Pański guz to jedna z najgroźniejszych odmian raka! Wyjątkowo złośliwy, daje natychmiastowe przerzuty. Do niedawna współczynnik śmiertelności przy tym rodzaju nowotworu wynosił dziewięćdziesiąt pięć procent – rozumie pan to?

Zaraz panu pokażę...

Ze sterty papierów wyciągnęła jakąś teczkę i zaczęła w niej grzebać.

Kostogłotow milczał. Potem odezwał się cichym i nie tak już pewnym głosem:

– Szczerze mówiąc, na życiu specjalnie mi nie zależy. Nic mnie już w nim nie czeka, przedtem też go nie miałem. Jeśli zostało mi pół roku, to jakoś je przeżyję. A na dziesięć czy piętnaście lat nie mam ochoty. Dodatkowe leczenie – niepotrzebne cierpienie. Od promieniowania zaczną się mdłości, wymioty – po co mi to?

– Znalazłam! Proszę. Oto nasza statystyka. – Podsunęła mu rozłożoną podwójną kartkę z zeszytu. Przez całą szerokość kartki ciągnęła się nazwa jego choroby. Z lewej strony przeczytał: „Zmarli", z prawej: „Jeszcze żyją". Niżej widniały dwie kolumny nazwisk. Nazwiska pochodziły z różnych lat i miesięcy, niektóre zapisywano piórem, inne ołówkiem. W lewej kolumnie nie było żadnych skreśleń, w prawej – kreski, kreski, kreski... – Przy wypisie ze szpitala umieszczamy nazwisko pacjenta w prawej rubryce, a potem – przenosimy do lewej... Zdarzają się jednak szczęśliwcy, których nazwisk nie trzeba przenosić. Widzi pan?

Pozwoliła mu przyjrzeć się kartce i pomyśleć.

– Panu się tylko *wydaje*, że pan już wyzdrowiał – ciągnęła energicznie. – Jest pan tak samo chory jak przedtem. Nic się nie zmieniło. Na razie wiemy tylko, że pańską chorobę *można* leczyć. Że można z nią walczyć. Że jeszcze nie wszystko stracone. A pan w takim momencie decyduje się przerwać terapię. Proszę bardzo! Niech się pan wypisuje! Choćby dziś! Zaraz wydam polecenie... I osobiście wpiszę pana na tę kartkę. Na listę tych, którzy jeszcze żyją. Jeszcze...

Milczał.

– No? Proszę się decydować!

– Ludmiło Afanasjewna – powiedział Kostogłotow pojednawczo. – Jeśli wystarczy jakaś rozsądna liczba naświetlań, no, powiedzmy pięć czy dziesięć...

– Ani pięć, ani dziesięć! Ani jednego! Albo tyle, ile okaże się potrzebne! Na przykład od dziś – po dwa dziennie! I wszystkie inne sposoby leczenia, które uznam za stosowne! I proszę rzucić palenie! I jeszcze jeden warunek. Konieczny! Musi pan leczyć się nie tylko z wiarą, ale *i z radością*! Wtedy może pan wyzdrowieje.

Spuścił głowę. Tak naprawdę w całej tej dyskusji chodziło mu wyłącznie o jedno: żeby Doncowa nie zaproponowała operacji. Nie zaproponowała. A ten rentgen... W końcu to nic strasznego. No i miał w zanadrzu własne lekarstwo: korzeń z Issyk-Kułu. Właśnie dlatego chciał zaszyć się w swojej głuszy, żeby spokojnie zacząć leczyć się tym korzeniem. Z nim wiązał wszystkie nadzieje: do kliniki przyjechał tylko ot tak, na próbę.

A zwycięska doktor Doncowa dodała wielkodusznie:

– Dobrze, nie będę dawać panu glukozy. Zamiast niej dostanie pan inny zastrzyk, domięśniowy.

Kostogłotow uśmiechnął się.

– Zgoda, tyle mogę pani ustąpić!

– I bardzo pana proszę: niech pan jak najszybciej ściągnie ten list z Omska.

Wracał do sali i myślał, że oto kroczy między dwiema wiecznościami. Z jednej strony – lista skazanych na śmierć. Z drugiej – w i e c z n a zsyłka. Wieczna jak gwiazdy. Jak galaktyki.

7

A przecież gdyby Kostogłotow zaczął wypytywać, co to za zastrzyk, jak działa, czy naprawdę jest konieczny; gdyby Ludmiła Afanasjewna musiała mu wyjaśniać zasadę, cel i ewentualne następstwa nowej terapii – zapewne zbuntowałby się definitywnie. Nie spytał jednak, akurat w tym momencie wyczerpał swoje błyskotliwe argumenty i skapitulował.

Ona zaś świadomie użyła podstępu, wspomniała o zastrzyku mimochodem, jak o drobiazgu, bo zmęczyło ją już ciągłe tłumaczenie, a wiedziała doskonale, że właśnie teraz, po sprawdzeniu reakcji pacjenta na naświetlania, należy zaatakować nowotwór inną bronią – w opinii luminarzy medycyny bardzo wskazaną przy tym rodzaju raka. Przewidując sukces w leczeniu Kostogłotowa, nie mogła nie przełamać jego oporów i nie zastosować wszystkich środków, w których skuteczność wierzyła. Co prawda nie dysponowała wycinkiem guza pierwotnego, ale intuicja, doświadczenie i pamięć zgodnie podpowiadały, że to ta odmiana raka, ta, a nie mięsak czy potworniak.

Tak się składało, że właśnie ten typ nowotworu i jego charakterystyczne przerzuty były tematem pracy kandydackiej, którą pisała. Właściwie nie pisała, raczej zaczynała pisać, odkładała na później, znów pisała: przyjaciele zapewniali, że będzie to znakomita praca, ale w nawale codziennych obowiązków dawno już przestała myśleć o jej obronie. Nie wynikało to z braku materiału i doświadczenia, wprost przeciwnie, raczej z nadmiaru jednego i drugiego, bez przerwy wzywano ją to do ekranu, to do laboratorium, to do pacjentów. W takich warunkach kompletowanie dokumentacji naukowej, zdjęć, analiz, opisów, systematyzacja danych, wreszcie egzamin – wszystko to przekraczało ludzkie siły. Mogłaby wprawdzie wziąć półroczny urlop naukowy, ale nigdy jakoś nie nadchodził ten szczęśliwy dzień, w którym byłaby w stanie zostawić pacjentów pod opieką asystentek i opuścić szpital na sześć miesięcy.

Słyszała kiedyś, co Lew Tołstoj powiedział o swoim bracie: „Miał wszelkie zadatki na pisarza, ale brakowało mu wad, które czynią z człowieka pisarza". Ludmile Afanasjewnie brakowało widocznie wad, które czynią z lekarza kandydata nauk. Nie zależało jej, by słyszeć szepty za plecami: „To nie jest zwyczajna lekarka, to kandydat nauk Doncowa!" Albo żeby przed nazwiskiem autora artykułu (napisała ich około dwudziestu, nie był to duży dorobek, ale znaczący) umieszczano te dodatkowe, drobne, lecz szacowne literki. Tytuł oznaczałby większe pieniądze, a tych nigdy nie ma za dużo. No cóż, nie wyszło. Trudno. Nie wyszło i tyle.

Na brak tak zwanej dodatkowej pracy naukowej nie mogła zresztą narzekać. W ich klinice odbywały się obowiązkowe konferencje kliniczno-anatomiczne, poświęcone analizie błędów w diagnostyce i terapii, a także szkolenia na temat najnowszych metod leczenia (co prawda rentgenolodzy i chirurdzy i tak codziennie konsultowali się ze sobą, wymieniali doświadczenia, omawiali nowe metody i analizowali błędy, ale szkolenie to co innego!) Do tego dochodziły sympozja w Towarzystwie Radiologicznym. I działalność w niedawno powstałym Towarzystwie Onkologicznym, gdzie Doncowa pełniła funkcję sekretarza (jak zwykle przy organizowaniu czegoś nowego, było tam mnóstwo pracy). I Instytut Doskonalenia Lekarzy. I korespondencja z „Przeglądem Onkologicznym", z Akademią Nauk, z Centrum Informacji Naukowej – i choć pozornie Wielka Nauka mieściła się gdzieś tam hen, w Moskwie i w Leningradzie, to nie było dnia, by praktyka nie zazębiała się z teorią.

Na przykład dziś. Musiała zadzwonić do prezesa Towarzystwa Onkologicznego w sprawie swojego referatu. I koniecznie przejrzeć dwa artykuły fachowe. I wysłać odpowiedzi – jedną do Moskwy, drugą do punktu onkologicznego w jakiejś zapadłej dziurze, skąd proszono ją o opinię.

Poza tym miała wpaść na chirurgię i rzucić okiem na jedną z pacjentek ginekologicznych. Pod koniec przyjęć w przychodni trzeba było pójść z asystentką i zbadać tego pacjenta z Taszauzu z podejrzeniem raka jelita cienkiego. Na dziś zaplanowała też naradę z technikami na temat zwiększenia wydajności pracy aparatów rentgenowskich. No i oczywiście zastrzyk Rusanowa: musiała sprawdzić reakcję, takie przypadki leczyli dopiero od niedawna, przedtem kierowali pacjentów do Moskwy.

A ona traciła czas na idiotyczne dyskusje z tym upartym Kostogłotowem! Jeszcze w trakcie ich rozmowy dwa razy zaglądali fachowcy, którzy montowali dodatkowe oprzyrządowanie emitora promieni gamma. Przekonywali, że potrzebne są jeszcze jakieś roboty, nie przewidziane w planie – Doncowa miała podpisać zgodę i poinformować lekarza naczelnego. Ruszyła do jego gabinetu, lecz na korytarzu podbiegła pielęgniarka z depeszą. Depeszowała Anna Zacyrko z Nowoczerkasska. Nie widziały się od piętnastu lat i nawet nie korespondowały ze sobą, ale Anna była jej dawną i dobrą przyjaciółką jeszcze ze szkoły akuszerek w Saratowie, gdzie poznały się w 1924 roku. Anna pisała, że dziś albo jutro trafi do ich kliniki jej najstarszy syn Wadim, geolog: prosiła o zaopiekowanie się nim i informację o diagnozie. Ludmiła Afanasjewna zdenerwowała się, zostawiła majstrów i poszła poprosić siostrę przełożoną, żeby do końca dnia zatrzymała miejsce po Azowkinie dla Wadima Zacyrko. Siostra Mita jak zwykle biegała gdzieś po szpitalu i nikt nie miał pojęcia, gdzie jest. Gdy Doncowa wreszcie ją znalazła i załatwiła sprawę łóżka, Mita oznajmiła, że najlepsza pielęgniarka z radioterapii, Olimpiada Władysławowna, idzie właśnie na dziesięciodniowy kurs skarbników związków zawodowych i trzeba znaleźć zastępstwo. Był to absolutny i niedopuszczalny skandal, toteż Doncowa zdecydowanym krokiem pomaszerowała wraz z Mitą do rejestracji zadzwonić do rejonowego komitetu związków zawodowych i wymóc zwolnienie Olimpiady Władysławowny z kursu. Najpierw nie mogła się dodzwonić, potem z rajkomu odesłali ją do komitetu obwodowego, gdzie jakiś działacz długo wydziwiał nad jej brakiem odpowiedzialności politycznej i lekceważącym stosunkiem do finansów związków zawodowych. Najwidoczniej ani ci z rajkomu, ani ci z obkomu, ani ich najbliżsi nie mieli do czynienia z rakiem i byli pewni, że akurat oni nigdy nie zachorują. Załatwiwszy przy okazji telefon do Towarzystwa Radiologicznego, Ludmiła Afanasjewna pobiegła na skargę do lekarza naczelnego, ale naczelny miał właśnie naradę w sprawie planowanego remontu jednego ze skrzydeł pawilonu. Nic nie załatwiła, wróciła więc do siebie, zaglądając po drodze na rentgenodiagnostykę, gdzie dziś nie pracowała. Technicy wywoływali właśnie zdjęcia i natychmiast zameldowali Ludmile Afanasjewnie, że błony fotograficznej starczy zaledwie na trzy tygodnie, a to oznacza kompletną klęskę, bo zamówienia realizowane są dopiero po miesiącu. Dziś albo jutro należało więc dopaść równocześnie kierownika gospodarczego i lekarza naczelnego – zadanie graniczące z cudem! – i zmusić ich, żeby wysłali zamówienie.

W chwilę później znów zastąpili jej drogę fachowcy od emitora promieni gamma; podpisała im zgodę na dodatkowe roboty. Potem wróciła do techników. Tam usiadła i zaczęła obliczać. Zgodnie z normami technicznymi aparaty powinny działać w cyklu: godzina pracy – pół godziny przerwy, ale od dawna nikt tego nie przestrzegał, rentgen pracował non stop po dziewięć godzin dziennie, półtorej zmiany. Mimo takiego przeciążenia i niemal taśmowego przyjmowania pacjentów nie udawało się zapewnić niezbędnej ilości seansów. Żeby przyśpieszyć efekty oddziaływania na nowotwory (a co za tym idzie podnieść współczynnik przepustowości kliniki!), zaczęli naświetlać pacjentów ambulatoryjnych raz, a niektórych hospitalizowanych – nawet dwa razy dziennie (od dziś dotyczyło to także Kostogłotowa). W tajemnicy przed pracownikami nadzoru technicznego przeszli z prądu o natężeniu 10 miliamperów na 20, co pozwoliło skrócić czas każdego seansu o połowę, choć lampy oczywiście zużywały się o wiele szybciej. Ale i tak nie nadążali! Dziś Ludmiła Afanasjewna musiała zadecydować, których pacjentów można naświetlać bez środków chroniących skórę, a którym dać osłonę półmilimetrową zamiast milimetrowej. To też skracało czas seansu.

Potem zajrzała na piętro i sprawdziła, jak się czuje Rusanow. Stamtąd zeszła do pracowni aparatów krótkoogniskowych, gdzie znów przyjmowano pacjentów, i właśnie miała zamiar zabrać się do artykułów, gdy do drzwi delikatnie zapukała Jelizawieta Anatoljewna prosząc o chwilę rozmowy.

Jelizawieta Anatoljewna była zwyczajną salową, nikt jednak nie ośmielił się mówić jej po imieniu ani nawet nazywać „ciocią Lizą", jak często zwracają się do starszych wiekiem pielęgniarek młodzi lekarze. Była to kulturalna kobieta o doskonałych manierach, podczas nocnych dyżurów czytywała francuskie książki w oryginale – i nie wiadomo, dlaczego pracowała jako zwyczajna salowa na radioterapii, zresztą bardzo sumiennie. Miała tu półtora etatu, przez jakiś czas dostawała też pięćdziesiąt procent dodatku za pracę w warunkach szkodliwych dla zdrowia – niebawem jednak salowym dodatek ten obniżono do piętnastu procent; mimo to Jelizawieta Anatoljewna nie odeszła.

– Ludmiło Afanasjewno – skłoniła przepraszająco głowę jak wszyscy zbyt uprzejmi ludzie. – Nie chciałabym pani niepokoić z tak błahego powodu, ale naprawdę ogarnia mnie rozpacz: zabrakło ścierek. Nie mogę sprzątać!

Tak, to był problem! Ministerstwo zaopatrywało onkologię w igły radowe, lampy rentgenowskie, stabilizatory, najnowocześniejszą aparaturę do transfuzji krwi, najnowsze leki – we wszystko, tylko nie w prozaiczne szczotki i ścierki. Widocznie nie pasowały do tak dumnie brzmiącej listy. Nizamutdin Bachramowicz powtarzał zaś niezmiennie: „Skoro ministerstwo nie przewiduje, to nie ma! Przecież nie będę kupować wam ścierek za własne pieniądze!" Przez jakiś czas darły na szmaty starą bieliznę szpitalną, ale wkrótce władze resortowe zabroniły tego procederu, węsząc machlojki w gospodarowaniu mieniem państwowym. Zniszczoną bieliznę należało odstawić do wyznaczonego miejsca, gdzie po spisaniu protokołu kompetentna komisja darła ją i wyrzucała.

– A może – mówiła Jelizawieta Anatoljewna – każdy pracownik radiologii zobowiązałby się przynieść jedną ścierkę z domu? W ten sposób jakoś byśmy sobie poradziły...

– No cóż – westchnęła Doncowa – chyba nie mam innego wyjścia. Zgoda. Niech pani przekaże Olimpiadzie Władysławownie... Olimpiada Władysławowna! Racja, przecież trzeba coś zrobić w sprawie tego kursu! To nonsens, żeby na dziesięć dni odrywać od pracy najlepszą i najbardziej doświadczoną pielęgniarkę!

Znów poszła dzwonić. I oczywiście znów nic nie wskórała. W pracowni czekał chory z Taszauzu. Najpierw posiedziała przez chwilę przy zgaszonym świetle, przyzwyczajając oczy do ciemności. Potem badała jelito cienkie pacjenta, napełnione zawiesiną baru. Manewrowała ekranem ochronnym, kazała pacjentowi wstawać, kłaść się, odwracać się to na jeden bok, to na drugi – w końcu uzyskała pełny obraz chorego organu. Następnie założyła gumowe rękawice i starannie obmacała brzuch pojękującego człowieka: porównując okrzyki „boli!” z niewyraźną mapą plam i cieni na zdjęciu, umiejscowiła nowotwór i postawiła diagnozę.

Zajęta pacjentem nawet nie zauważyła, że minęła już przerwa obiadowa – nigdy zresztą nie miała czasu, żeby zjeść choćby kanapkę.

Teraz musiała pójść na konsultację do zabiegowego. Starszy chirurg pokrótce zapoznała ją z historią choroby, po czym przyprowadzono pacjentkę. Doncowa widziała tylko jeden ratunek – całkowite usunięcie narządów rodnych. Pacjentka, kobieta najwyżej czterdziestoletnia, wybuchnęła płaczem. Pozwoliły jej popłakać przez kilka minut. – „To koniec! Całe życie na nic! Mąż mnie rzuci!”

– Mąż nic nie musi wiedzieć. Nie trzeba mu mówić, co to za operacja – perswadowała Ludmiła Afanasjewna. – Nigdy się nie dowie! Może to pani przed nim ukryć!

Powołana do ratowania ż y c i a, właśnie życia – na onkologii prawie zawsze szło o życie, o najwyższą stawkę – Ludmiła Afanasjewna uważała, że usprawiedliwione jest każde działanie, które może to życie ocalić.

Dziś jednak przez cały wypełniony szpitalną krzątaniną dzień coś jej przeszkadzało, odbierało poczucie pewności siebie, odpowiedzialności i władczości.

Czy był to znajomy dokuczliwy ból w okolicy żołądka? Czasem zanikał, czasem ledwie go czuła, a czasem – tak jak dziś – dokuczał całkiem solidnie. Gdyby nie była onkologiem, prawdopodobnie nie zwracałaby na niego uwagi albo bez żadnych obaw zrobiła potrzebne badania. Zbyt dobrze jednak znała tę niteczkę, żeby zacząć rozwijać kłębek: najpierw powiedzieć rodzinie, potem kolegom z pracy... Uspokajała samą siebie typowo rosyjskim: „a nuż..." A nuż samo przejdzie? A nuż to tylko na tle nerwowym?

Nie, przeszkadzało jeszcze coś innego, coś nieokreślonego, ale natrętnego i dokuczliwego jak drzazga. Dopiero teraz, gdy usiadła w swoim kąciku i dotknęła teczki z napisem „Choroba popromienna", który tak sprytnie odczytał spostrzegawczy Kostogłotow, zrozumiała, że na cały dzień wytrąciła ją z równowagi tamta dyskusja o prawie lekarza do leczenia.

Ciągle słyszała jego głos: „Dwadzieścia lat temu też naświetlała pani jakiegoś tam Kostogłotowa, który błagał, żeby tego nie robić, a pani nic nie wiedziała o chorobie popromiennej!"

I rzeczywiście, niebawem miała wygłosić w Towarzystwie Radiologicznym referat na temat: „O późnych zmianach popromiennych". Właśnie o tym, co zarzucił jej Kostogłotow.

Dopiero od niedawna, od roku czy dwóch, do radiologów – tu, w Moskwie, w Baku, wszędzie – zaczęły napływać te początkowo niezrozumiałe przypadki. Najpierw były domysły, hipotezy i podejrzenia. Potem – rozwiązanie zagadki. Radiolodzy korespondowali z sobą, wymieniali doświadczenia, później mówili o nich – nie na konferencjach i sympozjach, ale w kuluarach. Ktoś wygłosił referat, powołując się na artykuł w amerykańskiej prasie fachowej – jeden, drugi... Amerykanie też mieli podobne problemy. A przypadków było coraz więcej, zgłaszali się wciąż nowi i nowi pacjenci – i nagle wszystko to otrzymało nazwę „późnych zmian popromiennych". Nastał czas analiz naukowych i podejmowania decyzji.

Chodziło o to, że u byłych pacjentów, których leczono kiedyś dużymi dawkami promieniowania, po dziesięciu – piętnastu latach w miejscach naświetlań występowały dziwne i nieoczekiwane zmiany chorobowe.

Lekarze czuli się usprawiedliwieni, gdy promieniowaniem leczyli nowotwory złośliwe. Nie było innego wyjścia – ani piętnaście lat temu, ani teraz: promienie ratowały ludzi od niechybnej śmierci. Stosowano duże dawki, bo małe nie mogły pomóc. Uratowany ongiś człowiek musiał zrozumieć, że jego obecne cierpienia to cena, jaką płaci za darowane mu lata życia i te, które jeszcze miały nadejść.

Wtedy jednak, dziesięć, piętnaście, osiemnaście lat temu, gdy nikomu nie śniło się nawet o chorobie popromiennej, naświetlanie promieniami rentgenowskimi uchodziło za sposób tak prosty, uniwersalny i cudowny, za tak wspaniałe osiągnięcie współczesnej medycyny, że tylko zacofanie albo wręcz sabotaż mógł być powodem, dla którego odmówiono by go ludziom pracy i szukano jakichś innych metod leczenia. Obawiano się jedynie wczesnych zmian popromiennych, lecz wkrótce i z nimi sobie poradzono. I naświetlano! Ile się tylko dało! Do oporu! Nawet nowotwory łagodne. Nawet u małych dzieci.

A teraz tamte dzieci, dorastające już, zgłaszały się do szpitali z nieodwracalnymi zmianami chorobowymi w miejscach, które wówczas napromieniowano.

Zeszłej jesieni trafił do kliniki – nie na onkologię, na chirurgię, ale Ludmiła Afanasjewna dowiedziała się o tym przypadku i zbadała go – piętnastoletni chłopiec z jednostronnym skarłowaceniem obu kończyn i połowy czaszki, wyglądał jak złożona z dwóch nierównych części karykatura człowieka. Sprawdzając dane w archiwum Ludmiła Afanasjewna rozpoznała w nim dwuipółrocznego chłopczyka, którego matka przyniosła kiedyś do przychodni z licznymi zniekształceniami kości na nieznanym tle i zaburzeniami metabolizmu. Chirurdzy odesłali dziecko do Doncowej – a nuż rentgen pomoże. Doncowa przyjęła małego pacjenta – i rentgen rzeczywiście pomógł! Matka płakała ze szczęścia, powtarzała, że nigdy nie zapomni cudotwórczyni.

A teraz chłopiec zjawił się sam – matka już nie żyła – i nikt nie mógł mu pomóc, nikt nie mógł usunąć z jego kości radioaktywnych resztek tamtych naświetlań.

Pod koniec stycznia przyszła młoda matka, uskarżała się na brak pokarmu. Odsyłano ją od specjalisty do specjalisty, aż w końcu trafiła na onkologię. Doncowa nie pamiętała jej, ale na wszelki wypadek sprawdziła w archiwum (w ich klinice karty chorób przechowuje się po wsze czasy) i odszukała dane z roku 1941, kiedy to obecna pacjentka jeszcze jako mała dziewczynka kładła się ufnie pod lampą rentgenowską – z nowotworem łagodnym, którego dziś nikt nie leczyłby promieniowaniem.

I Doncowej nie pozostawało nic innego, jak tylko zaktualizować dawną kartę choroby i odnotować, że nastąpiła atrofia tkanki miękkiej – prawdopodobnie na skutek choroby popromiennej.

Ani spotworniałemu chłopcu, ani pozbawionej pokarmu matce nikt oczywiście nie wyjaśnił, że w dzieciństwie niewłaściwie ich leczono: wyjaśnienia i tak nie przywróciłyby im zdrowia, a poza tym mogły narazić na szwank autorytet służby zdrowia.

Ludmiła Afanasjewna była jednak wstrząśnięta tymi przypadkami, dręczyło ją poczucie winy – i prosto w to bolesne miejsce trafił ją dzisiaj Kostogłotow.

Objęła się ramionami i zaczęła spacerować po pracowni – od okna do drzwi, od drzwi do okna, wąskim przejściem między wyłączonymi aparatami.

Czyż można tak stawiać kwestię p r a w a lekarza do leczenia? Przecież gdyby negować każdą stosowaną dziś metodę terapii, bo w przyszłości może okazać się zła czy szkodliwa, to dojdzie się do czort wie jakich wniosków! Znane są przypadki śmierci – no, na przykład po zażyciu aspiryny. Połyka człowiek pierwszą w życiu tabletkę aspiryny i nagle umiera. I co? W ogóle nie stosować aspiryny? Nie leczyć? Nie pomagać, nie czynić dobra?

Ta zasada dotyczy chyba nie tyko medycyny: każdy c z y n człowieka zawsze rodzi i dobro, i zło. Tyle że jeden wyrządza więcej dobra niż zła, a inny – odwrotnie.

Lecz choć doskonale zdawała sobie sprawę, że te nieszczęsne przypadki, tak samo jak mylne diagnozy i zbyt późno lub błędnie zastosowane środki terapii to zaledwie margines jej działalności, najwyżej jakieś dwa procent, zaś wyleczeni przez nią, przywróceni do życia, ocaleni, wyrwani śmierci ludzie, młodzi i starzy, kobiety i mężczyźni, chodzą teraz po polach, po trawie, po asfalcie, latają samolotami, zbierają bawełnę, wspinają się na słupy, zamiatają ulice, stoją za ladami, siedzą w gabinetach albo herbaciarniach, służą w wojsku – i są ich tysiące, i nie wszyscy o niej zapomnieli, i będą pamiętać – to ona sama prędzej zapomni o swoich największych sukcesach i najtrudniejszych zwycięstwach niż o tych nielicznych biedakach, których nie zdołała uratować.

Taką już miała pamięć.

Nie, dziś nie zdąży przejrzeć referatu, zresztą zaraz koniec pracy, (Może zabrać teczkę do domu? Nie warto, w domu też nie przeczyta, nic z tego.)

Trzeba natomiast doczytać te artykuły w „Radiologii Medycznej" i oddać czasopismo. I odpisać felczerowi z Tachta-Kupyru. Światło padające z okna było coraz słabsze, zapaliła więc lampę i usiadła.

Zajrzała jedna z asystentek, już bez fartucha.

– Ludmiło Afanasjewno, idzie pani? – Zaszła też Wiera Ganhart: – Zostaje pani?

– Jak tam Rusanow?

– Śpi. Nie wymiotował. Gorączkuje. – Wiera Korniljewna zdjęła fartuch ochronny i została w szarozielonej sukience z tafty, zbyt eleganckiej do pracy.

– Nie szkoda takiej ładnej sukienki? – spytała Doncowa.

– A po co ją oszczędzać? Na jakie okazje? – Wiera Ganhart chciała się uśmiechnąć, ale wypadło to żałośnie.

– Dobrze, Wieroczko, skoro tak, to następnym razem wprowadzamy mu pełną dawkę, dziesięć miligramów – szybko, jakby zniecierpliwiona nadmiarem słów, rzuciła Ludmiła Afanasjewna znad listu do felczera.

– A Kostogłotow? – cicho spytała Ganhart od drzwi.

– Całkowita kapitulacja! Zgadza się na wszystko! – roześmiała się Doncowa i znów poczuła targniecie bólu w okolicach żołądka. Chciała nawet od razu powiedzieć o tym Wierze, jej pierwszej, ale gdy w półmroku pracowni zobaczyła wyjściową sukienkę i wysokie obcasy tamtej – zrezygnowała.

Powie następnym razem.

Wszyscy już wyszli, a ona została. Każde dodatkowe pół godziny w pobliżu aparatów rentgenowskich szkodziło zdrowiu, ale nie było innego wyjścia. Zawsze przed urlopem miała ziemistą cerę, poziom leukocytów nieubłaganie opadał do dwóch tysięcy – doprowadzenie jakiegokolwiek pacjenta do takiego stanu byłoby przestępstwem. Zgodnie z przepisami rentgenolog mógł badać najwyżej trzy „żołądki" dziennie, ona zaś badała po dziesięć, a w czasie wojny nawet po dwadzieścia pięć. Co roku przed urlopem sama kwalifikowała się do transfuzji krwi. A urlop trwał za krótko, by organizm mógł nadrobić całoroczne straty.

Nawyk pracy był jednak silniejszy. Pod koniec każdego dnia stwierdzała, że znów czegoś nie zdążyła zrobić. Teraz też: przypomniała sobie o przypadku Sibgatowa i zanotowała, że trzeba skonsultować się z doktorem Orieszczenkowem. To on jeszcze przed wojną wprowadzał ją w arkana zawodu, dyskretnie rozbudzał zainteresowania i kształtował stosunek do medycyny. „Ludoczka, wąska specjalizacja to bzdura, niech się pani nie da na to nabrać! – ostrzegał. – Teraz są takie tendencje, ale pani musi trzymać się i radiologii, i diagnostyki! Nawet jeśli miałaby pani być ostatnim omnibusem na świecie!" Staruszek żył jeszcze i mieszkał tu, w mieście.

Już wychodząc zawróciła od drzwi i dopisała kilka spraw na jutro. Już w swoim starym niebieskim płaszczu skręciła do gabinetu lekarza naczelnego – był jednak zamknięty.

Wreszcie zeszła po schodkach tarasu między topole, ruszyła alejkami w kierunku bramy, ale myśli nadal miała zaprzątnięte pracą i nawet nie próbowała się od nich oderwać. Pogoda była żadna – w ogóle nie zauważyła jaka. Jeszcze się nie zmierzchało. Mijali ją różni ludzie, lecz Ludmiła Afanasjewna nie zerkała na nich z naturalną kobiecą ciekawością – jak są ubrani, jakie mają czapki, buty? Szła ze zmarszczonymi brwiami i mierzyła każdego badawczym wzrokiem, jak gdyby chcąc zlokalizować w nim ewentualny nowotwór, który dziś wprawdzie nie daje o sobie znać, ale jutro może zaatakować.

Minęła szpitalną czajchanę, potem chłopca, Uzbeka, sprzedającego migdały w tutkach z gazety – i doszła do bramy.

Wydawać by się mogło, że z chwilą przekroczenia tej bramy, za którą tęga czujna portierka wypuszczała jedynie zdrowych i wolnych ludzi, a pacjentów wrzaskliwie zapędzała z powrotem – że z chwilą przekroczenia tej bramy powinna przejść ze sfery życia zawodowego do rodzinnej, domowej. Tak jednak nie było, jej czas i siły nie dzieliły się równomiernie między te dwa niezależne od siebie światy. Większość swej energii, zapału i wysiłku poświęcała klinice, myśli związane z kliniką krążyły wokół jej głowy jak pszczoły jeszcze długo po wyjściu za bramę, a rano – na długo przed ponownym wejściem.

Wysłała list do Tachta-Kupyru. Przeszła przez ulicę do pętli tramwajowej. Dzwoniąc podjechał tramwaj. Ludzie pchali się do środka przednimi i tylnymi drzwiami. Ludmiła Afanasjewna chciała usiąść – był to pierwszy drobny impuls z zewnątrz, myśl, która zaczęła przekształcać ją z demiurga ludzkich losów w zwyczajną pasażerkę zatłoczonego tramwaju.

Lecz jeszcze i tu, w rozklekotanym wagonie, na długich mijankach starej jednotorowej linii, Ludmiła Afanasjewna patrzyła w okno nie widzącym wzrokiem – myślała o przerzutach Mursalimowa i reakcji Rusanowa na chemię. Rusanow. Przypomniała sobie jego pretensje i pogróżki: w ciągu dnia nie miała czasu się nimi przejmować, ale teraz wróciły, zostawiły przykry osad na wieczór i noc.

Wiele kobiet tak jak Ludmiła Afanasjewna zamiast damskich torebek dźwigało duże torby gospodarcze, w których zmieściłby się żywy prosiak albo cztery bochenki chleba. Z każdym przejechanym przystankiem, z każdym mijanym sklepem myśli Ludmiły Afanasjewny coraz bardziej koncentrowały się na domu i gospodarstwie. Wszystko było wyłącznie na jej głowie – na swoich mężczyzn nie mogła liczyć. Gdy wyjeżdżała na konferencje do Moskwy, mąż i syn potrafili przez cały tydzień nie zmywać naczyń: nie dlatego, że liczyli na nią, po prostu nie widzieli żadnego sensu w tym syzyfowym zajęciu.

Ludmiła Afanasjewna miała też córkę – już zamężną, z dzieckiem przy piersi, i właściwie już niezamężną, gdyż małżeństwo zmierzało do rozwodu. Ta pierwsza dziś myśl o córce też nie poprawiała nastroju. Dziś był piątek. W niedzielę trzeba koniecznie zrobić wielkie pranie, nazbierało się sporo brudów. A więc obiad na poniedziałek, wtorek i środę (gotowała dwa razy w tygodniu) musi ugotować w sobotę wieczorem. Czyli koniecznie zamoczyć pranie dziś na noc. A teraz trzeba zajrzeć na rynek, na rynku zawsze coś się dostanie.

Na rynek jechało się innym tramwajem, wysiadła więc, ale spojrzała na pobliski pawilon spożywczy i postanowiła doń wstąpić. W stoisku mięsnym – puste haki, w rybnym – tylko śledzie, solone flądry i jakieś konserwy. Minęła malownicze piramidy butelek wina, potem brązowe – koloru kiełbasy – stosy sera i zdecydowała się na dwie butelki oleju słonecznikowego (do niedawna był tylko bawełniany) i kaszę. Przemierzyła więc pustawy sklep, zapłaciła w kasie i wróciła do stoiska.

Gdy stała w kolejce – była trzecia – w sklepie wszczął się jakiś ruch, z ulicy wbiegało coraz więcej ludzi i wszyscy pędzili do garmażu. Ludmiła Afanasjewna nie czekała już na olej i kaszę, szybko zajęła miejsce w nowej kolejce. Choć nikt nic jeszcze nie powiedział, kobiety wiedziały, że przywieźli szynkową siekaną i będą dawać po kilogramie.

Tak dobrze trafiła, że opłacało się stanąć w kolejce drugi raz.

8

Gdyby nie kleszcze raka na szyi, Jefriem Poddujew byłby mężczyzną w kwiecie sił – niespełna pięćdziesięcioletni, krzepki w ramionach, mocny w nogach i z głową nie od parady. Chłop jak dąb, mógł po ośmiu godzinach zmiany harować następne osiem bez cienia zmęczenia. Za młodu nosił nad Kamą sześciopudowe worki i niewiele tej siły ubyło, teraz też potrafił pomóc robotnikom wciągnąć betoniarkę na pomost. W wielu miejscach bywał, niejednej roboty się imał, tu kopał, tam burzył, gdzie indziej znów budował, pieniędzy niżej czerwońca nie uznawał, po półlitrze ani się chwiał, a po drugi litr nie sięgał – i czuł, że nie ma żadnego kresu, żadnej miary dla Jefriema Poddujewa, że zawsze taki będzie. Choć silny i zdrowy, na froncie nie walczył – reklamowały go od wojska przedsiębiorstwa, nie zaznał więc ran ni lazaretów. I nigdy na nic nie chorował – ani ciężko, ani lekko, ani w czasie epidemii, ani nawet na zęby. I dopiero w pozaprzeszłym roku zachorował – i od razu na to.

Na raka.

To teraz walił tak prosto z mostu: „na raka", ale przedtem długo, długo udawał przed samym sobą, że to nic poważnego, głupstwo, i póki się dało – zwlekał, nie szedł do doktorów. A kiedy poszedł i, odsyłany od szpitala do szpitala, trafił wreszcie na onkologię (a tu wszystkim pacjentom mówili, że to nie rak) – to i tu nie chciał wiedzieć, co mu jest, nie uwierzył swemu rozumowi, ale chceniu: to nie rak, i tyle!

A zachorował Jefriemowi język – obrotny, gładki, niewyczuwalny, na oczy nie widziany i taki w życiu przydatny język. Przez pięćdziesiąt lat dużo tym językiem naobracał. To językiem zdobywał pieniądze tam, gdzie ich nie zarobił. Obiecywał to, czego nie dotrzymywał. Agitował za czymś, w co sam nie wierzył. I krzyczał na naczalstwo. I wymyślał robotnikom. I przeklinał plugawię, specjalnie szargając to, co dla ludzi najświętsze było i najważniejsze, i upajał się tym swoim plugastwem jak słowik własnymi trelami. I dowcipy opowiadał świńskie, byle bez polityki. I pieśni nadwołżańskie śpiewał. I babom rozmaitym, po całym kraju rozsianym, łgał, że nieżonaty, że dzieci nie ma, że za tydzień wróci i dom zbuduje. – „A żeby ci język usechł!" – przeklinała go taka jedna niedoszła teściowa. Wierny język odmawiał Jefriemowi posłuszeństwa tylko po wódce, i to niemałej.

I nagle zaczął pęcznieć. Zaczepiał o zęby. Nie mieścił się w swoim soczystym miękkim gnieździe.

A Jefriem ciągle jeszcze gardłował, ciągle jeszcze chełpił się przed kumplami:

– Poddujew niczego się nie boi!

A kumple powtarzali:

– Ho, ho, Poddujew! Ten to ma silną wolę!

A to nie była silna wola, tylko strach, ogromny, bezdenny strach. Ze strachu trzymał się roboty, odwlekał operację. Całym swym życiem Poddujew przygotowany był na życie, a nie na umieranie. Nie umiał się przestawić, nie wiedział, jak to zrobić, nie miał odwagi – odsuwał więc wyrok losu, chodził jak gdyby nigdy nic do pracy i co dzień słyszał głosy podziwu, jaką to ma silną wolę.

Nie zgodził się na operację, toteż leczyli go igłami: wbijali igły w język jak grzesznikowi w piekle i nie wyjmowali po parę dni. Taką miał nadzieję, że to pomoże, że wystarczy! Gdzie tam! Język puchł dalej. I złamał się Jefriem, i złożył swoją byczą głowę na białym stole operacyjnym – zgodził się iść pod nóż.

Zoperował go Lew Leonidowicz – i znakomicie zoperował! Tak jak obiecał: skrócił się język, zwęził, ale szybko przywykł i znowu mówił to samo co przedtem, tyle że nie tak wyraźnie. Jeszcze ponakłuwali igiełkami, wypisali, wezwali, i Lew Leonidowicz powiedział:

– Za trzy miesiące przyjedziesz na jeszcze jedną operację. Na szyi. Taki drobny zabieg.

Dosyć napatrzył się Jefriem na te onkologiczne „drobiazgi", wiedział, co to jest – i nie przyjechał w wyznaczonym terminie.

Przysyłali mu wezwania – nie odpowiadał. Nigdzie zresztą długo miejsca nie zagrzewał, nosiło go po świecie, teraz też mógłby dla fantazji pojechać choćby na Kołymę albo do Chakasji. Nic go nie zatrzymywało – ani majątek, ani rodzina, ani mieszkanie, lubił wolne życie i forsę w kieszeni. A z kliniki pisali: nie przyjedziesz, to przez milicję ściągniemy. Ot jaką władzę miał szpital onkologiczny nawet nad tymi, co na raka nie chorowali.

Pojechał. Oczywiście mógł się nie zgodzić na operację, ale Lew Leonidowicz obmacywał mu szyję i ochrzaniał za zwłokę. No i ciachnęli tę szyję z lewej i z prawej, tak jak się rżną nożami bandziory, i leżał potem długo z opatrunkiem wielkości końskiego chomąta, a w końcu wypisali, kręcąc głowami.

Wyszedł ze szpitala, ale wolne życie już go nie cieszyło tak jak dawniej: nie cieszyła ani praca, ani kochanki, ani picie, ani palenie.

Szyja nie miękła, coś w niej ciążyło, rosło, kłuło, strzykało, bolało aż w czaszce. Choroba pełzła w górę, sięgała uszu.

I oto miesiąc temu znów wrócił do tego starego solidnego budynku z szarej cegły, znów wszedł na wyszlifowany tysiącami stóp taras wśród topól, i znów obskoczyli go chirurdzy, i znów leżał w pasiastej piżamie w tej samej sali co przedtem, tuż obok bloku operacyjnego, i znów czekał na operację – trzecią z kolei, a dla biednej szyi drugą – ale tym razem Jefriem Poddujew nie okłamywał już samego siebie. Wiedział, że ma raka.

I dla równości, żeby inni nie byli lepsi, zaczął uświadamiać sąsiadów, że i oni chorują na to samo. Na raka. Że stąd już się nie wychodzi. Że zawsze się tu wraca. Nie chodziło mu o jakąś mściwą satysfakcję, nie o to, żeby ich przycisnąć i patrzeć jak pękają, ale żeby się nie oszukiwali, żeby myśleli prawdę.

Zoperowano go trzeci raz, jeszcze głębiej, jeszcze boleśniej. Potem podczas zmian opatrunku lekarze mieli zasępione miny, mruczeli coś do siebie nie po rosyjsku i bandażowali szyję coraz szczelniej, coraz wyżej, w ogóle nie mógł nią poruszać. Ból targał całą głową, coraz mocniej, coraz częściej, ostatnio prawie bez przerwy.

Po co się łudzić? Rak to rak i trzeba przyjąć do wiadomości to nieuniknione, przed czym uciekał od dwóch lat: że pora zdechnąć. Właśnie tak, ze złością: „zdechnąć". Jakoś łatwiej przechodziło przez gardło niż „umrzeć".

No tak, ale co innego powiedzieć, a co innego rozumem ogarnąć, sercem pojąć, że to spotyka akurat jego, Jefriema. Jak to się odbywa i co trzeba robić?

To, przed czym uciekał w pracę, pomiędzy ludzi, stało teraz przed nim w całej okazałości i zaciskało pętlę bandaża na szyi.

I nikt nie mógł mu powiedzieć ani jednego słowa pociechy, ani w sali, ani na parterze, ani na korytarzu. Wszystkie słowa zostały już powiedziane, ale to nie było to. I wtedy zaczął biegać od drzwi do okna i z powrotem, po pięć, sześć godzin dziennie, jakby to miało mu przynieść ulgę.

Przez całe życie i wszędzie, gdzie bywał (a kraj wzdłuż i wszerz przemierzył, tylko w największych miastach nie był), wiedział Jefriem i wiedzieli inni, czego człowiekowi potrzeba. A potrzeba człowiekowi dobrego zawodu albo życiowego sprytu. Jedno i drugie daje pieniądze. Kiedy ludzie zawierają znajomość, to mówią imię, nazwisko, a zaraz potem pytają: gdzie pracujesz, ile zarabiasz. Jak mało, to znaczy, żeś głupi albo nieudacznik i w ogóle, ot, takie sobie ludzkie byle co.

Takie właśnie, całkiem zrozumiałe życie widział Poddujew i w Workucie, i nad Jenisiejem, i na Dalekim Wschodzie, i w Azji Środkowej. Ludzie zarabiali ciężkie pieniądze, a potem je przepuszczali – w soboty, na urlopach – wszystkie od razu.

I dobrze było, i w porządku, tak jak należy – dopóki nie zapadali ci ludzie na raka albo inną śmiertelną chorobę. Bo wtedy okazywało się, że ich spryt, zawód, stanowisko, pieniądze – nic nie znaczą. Bezsilni byli, sami siebie oszukiwali, że to nie rak, bali się – i wychodziło na to, że słabi są i coś w życiu przeoczyli.

Tylko co?

Za młodu nasłuchał się Jefriem, a i po sobie i innych wiedział, że oni, młodzi, rosną teraz mądrzejsi od starych. Starzy ludzie przez całe życie nawet w mieście nie byli, bali się, a Jefriem mając trzynaście lat na koniu galopował, z nagana strzelał, przed pięćdziesiątką zaś cały kraj niczym babę własnymi rękami dokładnie obmacał. Ale tu, w sali, przypomniał sobie, jak umierali tacy starzy u nich nad Kamą – i Rosjanie, i Tatarzy, i Wotiakowie. Nie chełpili się, nie wykrzykiwali, że nigdy nie umrą – przyjmowali śmierć ze *spokojem*. Nie odwlekali tej chwili, a przygotowywali się do niej z rozmysłem i zawczasu, rozdzielali chudobę – komu kobyłę, komu źrebaka, komu kapotę, komu buty. I odchodzili zwyczajnie, jakby po prostu przenosili się do innej chałupy. I żadnego nie nastraszyłoby się jakimś tam rakiem. Żaden zresztą nie chorował na raka.

A tu, w klinice, leży taki pod tlenem, oczy mu już bielmem zachodzą, a jeszcze rzęzi: nie umrę! To nie rak!

Zupełnie jak kury. Każda pod nóż pójdzie, a one łażą, gdaczą, ziarenka dziobią. Jedną zabiorą, a reszta jak gdyby nigdy nic dalej łazi i gdacze.

Tak dzień po dniu chodził Jefriem tam i z powrotem, krążył po sali po rozhuśtanych deskach podłogi i ciągle nie wiedział, jak się wita śmierć. Wymyśleć nie mógł. Dowiedzieć się – nie było od kogo. A już w ogóle nie przychodziło mu do głowy, że można to wyczytać w jakiejś książce.

Skończył kiedyś cztery klasy i kurs budowlany, ale do książek go nie ciągnęło. Gazety zastępowało mu radio, a książki tylko zawadzały, zresztą w tych odległych i dzikich miejscach, gdzie spędził większość życia, rzadko spotykał miłośników lektury. Poddujew czytał to, co musiał – poradniki fachowe, instrukcje, polecenia i „Krótki kurs" do czwartego rozdziału. Wydawanie pieniędzy na *książki* albo chodzenie po nie do biblioteki uważał za śmiechu warte. A gdy w podróży czy dla zabicia czasu zdarzyło mu się sięgnąć po książkę, to przeglądał dwadzieścia – trzydzieści stron i zawsze odkładał, nie znajdując tam żadnej przydatnej wiadomości.

Tu, w klinice, też były książki, walały się po szafkach i parapetach, ale nie brał ich do ręki. I tej niebieskiej ze złoconymi literami też by nie wziął, ale Kostogłotow wcisnął mu ją w najbardziej ponury i samotny wieczór. Powieści by nie czytał, ale w książce były króciutkie opowiadanka, miały po pięć – sześć stron, a niektóre mieściły się na jednej. Przestudiował tytuły w spisie treści i od razu go tknęło, że nie jest to zwyczajna książka: „Praca, śmierć i choroba", „Najważniejsze prawo", „Źródło", „Najlepiej gasić ogień, póki w iskrze", „Trzej starcy", „Chodźcie w świetle, póki widno".

Jefriem wybrał najkrótsze opowiadanko. Przeczytał. Musiał pomyśleć. Nabrał ochoty, żeby przeczytać jeszcze raz. Przeczytał. Znowu musiał pomyśleć. Znowu pomyślał.

Tak samo było z następnym opowiadaniem. Zgaszono światło. Żeby nikt nie zwędził książki, schował ją pod materac. Po ciemku opowiedział Achmadżanowi starą baśń, jak Allach dzielił czas życia i jak człowiek dostał za dużo lat (sam w to nie wierzył; lat życia nigdy nie jest za dużo, byle zdrowie dopisywało). A przed zaśnięciem jeszcze raz pomyślał o tym, co przeczytał. Tyle że ból mącił myśli.

Piątkowy poranek był pochmurny i jak każdy poranek w szpitalu – ciężki. Każdy poranek w sali zaczynał się od ponurych narzekań Jefriema. Gdy tylko ktoś wspominał o nadziei albo swoich pragnieniach, Jefriem natychmiast sprowadzał go z obłoków na ziemię i odbierał tę nadzieję. Dziś jednak chciał tylko leżeć i czytać przyjazną, spokojną książkę w niebieskiej okładce. Nie musiał się myć – opatrunek i tak zasłaniał prawie całą twarz; śniadanie mógł zjeść w łóżku; chirurdzy nie robili dziś obchodu. Leżał więc milczący, powoli odwracał szorstkie, mięsiste kartki książki, czytał i rozmyślał.

Przeszedł obchód „rentgenowców"; napyskował lekarce ten nowy w złotych okularach, potem spuścił z tonu, dostał chemię; awanturował się Kostogłotow, dokądś wychodził, wracał; wypisali Azowkina – przebrał się i poszedł zgięty wpół, trzymając się za brzuch; pielęgniarki wywoływały pacjentów na zabiegi. A Poddujew nie wydeptywał swojej ścieżki między rzędami łóżek, leżał i czytał. Rozmawiała z nim książka, rozmawiała jak nikt dotąd, zajmująco.

Całe życie przeżył, a na taką książkę nigdy nie natrafił. Gdzie indziej i kiedy indziej, nie na tym łóżku, nie z tą obolałą szyją pewnie by jej nie przeczytał. Zdrowego tak by nie poruszyła.

Jeszcze wczoraj zauważył Jefriem taki tytuł: „Co jest w życiu najważniejsze?" Celny był tytuł, jakby go Jefriern sam wymyślił.

Wydeptywał szpitalne podłogi i myślał, myśli swoich nazwać nie umiejąc – a przecież właśnie to dręczyło go od tygodni: co jest w życiu najważniejsze?

Opowiadanie było sążniste, ale od pierwszych słów czytało się łatwo, zapadało w serce miękko i zwyczajnie:

„Mieszkał sobie szewc z żoną i dziećmi kątem u chłopa. Ani domu własnego, ani ziemi nie miał, utrzymywał się ze swojego rzemiosła. Chleb drogo kosztował, a za robotę nędznie płacili, co więc szewc zarobił, to przejadał z rodziną. Miał tylko jeden kożuch, podarty i dziurawy, nosili go z żoną na zmianę."

Wszystko Jefriem rozumiał; i dalej też rozumiał: szewc Siemion był wychudły i czeladnik Michajła wyglądał jak skóra i kości, za to pan:

„Niczym z innego świata: morda czerwona, spasiona, kark byczy, a cały jak z żelaza odlany... Bogate życie takimi ich czyni, a śmierć do nich przystępu nie ma..."

Widywał Jefriem podobnych, widywał: Karaszczuk, naczelnik trustu węglowego, był taki i Antonow, i Ciecziew, i Kuchtikow. A czy sam Jefriem nie zaczynał tak wyglądać?

Pomału, każde słowo po sylabie ważąc, przeczytał opowiadanie do końca.

Zbliżała się pora obiadu.

Nie miał Jefriem ochoty ani chodzić, ani mówić. Jakby coś wstąpiło w niego i wszystko w środku powywracało na opak. I tam, gdzie przedtem były oczy – oczu nie było. A gdzie przedtem były usta – to też zniknęły.

Całą zewnętrzną ordynarność zestrugał z Jefriema szpital. Jak korę z drzewa. Teraz można już było strugać i strugać do woli.

Nieruchomy, podparty poduszkami, z zamkniętą książką na kolanach wpatrywał się Jefriem w białą ścianę. Nie rozjaśniało jej światło dnia.

Naprzeciwko Jefriema spał po zastrzyku ten nowy ważniak. Okryli go kocami na wypadek dreszczy.

Na sąsiednim łóżku Achmadżan grał w warcaby z Sibgatowem. Nie bardzo mogli się dogadać w swoich językach i rozmawiali po rosyjsku. Sibgatow siedział tak, żeby nie zginać i nie wykrzywiać chorych pleców. Młody był jeszcze, ale włosów zostało mu całkiem niewiele.

A Jefriemowi ani jeden włosek nie wypadł, bujne rosły, mocne – gąszcz, palcami nie przeczeszesz. I męską siłę na baby miał jak za młodych lat. Tyle że teraz jakby już – na nic.

Ile tych bab Jefriem obrócił – nie policzysz, nie porachujesz! Na początku jeszcze liczył, szczególnie żony, ale potem rachubę stracił. Pierwszą żonę miał – Aminę, bladolicą Tatarkę z Jełabugi, delikatną bardzo, skóra na twarzy cieniutka, tylko dotknij – krwią podbiega. W dodatku harda była – sama z małą odeszła. Od tej pory Jefriem do takiej hańby nie dopuszczał i zawsze pierwszy porzucał. Życie wiódł wędrowne, wolne – to tu zwerbować się do roboty, to tam kontrakt podpisać, bez rodziny łatwiej po świecie jeździć. A na nowym miejscu zawsze sobie jakąś gospodynię znajdował. Innych – przygodnych, przypadkowych, wolnych, mężatych, nawet o imię nie pytał, tylko płacił według umowy. I pomieszały się teraz w pamięci twarze, okoliczności, sytuacje, i pamiętał jedynie te szczególne. Tak zapamiętał Jewdoszkę, żonę inżyniera, jak w czasie wojny na peronie w Ałma-Acie stała pod oknem jego wagonu, tyłkiem kręciła i napraszała się. Całą brygadą jechali do Ili, na nowy odcinek, i żegnali ich różni tacy ze zjednoczenia. Był też mąż Jewdoszki, chudzina, stał niedaleko, coś tam komuś klarował. A parowóz akurat szarpnął pierwszy raz. „No! – zawołał Jefriem i wyciągnął ręce. – Kochasz – to właź, jedziemy!" Chwyciła go za ręce, wgramoliła się przez okno do wagonu na oczach wszystkich urzędasów i męża – i pojechała pożyć z nim dwa tygodnie. I zapamiętał ją – jak właziła przez to okno.

Czego najwięcej widział Jefriem w babach, to – przywiązania. Przygruchać taką łatwo, a pozbyć się nie sposób. Wszędzie co prawda mówili o „równości" i Jefriem nie protestował, ale w głębi ducha kobiet za stuprocentowych ludzi nie uważał – z wyjątkiem swej pierwszej żonki, Aminy. I byłby zdziwiony, gdyby inny chłop zaczął go przekonywać, że źle postępuje z babami. A z tej dziwnej książki wynikało, że wszystkiemu winien jest on sam, Jefriem.

Wcześniej niż zwykle zapalili światło.

Ocknął się ten czyścioszek z bulwą pod szczęką, wysadził łysą pałę spod koca i czym prędzej nasadził na nos okulary, przez co wyglądał zupełnie jak jaki profesor. I od razu podzielił się ze wszystkimi swoją radością: dobrze zniósł chemię, myślał, że będzie gorzej. I dał nura do szafki po kawałek kurczaka.

Takim cherlakom, jak zauważył Jefriem, pasuje tylko kurze mięso. Nawet na baraninę mówią, że „za ciężka".

Wolałby patrzeć na kogoś innego, ale żeby to zrobić, musiałby się cały obrócić. A na wprost miał tylko tego zafajdańca, który obgryzał kurzą kość.

Poddujew stęknął i ostrożnie odwrócił się w prawo.

– O – powiedział głośno. – Tu jest takie opowiadanie. Ma tytuł: „Co jest w życiu najważniejsze?" – wykrzywił twarz w uśmiechu. – To ci pytanie! No, kto wie? Co jest w życiu najważniejsze?

Sibgatow i Achmadżan unieśli głowy znad szachownicy. Achmadżan odpowiedział pewnie i wesoło – wracał do zdrowia:

– Zaopatrzenie. Żywnościowe i mundurowe.

Przed powołaniem do wojska nie ruszał się ze swojego aułu i mówił wyłącznie po uzbecku. Jego znajomość rosyjskiego ograniczała się więc do terminologii wojskowej. Nauczył się wojskowych słów, wojskowej dyscypliny i swoistej wojskowej nonszalancji.

– No, kto jeszcze wie? – wychrypiał Poddujew. Książkowa zagadka okazała się trudna nie tylko dla niego. – No? Co jest w życiu najważniejsze?

Stary Mursalimow nie rozumiał po rosyjsku, choć być może właśnie on odpowiedziałby najmądrzej. Odezwał się za to pielęgniarz Turgun, student, który przyszedł zrobić mu zastrzyk:

– Jak to co? Forsa!

Proszka, ten czarniawy z kąta, zagapił się jak cielę na malowane wrota, nawet gębę otworzył, ale nic nie powiedział.

– No? No? – zachęcał Jefriem.

Diomka odłożył swoją książkę i zamyślił się. Tamtą też przyniósł do sali Diomka, ale nie spodobała mu się: mówiła nie to, co trzeba, zupełnie jak głuchy, kiedy odpowiada na pytanie, a nie wie, o co chodzi. Osłabiała wolę i wszystko gmatwała, a on szukał zachęty do działania. Dlatego nie przeczytał opowiadania „Co jest w życiu najważniejsze?" i nie znał odpowiedzi, której spodziewał się Jefriem. Miał własną.

– No, młody, powiedz! – ponaglał Jefriem.

– No więc według mnie – Diomka dobierał słowa powoli i z namysłem jak uczeń przy tablicy. – Przede wszystkim powietrze. Potem – woda. I jedzenie.

Jeszcze niedawno Jefriem odpowiedziałby tak samo. Dodałby tylko spirytus. Ale książka domagała się czegoś innego. Cmoknął.

– Kto następny?

Proszka nabrał odwagi.

– Dobry zawód.

Jefriem też tak myślał. Do czasu. Sibgatow westchnął i powiedział nieśmiało:

– Ojczyzna.

– Co? – zdumiał się Jefriem. – Jak to?

– No, rodzinne strony... Żeby człowiek mógł mieszkać tam, gdzie się urodził.

– Aha... No, ale to przecież niekoniecznie... Ja wyjechałem znad Kamy, jak byłem młody, i nic mnie nie obchodzi, czy ona tam płynie, czy wyschła. Rzeka to rzeka, każda taka sama, no nie?

– W rodzinnych stronach choroba się nie przyplącze – cicho upierał się Sibgatow. – W rodzinnych stronach zawsze lżej.

– No dobrze. Kto jeszcze?

– A co, co? – odezwał się pokrzepiony kurczakiem Rusanow.

– Jak brzmiało pytanie?

Jefriem zwrócił tułów w lewo. Łóżko pod oknem było puste, zostawał więc tylko ten wczasowicz. Wczasowicz obgryzał kurze udko, przytrzymując je za końce obiema rękami.

Siedzieli tak naprzeciwko siebie, jakby ich diabeł na złość posadził.

Zmrużył oczy Jefriem.

– Jak? A tak: co jest w życiu najważniejsze? No, profesor, powiedz!

Ani trochę nie zakłopotał się Paweł Nikołajewicz, nawet kurzego udka nie odłożył.

– Co do tego nie ma żadnych wątpliwości. Proszę sobie zapamiętać: najważniejsza jest ideowość i aktywność społeczna.

I ze smakiem wygryzł najsmaczniejszą chrząstkę kurzego stawu. Oprócz grubej skóry na łapce i zwisających ścięgien nic już na udku nie zostało. I odłożył je na szafkę.

Jefriem nie odpowiedział. Był zły, że profesor wykręcił się tak sprytnie. Na ideowość nie ma mocnych, lepiej milczeć.

Wetknął więc nos w książkę i zamyślił się. Sam chciał znaleźć odpowiedź.

– A o czym ta książka? Co piszą? – spytał Sibgatow.

– A to – Poddujew przeczytał pierwsze dwie linijki: – „mieszkał szewc z żoną i dziećmi kątem u chłopa. Ani domu swojego..."

A że na głos czytało się trudno i długo, obłożony poduszkami zaczął opowiadać Sibgatowowi własnymi słowami, starając się niczego nie pominąć:

– Ten szewc lubił wypić. Szedł raz pijany, patrzy, a tu leży taki jeden i zamarza. Michajła się nazywał. Szewc zabrał go do siebie. Żona klnie – czegoś darmozjada przyprowadził! A ten Michajła robotny był i nauczył się fachu lepiej od majstra. Raz, po zimie, przyjeżdża do nich wielki pan, drogą skórę przywozi i buty obstalowuje: żeby się dobrze nosiły, nie krzywiły, nie zdzierały. I powiada, że jak szewc skórę zmarnuje, to ze swojej buty uszyje. A Michajła tylko się tak dziwnie uśmiechał, bo w kącie za panem coś zobaczył... Ledwie pan odjechał, a Michajła całą skórę pociął na kawałki i zepsuł: na buty już się nie nadawała, najwyżej na jakieś półbuciki albo kapcie. Szewc złapał się za głowę: „Coś ty narobił, zgubiłeś mnie!" A Michajła mówi: „Planuje sobie człowiek na rok, a nie wie, czy jutra dożyje". I dobrze powiedział! Jeszcze w drodze pan kitę odwalił. I wdowa przysłała chłopaka: buty niepotrzebne, róbcie szybko trumniaki. Dla nieboszczyka.

– A cóż to za brednie! – obruszył się Rusanow, ironicznie i sycząco przeciągając zgłoskę „ż". – Zmień pan płytę! Od razu widać, że to jakaś obca nam moralność! I co według tej książki jest najważniejsze?

Jefriem przestał opowiadać i wlepił w łysonia swoje przekrwione oczy. Był zły. Łysoń o mało co nie znalazł odpowiedzi. Z książki wynikało, że najważniejsza jest miłość do innych ludzi. A łysy powiedział: „aktywność społeczna". Prawie na jedno wychodzi.

– Co? – Słowo nie chciało przejść przez gardło, brzmiało jakoś nieprzyzwoicie: – Piszą, że miłość...

– Ach, miłość! No oczywiście, to nie nasza moralność! – triumfowały złote okulary. – Słuchaj, a kto to wszystko napisał, co?

– Że co? – wymamrotał Poddujew. Odciągali go od sedna sprawy.

– Pytam, kto to napisał! Autor! Popatrz na okładkę.

A co za różnica? Co miało nazwisko autora do najważniejszego – do ich chorób? Do ich życia i śmierci? Jefriem nie miał zwyczaju czytać tych nazwisk na okładkach, a jeśli nawet czytał, to od razu zapominał.

Teraz przyjrzał się jednakże uważnie i przeczytał na głos:

– Tołstoj.

– Niemożliwe! – żachnął się Rusanow. – Tołstoj?! Nie do wiary! Proszę pamiętać, że Tołstoj pisał tylko optymistyczne i patriotyczne książki, innych przecież by nie wydano: „Chleb", „Piotr Pierwszy". Był trzykrotnym laureatem Nagrody Stalinowskiej!

– To nie ten Tołstoj – wtrącił z kąta Diomka. – To Lew Tołstoj.

– Ach, nie ten? – ni to z ulgą, ni to z lekceważeniem westchnął Rusanow. – Inny? No tak, oczywiście: zwierciadło rosyjskiej rewolucji, kotleciki z ryżu i tak dalej. Mięczak! O wielu, bardzo wielu sprawach nie miał najmniejszego pojęcia. A złu trzeba się przeciwstawiać, młody człowieku, ze złem trzeba walczyć!

– Ja też tak myślę – głucho odparł Diomka.

9

Starszy chirurg Jewgienija Ustinowna w niczym nie przypominała typowego przedstawiciela swej specjalności: nie miała ani stanowczego spojrzenia, ani potężnie sklepionego czoła, ani tylekroć opisywanego twardego zarysu szczęk. Dawno przekroczyła pięćdziesiątkę, ale gdy chowała włosy pod czepkiem, ludzie widząc ją z tyłu wołali często: „Panienko, gdzie tu..." Odwracała się – i dopiero wtedy dostrzegali zwiotczałe powieki, worki pod oczami i wiecznie zmęczoną twarz. Nadrabiała to jaskrawą szminką, lecz musiała malować usta po kilka razy dziennie, gdyż całą szminkę ścierała o papierosy. Jeśli tylko nie przebywała w sali operacyjnej, ogólnej albo w gabinecie zabiegowym – paliła. Czasem zresztą wypadała stamtąd i rzucała się na papierosa tak łapczywie, jakby chciała go pożreć. Podczas obchodu odruchowo podnosiła do ust dwa palce, środkowy i wskazujący, a pacjenci zastanawiali się – paliła na obchodzie czy nie?

Wraz z Lwem Leonidowiczem, rzeczywiście rosłym mężczyzną o długich rękach, ta wiotka postarzała kobieta przeprowadzała wszystkie operacje, których podejmowała się ich klinika – piłowała kości kończyn, wstawiała rurki tracheotomiczne do tchawic, wycinała żołądki, docierała do każdego zakamarka jelit, buszowała w miedniczkach, a pod koniec dnia pracy, od niechcenia, jako że zabieg był rutynowy i opanowany do perfekcji, usuwała jeden czy dwa gruczoły mleczne. Nie było takiego wtorku i takiego piątku, by Jewgienija Ustinowna nie odejmowała kobiecych piersi; po operacjach, z papierosem w osłabłych ustach mawiała, że gdyby ułożyć te wszystkie piersi na jedną kupę, to wyszedłby z nich nielichy pagórek.

Jewgienija Ustinowna przez całe życie była tylko i wyłącznie chirurgiem, ale zawsze miała w pamięci słowa tołstojowskiego Kozaka Jeroszki o europejskich lekarzach: „Tylko krajać potrafią. Durnie! A w górach – tam dopiero są prawdziwi dochtorzy! Ziołami leczą!"

I gdyby jutro odkryto jakąś nową terapię – ziołową, chemiczną, i świetlną, telepatyczną – która pozwoliłaby ratować pacjentów bez użycia skalpela i raz na zawsze uwolniłaby ludzkość od chirurgii – Jewgienija Ustinowna bez wahania wyrzekłaby się swej specjalności.

Jednym z uciążliwych mankamentów cywilizacji jest monotonia: człowiek w połowie życia powinien odrodzić się i odświeżyć poprzez radykalną zmianę zajęcia.

Obchód robili zazwyczaj we trójkę albo we czwórkę: ona, Lew Leonidowicz i asystentki, ale kilka dni temu Lew Leonidowicz wyjechał do Moskwy na sympozjum poświęcone operacjom klatki piersiowej. A w tę sobotę weszła do sali zupełnie sama, nawet bez lekarza prowadzącego i pielęgniarki.

Nie, nie weszła – stanęła cicho w drzwiach i oparła się o futrynę. Tak stają bardzo młode dziewczyny; wiedzą, jak wdzięczny to widok, że lepsze to niż wyprostowane plecy, równe ramiona i uniesiona głowa.

Stała i w zadumie obserwowała, co robi Diomka. Diomka wyciągnął chorą nogę wzdłuż łóżka, a zdrową zgiął i ułożył na tamtej, tworząc coś w rodzaju stolika. Na tym niby stoliku umieścił książkę, nad książką zaś budował jakąś konstrukcję z czterech ołówków, które trzymał w obu dłoniach. Nie odrywał od niej wzroku. Dopiero gdy go zawołano, odwrócił się i złożył sterczące ołówki.

– Co tam budujesz, Dioma? – smutno spytała Jewgienija Ustinowna.

– Twierdzenie! – odpowiedział dziarsko, trochę głośniej, niż trzeba.

Tak rozmawiali, ale patrzyli na siebie uważnie; oboje wiedzieli, że nie o te słowa tu chodzi.

– Czas ucieka – wyjaśnił Diomka, ale już nie tak dziarsko i nie tak głośno.

Pokiwała głową.

Pomilczała jeszcze chwilę, oparta o futrynę – nie, nie dziewczęco, po prostu ze zmęczenia.

– Daj, obejrzę twoją nogę.

Zawsze taki rozsądny, Diomka zaprotestował gorąco:

– Po co, wczoraj badała mnie Ludmiła Afanasjewna! Powiedziała, że będzie jeszcze naświetlać!

Jewgienija Ustinowna potakiwała. Miała w sobie jakiś melancholijny wdzięk.

– To świetnie. Mimo wszystko rzucę jednak okiem.

Diomka zmarkotniał. Odłożył stereometrię, posunął się na łóżku i obnażył nogę do kolana.

Jewgienija Ustinowna przycupnęła obok niego. Bez wysiłku podwinęła rękawy fartucha i sukienki prawie po łokieć. Szczupłe zwinne palce myszkowały po nodze Diomki jak dwie żywe istoty.

– Boli? Boli? – zadawała tylko to jedno pytanie. – Tak. Tak – odpowiadał coraz bardziej ponuro.

– Czujesz ją w nocy?

– Tak. Ale Ludmiła Afanasjewna...

Jewgienija Ustinowna jeszcze raz pokiwała głową ze zrozumieniem i poklepała go po ramieniu.

– Dobrze, kochany. Niech naświetlają.

W sali zapadła zupełna cisza i słychać było każde ich słowo. A Jewgienija Ustinowna wstała i obejrzała się. Tam pod piecem powinien leżeć Proszka, ale wczoraj przeniósł się pod okno (choć szpitalny przesąd głosił, że niedobrze jest zajmować łóżko po wypisanym na pewną śmierć). Na łóżku pod piecem leżał teraz niewysoki, cichutki i jasnowłosy Heinrich Federau – właściwie stary znajomy, gdyż od trzech dni czekał na przyjęcie na schodach. Ujrzawszy Jewgienija Ustinownę wstał, stanął na baczność i wpatrzył się w lekarkę ufnym i pełnym szacunku wzrokiem. Był niższy od niej.

Był zupełnie zdrów! Nic go nigdzie nie bolało! Wyzdrowiał po pierwszej operacji. A wrócił na onkologię nie dlatego, że coś mu dolegało, ale z poczucia obowiązku. W wezwaniu stało jak byk: zgłosić się na kontrolę 1 lutego 1955 roku. I z daleka, nie bez trudności, z licznymi przesiadkami, stawił się nie 31 stycznia i nie 2 lutego, lecz 1 lutego – z punktualnością, z jaką księżyc stawia się na wyznaczone zaćmienia.

Nie wiadomo dlaczego lekarze zatrzymali go w szpitalu. Miał ogromną nadzieję, że dziś go wypiszą.

Podeszła wysoka, chuda Maria o zgaszonym spojrzeniu. Przyniosła ręcznik. Jewgienija Ustinowna wytarła obnażone do łokci ręce i w całkowitej ciszy długo miętosiła szyję Federaua. Potem kazała mu rozpiąć kołnierzyk i obmacała zagłębienia nad obojczykami oraz obie pachy. Wreszcie powiedziała:

– Wszystko w porządku, Federau. Nawet bardzo.

Rozpromienił się.

– Wszystko jest w jak najlepszym porządku – mówiła dalej, znów naciskając szyję pod dolną szczęką. – Zrobimy jeszcze jedną małą operację, i koniec.

– Co? – skurczył się Federau. – Dlaczego operację, skoro wszystko jest w porządku?

– Żeby było jeszcze lepiej – uśmiechnęła się blado.

– Tutaj? – przesunął dłonią na ukos po szyi. Jego łagodna twarz przybrała błagalny wyraz.

– Tak, w tym miejscu. Proszę się nie niepokoić, naprawdę wszystko jest w porządku. Zapiszemy pana na ten wtorek (Maria zanotowała). – A pod koniec lutego pojedzie pan do domu i już nigdy nie będzie musiał do nas wracać.

– Chyba że znowu na kontrolę? – Federau próbował się uśmiechnąć, ale mu nie wyszło.

– No, najwyżej na kontrolę – uśmiechnęła się przepraszająco. Cóż mogła mu ofiarować na pociechę oprócz tego zmęczonego uśmiechu?

Wyminęła go i poszła dalej. Po drodze uśmiechnęła się też do Achmadżana (operowała mu pachwinę trzy tygodnie temu) i przystanęła obok łóżka Jefriema.

Czekał na nią, książka w niebieskiej okładce leżała na kocu. Ze swoją masywną, monstrualnie obandażowaną szyją i barczystymi ramionami tkwił w łóżku niczym nieprawdopodobny karzeł. Patrzył spode łba w oczekiwaniu ciosu.

Oparła się o poręcz łóżka i gestem palacza przyłożyła dwa palce do ust.

– No, Poddujew, jak tam nastrój?

Akurat obchodził ją jego nastrój! Gada, byle gadać, postoi i pójdzie.

– Mam już dość operacji – powiedział.

Uniosła brwi, jakby się dziwiła, że ktoś może mieć dość operacji. Nic nie mówiła.

On też już wszystko powiedział.

Milczeli jak podczas kłótni. Jak przed rozstaniem.

– Znowu w tym samym miejscu? – raczej stwierdził niż spytał Jefriem.

Chciał przez to powiedzieć: no, jak mnie do tej pory leczyłaś? Co ty sobie myślisz? Nigdy nie bał się żadnego naczalstwa, zawsze wygarniał takim prosto w twarz, ale Jewgieniję Ustinownę oszczędził. Niech się sama domyśli!

– Obok – odparła.

(Co ci, biedaku, tłumaczyć, że rak języka to nie rak dolnej wargi? Usuniesz węzły chłonne i nagle okazuje się, że przerzuty zaatakowały już układ limfatyczny. A tego nie można było operować wcześniej.)

Jefriem sapnął, jakby dźwignął ciężar ponad siły.

– Nie trzeba. Nic nie trzeba robić.

Nie namawiała, nie przekonywała.

– Nie chcę operacji. Nic już nie chcę.

Stała i milczała.

– Proszę mnie wypisać!

Patrzyła w jego rude oczy, w których nie było już nic, nawet strachu, i też myślała: po co? Po co go męczyć, skoro skalpel nie nadąża za przerzutami?

– Poddujew, w poniedziałek zdejmiemy opatrunek i pomyślimy. Dobrze?

(Domagał się wypisania, ale w skrytości ducha miał jeszcze nadzieję, że Jewgienija Ustinowna powie: „Oszalałeś, Poddujew? Co to znaczy – wypisać? Będziemy cię leczyć! Wyleczymy!")

A ona się zgadzała.

Czyli – trup.

Poruszył tułowiem, co miało oznaczać kiwnięcie. Samą głową nie mógł przecież pokiwać.

A Jewgienija Ustinowna przeszła do Proszki. Proszka wstał i uśmiechnął się na powitanie. Nie badając go spytała:

– No i jak się czujemy?

– *Ta garno* – jeszcze bardziej rozjaśnił się Proszka. – *O, ci tabletki meni dopomogły.*

Wskazał słoiczek multiwitaminy. Zastanawiał się, czym udobruchać lekarkę, jak odwrócić jej uwagę od myśli o operacji.

Zerknęła na tabletki. Wyciągnęła rękę ku lewej stronie jego piersi:

– A tu? Kłuje?

– T a t r o c h i j e.

Pokiwała głową.

– Dziś pana wypiszemy.

Oj, ucieszył się Proszka! Uniosły się czarne brwi.

– *Ta szto wy! A operacja – ne bude ni?*

Kręciła głową i uśmiechała się blado.

Cały tydzień obmacywali go, prześwietlali rentgenem, sadzali, kładli, podnosili, prowadzali do jakichś staruszków w białych fartuchach, spodziewał się już prawie najgorszego, a tu masz – wypisują bez żadnej operacji!

– *Tak ja zdarow?*

– Niezupełnie.

– *O ci tabletki diuże garny, ha?* – Jego czarne oczy promieniały zrozumieniem i wdzięcznością. Cieszył się, że tak szczęśliwe zakończenie sprawia radość również i jej.

– Takie tabletki będzie pan sobie kupować w aptece. A ja przepiszę jeszcze jedne – zwróciła się do pielęgniarki. – Ascorbin.

Maria z namaszczeniem zanotowała nazwę leku.

– Tylko musi pan na siebie uważać! – pouczała Jewgienija Ustinowna. – Nie wolno panu szybko chodzić. Nie wolno nosić ciężkich przedmiotów. I schylać się.

Proszka parsknął śmiechem. Cieszyło go, że taka mądra osoba nie rozumie najprostszych spraw.

– *Jak to – ważkowo ne podymat'? Ja traktorist!*
– Na razie nie wróci pan do pracy.
– *A czowo ż?* Na zwolnienie?
– Nie. Napiszemy wniosek i dostanie pan rentę inwalidzką.
– *Inwalidnost'?* – Proszka oniemiał. – *Ta na jake mini łycho inwalidnost'? Jak ż na ni żyt' budu? Ja szcze molodyj, ja robyt choczu!*
Wyciągnął szerokie dłonie z węźlastymi palcami, stworzone do roboty.
Nie przekonało to jednak Jewgienii Ustinowny.
– Za pół godziny zejdzie pan do zabiegowego. Przygotujemy wniosek i wszystko panu wyjaśnię.
Wyszła. Za nią podążyła chuda i sztywna Maria.
W sali natychmiast wszczął się gwar, wszyscy mówili równocześnie. Proszka chciał pogadać o swoim inwalidztwie, po kiego mu to, ale pozostali dyskutowali o przypadku Federaua. Byli wstrząśnięci: taka biała, gładka szyja, nic nie boli – i operacja!
Poddujew obrócił tułów, dźwigając się na samych rękach (wyglądało to jak ruch beznogiego), i krzyczał gniewnie, aż poczerwieniał:
– Nie dawaj się, Heinrich! Nie bądź głupi! Jak zaczną krajać, to zarżną cię tak jak mnie!
Achmadżan zaś przekonywał:
– Trzeba operować, Federau! Oni wiedzą, co mówią.
– Po co operować, skoro nie boli? – dziwił się Diomka.
– Coś ty! – basował Kostogłotow. – Powariowali, zdrową szyję krajać!
Rusanow wzdrygał się od tych krzyków, ale milczał. Wczoraj dostał pierwszą chemię i zniósł zastrzyk bardzo dobrze. Poprawiło mu to nastrój, ale guz nie zmiękł, przez całą noc i ranek uwierał w szyję tak samo jak przedtem, toteż dziś Paweł Nikołajewicz znów poczuł się okropnie nieszczęśliwy.
Zaglądała co prawda doktor Ganhart: bardzo szczegółowo wypytała go o samopoczucie wczoraj, w nocy i dziś, o to, czy czuje się osłabiony, a potem wyjaśniła, że guzy z reguły nie zmniejszają się po pierwszym zastrzyku. Trochę go uspokoiła. Przyjrzał się tej Ganhart – wyglądała dość inteligentnie (ale nazwisko podejrzane!). W końcu pracują tu nie najgorsi lekarze, mają jakie takie doświadczenie, tylko trzeba umieć od nich wymagać.
Niestety uspokoił się na krótko. Lekarka poszła sobie, a guz nadal uciskał, pacjenci opowiadali różne ponure historie i jeszcze na

dodatek chirurdzy chcieli operować człowieka z zupełnie zdrową szyją. A jego guli wcale nie mieli zamiaru operować, nawet nie wspomnieli o operacji. Może aż tak z nim źle?

Przekraczając próg sali Paweł Nikołajewicz nie wyobrażał sobie, że już po dwóch dniach będzie mieć tyle wspólnego z tymi ludźmi. Przecież chodziło o szyję. Aż trzech pacjentów miało chorą szyję. Heinrich Jakobowicz był w rozterce. Słuchał wszystkich naraz i uśmiechał się niepewnie. Wszyscy doskonale wiedzieli, jak ma postąpić, tylko on sam miał raczej mętne pojęcie o swoim dalszym losie, tak jak oni o swoich. Operować – źle, nie operować – też źle... Niejedno widział i słyszał podczas poprzedniego pobytu w klinice, gdy leczono mu naświetlaniami dolną wargę – tak jak teraz Jegenbierdijewowi. Strup na wardze najpierw nabrzmiał, potem wysechł i odpadł, ale Federau wiedział, dlaczego operuje się również gruczoły szyjne: żeby zagrodzić rakowi dalszą drogę.

Ale Poddujewa operowano dwa razy – i nic nie pomogło!

A może rak wcale nie ma zamiaru atakować? A może już w ogóle zniknął?

Tak czy owak, warto by naradzić się z żoną, a jeszcze lepiej z córką Henriettą, najbardziej wykształconą i rozsądną osobą w rodzinie. Tylko że on zajmuje tu miejsce i lekarze nie zechcą czekać tak długo (ze stacji pocztę w głąb stepu wysyła się dwa razy w tygodniu, o ile droga jest akurat przejezdna). Wypisać się i jechać po radę osobiście? Trudna sprawa, o wiele trudniejsza, niż by się wydawało tutejszym lekarzom i przemądrzałym pacjentom. Żeby pojechać do domu, trzeba oddać w miejscowej komendanturze zdobyte z takim trudem zezwolenie na wyjazd, wymeldować się z pobytu tymczasowego i jechać: najpierw w lekkim paletku i półbutach pociągiem do pewnej stacyjki, tam przebrać się w kożuch i walonki, oddane na przechowanie przygodnym dobrym ludziom – jako że pogoda tam inna niż tu, srogie mrozy i zima – a potem telepać się sto pięćdziesiąt kilometrów do swojego POM-u, kto wie, czy nie w otwartej skrzyni ciężarówki; natychmiast po przyjeździe pisać podanie do komendantury obwodowej i czekać dwa, trzy, cztery tygodnie na ponowne zezwolenie na wyjazd; kiedy nadejdzie, znów prosić w pracy o urlop okolicznościowy, a zanim się uprosi, nastaną roztopy i droga będzie nieprzejezdna; na stacyjce, na której zatrzymują się dwa pociągi na dobę (i każdy stoi tylko minutę) – miotać się rozpaczliwie od wagonu do wagonu, od konduktora do konduktora i błagać, żeby pozwolili wsiąść; po przyjeździe meldować się w tutejszej komendanturze na pobyt tymczasowy i czekać Bóg wie ile dni na miejsce w szpitalu.

Pacjenci tymczasem komentowali sprawę Proszki. I jak tu wierzyć w przesądy, w pechowe łóżko! Gratulowali mu i radzili brać rentę inwalidzką, póki dają. Dają – bierz! Dają – widać tak powinno być! Dają, a potem odbierają. Proszka upierał się, że chce pracować. Głupiś – przekonywali. Jeszcze się natyrasz, masz czas, życie przed tobą!

Proszka poszedł załatwiać formalności. Gwar w sali powoli przycichał.

Jefriem znów otworzył książkę, ale czytał nie rozumiejąc słów i niebawem to zauważył. Nie rozumiał, bo był zdenerwowany, poruszony i stale popatrywał, co się dzieje w sali i na korytarzu. Żeby zrozumieć czytanie, musiał przypomnieć sobie, że sam nigdzie już nie zdąży. Niczego nie zmieni. Nikogo nie przekona. Że jego dni są policzone i ma mało czasu, żeby dojść do ładu z samym sobą.

I dopiero kiedy przypomniał sobie o tym wszystkim, książka otworzyła przed nim swe kartki. Zapisane były zwyczajnymi czarnymi literami na białym papierze. Ale sama znajomość liter nie wystarczała, żeby ją przeczytać.

Gdy rozpromieniony Proszka wracał do sali, spotkał na półpiętrze Kostogłotowa i pochwalił się:

– *I pieczati krugłeńki, oś w ono!*

Jedno zaświadczenie uprawniało Proszkę do nabycia biletu poza kolejnością ze względu na przebytą operację. (Pacjentów, wypisywanych z kliniki bez takiego zaświadczenia, kasjerki na dworcu odsyłały na koniec kolejki; niektórzy mogli wyjechać dopiero po kilku dniach.)

Drugi dokument był wnioskiem o przyznanie renty. Zawierał adnotację: „Tumor cordis. Casus inoperabilis".

– *Ne zrozumiu!* – pokazywał palcem Proszka. – *Szto take napisano, ha?*

– Niech pomyślę – zmrużył oczy Kostogłotow. – Schowaj to.

Proszka schował cenne papierki i poszedł się pakować.

A Kostogłotow oparł się o poręcz schodów, wyjrzał przez nią i zwiesił swój czarny czub.

Nie znał łaciny, nie znał zresztą żadnego języka obcego i żadnej nauki oprócz topografii, a i to tylko wojskowej, na poziomie kursów podoficerskich. Lecz choć zawsze i przy każdej okazji drwił z wykształcenia, to nie pomijał żadnej sposobności, by pogłębić własną wiedzę. Zaliczył jeden rok geofizyki w 1938 roku i niepełny rok geodezji w 1946, pomiędzy tymi latami była służba wojskowa i wojna. Kostogłotow zawsze jednak pamiętał przysłowie swojego ukochanego dziadka: „Głupi uczy innych, a mądry uczy się sam" – i nawet w wojsku pilnie chłonął od oficerów i szeregowców to wszystko, co mogło mu się kiedyś przydać. Słuchał co prawda tak, żeby nie narazić się na kpiny – niby od niechcenia, mimochodem. I zawierając znajomość z jakimś człowiekiem nigdy nie śpieszył się z mówieniem o sobie, a starał się wyciągnąć jak najwięcej z nowego znajomego – kto to, skąd i jaki jest. Najwięcej zaś wiedzy zdobył w przepełnionych powojennych celach Butyrek. Co wieczór prowadzili tam wykłady profesorowie, kandydaci nauk i wybitni specjaliści z dziedziny fizyki jądrowej, architektury zachodniej, genetyki, poetyki, pszczelarstwa – a Kostogłotow był ich najwierniejszym słuchaczem. I później, pod narami Krasnej Priesni, na nie heblowanych deskach bydlęcych wagonów, na etapach, kiedy sadzali tyłkiem na ziemi, w łagrze – wszędzie pamiętał o dziadkowym przysłowiu i starał się uzupełnić tę wiedzę, której nie dane mu było zdobyć na uczelni.

Kiedyś w łagrze pogadał ze statystykiem, starszym nieśmiałym człowiekiem, który prowadził dokumentację izby chorych, a czasem biegał po wrzątek; statystyk okazał się filologiem klasycznym, wykładowcą literatury starożytnej na Uniwersytecie Leningradzkim. Kostogłotow postanowił brać u niego lekcje łaciny. Dziwne to były lekcje: chodzili na mrozie po zonie tam i z powrotem, a że nie mieli ani ołówka, ani papieru, statystyk zdejmował czasem rękawicę i pisał słówka palcem na śniegu. (Udzielał tych lekcji zupełnie bezinteresownie – po prostu po to, żeby choć na chwilę znów poczuć się człowiekiem. Kostogłotow i tak nie miał czym płacić. O mały włos nie zapłacili zresztą obaj – u śledczego: wezwał ich pojedynczo i przesłuchał pod zarzutem przygotowywania ucieczki. Podejrzewał, że rysują na śniegu mapę okolicy. W łacinę nie uwierzył. Lekcje przerwali.)

Pamiętał więc Kostogłotow, że „casus" to po łacinie „przypadek", a przedrostek „in" oznacza przeczenie. Statystyk wspominał też o słowie „cor, cordis"; znaczenia łatwo się było domyśleć, bo na przykład „kardiogram" zawiera ten sam rdzeń. O „tumorze" czytał niemal na każdej stronie „Anatomopatologii", pożyczonej od Zoi.

Bez trudu rozszyfrował rozpoznanie:

„Nowotwór serca. Przypadek nieoperacyjny."

I nieuleczalny, skoro przepisali ascorbin.

Tak więc wychyliwszy się przez poręcz schodów Kostogłotow myślał nie o łacinie, lecz o swojej zasadzie, którą wyłożył wczoraj Ludmile Afanasjewnie – że pacjent powinien znać całą prawdę. Zasada dotyczyła jednak tylko ludzi bywałych, takich jak on.

A Proszka?

Proszka szedł z pustymi rękami – nie miał żadnych własnych rzeczy. Odprowadzali go: Sibgatow, Diomka i Achmadżan. Wszyscy trzej stąpali bardzo ostrożnie: jeden uważał na plecy, drugi na nogę, trzeci kuśtykał o kuli. A Proszka szedł wesoło i szczerzył w uśmiechu swoje białe zęby.

Tak czasem – rzadko – odprowadzało się tych, którzy wychodzili na wolność.

I co – powiedzieć człowiekowi, że tuż za bramą znowu go aresztują?

– *Tak szo tam napisano?* – spytał Proszka beztrosko.

– Diabli ich wiedzą – skrzywił się Kostogłotow i jego blizna też się skrzywiła. – Cwani ci lekarze, nic nie można zrozumieć.

– *Nu, wyzdarawliwajte! I wy usi wyzdarawliwajte, chłopcy! Ta do chaty! Ta do żinki!* – Proszka uścisnął dłonie kolegów, a na schodach odwrócił się i radośnie pomachał im ręką.

I pewnym krokiem zaczął schodzić w dół. Ku śmierci.

10

Przejechała tylko palcem po nodze, objęła Diomkę za ramiona i poszła. Było w tym coś złowieszczego. Diomka poczuł to. Gałązki jego nadziei usychały.

Poczuł, ale nie od razu – najpierw wszyscy dyskutowali, potem odprowadzali Proszkę, a jeszcze potem, gdy Diomka miał właśnie zamiar przenieść się na wolne, teraz szczęśliwe już łóżko pod oknem (więcej światła, bliżej Kostogłotowa), do sali wszedł nowy.

Był to ogorzały młody człowiek o smolistych, nieco kędzierzawych włosach. Wyglądał na dwadzieścia parę lat. Trzymał trzy książki pod lewą pachą i tyle samo pod prawą.

– Czołem, przyjaciele! – oznajmił od progu. Z miejsca przypadł Diomce do gustu – zachowywał się naturalnie i miał szczere spojrzenie. – Gdzie mogę się położyć?

Rozglądał się jednak nie po łóżkach, a po ścianach.

– Będzie pan dużo czytać? – spytał Diomka.

– Cały czas.

Diomka zamyślił się na chwilę.

– Poważnie czy dla rozrywki?

– Poważnie.

– No to niech się pan położy tam pod oknem. Zaraz przyniosą pościel. A książki z jakiej dziedziny?

– Geologia, bracie – odpowiedział nowy.

Diomka przeczytał tytuł jednej z nich: „Rozpoznanie geochemiczne złóż metali".

– Niech pan zajmuje tamto łóżko. A co pana boli?

– Noga.

– To tak jak mnie.

Rzeczywiście, jedną nogę nowy stawiał jakoś dziwnie, choć figurę miał jak tancerz.

Salowa przyniosła pościel: nowy ułożył pięć książek na parapecie i niezwłocznie wsadził nos w szóstą. Poczytał godzinkę nie odzywając się do nikogo, po czym wezwali go na badania.

Diomka też próbował czytać swoją stereometrię i budować figury z ołówków. Nic jednak nie wchodziło mu do głowy. Rysunki zaś – odcinki prostych, zębate krawędzie płaszczyzn stale kojarzyły się z jednym i tym samym.

Sięgnął więc po coś lżejszego – po „Żywą wodę" jakiegoś Kożewnikowa, laureata Nagrody Stalinowskiej. Wydawano wiele książek, wszystkich i tak nikt nie zdołałby przeczytać. A kiedy brał już jakąś do ręki – okazywało się, że można było nie brać. Zdecydował się więc czytać te, które dostały nagrodę. A nagród wręczano co roku czterdzieści albo i pięćdziesiąt.

Myliły się Diomce i tytuły. I pojęcia też mu się myliły. Dopiero co nauczył się, że patrzeć obiektywnie – to widzieć wszystko tak, jak jest naprawdę, a zaraz potem przeczytał krytykę pewnej pisarki, że „wkroczyła na śliski grunt obiektywizmu".

Czytał Diomka „Żywą wodę" i nie mógł się połapać: czy to książka jest tak ciężko napisana, czy to jemu tak ciężko na duszy.

Wzbierało w nim poczucie krzywdy i rozżalenia. Zapragnął – poradzić się? Poskarżyć? A może po prostu porozmawiać z kimś, ot tak, od serca, i żeby ktoś użalił się choć troszeczkę, pocieszył.

Czytał oczywiście i słyszał, że litość to poniżające uczucie: poniża i tego, który się lituje, i tego, nad którym się litują.

A mimo to pragnął, żeby ktoś się nad nim ulitował. Tu, w sali, można było posłuchać i porozmawiać o ciekawych sprawach, ale nie o tym i nie tak, jak by się chciało. Wśród mężczyzn trzeba zachowywać się po męsku.

Owszem, w szpitalu przebywało dużo kobiet, bardzo dużo, lecz Diomka nie odważyłby się przekroczyć progu ich gwarnej sali. Gdyby leżały tam zdrowe kobiety – to tak, nawet przyjemnie byłoby zajrzeć do nich niby przypadkiem i coś zobaczyć. Jednak wobec takiego zbiorowiska chorych kobiet odwracał wzrok, bojąc się – coś zobaczyć. W obliczu ich choroby powstrzymywał go zakaz silniejszy niż zwyczajne zawstydzenie. Diomka spotykał te kobiety na schodach i korytarzach: niektóre były tak wyniszczone cierpieniem, tak zobojętniałe, że nie dbały o zapięcie szlafroków i widać było bieliznę, którą miały pod spodem – na piersiach, poniżej pasa. Widok ten sprawiał mu ból.

I spotykając kobiety zawsze odwracał wzrok. Niełatwo zawierało się tu znajomości...

Poznał tylko ciocię Stiofę – pierwsza go dostrzegła, zagadała – i zaprzyjaźnili się. Ciocia Stiofa dochowała się już wnuków, a ze swoimi zmarszczkami i wyrozumiałym uśmiechem wyglądała jak najprawdziwsza babcia. Stawali oboje gdzieś na schodach i długo rozmawiali. Nikt nigdy nie słuchał Diomki tak uważnie i tak serdecznie, jak najbliższego człowieka. I chętnie opowiadał cioci Stiofie o sobie, a nawet o matce – i to takie rzeczy, o których nie opowiedziałby nikomu innemu.

Miał dwa lata, gdy ojciec zginął na wojnie. Potem zjawił się ojczym, człowiek szorstki, ale sprawiedliwy, dałoby się z nim wytrzymać, lecz matka – przy cioci Stiofie nie wypowiedział głośno tego słowa, choć w myślach nigdy nie używał innego – skurwiła się. Ojczym porzucił ją – i dobrze zrobił. Od tego czasu matka zaczęła sprowadzać gachów do pokoju, w którym mieszkała z Diomką; piła z nimi (Diomce też proponowali, ale odmawiał), a potem goście zostawali u niej do północy albo i do rana – rozmaicie. W pokoju nie było żadnych zasłon ani przepierzeń, a latarnia z ulicy oświetlała każdy szczegół. Diomka tyle się napatrzył, że sprawy, które przyprawiały o dreszcze jego rówieśników, uważał za jedno wielkie świństwo.

Skończył piątą klasę, potem szóstą, a w siódmej przeprowadził się do szkolnego woźnego, staruszka. W szkole dostawał dwa posiłki dziennie. Matka nawet nie próbowała nakłonić go do powrotu – pozbyła się ciężaru i tyle.

Diomka mówił o matce z nienawiścią, spokojnie nie mógł. Ciocia Stiofa słuchała, kiwała głową, a później powiedziała coś dziwnego: – Wszyscy na tym samym świecie żyją. Jeden on dla wszystkich. W zeszłym roku przeniósł się do osady fabrycznej, gdzie była szkoła wieczorowa, i zamieszkał w hotelu robotniczym. Uczył się fachu tokarza, potem dostał drugą grupę. Robota nie szła mu za dobrze, ale na przekór matczynej rozpuście wódki nie pił, pieśni nie wyśpiewywał, tylko uczył się. Z dobrymi wynikami ukończył ósmą klasę i zaliczył pierwsze półrocze dziewiątej.

Cały czas się uczył, i tylko w piłkę – w piłkę lubił pograć z chłopakami. Rzadko, przy okazji. I za tę drobną i jedyną przyjemność los go pokarał: ktoś na boisku niechcący kopnął Diomkę kolcami w goleń, Diomka nawet nie zwrócił na to uwagi, parę dni utykał, potem przeszło. A jesienią noga rozbolała. Bolała i bolała. Długo zwlekał z pójściem do lekarza. Leczyli nogę okładami, pogorszyło się, lekarska sztafeta przekazała go do szpitala obwodowego, a potem tutaj.

I dlaczego, pytał teraz Diomka ciocię Stiofę, dlaczego los jest taki niesprawiedliwy? Jednym życie układa się jak po maśle, a innym – wiecznie wiatr w oczy. A mówi się, że człowiek sam jest kowalem własnego losu. Nieprawda! Nic od człowieka nie zależy.

– Od Boga zależy – uspokajała ciocia Stiofa. – Od woli boskiej. Wszystko jest w rękach Boga. Trzeba się pogodzić, Diomusza.

– Skoro od Niego zależy, to tym bardziej jest niesprawiedliwe! Wszystko widzi, wszystko może, a zwala na jednego człowieka! Powinien dzielić po równo!

Przyznawał jednak, że trzeba się pogodzić z losem. No bo jeśli się nie pogodzić – to co robić?

Ciocia Stiofa była tutejsza, dzieci – córki, synowie i synowe – odwiedzały ją często i przynosiły różne smakołyki. Częstowała nimi sąsiadki i salowe, zawsze pamiętała też o Diomce, wywoływała go z sali i wsuwała w garść jajko albo pierożek.

Diomka stale chodził głodnawy, przez całe życie nie dojadał. Od nieustannego myślenia o jedzeniu własny głód wydawał mu się większy, niż był w istocie. Krępował się jednak objadać ciocię Stiofę i gdy brał jajko, to za pierożek dziękował.

– Bierz, bierz! – namawiała. – Z mięsem, dobry. Trzeba jeść, póki mięsopust.

– A co, potem nie wolno?

– Pewnie że nie wolno! Nie wiesz?

– A po mięsopuście? Co jest później?

– Później? Ostatki!

– To chyba jeszcze lepsze niż mięsopust! Ciociu Stiofo, lepsze?

– Jak kto woli. Lepsze, gorsze – a mięsa nie wolno.

– A ostatki długo trwają?

– Tydzień.

– A co będzie po ostatkach? – żartobliwie dopytywał się Diomka, chowając pachnący pierożek domowego wypieku. W jego domu nikt nigdy takich nie piekł.

– To ci poganie teraz rosną, nic nie wiedzą! Potem jest Wielki Post.

– A po co? Po co post, i do tego wielki?

– A dlatego, Diomusza, że jak brzuch za bardzo napchasz, to do ziemi ciągnie. Od czasu do czasu trzeba zrobić przerwę w jedzeniu.

– Po kiego robić przerwę w jedzeniu? – nie mógł zrozumieć Diomka, jako że w życiu znał głównie takie przerwy.

– Po to, żeby krew oczyścić. Na głodniaka człowiek żwawszy, nie zauważyłeś?

– Nie, ciociu Stiofo, jakoś nie zauważyłem.

Jeszcze w pierwszej klasie, jeszcze czytać i pisać nie umiejąc dowiedział się Diomka, nauczył i uwierzył bez zastrzeżeń, że religia to opium dla ludu, po stokroć reakcyjne bajdy, oszukaństwo i wymysł sprytnych kanciarzy. Przez religię proletariusze w różnych krajach nie mogą wyzwolić się z łap wyzyskiwaczy. Gdy tylko zerwą okowy religii, wezmą broń do ręki i wywalczą wolność.

I ciocia Stiofa ze swoim śmiesznym kalendarzem, ze swoim Bogiem w każdym słowie, z tym dobrym uśmiechem i smacznym pierożkiem była tu, w tej ponurej klinice, postacią absolutnie reakcyjną.

A jednak teraz, teraz w sobotnie popołudnie, gdy lekarze poszli do domu zostawiając pacjentów sam na sam z ich myślami, gdy smętny dzień sączył jeszcze do sal resztki światła, a na korytarzu paliły się już lampy, Diomka kuśtykał po szpitalu i wszędzie szukał tej reakcyjnej cioci Stiofy, która i tak miała dla niego tylko jedną radę – pogodzić się z losem.

Byle nie operowali. Byle nie amputowali nogi. Zgodzić się czy nie?

A może amputować, pozbyć się tego szarpiącego bólu?

Cioci Stiofy nigdzie nie było. Za to na parterze, w miejscu, gdzie korytarz rozszerzał się tworząc nieduży hall (w klinice hall ten pełnił rolę „czerwonego kącika", choć stało w nim biurko pielęgniarki i szafka z lekarstwami), zobaczył Diomka dziewczynę, a właściwie jeszcze dziewczynkę: siedziała na krześle w szarym ohydnym szlafroku, ale wyglądała jak gwiazda filmowa. Miała żółte włosy o jakimś nieprawdopodobnym odcieniu, uczesane w coś lekkiego i puszystego, czego Diomka nie umiał nazwać.

Widział ją już wczoraj i aż zamrugał oczami na widok tego żółtego klombu włosów. Dziewczyna wydała mu się tak piękna, że nie miał odwagi na nią patrzeć – odwrócił wzrok i odszedł. Była tu jedyną rówieśnicą Diomki, nie licząc Surchana z amputowaną nogą, lecz o takich dziewczynach nie śmiał nawet marzyć.

Dziś też ją widział, z tyłu. Najbardziej workowaty szlafrok nie był w stanie ukryć jej figury, zgrabnej jak u osy. Szła, a snop żółtych włosów podrygiwał w rytm kroków.

Dioma na pewno jej nie szukał, bo i po co: i tak nie miałby odwagi zawrzeć znajomości. Wiedział, jak to będzie – od razu go zatka, jakby miał kluchy w ustach, i najwyżej wybełkocze coś głupiego. Kiedy jednak ujrzał dziewczynę w „czerwonym kąciku", serce mu zamarło. Starając się nie kuleć, stąpając jak najrówniej podszedł do kąta i zaczął przeglądać zszywkę republikańskiej „Prawdy", z której pacjenci powydzierali kartki na opakowania i inne potrzeby.

Połowę pokrytego czerwonym płótnem stołu zajmowało gipsowe, udające brąz popiersie Stalina nadnaturalnej wielkości. Z drugiej strony stała salowa, też okazała, duża, szerokousta – stała jakby obok Stalina. Bez pośpiechu, jak to przy sobocie, rozłożyła na stole gazetę, wysypała na nią garść pestek dyni i jadła je smakowicie, wypluwając łupiny na tę samą gazetę. Być może przystanęła tu tylko na chwilę, ale pestki pochłonęły ją bez reszty.

Z głośnika na ścianie płynęły chrypliwe dźwięki muzyki tanecznej. Przy stoliku dwaj pacjenci grali w warcaby.

A dziewczyna, jak kątem oka zaobserwował Diomka, siedziała na krześle pod ścianą i nic nie robiła, po prostu siedziała sobie, ale siedziała wyprostowana i jedną ręką przytrzymywała szlafrok na piersiach – tam, gdzie nigdy nie ma pętelek, o ile kobiety same ich nie przyszyją.

Siedział żółtowłosy gasnący anioł, bliski, a niedostępny. A tak dobrze byłoby z nim porozmawiać! O czymkolwiek. Nawet o nodze.

Zły na samego siebie, Diomka przeglądał gazety. Przypomniało mu się, że dla wygody zawsze strzygł włosy maszynką na zero. Teraz wyglądał pewnie w jej oczach jak ostatni kretyn.

I nagle anioł odezwał się pierwszy:

– Coś ty taki nieśmiały? Drugi dzień chodzi i nawet nie podejdzie.

Dioma drgnął, rozejrzał się. Nie było najmniejszej wątpliwości! Mówiła do niego. Kita czy pióropusz – to coś na głowie kołysało się jak kwiat.

– No, nie bój się! Bierz krzesło i siadaj. Porozmawiamy sobie.

– Nie boję się – głos trochę zawiódł, słowa nie chciały jakoś przejść przez gardło.

– No, chodź tu!

Wziął krzesło i dokładając ogromnych starań, żeby nie utykać, zaniósł je w jednej ręce pod ścianę, postawił obok. Potem wyciągnął dłoń:

– Dioma.

– Asia – włożyła do wnętrza jego dłoni swoją, mięciutką, i wyjęła z powrotem.

Usiadł. Musiał to być komiczny widok – siedzieli obok siebie jak para narzeczonych. Nawet jej nie widział. Wstał, ustawił krzesło inaczej.

– Siedzisz sobie? – spytał.

– A co tu robić? Zresztą nie nudzę się. Mam zajęcie.

– Jakie?

– Słucham muzyki. I tańczę w myślach. A ty umiesz?

– Tańczyć w myślach?

– Nie, normalnie, na nogach!

Nie umiał.

– Od razu widać. Szkoda, moglibyśmy potańczyć – rozejrzała się – ale tu za mało miejsca. Poza tym co to za muzyka! Słucham, bo nie lubię, jak jest cicho.

– A jakie tańce lubisz? – Przyjemnie się z nią rozmawiało. – Tango?

– Coś ty, jakie tango! Tango tańczyły nasze babcie. Teraz się tańczy rock and rolla. U nas jeszcze nie, ale w Moskwie już tańczą.

I to fantastycznie!

Dioma nie wszystko rozumiał, ale miło było tak siedzieć, rozmawiać i móc na nią patrzeć. Miała dziwne oczy – zielonkawe. Oczu nie przefarbujesz, każdy ma, jakie ma. Podobały mu się.

– To bombowy taniec! – pstryknęła palcami. – Nie mogę ci pokazać, bo sama jeszcze nie widziałam. A ty? Jak się bawisz? Może śpiewasz?

– Nie, nie umiem śpiewać.

– A my ciągle śpiewamy. Jak się milczy, to jest smutno. Grasz na akordeonie?

– Nie gram – wymamrotał coraz bardziej zawstydzony Diomka. Zupełnie do niej nie pasował. Pewnie uważała go za nudziarza. Jak miał powiedzieć, że interesuje się życiem społecznym?

Asia natomiast była zdumiona: ale ciekawy typek się trafił!

– Trenujesz coś? Ja trenuję pięciobój. Skaczę metr czterdzieści, biegam w trzydzieści i dwie dziesiąte sekundy.

– Ja nie... – Uświadomił sobie z goryczą, że niczym nie może jej zaimponować. Nie ma co, niektórzy umieją korzystać z życia. A on nigdy nie będzie mógł... – Trochę... Gram w piłkę...

Grał. I doigrał się

– To może przynajmniej palisz? Albo pijesz? – nie traciła nadziei Asia. – Może chociaż piwo?

– Piwo – westchnął Diomka. (Piwa też nie brał do ust, ale musiał ratować resztki honoru.)

– O rany! – jęknęła Asia, jakby ktoś uderzył ją w dołek. – Kurczę, ale z was maminsynki! Zupełnie bez ikry. W naszej szkole też są tacy. Wiesz, we wrześniu przenieśli nas do męskiej budy. Co za los! Dyrektor zostawił w tej szkole samych takich grzeczniutkich prymusików i ściągnął trochę dziewczyn, a najfajniejszych chłopaków wypchnął do naszej, żeńskiej.

Nie mówiła tego złośliwie, raczej litowała się nad tymi „grzeczniutkimi", ale Diomka obraził się w ich imieniu.

– W której klasie jesteś? – spytał.

– W dziesiątej.

– I pozwalają wam nosić takie fryzury?

– A skąd! Ścigają nas. Ale my się nie dajemy.

Nie, nie miała zamiaru kpić. A zresztą – niechby nawet kpiła, niechby biła pięścią, byle tylko rozmawiała!

Muzyka taneczna skończyła się i przez głośnik nadawano teraz pogadankę o układach paryskich, niekorzystnych dla Francji, gdyż uzależniały ją od Niemiec, i niekorzystnych dla Niemiec, gdyż uzależniały je od Francji.

– A tak w ogóle to kim jesteś? – wypytywała Asia.
– Tak w ogóle jestem tokarzem – ni to lekceważąco, ni to z dumą oznajmił Diomka.
Tokarz nie wywarł na Asi wrażenia.
– Ile zarabiasz?
Diomka bardzo sobie cenił swój zarobek, były to jego pierwsze własne pieniądze. Teraz czuł jednak, że nie wykrztusi, ile zarabia.
– Grosze, nie ma o czym mówić – wybąkał.
– Rzuć to! – stanowczo stwierdziła Asia. – Zostań lepiej sportowcem! Warunki masz.
– Ale to trzeba umieć...
– Co umieć, co umieć? Każdy może zostać sportowcem! Trzeba tylko dużo trenować. Sport bardzo się opłaca! – przekonywała ze znajomością rzeczy. – Wożą za darmo, karmią za trzydzieści rubli dziennie, fundują hotele... A do tego nagrody! A ile miast człowiek zwiedzi!
– Gdzie już byłaś?
– W Leningradzie, w Woroneżu...
– Podobał ci się Leningrad?
– Jeszcze jak! Pasaż! Gostinyj Dwor! Albo wyobraź sobie: sklep z samymi pończochami! Cały sklep – tylko pończochy, wszystkie rodzaje! Albo same torebki!
Diomka nie mógł sobie tego wyobrazić i poczuł zazdrość. Może naprawdę ważne i potrzebne były sprawy, którymi żyła Asia, a on zajmował się jakimiś błahostkami?
Salowa tkwiła przy stole jak pomnik i wypluwała łupiny na gazetę.
– Skoro jesteś sportsmenką, to co tu robisz?
Nie chciał pytać wprost, co jej jest. Może wstydziłaby się powiedzieć.
– Och, ja tylko na trzy dni, na badania – rzuciła niedbale. Jedną ręką stale musiała przytrzymywać albo poprawiać niesforny szlafrok. – Dali mi taki łach, że wstyd w nim chodzić! Jak tu ludzie mogą wytrzymać? Przecież po tygodniu można oszaleć z nudów! A ty? Co ci jest?
– Ja? – Diomka zawahał się. Chciał porozmawiać o nodze, ale oględnie, bezceremonialność pytania speszyła go. – Tu, na nodze...
Dotychczas słowa „tu, na nodze..." miały dla niego ogromne i gorzkie znaczenie. Teraz jednak, przy tej beztroskiej dziewczynie zwątpił, czy to naprawdę takie ważne. I opowiedział o nodze tak jak o swoich zarobkach, z zażenowaniem.
– I co mówią lekarze?

– Widzisz... Niby nic nie mówią... a chcą amputować. Powiedział to – i ze stężałą twarzą spojrzał na jej promienną buzię.

– Coś ty! – Asia klepnęła go w ramię jak starego, kumpla. – Jak to amputować? Powariowali? Nie chce im się leczyć! Nie zgadzaj się! Lepiej umrzeć, niż żyć bez nogi! Takie kalectwo! Przecież to nieszczęście! Żyje się po to, żeby być szczęśliwym!

Znów miała rację! Co to za życie bez nogi, o kuli? Gdyby musiał usiąść obok niej tak jak teraz – gdzie położyłby kulę? A kikut? Nawet krzesła by nie przyniósł, dziewczyna by mu przyniosła! Nie, bez nogi nie ma życia!

Żyje się po to, żeby być szczęśliwym.

– Długo tu jesteś?

– Jak długo? – Diomka musiał pomyśleć. – Trzy tygodnie.

– Okropność! – wzdrygnęła się Asia. – Co za nudy! Ani radia, ani harmonii! Wyobrażam sobie te rozmowy w sali!

I znów Diomka wstydził się przyznać, że całymi dniami wkuwa stereometrię. Przy niej wartości, które cenił, wydawały mu się teraz żałośnie pompatyczne i sztuczne.

Powiedział więc nonszalancko (choć w głębi duszy uważał to pytanie za bardzo ważne):

– No, ostatnio dyskutowaliśmy o tym, co jest w życiu najważniejsze.

– O czym?!

– Po co ludzie żyją, i tak dalej.

– Phi! – Asia na wszystko miała gotową odpowiedź. – Nam też zadawali takie wypracowanie: „Jaki jest cel życia człowieka?" I dyktowali plan: praca zbieraczy bawełny, praca dojarek, czyn Pawła Korczagina i twój stosunek do niego, czyn Matrosowa i twój stosunek do niego...

– No i jaki jest twój stosunek?

– Jak to jaki? Trzeba pisać, że powtórzyłoby się ten czyn. Nie wolno tego pominąć! Każdy pisze, że powtórzyłby bez wahania. Po co podpadać przed egzaminami? Saszka Gromow zapytał kiedyś: „A czy mogę napisać, co naprawdę o tym myślę?" A nauczycielka na to: „Ja ci dam myśleć! Kropnę taką dwóję, że się do końca roku nie wygrzebiesz!" A jedna dziewczyna napisała tak: „Jeszcze nie wiem, czy kocham ojczyznę, czy nie." A ta jak się nie rzuci: „To straszne! Jak możesz nie kochać ojczyzny?!" – „Może kocham, ale jeszcze nie wiem. Musiałabym jakoś sprawdzić." – „Nie ma żadnego sprawdzania, miłość do ojczyzny powinnaś wyssać z mlekiem matki! Na następną lekcję napiszesz wypracowanie jeszcze raz!" Mówimy na nią Ropucha. Wejdzie do klasy i nawet się nie uśmiechnie, cały czas chodzi zła. My wiemy dlaczego: stara panna, nieudane życie, to wyżywa się na nas. Zwłaszcza na ładnych dziewczynach. Nie znosi ładnych dziewczyn!

Powiedziała to o sobie bez cienia fałszywej skromności – była ładna i dobrze o tym wiedziała. Nie poznała jeszcze żadnego stadium choroby, bólu, cierpienia, bezsenności, braku apetytu, nie utraciła jeszcze świeżości, rumieńców, po prostu wpadła tu ze swoich sal gimnastycznych, ze swoich potańcówek na zwykłe trzydniowe badania.

– Wszyscy nauczyciele są tacy? – spytał Diomka, żeby tylko podtrzymać rozmowę, żeby Asia nie zamilkła, żeby można było patrzeć, jak mówi.

– Jasne! Nadęte ważniaki! Wiadomo, buda. Szkoda gadać!

Jej zdrowa radość udzieliła się Diomce. Siedział wdzięczny za tę paplaninę, zniknęła gdzieś jego nieśmiałość i skrępowanie. Nie chciał spierać się z Asią, przyznawał jej rację we wszystkim, co mówiła, nawet wbrew własnym przekonaniom. Gotów był przyznać tę rację również w sprawie nogi, zgodzić się, że to nic poważnego, ale noga dawała o sobie znać, przypominała, że choroba pełznie w górę – dokąd? Do kolana? Do pachwiny? I właśnie dlatego pytanie „Co jest w życiu najważniejsze?" miało dla Diomki tak zasadnicze znaczenie. I spytał:

– A ty jak sądzisz? Co jest w życiu najważniejsze?

Nie, dla tej dziewczyny wszystko było jasne i proste! Spojrzała na Diomkę zielonkawymi oczami, jakby nie wierząc, że pyta całkiem serio.

– Jak to co? Miłość!

Miłość! Tołstoj też twierdził, że „miłość" – ale o jaką miłość chodziło? A tamta miłość, o której mówiła nauczycielka Asi? Co miała na myśli? Diomka lubił ścisłość i dlatego musiał jeszcze coś wyjaśnić.

– Ale przecież... – zaczął ochryple (słowo niby łatwe, ale co innego pomyśleć, a co innego powiedzieć je głośno) – ... miłość to nie jest całe życie... To nie wszystko... To... tylko od czasu do czasu... Od pewnego wieku... I do pewnego wieku...

– Od jakiego? No, od jakiego? – gniewnie dopytywała się Asia. – Kochać trzeba w młodości! W naszym wieku! W życiu liczy się tylko miłość! Co może być w życiu oprócz miłości? Nic!

Uniesione brewki wyrażały tak absolutną pewność, że głupio byłoby mieć inne zdanie. Diomka milczał. Chciał słuchać, a nie dyskutować.

Przysunęła się bliżej, nachyliła i choć ręce miała nieruchome, jak gdyby wyciągała je ku niemu przez zwaliska wszystkich murów na świecie:

– Miłość jest nasza! i teraz! I nie ma co słuchać różnych mądrali, że kiedyś coś tam będzie albo nie będzie. Jest – miłość! Miłość! Nic więcej!

Diomka miał wrażenie, że znają się od wieków. Wydawało mu się, że gdyby nie obecność salowej z pestkami, pielęgniarki, graczy przy stoliku i pacjentów na korytarzu, to Asia natychmiast, tu, w tym „czerwonym kąciku" byłaby skłonna pomóc mu zrozumieć, co jest w życiu najważniejsze.

I zapomniał Diomka o chorej, stale bolącej nodze, i z rozdziawionymi ustami zagapił się w wycięcie szlafroka Asi. I to, co było tak wstrętne, gdy robiła to matka, teraz po raz pierwszy stało się czymś doskonale niewinnym, cudownie nieskalanym – czystą i piękną przeciwwagą całego ziemskiego brudu.

– A ty co – szeptem spytała Asia, gotowa roześmiać się, ale ze współczuciem. – Ty jeszcze nigdy...? Prawiczek, tak?

Zapłonęły Diomce uszy, twarz, czoło, oblał go żar jak złodzieja przyłapanego na gorącym uczynku. W ciągu zaledwie dwudziestu minut pozbawiony przez tę dziewczynę wszystkiego, co gromadził latami, z wyschniętym gardłem, jakby prosząc o litość spytał:

– A ty?

Pod szlafrokiem miała tylko koszulkę, piersi i duszę, a pod słowami – nagą prawdę, i jej także nie zasłaniała, nawet nie chciała zasłonić:

– Połowa dziewczyn to robi! Jedna zaszła w ciążę, jak była w ósmej klasie! A jedną przyłapali w mieszkaniu, jak... za pieniądze, rozumiesz? Miała własną książeczkę oszczędnościową! Właśnie przez nią wpadła. Zostawiła książeczkę w dzienniczku i nauczycielka znalazła. Im wcześniej się zacznie, tym ciekawiej! Nie ma na co czekać! Wiek atomu!

11

A jednak sobotni wieczór różnił się od innych wieczorów: pacjentów onkologii też ogarniało uczucie jakiejś niewytłumaczalnej ulgi, choć właściwie nie wiadomo, dlaczego: przecież nie uwalniali się na niedzielę od swoich chorób, ani tym bardziej od myśli o nich. Uwalniali się od rozmów z lekarzami i uciążliwych zabiegów – i chyba właśnie to poruszało w każdym ukrytą strunę wiecznie dziecinnej radości.

Kiedy po spotkaniu z Asią Diomka ostrożnie pokonał schody i powłócząc bolącą nogą wszedł do sali, było tu tłoczno jak nigdy. Oprócz stałych lokatorów i Sibgatowa zobaczył gości z parteru: znajomego, Koreańczyka Ni (leczono go igłami radowymi – gdy igły tkwiły w języku, Ni przebywał pod kluczem jak więzień albo drogocenny skarb) oraz nowych. Jeden z tych nowych, Rosjanin, bardzo przystojny mężczyzna o wysoko zaczesanych szpakowatych włosach i z chorym gardłem – mówił tylko szeptem – rozsiadł się na łóżku Diomki. Wszyscy słuchali – nawet Mursalimow i Jegenbierdijew, którzy nie rozumieli po rosyjsku.

Słuchali Kostogłotowa. Kostogłotow siedział nie na łóżku, ale wyżej, na parapecie, podkreślając w ten sposób doniosłość chwili. (Pielęgniarki nie pozwoliłyby mu tam siedzieć, ale dyżur miał dziś pielęgniarz Turgun, swój chłop, wiedział, że szpital się od tego nie zawali.) Jedną nogę Kostogłotow oparł o swoje łóżko, a drugą, zgiętą w kolanie, ułożył na kolanie tamtej jak gitarę. Kiwał się lekko i przemawiał podnieconym głosem:

– Żył kiedyś taki filozof, Kartezjusz. I ten Kartezjusz powiedział: „Podawaj wszystko w wątpliwość."

– Ale to nie dotyczy naszej rzeczywistości – zastrzegł Rusanow podnosząc palec.

– Nie, oczywiście, że nie – Kostogłotow był nawet zdziwiony tym zastrzeżeniem. – Chcę tylko powiedzieć, że nie powinniśmy za bardzo wierzyć lekarzom. O proszę, czytam teraz taką książkę – pokazał opasły tom – Abrikosow i Strukow, „Anatomopatologia", podręcznik akademicki. Tu pisze, że zależność miedzy chorobą nowotworową a centralnym układem nerwowym nie została jeszcze dostatecznie zbadana. A jest to zależność zadziwiająca! Przeczytam wam dosłownie – przerzucił parę kartek – o, jest: „Występują niekiedy przypadki samoistnej remisji nowotworu." Rozumiecie? Nie wyleczenia, lecz ozdrowienia! No i co wy na to?

W sali zawrzało. Oto samoistne ozdrowienie wyleciało z kart książki niczym tęczowy motyl i każdy nadstawiał teraz czoło, policzki, twarz, żeby tylko ów motyl musnął je swymi zbawczymi skrzydłami.

– Samoistne! – Kostogłotow odłożył książkę i potrząsnął wyciągniętymi ramionami, a noga nadal leżała na drugiej jak gitara. – To znaczy, że nagle, ni stąd, ni zowąd, guz zaczyna odwrót! Zmniejsza się, cofa, wchłania i znika!

Wszyscy zamilkli, słuchali baśni z otwartymi ustami. Nie do wiary – żeby nowotwór, j e g o guz, ten zabójczy, przekreślający całe życie guz mógł zniknąć tak sam z siebie, sczeznąć bez śladu?

Milczeli, czekali na motyla nadziei – i jedynie ponury Poddujew zaskrzypiał łóżkiem i napinając się bezsilnie wychrypiał:

– Do tego trzeba mieć czyste sumienie.

Nie wiedzieli, czy wtrącił się do ich rozmowy, czy rozmawiał z samym sobą.

Paweł Nikołajewicz, który tym razem słuchał Ogłojeda nie tylko uważnie, lecz nawet z pewną dozą sympatii, odwrócił się gwałtownie i osadził Jefriema:

– Co tu ma do rzeczy sumienie? Wstydźcie się, towarzyszu Poddujew!

Kostogłotow zaś w mgnieniu oka podchwycił myśl Jefriema:

– Dobrze powiedziałeś! Słusznie! Może to kwestia czystego sumienia, wszystko jest możliwe! Po wojnie czytałem, w jakimś czasopiśmie, bardzo ciekawy artykuł... Okazuje się, że człowiek ma koło mózgu taką barierę, gruczoł czy co, i te bakterie i substancje, które zabijają organizm, nie mogą jej pokonać. Póki nie przejdą – człowiek żyje. Tylko od czego to zależy?

Młody geolog, który ciągle czytał książki i w tej chwili też siedział na łóżku z książką w ręku, od czasu do czasu unosił głowę i przysłuchiwał się dyskusji. Uniósł ją i teraz. Słuchali zresztą wszyscy. A Federau pod piecem ze swoją gładką, białą, lecz już skazaną szyją leżał na boku zwinięty w kłębek i słuchał nie odrywając głowy od poduszki.

– ... A zależy od równowagi soli potasu i sodu w tej barierze. Jeśli przeważa sól, nie pamiętam która, powiedzmy sodu, to nic człowieka nie rusza, nic przez tę barierę nie przejdzie, i wtedy się żyje. A kiedy przeważy sól potasu, bariera przestaje chronić organizm i koniec, śmierć. A od czego z kolei zależy równowaga obu soli? To jest właśnie najciekawsze! Zależy od n a s t r o j u człowieka!!! Rozumiecie? Jeśli człowiek ma charakter, jeśli zachowuje spokój ducha, to w barierze przeważają sole sodu i żadna, ale to żadna choroba go nie wykończy! Ale jeśli upadnie na duchu, załamie się – amen, wzrasta poziom potasu i od razu można kupować trumnę.

Geolog słuchał ze skupionym zrozumieniem, jak inteligentny student, który domyśla się już, co profesor napisze w następnej linijce na tablicy. Poparł Kostogłotowa:

– Fizjologia optymizmu. Dobra koncepcja. Bardzo słuszna.

I jak gdyby nadrabiając stracony czas, znów pogrążył się w lekturze.

Paweł Nikołajewicz też nie miał zastrzeżeń. Tym razem Ogłojed stał na gruncie nauki.

– Nie zdziwiłbym się – ciągnął dalej Kostogłotow – gdyby za sto lat naukowcy odkryli, że wydzielanie jakichś pożytecznych soli zależy od spokoju i czystości sumienia. I że akurat te sole decydują o tym, czy rak rośnie, czy nie. Jefriem westchnął ochryple.

– Dużo bab skrzywdziłem. Z dziećmi porzucałem... Płakały...

Mój rak nie zniknie.

– A co to ma do rzeczy? – wyszedł z siebie Paweł Nikołajewicz. – Czysty klerykalizm, religianctwo! Naczytaliście się podejrzanych bzdur, towarzyszu Poddujew, i załamaliście się ideologicznie! I będziecie zawracać nam tu głowę doskonaleniem moralnym! Obejdzie się!

– Co się pan czepia doskonalenia moralnego? – zaatakował zirytowany Kostogłotow. – Dlaczego doskonalenie moralne tak pana drażni? Kogo może drażnić moralność? Chyba tylko jakieś moralne zero!

– Proszę się nie zapominać! – błysnął okularami Paweł Nikołajewicz. Siedział w tej chwili tak wyprostowany, tak równo trzymał głowę, jakby z prawej strony szyi nie miał żadnego guza. – W pewnych kwestiach ustalono zupełnie jasne stanowisko i nie może pan tego podważać!

– A niby dlaczego nie mogę, co? – Kostogłotow wlepił w Rusanowa swoje piwne ślepia.

– Dosyć już! – godzili pacjenci.

– Hej, kolego – szeptał bezgłosy z łóżka Diomki. – Zacząłeś opowiadać o brzozowym grzybie...

Jednak ani Rusanow, ani Kostogłotow nie mieli zamiaru ustąpić. Nic o sobie nie wiedzieli, ale mierzyli się wzrokiem z wilczą zawziętością.

– Żeby zabierać głos w tych kwestiach, trzeba się choć trochę na nich znać – gnębił przeciwnika Paweł Nikołajewicz, dobitnie akcentując każde słowo. – Rolę postulatu doskonalenia moralnego w twórczości Lwa Tołstoja raz na zawsze wyjaśnił Lenin! I towarzysz Stalin! I Gorki!

– Chwileczkę! – Kostogłotow z trudem panował nad sobą. – Nikt na świecie nie może powiedzieć czegoś r a z n a z a w s z e. Życie stanęłoby w miejscu. Nasi potomkowie nie mieliby już nic do powiedzenia!

Paweł Nikołajewicz poczuł się zbity z tropu. Końce jego bladych, wrażliwych uszu poczerwieniały, na policzkach wystąpiły czerwone plamy.

(Tak, nie trzeba było wdawać się w żadne sobotnie spory i dyskusje, a s p r a w d z i ć tego człowieka – kto to jest, skąd, czyj i czy jego oburzające poglądy nie szkodzą stanowisku, które zajmuje.)

– Nie twierdzę – mówił szybko Kostogłotow – że znam się na naukach społecznych, wiem tyle, co nic. Ale na mój rozum Lenin krytykował moralne postulaty Tołstoja tylko dlatego, że odciągały społeczeństwo od walki z bezprawiem, od nadciągającej rewolucji. Tak! Dlaczego jednak każe pan milczeć człowiekowi – wskazał wielką łapą Poddujewa – który zastanawia się nad sensem życia, stojąc na jego granicy ze śmiercią? Dlaczego tak pana denerwuje, że człowiek ten czyta Tołstoja? Komu to przeszkadza? A może książki Tołstoja należałoby w ogóle spalić? Może rządowy Synod przeoczył Tołstoja, nie doprowadził sprawy do końca? (Nie znając nauk społecznych Kostogłotow pomylił słowo „rządowy" z „najświętszym".)

Uszy Pawła Nikołajewicza płonęły czerwienią. Ten otwarty atak na instytucję rządową (nie dosłyszał tylko konkretnej nazwy) w obecności przypadkowego audytorium zaostrzał sytuację do tego stopnia, że należało natychmiast dyplomatycznie zakończyć scysję, a Kostogłotowa przy najbliższej okazji s p r a w d z i ć. Dlatego też rezygnując ze sporu o pryncypia Paweł Nikołajewicz powiedział w stronę Poddujewa:

– Niech czyta Ostrowskiego. Będzie więcej pożytku.

Kostogłotow nie docenił jednak dyplomacji Pawła Nikołajewicza, nawet go nie słuchał, tylko nadal uprawiał tę swoją propagandę:

– Po co przeszkadzać człowiekowi w refleksji nad życiem? W końcu do czego sprowadza się nasza filozofia życia? „Ach, jak wspaniałe jest życie!", „Kocham cię, życie!" „Żyje się po to, żeby być szczęśliwym!" Co za głębia! To samo mogłoby powiedzieć każde zwierzę – kura, pies, kot.

– Ja bardzo proszę! Ja pana bardzo proszę! – już nie z obywatelskiego obowiązku, lecz jako człowiek domagał się Paweł Nikołajewicz.

– Nie mówmy o śmierci! Nawet o niej nie wspominajmy!

– Co mnie pan prosi? – opędzał się Kostogłotow ręką-łopatą. – Skoro *tutaj* nie możemy pogadać o śmierci, to gdzie? „Ach, będziemy żyć wiecznie!"

– To co? Co? – głos Pawła Nikołajewicza przeszedł niemal w wycie. – Co pan proponuje? Żeby ciągle mówić i myśleć o śmierci? Żeby te sole potasu przeważyły, tak? Tego pan chce?

– No, nie ciągle – Kostogłotow zrozumiał, że popada w sprzeczność. – Nie bez przerwy, ale od czasu do czasu. To bardzo pożyteczne. Co przez całe życie wmawiamy człowiekowi? Że należy do kolektywu. Jesteś członkiem kolektywu! Jesteś członkiem kolektywu! Słusznie! Jest! Ale tylko dopóki żyje. A w godzinę śmierci usuwamy go z kolektywu. Członek nie członek, ale umiera zawsze sam. I raka też ma tylko on, a nie kolektyw. Pan na przykład. Pan, pan! – Po chamsku wskazał Rusanowa palcem. – Niech pan powie, czego boi się pan najbardziej? Umrzeć! A o czym najbardziej boi się pan rozmawiać? O śmierci! A jak to się nazywa?

– W kategoriach intelektu to prawidłowość – stwierdził cicho sympatyczny geolog. – Tak bardzo boimy się śmierci, że unikamy nawet myśli o tych, którzy już zmarli. Nawet nie dbamy o ich groby.

Paweł Nikołajewicz nie słuchał, rozmowa przestała go interesować. Zapomniał się, wykonał nieostrożny ruch, uraził guz, natychmiastowy ból tak przeszył szyję i głowę, że od razu odeszła go chęć uświadamiania tych krzykaczy i demaskowania ich bredni. W końcu trafił do tej kliniki przypadkowo i nie wśród nich powinien przeżywać decydujące chwile choroby. Najważniejsze zaś i najstraszniejsze było to, że guz ani trochę nie zmiękł i nie zmalał po wczorajszym zastrzyku. Na myśl o tym Rusanowa przenikał lodowaty dreszcz. Łatwo Ogłojedowi rozprawiać o śmierci, kiedy sam wraca do zdrowia!

Gość Diomki, bezgłosy okazały mężczyzna, który bezustannie przyciskał dłonią bolące gardło, kilkakrotnie próbował ni to włączyć się do dyskusji, ni to przerwać scysję. Przypominał, że teraz wszyscy są przedmiotem, a nie podmiotem historii, ale nikt nie słyszał jego szeptu, a mówić głośniej nie był w stanie i tylko trzymał dwa palce na krtani, żeby przytłumić ból i pomóc dźwiękowi. Niemota, choroby gardła i języka ciążą człowiekowi szczególnie dotkliwie, jego twarz staje się wówczas tylko odbiciem tej udręki. Mężczyzna usiłował uciszyć rozmawiających gwałtowną gestykulacją, lecz usłyszeli go dopiero, gdy wyszedł na środek sali.

– Towarzysze! Towarzysze! – syczał, a cierpienie tego poharatanego gardła udzielało się wszystkim słuchaczom. – Nie trzeba mówić o takich sprawach! I tak mamy dość naszych chorób! Wy, towarzyszu – szedł między łóżkami i błagalnie wyciągał rękę (drugą trzymał na gardle) do Kostogłotowa niczym do jakiegoś rozczochranego bożka – tak ciekawie zaczęliście opowiadać o brzozowym grzybie... Opowiedzcie!

– Oleg, dawaj o brzozowym grzybie! No, co tam mówiłeś? – prosił Sibgatow.

I brązowy Ni, z trudem poruszając językiem, którego część odpadła podczas poprzedniego leczenia, a pozostałość właśnie spuchła, prosił o to samo.

Inni też prosili.

Kostogłotow czuł niedobrą lekkość. Tak długo mógł stawać przed w o l n y m i wyłącznie regulaminowo – ręce za plecami, patrzeć w ziemię, odzywać się, jak zapytają – że nawyk ten wszedł mu w krew i stał się czymś naturalnym jak garb dla garbatego. Nie pozbył się go nawet po roku zsyłki. A gdy spacerował po alejkach szpitalnego parku, ręce same odruchowo splatały się na plecach. I oto wolni ludzie, którym przez tyle lat zabraniano rozmawiać z nim jak z równym – i w ogóle traktować go jak istotę ludzką, a co gorsza podawać mu rękę i przyjmować od niego listy – ci wolni ludzie siedzieli teraz przed nim, niedbale rozwalonym na parapecie, i słuchali tego, co mówił, więcej – oczekiwali, że ofiaruje im nadzieję. Zauważył też, że nie przeciwstawia w o l n y m własnej osoby jak dotychczas, lecz utożsamia się z nimi i jednoczy we wspólnym nieszczęściu.

Najbardziej odzwyczaił się od przemawiania do licznego audytorium, od wieców, zebrań i posiedzeń. A tu został nagle mówcą. Miał wrażenie, że to po prostu śmieszny sen. I jak człowiek, który z rozpędu wbiega na lód i nie mogąc się już zatrzymać sunie przed siebie na łeb, na szyję, tak Oleg Kostogłotow z radosnego rozpędu swego ozdrowienia – niespodziewanego, ale chyba jednak ozdrowienia – dał się ponieść elokwencji.

– Przyjaciele! To zadziwiająca historia. Opowiadał mi ją jeden facet, kiedy czekałem na przyjęcie do kliniki. Od razu wysłałem kartkę pocztową. Podałem adres kliniki. I dziś przyszła odpowiedź! Tylko dwanaście dni – i już jest odpowiedź! I doktor Masliennikow jeszcze przeprasza za zwłokę, bo, jak się okazuje, co dzień musi odpowiedzieć na dziesięć listów. A napisać jeden taki list, to co najmniej pół godziny! Ten doktor po pięć godzin dziennie pisze listy! I nikt mu za to nie płaci!

– Z własnej kieszeni wydaje cztery ruble na znaczki – obliczył Diomka.

– Tak! Cztery ruble dziennie, czyli sto dwadzieścia miesięcznie! A to nie jest jego praca czy obowiązek, tylko dobra wola! Albo... jak to się mówi? – Kostogłotow spojrzał na Rusanowa. – Humanitaryzm, tak?

Paweł Nikołajewicz czytał sprawozdanie budżetowe i udał, że nie słyszy.

– Pracuje sam, bez etatów, asystentów, sekretarzy. Poświęca swój wolny czas. I nic z tego nie ma, nawet ludzkiej wdzięczności. Przecież dla nas, dla chorych, lekarz – to jak przewoźnik: na brzeg wysiadamy, o człowieku zapominamy! A wyleczony nawet listu nie napisze, nie podziękuje. Ten lekarz narzeka, że pacjenci, zwłaszcza ci, którzy wyzdrowieli, przestają z nim korespondować. Nie piszą o zażywanych dawkach, o rezultatach. A na końcu p r o s i mnie – prosi, żebym odpisał! A przecież do nóg powinniśmy mu padać!

– Oleg, opowiedz po kolei! – prosił Sibgatow z nikłym uśmiechem nadziei.

Jakże chciał wyzdrowieć! Na przekór meczącemu, wielomiesięcznemu, wieloletniemu i już zapewne beznadziejnemu leczeniu – wyzdrowieć! Nagle, zupełnie! Dotknąć cudownie zagojonych pleców, wyprostować się, pójść twardym, równym krokiem, poczuć się znów mężczyzną, chłopem na schwał! Dzień dobry, Ludmiło Afanasjewno! Widzi pani? Wyzdrowiałem!

Jakże wszyscy chcieli usłyszeć, dowiedzieć się o takim lekarzu-cudotwórcy, o jakimś leku, którego nie znają tutejsi onkolodzy! Mogli kręcić głowami z powątpiewaniem, mogli udawać, że nie wierzą, ale w głębi duszy wszyscy byli absolutnie pewni, że taki lekarz, taki zielarz, taka znachorka naprawdę istnieją i wystarczy tylko zdobyć adres, wybłagać lekarstwo – i wyzdrowieć...

Przecież nie mogli, nie mogli być skazani!

Kpimy sobie z rozmaitych cudów, dopóki jesteśmy zdrowi, silni i nic nam nie grozi, ale gdy życie staje na takiej krawędzi, na takiej granicy, że tylko cud może nas uratować, w ten jedyny, wyjątkowy cud – wierzymy!

– Dobrze, Szaraf, no więc tak: tamten pacjent mówił, że doktor Masliennikow to dawny lekarz powiatu aleksandrowskiego pod Moskwą. Przez dziesiątki lat – kiedyś tak było – pracował w tym samym szpitalu. I zwrócił uwagę, że choć w literaturze fachowej dużo pisano o raku, to wśród miejscowych chłopów, których leczył, rak w ogóle nie występuje. Dlaczego?

(Właśnie, dlaczego? Kogóż z nas od dziecka nie przejmowało dreszczem dotknięcie Tajemnicy – tej nieprzeniknionej, a zarazem rozciągliwej zasłony, zza której lada chwila może wyłonić się – a jednak tego nie robi – czyjeś ramię czy też zarys czyjegoś biodra? I nagle w naszym życiu, tak prozaicznym, tak trzeźwym, pozbawionym wszelkiej tajemniczości, odzywa się Niewiadome i daje nam znak: jestem! Pamiętaj!)

– ... Zaczął więc badać, badać – powtarzał Kostogłotow, który zazwyczaj nie lubił niczego powtarzać, lecz teraz znalazł w tym upodobanie – i stwierdził taką rzecz: chłopi z oszczędności pili zamiast herbaty c z a g ę, tak zwany brzozowy grzyb...

– Koźlak? – przerwał Poddujew. Wstrząsająca dostępność zbawiennego leku przeniknęła nawet przez tę rozpacz, w której pogrążył się ostatnio bez reszty.

Pozostali pacjenci, miejscowi, nigdy w życiu nie widzieli nie tylko koźlaka, ale i brzozy, nie byli więc w stanie zrozumieć, o czym mówił Kostogłotow.

– Nie, Jefriem, nie koźlak. To nie jest zwyczajny grzyb, tylko rak, rak brzozy. Pamiętasz – na starych brzozach rosną czasem takie... półokrągłe, z wierzchu czarne, a w środku ciemnobrązowe.

– Huba? – zgadywał Jefriem. – Dawniej krzesali na niej ogień!

– Możliwe. No i Siergiejowi Nikityczowi Masliennikowowi przyszła do głowy myśl, że może właśnie czagą rosyjscy chłopi leczą od stuleci nowotwory, choć sami o tym nie wiedzą.

– Profilaktyka? – wtrącił młody geolog. Przez cały wieczór przeszkadzali mu czytać, ale ta rozmowa była tego warta.

– Ale same domysły to za mało, rozumiecie? Trzeba było sprawdzić. Przez wiele, wiele lat badać osobno tych chłopów, którzy piją czagę, i tych, którzy jej nie piją. I podawać ją chorym na raka, czyli zrezygnować z innych sposobów leczenia. I zbadać, jakie dawki są skuteczne, w jakiej temperaturze gotować grzyb, zaparzać czy zalewać, po ile kubków pić, ustalić, czy nie ma działań ubocznych, na które nowotwory pomaga, na które nie... Trwało to całe lata.

– No a teraz? Teraz? – niecierpliwił się Sibgatow.

A Diomka myślał: Czy pomaga na nogę? Czy może uratować – nogę?

– Ma pan adres? – pożądliwie spytał bezgłosy, już gotów wyciągnąć z kieszeni notes i pióro. – Czy napisał, jak zażywać? Czy napisał o leczeniu nowotworów gardła? Czy grzyb leczy gardło?

Paweł Nikołajewicz postanowił wprawdzie okazać charakter i traktować sąsiada z całkowitą pogardą, ale takiej rozmowy, takiej informacji nie mógł przepuścić koło uszu. Oderwał więc wzrok od projektu budżetu centralnego na rok 1955 (były to materiały na najbliższą sesję Rady Najwyższej ZSRR), odłożył gazetę i powoli zwrócił twarz ku Ogłojedowi. Miał nadzieję, że ten prosty ludowy lek pomoże również jemu. I pojednawczo, żeby nie rozdrażnić Ogłojeda, choć i tak nieco urzędowym tonem, spytał:

– A czy ta terapia została oficjalnie uznana? Czy uzyskała aprobatę jakiejś kompetentnej instytucji medycznej?

Kostogłotow uśmiechnął się ironicznie.

– Co do instytucji, to nie wiem. W liście – pomachał żółtawą kartką, zapisaną zielonym atramentem – w liście są tylko praktyczne wskazówki – jak sproszkować czagę, jak przygotować wywar. Myślę, że gdyby oficjalna medycyna coś o tym wiedziała, to już dawno siostry roznosiłyby taki napój po salach. A w korytarzu stałaby cała beczka! Nie trzeba by pisać do Aleksandrowa.

– Aleksandrow – natychmiast zanotował bezgłosy. – A jaka poczta? Jaka ulica? – dopytywał się skwapliwie.

Achmadżan też słuchał z zaciekawieniem, a nawet wyjaśniał Mursalimowowi i Jegenbierdijewowi po uzbecku, o co chodzi. Sam nie potrzebował brzozowego grzyba – wracał przecież do zdrowia. Czegoś jednak nie rozumiał:

– Skoro grzyb taki dobry, to czemu lekarze nie biorą go na swoje wyposażenie bojowe? Czemu nie stosują zgodnie z regulaminem?

– To musi potrwać. Jedni nie wierzą, inni wolą sprawdzone metody, bo im wygodniej, jeszcze inni kręcą nosem, bo myślą, że sami wynajdą lepsze lekarstwo. A my nie mamy wyboru.

Kostogłotow odpowiedział Rusanowowi, odpowiedział Achmadżanowi, ale bezgłosemu nie odpowiedział – nie dał mu adresu. Wykręcił się dyskretnie, niby nie dosłyszał, niby nie zdążył, a tak naprawdę – po prostu nie chciał dać. Bezgłosy irytował go namolnością, choć wyglądał bardzo szacownie – miał dostojną głowę prezesa banku albo i prezydenta (nie mocarstwa oczywiście, ale jakiegoś małego południowoamerykańskiego państewka). Oleg pomyślał też o starym poczciwym doktorze Masliennikowie – bezgłosy zasypie go pytaniami, zamęczy listami, nie da chwili wytchnienia! Z drugiej strony nie sposób było nie litować się nad tym syczącym gardłem, pozbawionym tego dźwięcznego człowieczego brzmienia, którego my, zdrowi, tak nie szanujemy, dopóki jest. Z trzeciej jednak strony Kostogłotow nauczył się być chorym, stał się specjalistą od chorowania, chorował świadomie i z zaangażowaniem, czytał podręcznik anatomopatologii, domagał się od Ganhart i Doncowej odpowiedzi na nurtujące go pytania, korespondował z Masliennikowem. Z jakiej racji on, przez tyle lat wyzuty z wszelkich praw, miałby teraz uczyć tych wolnych ludzi, jak ratować się w nieszczęściu? Tam, gdzie kształtował się jego charakter, rządziło prawo: „znalazłeś – schowaj, zwędziłeś – nie pokazuj". Jeżeli wszyscy zaczną pisać do Masliennikowa, to on, Kostogłotow, nigdy nie doczeka się drugiego listu od doktora.

Nie, nie zastanawiał się nad tym wszystkim – był to tylko jeden ruch oszpeconego blizną podbródka od Rusanowa do Achmadżana z pominięciem bezgłosego.

– Podaje sposób użycia? – spytał geolog. Nie musiał szukać kartki i ołówka, miał je cały czas pod ręką; czytając robił notatki.

– Sposób użycia? Proszę bardzo, weźcie ołówki, dyktuję – dyrygował Kostogłotow.

Wszczęło się zamieszanie, wszyscy pytali wszystkich o papier, ołówek. Paweł Nikołajewicz nie miał nic do pisania (a w domu zostało pióro ze schowaną stalówką, najnowszy model!) i pożyczył ołówek od Diomki. Sibgatow, Federau, Jefriem, Ni też chcieli pisać. Kiedy byli już gotowi, Kostogłotow zaczął powoli dyktować, wyjaśniając jeszcze raz, jak suszyć czagę – nie przesuszyć! – jak ją rozcierać, w jakiej temperaturze zaparzać, ile sypać, przez co cedzić i w jakiej ilości pić.

Pisali – jedni szybko, inni z trudem, prosili o powtórzenie i w sali zrobiło się jakoś ciepło, przyjaźnie, serdecznie. Tak nieżyczliwi byli czasem wobec siebie – dlaczego? Cóż mogło ich dzielić? Mieli wspólnego wroga – śmierć, a co na świecie może podzielić istoty ludzkie w obliczu tej samej, jednakiej dla wszystkich – śmierci?

Zapisał i Diomka, a potem powoli powiedział grubym, zbyt grubym na jego wiek głosem:

– Tak... Tylko skąd wziąć czagę, skoro tu nie ma brzóz? Westchnęli. Przed oczami tych, którzy dawno temu opuścili Rosję (czasem dobrowolnie), i tych, którzy nigdy w niej nie byli, zamajaczyła nagle ta spokojna, łagodna, nie spalona słońcem kraina w mgiełce delikatnego grzybnego deszczyku, Rosja z jej wiosennymi roztopami i plątaniną grząskich polnych dróg, kraj, gdzie zwyczajne leśne drzewo tak wiernie służy człowiekowi. Ludzie, którzy tam mieszkają, nie zawsze doceniają swoją ojczyznę, marzą o olśniewająco błękitnych morzach, palmach i bananach, a przecież człowiekowi potrzebne jest właśnie to: dziwaczna narośl na białym pniu brzozy, jej choroba, jej rak.

I tylko Mursalimow i Jegenbierdijew wiedzieli, że i tutaj – w stepie, w górach – znajdą to, czego im potrzeba, gdyż ze wszystkiego na świecie płynie dla człowieka jakiś pożytek, a człowiek musi jedynie wiedzieć, gdzie i czego szukać.

– Trzeba kogoś poprosić, żeby nazbierał i przysłał – odpowiedział Diomce geolog. Chyba zainteresowała go ta czaga.

Kostogłotow nie miał w Rosji nikogo, kto mógłby przysłać mu hubę. Jedni pomarli, inni rozproszyli się, do innych niezręcznie było pisać, jeszcze inni jako zatwardziałe mieszczuchy nie znaleźliby w lesie nie tylko grzyba, ale i brzozy. Gdyby mógł poszukać sam! Gdyby jak pies, który wiedziony instynktem wyszukuje zbawienne trawy, móc zapaść na całe miesiące w lasy, obłamywać hubę z pni, kruszyć ją, zaparzać nad ogniskiem, pić i wracać do zdrowia! Miesiącami chodzić po lasach i myśleć tylko o zdrowiu...

Ale do Rosji nie wolno mu było wracać.

Pozostali zaś, którzy mogli wrócić, nie znali mądrości wyrzeczeń, nie umieli poświęcić wszystkiego dla tego, co w życiu najważniejsze. Natychmiast wynajdywali mnóstwo przeszkód: jak załatwić urlop albo zwolnienie na takie poszukiwania? Jak zmienić tryb życia i rozstać się z rodziną? Jak się ubrać na tę wyprawę i co wziąć ze sobą? Na jakiej stacji wysiąść i kogo zapytać o dalszą drogę? Kostogłotow trzepnął listem o dłoń.

– On tu pisze, że są tak zwani w y t w ó r c y, różni spryciarze, którzy zbierają czagę, podsuszają i wysyłają potrzebującym za zaliczeniem pocztowym, ale drogo biorą – piętnaście rubli za kilo, a tego zużywa się sześć kilogramów na miesiąc.

– Jakim prawem? – oburzył się Paweł Nikołajewicz i przybrał tak urzędowo groźny wyraz twarzy, że każdy wytwórca z miejsca poczułby duszę na ramieniu. – Jak oni mają sumienie zdzierać z ludzi takie pieniądze za coś, co natura daje za darmo!?

– Nie kszysz! – syknął na niego Jefriem. (Okropnie przekręcał słowa, ale nie robił tego specjalnie, po prostu język tak je kaleczył.) – Myślisz, że to – ot, poszedł sobie i nazbierał? Trzeba długo chodzić po lesie z toporem i workiem. A w zimie brać narty...

– Ale nie po piętnaście rubli za kilogram, przeklęci spekulanci! – szalał Paweł Nikołajewicz. Znów był czerwony na twarzy.

Problem dotyczył bowiem pryncypiów. Z biegiem lat Rusanow coraz bardziej utwierdzał się w przekonaniu, że przyczyną wszystkich naszych niedociągnięć, niedoborów i niepowodzeń jest spekulacja. Ta drobna – jakieś podejrzane typki sprzedające na ulicach szczypiorek, rzodkiewki i kwiaty, babiny z koszami jaj i kankami mleka na targu, sprzedawcy jabłek, wełnianych skarpet i nawet smażonej ryby – oraz ta na wielką skalę, gdy z państwowych magazynów wywozi się „na lewo" całe ciężarówki wszelkiego dobra. Wierzył, że gdyby obie te spekulacje zlikwidować, wykorzenić i wyplenić, gospodarka wróciłaby do normy, a nasze osiągnięcia i sukcesy zajaśniałyby jeszcze pełniejszym blaskiem. Naturalnie, każdy może żyć dostatnio i zabiegać o dobra materialne, o ile ma odpowiednio wysoką pensję na państwowej posadzie albo odpowiednio wysoką emeryturę (sam liczył na specjalną, dla zasłużonych). W takim wypadku samochód, dacza czy skromna willa uczciwie mu się należą. Jednakże identyczny samochód, dacza i willa, kupione przez spekulanta, stają się czymś odrażająco przestępczym. I Paweł Nikołajewicz marzył, właśnie m a r z y ł o wprowadzeniu publicznych egzekucji spekulantów. Publiczne egzekucje szybko i skutecznie uzdrowiłyby nasze społeczeństwo.

– Czego kszyszysz? – Jefriem też się zdenerwował. – Jedź tam sam i zostań wytwórcą! Zorganizuj przedsiębiorstwo – państwowe, spółdzielcze, jakie tylko chcesz! A jak ci szkoda piętnastu rubli, to nie zamawiaj, nikt ci nie każe!

Tak, trafił w czułe miejsce. Rusanow nienawidził wprawdzie spekulantów, ale zanim Akademia Medyczna zaaprobuje nowy lek, zanim władze administracyjne obwodów środkoworosyjskich utworzą sieć punktów skupu i rozlewni wywaru.. Guz nie będzie czekać.

A bezgłosy napierał na łóżko Kostogłotowa z notesem w ręku niczym dziennikarz wpływowej gazety:

– A adresów wytwórców nie podał? A adresów wytwórców nie podał?

Kostogłotow nie odpowiedział. Zlazł z parapetu i zaczął szukać butów. Wbrew szpitalnym zakazom przechowywał buty pod łóżkiem i wychodził w nich na spacery.

A Diomka schował przepis do szafki. O nic więcej nie pytał. Tak ogromnych pieniędzy nie miał i mieć nie mógł – bo i skąd?

Pomagała brzoza, ale nie każdemu.

Rusanowowi było głupio, że po starciu z Kostogłotowem – nie jedynym w ciągu tych trzech dni – tak otwarcie zainteresował się opowieścią tamtego i dał po sobie poznać, że zależy mu na adresie. I żeby przypochlebić się Ogłojedowi, czy co – nie celowo, lecz mimo woli odwołując się do tego, co ich łączyło, Paweł Nikołajewicz powiedział zupełnie szczerze:

– Tak! Czy w ogóle może być coś gorszego od... (raka? Przecież nie miał raka!) ...tych ...onkologicznych ...od raka?

Lecz ten konfidencjonalny ton starszego wiekiem, stanowiskiem i doświadczeniem człowieka nie wywarł na Kostogłotowie najmniejszego wrażenia. Owijając stopę pożółkłą onucą, która suszyła się na cholewie buta, i wciągając obrzydliwy kirzowy bucior z żebraczymi łatami na zgięciach, rąbnął:

– Co jest gorsze od raka? Trąd!

Ciężkie, groźne słowo zabrzmiało w sali jak wystrzał. Paweł Nikołajewicz skrzywił się z zastanowieniem:

– Czy ja wiem... Może... Ale rozwija się wolniej.

Kostogłotow wlepił ponury, nieżyczliwy wzrok w jasne okulary i jasne oczy Pawła Nikołajewicza.

– Jest gorszy, bo jeszcze za życia wykreślają pana ze świata. Odrywają od rodziny, zamykają za drutami. A pan pewnie myśli, że to lepsze niż rak?

Paweł Nikołajewicz poczuł się całkiem bezbronny wobec płonącego posępnym ogniem spojrzenia tego nieokrzesanego i grubiańskiego człowieka.

– Chciałem tylko powiedzieć... wszystkie te przeklęte choroby... Każdy choć trochę inteligentny rozmówca zrozumiałby, że trzeba odpowiedzieć równie pojednawczo. Ale Ogłojed nie zrozumiał. Nie docenił taktu Pawła Nikołajewicza. Wyprostował się, założył obwisły, brudnoszary, babski barchanowy szlafrok, który sięgał mu do butów i zastępował płaszcz, po czym oznajmił zarozumiale, myśląc, że brzmi to bardzo mądrze:

– Pewien filozof powiedział: gdyby człowiek nie chorował, nie znałby żadnej miary.

Z kieszeni szlafroka wyciągnął zwinięty szeroki wojskowy pas; ze sprzączką – pięcioramienną gwiazdą – i opasał się nim ostrożnie, żeby nie zabolało. I miętosząc w palcach taniutkiego papierosa, z gatunku tych, co gasną nie dopalając się do końca, poszedł w kierunku wyjścia.

Bezgłosy natręt z syczącym gardłem zastępował mu drogę, cofał się krok za krokiem i nie zważając na swój bankiersko-dygnitarski wygląd pytał tak błagalnie, jakby Oleg był światową sławą onkologiczną, która właśnie na zawsze opuszcza klinikę:

– A w ilu przypadkach na sto nowotwór krtani może okazać się złośliwy?

– W trzydziestu czterech – powiedział z uśmiechem. Na ganku za drzwiami nie było nikogo.

Oleg z lubością odetchnął wilgotnym, zimnym powietrzem i zanim jeszcze dotarło do płuc, zapalił papierosa. Właśnie tego brakowało mu do pełni szczęścia (choć Doncowa kategorycznie kazała rzucić palenie, a i Masliennikow nie omieszkał wspomnieć w liście o tym samym).

Na dworze nie czuło się ani wiatru, ani mrozu. Blask z któregoś okna padał na nie zamarzniętą kałużę. Dziwna wiosna na początku lutego. W powietrzu unosiła się jakaś mgła – nie mgła, na tyle lekka, że nie przesłaniała, a jedynie zmiękczała, rozmywała dalekie światła latarń i okien.

Na lewo od Olega wystrzelały wysoko ponad dachy cztery stożkowate topole. Z drugiej strony rosła tylko jedna, ale równie okazała i rozłożysta. Za nią czerniały drzewa pobliskiego parku.

Z nie ogrodzonego tarasu trzynastego pawilonu schodziło się po kilku schodkach na pochyłą asfaltową alejkę. Wzdłuż alejki ciągnął się gęsty i na razie bezlistny żywopłot.

Oleg wyszedł spacerować, chodzić, krążyć po alejkach, z każdym krokiem, z każdym ruchem nogi chłonąć radość jej pewnego stąpania, radość nogi człowieka żywego. Jednakże tym razem widok z tarasu zatrzymał go w miejscu; stał więc, dopalał papierosa i patrzył.

Tu i ówdzie świeciły łagodnym blaskiem okna i latarnie przeciwległych pawilonów. Nikt już nie kręcił się po alejkach. A kiedy cichł łoskot pociągów na torach tuż za terenem szpitala, słychać było monotonny szum rzeki, rwącej górskiej rzeki, która pieniła się i kotłowała pod pobliskim urwiskiem.

A jeszcze dalej, za urwiskiem, po drugiej stronie rzeki, majaczył inny park, miejski, i czy to z tego parku, mimo zimna, czy z uchylonych okien klubu dobiegały dźwięki muzyki tanecznej. Grała orkiestra dęta. No tak, przecież dziś sobota – ktoś z kimś tańczył...

Oleg był podniecony – tak dużo mówił, tylu ludzi go słuchało! Owładnęło nim bez reszty uczucie nagle odzyskanego życia – życia, które jeszcze dwa tygodnie temu uważał za skończone. Życie to nie obiecywało mu niczego, co uważali za najważniejsze i o co zabiegali mieszkańcy tego wielkiego miasta: ani mieszkania, ani majątku, ani sukcesów zawodowych, ani powodzenia, ani pieniędzy – niosło jednak inne niesłychane radości: prawo do stąpania po ziemi tam, gdzie się chce, nie na rozkaz; prawo do chwili samotności; prawo do patrzenia w gwiazdy, nie zaćmione reflektorami zony; prawo do gaszenia światła i snu w ciemności; prawo wrzucania listów do skrzynki; prawo do odpoczynku w niedzielę; prawo do wykąpania się w rzece. I jeszcze wiele, wiele innych praw.

A wśród nich – prawo do rozmowy z kobietami. I wszystkie te niezliczone cudowne prawa przywracało mu wyzdrowienie!

Stał, palił i rozkoszował się.

Muzyka dobiegała z parku, Oleg słyszał ją – i równocześnie jak gdyby nie ją, ale Czwartą Symfonię Czajkowskiego, która rozbrzmiewała w nim samym – niepokojący, trudny początek tej symfonii, jedną dziwną melodię z tego początku. Tę melodię (Oleg rozumiał ją po swojemu, może nie tak, jak należało), gdy bohater – ni to wracający do życia, ni to odzyskujący wzrok – ostrożnie bada, upewnia się, wodzi ręką po przedmiotach, dotyka twarzy drogiej mu osoby, gdy już wierzy, lecz jeszcze boi się uwierzyć własnemu szczęściu, że przedmioty naprawdę istnieją, że oczy naprawdę zaczynają widzieć.

12

W niedzielę rano, pośpiesznie ubierając się do pracy Zoja przypomniała sobie, że Kostogłotow prosił, by na następny dyżur koniecznie przyszła w tej samej szarozłotej sukience, której rąbek widział podczas ich nocnej rozmowy, a chciał zobaczyć przy świetle dziennym. Czasem przyjemnie jest spełniać takie bezinteresowne prośby. Sukienka była odświętna, wyjściowa, i świetnie pasowała do dzisiejszego dnia – Zoja miała nadzieję, że na dyżurze nie będzie zbyt wiele do roboty i że Kostogłotow przyjdzie ją zabawić.

Błyskawicznie przebrała się w obiecaną sukienkę, naperfumowała ją paroma klepnięciami, przeczesała grzywkę i już musiała pędzić, płaszcz dopinała w drzwiach, babcia ledwo zdążyła wsunąć jej kanapkę do kieszeni.

Był chłodny, lecz całkiem już wiosenny poranek. W Rosji w taką pogodę ludzie zostawiają zimowe palta w domu. Tu, na południu, panują inne zwyczaje: w upał chodzi się w wełnianych garniturach, jesionki wkłada się jak najwcześniej i przestaje nosić jak najpóźniej, a właściciele kożuchów z utęsknieniem czekają choćby na parę mroźnych dni.

Z bramy Zoja od razu zobaczyła swój tramwaj, goniła go przez dwie przecznice, wskoczyła jako ostatnia i zadyszana, zarumieniona została na tylnym pomoście, żeby ochłonąć. Tramwaje jeździły wolno, z okropnym hałasem, na zakrętach rozpaczliwie zgrzytały o szyny.

I zadyszka, i nawet kołatanie serca sprawiały przyjemność młodemu ciału, gdyż szybko ustępowały i jeszcze pełniej odczuwało się własne zdrowie i ten świąteczny nastrój.

Dopóki trwały ferie, praca w klinice – trzy i pół dyżuru na tydzień – wydawała się po prostu odpoczynkiem. Oczywiście bez dyżurów byłoby jeszcze lepiej, ale Zoja przyzwyczaiła się już do wzmożonego wysiłku: od dwóch lat pracowała i równocześnie studiowała. W klinice pracowała dla pieniędzy: emerytura babci nie starczała nawet na chleb, stypendium rozchodziło się w jeden dzień, a ojciec nie przysyłał ani grosza, zresztą Zoja o nic go nigdy nie prosiła. Takiemu ojcu nie chciała nic zawdzięczać.

Przez te pierwsze dwa dni ferii, po ostatnim nocnym dyżurze Zoja nie próżnowała, od dziecka nie lubiła siedzieć bezczynnie. Przede wszystkim zaczęła szyć sobie bluzkę z żorżety, kupionej jeszcze w grudniu (babcia zawsze mawiała: „Szykuj sanie latem, a furmankę zimą". Rzeczywiście, w myśl tego przysłowia najlepsze rzeczy na lato można było kupić wyłącznie w zimie.) Szyła na starym babcinym singerze (jeszcze ze Smoleńska), zasad kroju i szycia też nauczyła ją babcia, ale staromodnych, toteż Zoja podpatrywała nowości, gdzie się tylko dało – u sąsiadek, koleżanek i znajomych, które chodziły na kursy. Bluzki co prawda nie uszyła, ale za to obeszła kilka pralni chemicznych i zdołała oddać do czyszczenia swój stary płaszcz. Oprócz tego wybrała się na rynek po ziemniaki i warzywa, targowała się tam zawzięcie i przywiozła do domu dwie ciężkie torby (w kolejkach wystawała babcia, ale babcia nie mogła dźwigać). I poszła do łaźni. I tylko zabrakło jej czasu, żeby sobie poleżeć i poczytać. A wczoraj wieczorem z Ritą, koleżanką z roku, wybrała się do Domu Kultury na tańce.

Szczerze mówiąc wolałaby coś ciekawszego i lepszego niż te kluby. Nie było jednak takich możliwości, tradycji, domów, wieczorków, gdzie można by poznać młodych ludzi. Chodziło się wyłącznie do klubów. Na ich roku i na całym wydziale roiło się od dziewczyn – Rosjanek, a chłopaków brakowało. Dlatego Zoja nie lubiła wieczorków studenckich.

Ten Dom Kultury, do którego poszła z Ritą, wyglądał bardzo elegancko – dużo miejsca, czysto, ciepło, marmurowe kolumny i schody, wielkie lustra w ramach z brązu – widzisz siebie, jak idziesz albo tańczysz – i bardzo kosztowne, wygodne fotele (tyle że przykryte pokrowcami i nie pozwalano na nich siadać). Zoja nie była tu od Sylwestra – na zabawie wyrządzono jej okropną przykrość. Miał to być bal maskowy z nagrodami za najlepsze kostiumy. Zoja sama uszyła sobie kostium małpy ze wspaniałym ogonem. Wszystko dopasowała – i fryzurę, i dyskretną charakteryzację, i kolory, całość wypadła zabawnie i uroczo, pierwsza nagroda murowana! I tuż przed konkursem jacyś kretyni ucięli nożem ten przepiękny ogon, rzucali go sobie z rąk do rąk, a potem schowali. Zoja rozpłakała się – nie z powodu chamstwa tych chłopaków, ale dlatego, że wszyscy pękali ze śmiechu, uważając to za świetny dowcip. Bez ogona kostium stracił cały swój wdzięk, spłakana Zoja też – i nie zdobyła żadnej nagrody. I oto wczoraj, jeszcze obrażona na klub, weszła do niego z wciąż żywym wspomnieniem doznanej krzywdy. Nikt jednak nie wypominał jej tamtego zdarzenia. Towarzystwo było mieszane. Na parkiecie tłoczyli się studenci z różnych lat i wydziałów, robotnicy. Chłopaków było tylu, że Zoja ani razu nie musiała tańczyć z Ritą, obie natychmiast znalazły partnerów, przez trzy godziny wirowały, kołysały się i kręciły przy dźwiękach orkiestry dętej. Ciało potrzebowało tego odprężenia, tych ruchów, przegięć, skłonów – i było mu dobrze. Partnerzy przeważnie milczeli, a jeśli nawet próbowali żartować, to jak na gust Zoi dość głupkowato. Potem Kola, technik konstruktor, odprowadził ją do domu. Po drodze rozmawiali o filmach indyjskich, o pływaniu: rozmowa na poważne tematy nie pasowałaby do sytuacji. Potem stali w ciemnej bramie i całowali się – jak zwykle najbardziej ucierpiały strome piersi Zoi, stały obiekt męskiego zainteresowania.

Jak on je obmacywał! Dobierał się i do innych atrakcji, było nawet przyjemnie, ale wraz z przyjemnością pojawiła się zniechęcająca świadomość straty czasu, a w niedzielę trzeba przecież wcześnie wstać – spławiła więc Kolę i po starych schodach szybciutko pobiegła na górę.

Wśród przyjaciółek Zoi, zwłaszcza medyczek, panowało przekonanie, że z życia należy k o r z y s t a ć – jak najpełniej, jak najszybciej i możliwie jak najwcześniej. Przy tak powszechnym pędzie nie mogła uchować się na studiach jako coś w rodzaju starej panny z czysto teoretyczną znajomością tych spraw. I Zoja przeszła – przeszła kilkakrotnie z różnymi chłopakami wszystkie te stadia zbliżenia, gdy pozwala na więcej, coraz więcej, poznała przeszywające chwile uniesienia, kiedy to, co się stało, nie może już się odstać; i ociężałe chwile uspokojenia, kiedy zbierasz z podłogi i krzeseł porozrzucane ubrania, które w innych okolicznościach nigdy nie znalazłyby się obok siebie, a teraz leżą razem i nie ma w tym nic dziwnego, a ty obojętnie i rzeczowo ubierasz się na oczach partnera.

Posmakowała więc nowych doznań, uniknęła opinii starej panny, ale wszystko to było n i e t o. Brakowało tego trwałego i pewnego dalszego ciągu, który daje w życiu oparcie i sam jest życiem.

Zoja miała dopiero dwadzieścia trzy lata, ale niejedno widziała i pamiętała: nie kończącą się obłędną ewakuację ze Smoleńska – najpierw w „tiepłuszkach", potem barką, później znów pociągiem; i sąsiada, który w wagonie mierzył sznurkiem miejsca na narach i awanturował się, że rodzina Zoi zajęła o dwa centymetry za dużo; i głodne, niespokojne życie tutaj podczas wojny, gdy rozmawiano wyłącznie o cenach, kartkach i czarnym rynku; i wujka Fiedię, gdy cichaczem kradł z szafki jej przydział chleba; a teraz, w klinice – wszechobecne cierpienie, gasnące ludzkie istnienia, smętne opowieści chorych na raka i łzy.

I w obliczu tego wszystkiego pieszczoty, pocałunki i reszta były zaledwie kropelkami słodkiej wody w słonym oceanie życia. Nie zaspokajały pragnienia.

Czy oznaczało to, że trzeba koniecznie wyjść za mąż? Że jedynie małżeństwo może zapewnić szczęście? Mężczyznom, z którymi tańczyła i flirtowała, chodziło zawsze o jedno – poderwać, wykorzystać i wziąć nogi za pas. Mawiali: „Ożeniłbym się, ale po co, skoro w każdej chwili mogę znaleźć sobie p r z y j a c i ó ł k ę. Więc – po co?"

Po co mieliby się żenić, skoro kobiety są tak łatwe? W sezonie na pomidory nie należy podnosić ich ceny – pomidory nie znajdą nabywców i zmarnują się. To samo dotyczyło kobiet – nie można być nieprzystępną, gdy wszystkie wokół stały się przystępne.

Ślub niczego nie rozwiązywał – świadczył o tym los Ukrainki Marii, zmienniczki Zoi: ślubny porzucił ją po tygodniu, wyjechał i ślad po nim zaginął. I Maria od siedmiu lat samotnie wychowywała dziecko, choć z punktu widzenia prawa nadal była mężatką.

Dlatego też w niebezpieczne dni Zoja na różnych potańcówkach zachowywała się ostrożnie jak saper na polu minowym.

Oprócz smutnych doświadczeń Marii miała też w pamięci głupie życie własnych rodziców – kłócili się, godzili, rozstawali, wyjeżdżali do różnych miast, znów się schodzili – i tak dręczyli się nawzajem przez całe lata. Powtórzyć błąd matki? Zoja uważała, że równie dobrze można by się napić kwasu siarkowego.

Przykład rodziców potwierdzał, że ślub niczego nie załatwia.

We własnym ciele, we współdziałaniu jego organów, a także w charakterze, w swoim pojmowaniu życia jako niepodzielnej całości Zoja odczuwała równowagę i harmonię. I jedynie w zgodzie z tą harmonią, nie inaczej, mogło dokonać się jakiekolwiek dopełnienie, rozkwit jej życia.

I każdy, kto pchając się z łapami mamrotał zdawkowo głupie i trywialne słowa albo powtarzał kwestie z filmów (jak wczoraj Kola), naruszał tę harmonię i nie mógł podobać się Zoi naprawdę.

Stojąc na tylnym pomoście rozklekotanego tramwaju, gdzie konduktorka głośno pouczała młodego człowieka, który nie kupił biletu (on zaś słuchał i nie kupował), Zoja dojechała do krańcówki. Tramwaj zaczął powoli okrążać pętlę, na przystanku czekał już tłumek nowych pasażerów. Młody człowiek bez biletu wyskoczył w biegu, za nim wyskoczył jakiś chłopak. Zoja też wyskoczyła – z tej strony pętli miała bliżej do kliniki.

Była już minuta po ósmej, toteż puściła się pędem po krętej asfaltowej alejce. Jako pielęgniarce nie wypadało jej biec, ale jako studentce – jak najbardziej.

Zanim dobiegła do pawilonu onkologii, zanim zdjęła płaszcz, włożyła fartuch i dotarła na górę, zrobiło się dziesięć po ósmej. Gdyby przejmowała dyżur od Olimpiady Władysławowny albo od Marii, spóźnienie nie uszłoby jej na sucho. Na szczęście w nocy dyżurował dziś student Turgun, Karałpak, który w ogóle był człowiekiem wyrozumiałym, a już szczególnie wobec Zoi. Chciał za karę dać jej klapsa poniżej pleców, nie pozwoliła, przez chwilę ze śmiechem mocowali się, wreszcie to jej udało się go zepchnąć po schodach.

Student, bo student, ale jako przedstawiciel mniejszości narodowej miał już w kieszeni nominację na stanowisko ordynatora szpitala wiejskiego i były to ostatnie miesiące, gdy mógł sobie pozwolić na tak niepoważne zachowanie.

Przekazał jej zeszyt z dyspozycjami i zadanie specjalne od siostry oddziałowej, Mity. Na niedzielnych dyżurach panował spokój, nie odbywały się obchody, zabiegi, transfuzje, należało tylko pilnować, żeby odwiedzający nie wchodzili do sal bez zezwolenia lekarza dyżurnego – i oto Mita zwalała na Zoję część swojej nie kończącej się roboty statystycznej, z którą nie mogła sobie poradzić.

Dziś była to opasła teczka historii choroby za grudzień ubiegłego, 1954 roku. Zoja złożyła wargi jak do gwizdnięcia i przejechała palcem po rogach kartek. Właśnie usiłowała sobie wyobrazić, ile ich może być i czy zostanie jej trochę czasu na wyszywanie, gdy poczuła obok siebie wysoki cień. Odwróciła głowę bez zdziwienia (a głowę można odwracać bardzo różnie) i zobaczyła Kostogłotowa. Był starannie ogolony, prawie uczesany i tylko blizna na podbródku przypominała o jego zbójeckim rodowodzie.

– Dzień dobry, Zojeńko – powiedział tonem dżentelmena.

– Dzień dobry – skinęła głową ni to z niezadowoleniem, ni to z powątpiewaniem, a w gruncie rzeczy – ot tak, zwyczajnie.

Wlepił w nią uważne ciemnobrązowe spojrzenie.

– Nie widzę, czy spełniła pani moją prośbę.

– Jaką prośbę? – Zoja uniosła brwi ze zdziwieniem (świetnie jej to wychodziło).

– Nie pamięta pani? A ja w związku z tą prośbą postanowiłem sobie powróżyć...

– Pamiętam, że pożyczył pan ode mnie anatomopatologię.

– Zaraz pani oddam. Dziękuję!

– No i co, doczytał się pan?

– Wydaje mi się, że tak. Znalazłem to, o co mi chodziło.

– Nie zaszkodziłam panu? – spytała Zoja całkiem poważnie. – Miałam wyrzuty sumienia.

– Ależ skąd, Zojeńko, co też pani! – Na znak protestu dotknął jej ręki. – Wprost przeciwnie, ta książka podniosła mnie na duchu. Jest pani aniołem! Ale... – patrzył na szyję Zoi – niech pani rozepnie górny guzik... Proszę...

– Po co? – zdumiała się Zoja (to też świetnie jej wychodziło).

– Przecież mi nie gorąco!

– Oj, chyba tak! Jest pani czerwona na twarzy.

– Fakt – roześmiała się serdecznie. Zgadł, miała ochotę rozpiąć fartuch; nie ochłonęła jeszcze po biegu i zapasach z Turgunem.

Rozpięła guzik.

Błysnęło złoto w szarej tkaninie...

Kostogłotow popatrzył rozmarzonym wzrokiem i powiedział niemal bezgłośnie:

– Jak dobrze... Dziękuję. Pokaże pani więcej?

– To zależy, co chce pan sobie wywróżyć.

– Powiem pani, ale później, dobrze? Przecież pobędziemy dziś trochę razem?

Zoja przewróciła oczami jak lalka.

– Chyba że przyjdzie mi pan pomóc. Mam masę pracy. Dlatego tak się spociłam.

– Jeżeli kłuć ludzi żywcem, to nie. Nie nadaję się.

– A do papierkowej roboty? Statystyka.

– Odwalać lipę? Bardzo chętnie – całym swym wyglądem wyrażał gotowość przystąpienia do pracy. – Bardzo szanuję statystykę. O ile nie jest tajna.

– To niech pan przyjdzie po śniadaniu – uśmiechnęła się Zoja.

Właśnie roznoszono śniadanie.

Jeszcze w piątek wieczorem, po dyżurze, zaintrygowana nocną rozmową sprawdziła dane Kostogłotowa w rejestracji. Nazywał się Oleg Filimonowicz (dziwaczne patronimikum pasowało do nieprzyjemnego nazwiska, imię trochę łagodziło całość). Urodzony w roku 1920, skończył 34 lata, rzeczywiście nie był żonaty, co wyglądało całkiem nieprawdopodobnie, i rzeczywiście mieszkał w jakimś Usz-Tereku. Nie miał żadnej rodziny (na onkologii zapisywano nazwiska i adresy najbliższej rodziny). Z zawodu był topografem, a pracował jako robotnik rolny.

Niczego to nie wyjaśniało, a nawet wręcz przeciwnie, gmatwało jeszcze bardziej.

W zeszycie dyspozycji przeczytała, że od piątku Kostogłotow dostaje zastrzyki sinestrolu – dwa centymetry sześcienne, domięśniowo.

Ostatni zastrzyk otrzymał wczoraj, a więc dziś nie musiała mu go robić. Mimo to z dezaprobatą ściągnęła usta w ryjek i pokręciła głową.

Po śniadaniu Kostogłotow przyniósł podręcznik anatomopatologii i od razu chciał pomagać, ale Zoja roznosiła właśnie lekarstwa, które pacjenci musieli pić i zażywać po trzy – cztery razy dziennie.

W końcu usiedli razem przy biurku. Zoja wyciągnęła duży arkusz zbiorczy, na który należało nanosić wszystkie informacje, zaczęła wyjaśniać, jak to się robi (sama już trochę zapomniała) i dzielić arkusz na rubryki przy pomocy ciężkiej drewnianej linijki.

Wiedziała z doświadczenia, jaka jest cena „pomocy" ze strony różnych młodych ludzi, zwłaszcza kawalerów (żonatych zresztą też): zawsze kończyło się to szczerzeniem zębów, żarcikami, podrywaniem i pomyłkami w wykazach. Zoja przymykała jednak oczy na te pomyłki, gdyż nawet najgłupszy flirt był ciekawszy od wszystkich statystyk. Dziś też nie miałaby nic przeciwko drobnemu urozmaiceniu niedzielnego dyżuru.

Tym bardziej więc zdumiało ją, że Kostogłotow natychmiast zrezygnował z uwodzicielskich spojrzeń, spoważniał, szybko zrozumiał, co i jak trzeba robić, nawet sam wytłumaczył jej parę szczegółów – i pogrążył się w pracy, czytał dane, a ona stawiała kreski w odpowiednich rubrykach wykazu. „Neuroblastoma... – dyktował – guz Gravitza... mięsak... nowotwór rdzenia kręgowego..." Kiedy miał jakieś wątpliwości – pytał.

Musieli podliczyć, ile przypadków nowotworu danego rodzaju leczono w klinice od grudnia ubiegłego roku – z uwzględnieniem płci i wieku pacjentów oraz zastosowanej terapii. I koniecznie podać jeden z pięciu możliwych wyników leczenia: wyzdrowienie, poprawa, bez zmian, pogorszenie, zgon. Te dane bardzo zainteresowały pomocnika Zoi. Od razu rzucała się w oczy mała ilość wyzdrowień – i zgonów.

– Widzę, że nie pozwalają tu umierać, wypisują na czas – powiedział Kostogłotow.

– To naturalne, Oleg, niech pan sam pomyśli. – Nazwała go po imieniu w nagrodę za pomoc. Zauważył to, spojrzał na nią. – Skoro wiadomo już, że człowiekowi nie można już pomóc i zostało mu parę tygodni czy miesięcy, to po co go trzymać, blokować łóżko? Inni czekają. Może akurat tacy, których da się uratować. Poza tym ci terminalni...

– Jacy?

– No, ci nieuleczalnie chorzy... Ich widok źle wpływa na innych pacjentów. Widok, rozmowy, które prowadzą...

Ciekawe – oto usiadł Oleg przy biurku pielęgniarki i od razu jakby awansował w hierarchii społecznej, wspiął się na wyższy szczebel świadomości. Tamten „on", któremu nie można już pomóc, „on", który tylko niepotrzebnie blokuje szpitalne łóżko, terminalny, skazany, nieuleczalny „on" – to nie był prawdziwy o n, Kostogłotow. Z nim, Kostogłotowem, rozmawiano tak, jak gdyby nie mógł umrzeć, jak gdyby był uleczalny. Ten nagły przeskok z jednego stanu do drugiego, kaprys czy też splot nieznanych okoliczności coś mu przypominał, tylko jeszcze nie wiedział co.

– Zgoda, to logiczne. Ale wypisano Azowkina. A wczoraj przy mnie wypisano „tumor cordis". Nikt nic mu nie powiedział, nie wyjaśnił. Czułem się tak, jakbym brał udział w oszustwie.

Siedział odwrócony do Zoi policzkiem bez blizny, z tej strony jego twarz miała całkiem łagodne rysy.

Zgodnie zabrali się do roboty i przed obiadem skończyli.

Mita zostawiła jeszcze coś: przepisywanie wyników analiz laboratoryjnych na karty chorobowe, żeby łatwiej je było podczepiać do historii chorób. Zoja uznała jednak, że jak na jeden dyżur to trochę tego za dużo, i powiedziała:

– No, Olegu Filimonowiczu, bardzo panu dziękuję.

– Nie, niech pani mówi jak przedtem: Oleg.

– Teraz musi pan odpocząć.

– Ja nigdy nie odpoczywam.

– Ale jest pan pacjentem!

– To dziwne, ale gdy tylko widzę panią na dyżurze, od razu czuję się zupełnie zdrów.

– No dobrze – ustąpiła Zoja (bo chciała ustąpić!). – Tym razem spotkamy się w salonie.

I wskazała pokój lekarzy.

Po obiedzie znów musiała jednak roznosić leki i zajrzeć do dużej sali kobiecej. Na przekór otaczającym ją zewsząd chorobom wsłuchiwała się w siebie, w czysty rytm własnego organizmu, tak cudownie zdrowego od najmniejszego paznokcia po każdą komórkę skóry. Szczególnie dumna była ze swoich bujnych, ufnie i twardo sterczących piersi, które tak rozkosznie ciążyły, gdy pochylała się nad łóżkami pacjentów, i sprężyście podrygiwały przy każdym kroku.

Wreszcie skończyła. Posadziła przy biurku salową, poleciła jej nie wpuszczać odwiedzających i zawołać w razie czego. Zabrała robótkę i poszła z Olegiem do pokoju lekarzy.

Była to widna narożna sala z trzema oknami. Urządzono ją raczej bez gustu – księgowość i dyrekcja odcisnęły swoje piętno na wyposażeniu wnętrza. Stały tu dwie kanapy o nadmiernie wysokich, pionowych i niewygodnych oparciach z lustrami, w których mogłaby się przejrzeć najwyżej żyrafa. Stoły zgodnie z przygnębiającą urzędową modą ustawiono w kształcie litery „T": rolę stołu prezydialnego pełniło ciężkie, masywne biurko z taflą grubego szkła na blacie. Od biurka odchodził długi stół dla uczestników narad i zebrań. Stół ten przykryty był na samarkandzką modłę błękitnoniebieską pluszową narzutą; farbkowy kolor narzuty ożywiał, rozjaśniał i rozweselał pokój. Biurową atmosferę naruszała też malownicza grupa foteli – nie mieściły się przy stole.

Jedynym szpitalnym akcentem była tu gazetka ścienna „Onkolog" poświęcona rocznicy rewolucji.

Zoja i Oleg usiedli w wygodnych miękkich fotelach w najwidniejszej części pokoju, gdzie stały donice z agawami, a za szybami dużego okna chwiały się gałęzie rozłożystego dębu.

Oleg właściwie nie siedział – chłonął całym ciałem komfort tego fotela, miękkość oparcia, które tak słodko podtrzymywało plecy i pozwalało odchylić głowę daleko do tyłu.

– Co za rozkosz! – powiedział. – Nie siedziałem w czymś takim... chyba od piętnastu lat.

(Skoro tak lubi siedzieć w fotelu, to czemu go sobie nie kupił?)

– No więc co pan chciał wywróżyć? – spytała Zoja posyłając mu spojrzenie stosowne do pytania.

Teraz, gdy znaleźli się sam na sam w tym pokoju, gdy usiedli w tych fotelach tylko po to, żeby porozmawiać, od jednego słowa, od jednego gestu lub spojrzenia zależało, czy będzie to niewinny aluzyjny flirt, czy też zasadnicza rozmowa bez owijania w bawełnę. Zoja nastawiła się na pierwszy wariant, ale szła tu przeczuwając drugi.

I nie pomyliła się. Półleżąc, z głową na oparciu fotela powiedział uroczyście – w okno, ponad nią:

– Wróżyłem... Czy pewna dziewczyna ze złotą grzywką przyjedzie do nas na ugory?

I dopiero teraz popatrzył na Zoję. Wytrzymała jego spojrzenie.

– A co tam czeka tę dziewczynę? Oleg westchnął:

– Już pani mówiłem. Nic wesołego. Nie ma wodociągu. Żelazko na węgiel drzewny. Lampy naftowe. Po deszczach – błoto, kiedy wyschnie – kurz. Nigdy nie włoży pani ładnej sukienki.

Wyliczył wszystkie minusy – chyba po to, żeby nie musiała niczego obiecywać. Skoro nie można włożyć ładnej sukienki, to faktycznie – co to za życie? Lecz choć wielkie miasto miało swoje dobre strony, Zoja wiedziała, że nie z miastem się żyje. I nie o miejsce jej chodziło, ale o zrozumienie tego człowieka.

– Nie rozumiem, co p a n a tam trzyma?

Oleg roześmiał się.
– Ministerstwo Spraw Wewnętrznych!
Nadal leżał z głową odrzuconą do tyłu, rozkoszował się fotelem. Zoja zesztywniała.
– Tak właśnie podejrzewałam. Przepraszam, że pytam – czy pan jest Rosjaninem?
– Stuprocentowym! Przecież Rosjanin może być brunetem, no nie? Przeczesał palcami włosy.
Zoja wzruszyła ramionami.
– No i – za co pana...?
Oleg westchnął.
– Ależ nie uświadomiona ta dzisiejsza młodzież! Zresztą kiedy my dorastaliśmy, też nie mieliśmy pojęcia o kodeksie karnym, o wszystkich tych paragrafach, artykułach, punktach, i że można je r o z s z e r z a ć. A pani mieszka tu, w środku tego kraju, i nic pani nie wie o elementarnej różnicy między przymusowym przesiedleniem i zesłaniem administracyjnym.
– A jest jakaś różnica?
– Jestem zesłańcem administracyjnym. Zesłano mnie nie ze względu na narodowość, ale i n d y w i d u a l n i e, jako Olega Filimonowicza Kostogłotowa – roześmiał się – „indywidualnego szanownego obywatela" Kostogłotowa, dla którego nie ma miejsca wśród porządnych ludzi.
I błysnął ku niej piwnymi oczami.
Nie przestraszyła się. To znaczy przestraszyła się, ale-nic nie dała po sobie poznać.
– I... na jak długo pana zesłano? – spytała cicho.
– N a w i e c z n o ś ć! – wypalił.
Aż w uszach zadzwoniło. Na wieczność? Co to znaczy?
– Dożywotnio? – wyszeptała.
– Nie, właśnie na wieczność! – powtórzył. – Dokładnie tak napisano w dokumentach: na wieczność. Po wieczne czasy! Po dożywotniej zsyłce krewni mogą przynajmniej zabrać trumnę i pochować zesłańca w rodzinnej ziemi, a w wiecznej zsyłce pewnie i tego nie wolno. Słońce zgaśnie, Kosmos się skończy, ale zsyłka trwa – wieczność to wieczność.
Dopiero teraz ogarnęło ją prawdziwe przerażenie. A więc stąd ta blizna, ten chwilami okrutny wyraz twarzy... Może to morderca, jakiś straszny bandyta, dla takiego zabić – to drobiazg...
Nie odwróciła jednak fotela, żeby łatwiej było uciekać. Odłożyła tylko robótkę (jeszcze jej nie tknęła). I patrząc śmiało na Kostogłoto-

wa, który nie zmienił pozycji i nadal rozwalał się w fotelu, spytała niepewnie:

– Jeśli pan nie chce, to proszę nie odpowiadać... Ale... Czy może mi pan powiedzieć, za co dostał pan taki straszny wyrok?

Kostogłotow nie wyglądał na speszonego przestępcę. Odpowiedział z absolutnie beztroskim uśmiechem:

– Zojeńko, nie było żadnego wyroku. Wieczne zesłanie wlepili mi z przydziału.

– Z przydziału!?

– Tak się to nazywa. Na tej samej zasadzie, co dystrybucja towarów w hurtowni: tyle a tyle worków do tego sklepu, tyle a tyle beczek do tamtego... Trochę zubytkowano po drodze...

Zoja złapała się za głowę.

– Chwileczkę... Już zrozumiałam. Czy to możliwe? Więc pana – w ten sposób... I wszystkich innych?

– No, nie wszystkich. Na przykład za sam punkt dziesiąty nie zsyłają, a za dziesiąty plus jedenasty – już tak.

– Co to jest ten jedenasty punkt?

– Jedenasty? – Kostogłotow zastanowił się. – Zojeńko, chyba za dużo pani opowiadam, musimy uważać, bo jeszcze i pani coś zarobi. Z punktu dziesiątego dostałem siedem lat. Wyroki poniżej ośmiu lat były za niewinność, naprawdę, żadnej winy, sprawy wyssane z palca. Ale dołożyli mi z punktu jedenastego, a punkt jedenasty to działanie w zmowie, w grupie. Sam punkt jedenasty niby nie wpływa na wysokość wyroku, ale że była nas grupa, więc wyprawiali wszystkich na wieczną zsyłkę. Żebyśmy się już nie zebrali. Teraz pani rozumie?

Nie, nic jeszcze nie rozumiała.

– Więc to była... jak to się mówi... szajka?

Kostogłotow wybuchnął nagle głośnym śmiechem. I równie nagle urwał.

– Kapitalne. Naszemu śledczemu też nie wystarczyło słowo „grupa". Też lubił mówić o nas – szajka. Tak, założyliśmy szajkę... Szajkę studentów i studentek pierwszego roku. – Spojrzał na nią groźnie. – Rozumiem, że tu nie wolno palić, ale zapalę, dobrze? Spotykaliśmy się, flirtowaliśmy z dziewczynami, tańczyliśmy. Chłopcy rozmawiali czasem o polityce. I o... o Nim. To i owo nam się nie podobało. Jak by to powiedzieć... nie byliśmy zachwyceni. Dwóch z nas walczyło na froncie – myśleliśmy, że po wojnie będzie trochę inaczej. W maju, tuż przed egzaminami, zwinęli nas. Dziewczyny też.

Zoja czuła zamęt w głowie. Znów wzięła do ręki robótkę. Z jednej strony mówił niebezpieczne rzeczy, których nie tylko nie należało nikomu powtarzać, ale nawet słuchać. Z drugiej strony odetchnęła, że nie chodziło o mordowanie przechodniów w ciemnych zaułkach.

Przełknęła ślinę.

– Nie rozumiem... Czy jednak... coś robiliście?

– Czy coś robiliśmy? – zaciągnął się papierosem i wypuścił dym. Taki duży mężczyzna z takim małym papierosem. – Mówiłem pani: uczyliśmy się... Piliśmy wino, o ile stypendium na to pozwalało... Chodziliśmy na tańce. Dziewczyny zgarnęli razem z nami. Dostały po pięć lat... – Popatrzył na nią w zadumie. – Niech pani wyobrazi sobie siebie na ich miejscu. Przychodzą, aresztują panią_ przed egzaminami – i do worka.

Zoja odłożyła robótkę.

Spodziewała się najgorszego, a najgorsze okazało się wcale nie tak straszne, nawet niegroźne. Jakaś dziecinada.

– A wam, chłopakom – po co to było potrzebne?

– Co? – nie zrozumiał Oleg.

– No... niezadowolenie... czekanie na coś...

– Właśnie! Po co nam to było? – pokornie roześmiał się Oleg. – O tym nie pomyślałem. Zojeńko, znów mówi pani jak mój śledczy. Identycznie! Cudowny jest ten fotel! Na łóżku siedzi się o wiele gorzej.

Znowu rozparł się w fotelu, zmrużył oczy i paląc papierosa zapatrzył się w okno.

Zapadał wieczór, ale na dworze nie ściemniało się, lecz przejaśniało. Pokój wychodził na zachód i widać było, jak rzednie, a może rozpływa się jednolity kożuch chmur.

Dopiero teraz Zoja zabrała się do wyszywania i z zadowoleniem kładła ścieg za ściegiem. Milczeli. Tym razem Oleg nie podziwiał jej haftu.

– A pana dziewczyna? Też tam była? – spytała Zoja nie odrywając wzroku od robótki.

– Ta-a-ak – powiedział Oleg. Nie od razu pokonał to „tak", widocznie myślał o czymś innym.

– A gdzie jest teraz?

– Teraz? Nad Jenisiejem.

Zerknęła na niego ukradkiem.

– I nie może się pan z nią połączyć?

– Nawet nie próbuję – powiedział obojętnie.

Zoja patrzyła na niego, on patrzył w okno. Ciekawe, dlaczego nie ożenił się w swojej osadzie?

Pewnie bardzo trudno byłoby się z nią połączyć – wymyśliła pytanie.

– Czasem władze pozwalają połączyć się małżeństwom. W innych przypadkach to prawie niemożliwe – powiedział z roztargnieniem. – Chodzi o to, że nie ma po co.

– Ma pan jej zdjęcie?

– Zdjęcie? – zdziwił się Oleg. – Więźniom nie wolno mieć żadnych zdjęć. Konwojenci zabierają i drą.

– A jaka ona była?

Oleg uśmiechnął się, zmrużył powieki.

– Włosy spadały jej do ramion, a na ramionach zawijały się do góry. Oczy... Pani ma zawsze takie uśmiechnięte, a ona miała troszeczkę smutne. Może człowiek przeczuwa swój los?

– Byliście razem w obozie?

– Nie-e...

– To kiedy widział ją pan ostatni raz?

– Na pięć minut przed aresztowaniem... Wtedy był maj, długo siedzieliśmy u niej w ogródku. Pożegnałem się o drugiej w nocy i wyszedłem. Zgarnęli mnie na następnej przecznicy. Po prostu na rogu czekał samochód.

– A ją?

– Następnej nocy.

– I nigdy więcej się nie widzieliście?

– Jeden raz. Na konfrontacji. Byłem już ostrzyżony. Myśleli, że złożymy na siebie zeznania. Nie złożyliśmy.

Obracał w palcach niedopałek, nie wiedząc, gdzie go wyrzucić.

– O tu – pokazała lśniącą, czystą popielniczkę na stole prezydialnym.

A chmury na zachodzie rzedły coraz bardziej, odsłaniały pastelowo żółte słoneczko. Jego blask rozjaśniał nawet zaciętą twarz Olega.

– Ale dlaczego teraz nie próbuje pan... – współczuła Zoja.

– Zoju! – powiedział stanowczo, lecz natychmiast urwał, żeby się zastanowić. – Czy pani choć trochę zdaje sobie sprawę, co czeka w łagrze ładną dziewczynę? Jeśli nawet po drodze nie zgwałcą jej kryminaliści – zresztą i tak zawsze zdążą zrobić to w zonie – to już pierwszego dnia różne obozowe darmozjady – dziesiętnicy, funkcyjni – zorganizują wszystko tak, że dziewczyna będzie musiała przejść nago do łaźni na ich oczach. I ustalą, komu przypadnie. Nazajutrz otrzyma propozycję. Jeśli zgodzi się żyć z tym albo z tamtym, to załatwiają jej pracę w czystym i ciepłym miejscu. Jeśli odmówi – to tak ją urządzą, tak zaszczują, że sama przypełznie na kolanach i będzie błagać jak o łaskę. – Zamknął oczy. – Ona nie umarła, przeżyła, odsiedziała wyrok. Nie mam do niej pretensji. No i... to wszystko. Ona też rozumie.

Milczeli. Słońce rozbłysło pełnym blaskiem, cały świat od razu pojaśniał i poweselał. Smugi światła obrysowały czarne sylwetki drzew na trawniku, a w pokoju zapłonęła błękitna narzuta i rozzłociły się włosy Zoi.

– Jedna z naszych dziewczyn popełniła samobójstwo... Druga żyje... Trzech chłopaków już nie ma... O dwóch nic nie wiem...

Przechylił się przez poręcz i wyrecytował:

Huragan tędy przeszedł... Mało nas ocalało...
Rozwiały się przyjaźnie z tamtych lat...

Znieruchomiał i zapatrzył się w podłogę. Na ileż stron sterczały jego zmierzwione czarne włosy! Trzeba by je dwa razy dziennie moczyć i przyczesywać, moczyć i przyczesywać.

Milczał, ale Zoja usłyszała już wszystko, co chciała usłyszeć. Odbywał karę zesłania – ale nie za morderstwo; nie miał żony – ale nie z własnej winy; po tylu latach ze wzruszeniem mówił o swojej dziewczynie – a więc był zdolny do prawdziwego uczucia.

Milczał, ona też milczała, popatrywała to na robótkę, to na niego. Do przystojnych nie należał, ale też nic mu nie brakowało. Babcia mawiała: „Nie przystojnego ci trzeba, tylko dobrego!" Zoja wyczuwała w nim odporność i siłę człowieka, który niejedno przeszedł i wiele wytrzymał – coś, czego nie miał w sobie żaden z jej dotychczasowych chłopaków.

Nagle popatrzył na nią badawczo.

Podniosła wzrok znad robótki.

Zaczął mówić bardzo wyraźnie, nie odrywając od niej oczu:

Lecz k o g o mam przywołać? Z k i m mogę się podzielić
radością moją smutną, że dane mi jest żyć?

– Przecież już się pan podzielił! – szepnęła. Jej oczy i usta śmiały się do niego.

Nie malowała ust, a mimo to miały ognisty, szkarłatno-pomarańczowy kolor, kolor jasnego ognia.

Przedwieczorne słońce ożywiało niezdrową cerę jego wychudłej twarzy. W tym ciepłym świetle wydawało się, że nie umrze, że na pewno wyzdrowieje.

Potrząsnął głową jak gitarzysta, który po smutnej melodii zaczyna śpiewać wesołą:

– Ech, Zojeńko! Jak święto, to święto! Obrzydły mi te białe fartuchy! Mam dość pielęgniarek, chcę popatrzeć na prawdziwą piękną dziewczynę! W Usz-Tereku takiej nie zobaczę!

– Skąd panu wezmę piękną dziewczynę? – droczyła się Zoja.

– Niech pani na chwileczkę zdejmie ten fartuch i przejdzie się po pokoju!

Odsunął się z fotelem, pokazując, gdzie Zoja ma się przejść.

– Przecież jestem w pracy – opierała się jeszcze. – Nie mam prawa...

Czy dlatego, że tak długo rozmawiali o smutnych sprawach, czy dlatego, że słońce tak wesoło myszkowało po pokoju – Zoja poczuła ten impuls, ten sygnał, że może i powinna spełnić prośbę.

Odrzuciła robótkę, zerwała się z fotela jak mała dziewczynka i już rozpinała guziki – szybko, niecierpliwie, jakby miała zamiar przebiec się po pokoju, a nie przespacerować.

– No, ciągnij! – podsunęła mu jedną rękę jak nie swoją. Pociągnął – rękaw zjechał z ramienia. – Drugi! – tanecznym ruchem obróciła się przez ramię i Oleg ściągnął drugi rękaw, fartuch spadł mu na kolana, a Zoja – poszła przed siebie. Szła jak modelka – kołysząc biodrami, ale wyprostowana, poruszała rękami w rytmie ciała i od czasu do czasu unosiła je nieco.

Zrobiła kilka kroków, odwróciła się i stanęła z rozpostartymi ramionami.

Oleg tulił fartuch do piersi i patrzył na Zoję szeroko otwartymi oczami.

– Brawo! – huknął. – Wspaniale!

Nawet w połysku błękitnej narzuty – w tym bezdennym uzbeckim błękicie, nasyconym promieniami słońca – było coś, co wzmagało w nim wczorajszą melodię poznawania, odkrywania. Powracały wszystkie prozaiczne, przyziemne, zwyczajne ludzkie pragnienia. I radość miękkich foteli, i radość przytulnego pokoju – po tysiącach lat upodlonego, stłamszonego, nędzarskiego życia. I radość patrzenia na Zoję, nie jakaś zwyczajna, lecz ustokrotniona radość, że patrzy na nią nie beznamiętnie, ale z normalnym męskim pożądaniem. On, jeszcze dwa tygodnie temu prawie nieboszczyk!

Zoja zwycięsko poruszyła ognistymi wargami i z udaną powagą, jakby znała jeszcze jedną tajemnicę, przeszła tą samą drogą z powrotem – do okna. Stanęła tam i odwróciła się twarzą do Olega.

Nie wstał, siedział nadal w fotelu, ale lgnął, ciążył ku niej całym ciałem.

Z Zoi emanowała nieuchwytna, lecz wyczuwalna siła – nie ta fizyczna, przydatna do przesuwania szaf, ale jakaś inna, domagająca się przeciwsiły. I Oleg czuł, że może podjąć wyzwanie, i cieszył się, że jest chyba w stanie zmierzyć się z tą siłą.

Wszystkie namiętności powracały do ciała! Wszystkie! Wszystkie!

– Zoja – powiedział śpiewnie. – Zo-ja! Jak pani rozumie swoje imię?

– Zoja – to życie – wygłosiła dobitnie jak hasło. Lubiła to wyjaśniać. Stała opierając ręce o parapet za plecami, cały ciężar ciała przeniosła na jedną nogę.

– A z zoo-? Nie odczuwa pani związku tego imienia z zoo-przodkami?

Ze śmiechem podchwyciła jego żartobliwy ton.

– Wszyscy mamy z nimi coś wspólnego. Zdobywamy pokarm, karmimy potomstwo. Czy to źle?

Powinna była się zatrzymać! Lecz podniecona tak otwarcie zachłannym, tak łapczywym zachwytem, jakiego nigdy nie okazywali jej ci wszyscy młodzi ludzie, co sobota zdobywający bez żadnego wysiłku nowe dziewczyny – wyrzuciła w górę obie ręce i pstrykając palcami zaczęła wyginać się w rytmie modnej piosenki z indyjskiego filmu:

– A-wa-ra-ja-a-a! A-wa-ra-ja-a-a!

Lecz Oleg nagle sposępniał i powiedział:

– Nie trzeba! Zoju, niech pani tego nie śpiewa!

W mgnieniu oka przybrała służbową minę, jakby w ogóle nie śpiewała i nie tańczyła.

– To z „Włóczęgi" – powiedziała. – Nie widział pan tego filmu?

– Widziałem.

– Świetny film! Byłam na nim dwa razy! – Była cztery razy, ale wstydziła się przyznać. – Nie podobał się panu? Przecież Włóczęga miał taki sam los jak pan.

– Tylko nie taki sam! – Oleg zmarszczył brwi. Jego twarz sposępniała, żółte słońce nie łagodziło już jego rysów i widać było, że to jednak chory człowiek.

– No jak to, przecież też wrócił z więzienia. Zrujnowane życie...

– Wszystko lipa. Włóczęga to typowy kryminalista. Błatny. Urka.

Zoja sięgnęła po fartuch.

Oleg wstał, pomógł jej się ubrać.

– Pan ich nie lubi? – Podziękowała skinieniem głowy, zaczęła zapinać guziki.

– Ja ich nienawidzę – patrzył gdzieś ponad nią, w źrenicach błysnęło okrucieństwo, szczęki zacisnęły się złowrogo. – To są drapieżne bydlęta, pasożyty tuczące się krwią innych. Nasi przez trzydzieści lat trąbili, że kryminaliści to „element społecznie bliski", że można ich wychować na ludzi, a oni wyznają jedną zasadę: nie ciebie... tu są różne brzydkie słowa... nie ciebie biją – siedź cicho, czekaj na swoją kolej; nie ciebie okradają – siedź cicho, czekaj na swoją kolej. Dotyczy to oczywiście ich ofiar. Dobijają leżącego, a stroją się w romantyczne szaty. My zaś pomagamy im tworzyć legendy, pakujemy do filmów ich piosenki.

– Jakie legendy? – spytała. Patrzyła, jakby czuła się winna.

– Długo by opowiadać. Jedną mogę zresztą pani opowiedzieć. – Stali przy oknie. Oleg bez żadnego związku ze swoją opowieścią ujął ją za łokcie i mówił jak do dziecka: – Udając szlachetnych zbójców błatni chwalą się, że nigdy nie okradają biedaków i nie ruszają świętej racji – to znaczy ograbiają więźniów ze wszystkiego, ale zostawiają im ostatnią porcję jedzenia, żeby nie umarli z głodu. Ale w czterdziestym siódmym na tranzytce w Krasnojarsku w naszej celi nie było bobrów, czyli nikt nic już nie miał. A błatnych było pół celi. Zgłodnieli. Kiedy zgłodnieli, zaczęli odbierać ludziom ostatnie kawałki chleba i cukru. W ogóle w celi siedziała dziwna mieszanina – połowa kryminalistów, połowa Japończyków i do tego dwóch politycznych – ja i jeden lotnik polarny, bardzo znany, jego imieniem nazwano wyspę na Oceanie Lodowatym, ale on sam siedział. Urki bezczelnie okradali nas i Japończyków przez trzy dni. W końcu Japończycy zmówili się – nikt przecież nie rozumiał, co mówią – w nocy wstali, po cichu powyrywali deski z nar i z okrzykiem „banzaj!" rzucili się na błatnych. Jak oni ich wspaniale bili! Trzeba to było widzieć!

– Pana też?

– Za co? My im chleba nie zabieraliśmy. Byliśmy tej nocy neutralni, ale podziwialiśmy triumf japońskiego oręża. Rano zapanował porządek, wydano regulaminowe porcje chleba i cukru. Potem administracja wykombinowała coś takiego: zabrali z naszej celi połowę Japończyków, a do pobitych urków dołączyli grupę nowych. Pobici i nowi z miejsca zaczęli bić Japończyków. Mieli przewagę liczebną i noże, błatni zawsze je mają. Bili nieludzko, żeby zabić. Nie wytrzymaliśmy. Pomogliśmy Japończykom.

– Przeciwko Rosjanom?

Oleg puścił jej łokcie, wyprostował się, zacisnął szczęki.

– Błatnych nie uważam za Rosjan.

Podniósł rękę i przesunął palcem po bliźnie – od podbródka aż po gardło:

– Właśnie wtedy tak mnie urządzili.

13

Minęła noc z soboty na niedzielę, a guz ani drgnął. Paweł Nikołajewicz stwierdził to natychmiast po obudzeniu. Obudził go oczywiście wstrętny kaszel starego Uzbeka tuż nad uchem.

Za oknem bielał pochmurny nieruchomy dzień, taki sam jak wczoraj i przedwczoraj, na sam jego widok ogarniało człowieka jeszcze większe przygnębienie. Kazach, pastuch, usiadł na łóżku, podwinął nogi i siedział bezmyślnie jak kołek. Do sali nie zaglądali lekarze, nikogo nie wzywano na zabiegi i Kazach mógł tak siedzieć do samego wieczora. Złowieszczy Jefriem znów pogrążył się w lekturze nieboszczyka Tołstoja; czasem co prawda wstawał i chodził po sali potrącając łóżka, ale na szczęście nie czepiał się już Pawła Nikołajewicza. Nikogo zresztą już się nie czepiał.

Ogłojed wyszedł i nie było go cały dzień. Geolog, sympatyczny i dobrze wychowany młody człowiek, czytał swoją geologię i nikomu nie przeszkadzał. Pozostali też siedzieli cicho.

Paweł Nikołajewicz cieszył się na wizytę żony. Kapa wprawdzie nie mogła mu pomóc, ale jak dobrze było móc się przed nią wyżalić: że mu źle; że zastrzyk nie podziałał; że otaczają go tacy okropni ludzie. Pocieszy, doda otuchy. Trzeba będzie poprosić, żeby przyniosła jakąś książkę – optymistyczną, współczesną książkę. I pióro – żeby nie musiał się ośmieszać tak jak wczoraj, kiedy pożyczał ołówek od smarkacza. No i najważniejsze – powiedzieć o grzybie, o brzozowym grzybie.

W końcu nie wszystko jeszcze stracone: jeśli lekarstwa nie pomogą, to są przecież inne środki. Grunt to być optymistą!

Powoli, bo powoli, ale przyzwyczajał się do tutejszych warunków. Po śniadaniu doczytał we wczorajszej gazecie sprawozdanie budżetowe Zwieriowa. Zanim skończył, pielęgniarka przyniosła dzisiejszą. Sięgnął po nią Diomka, lecz Paweł Nikołajewicz stanowczo zażądał gazety dla siebie: od razu przeczytał o upadku rządu Mendès-France'a (Dobrze ci tak! Nie trzeba było podpisywać układów paryskich!), zauważył obszerny artykuł Erenburga (zostawił go sobie na później) i zagłębił się w lekturze artykułu o realizacji uchwały styczniowego plenum w sprawie wzrostu zaopatrzenia rynku w mięso i jego przetwory.

Tak zabijał czas Paweł Nikołajewicz, dopóki nie przyszła salowa z wiadomością, że na dole czeka żona. Rodziny pacjentów leżących mogły odwiedzać ich w salach, ale Paweł Nikołajewicz nie miał siły iść i wyjaśniać, że jest leżący, a zresztą przyjemniej było wyjść do hallu, odpocząć od tych załamanych i zbolałych ludzi. I owinąwszy szyję ciepłym szalikiem Paweł Nikołajewicz zszedł na parter.

Nie każdy na rok przed srebrnym weselem darzy żonę takim uczuciem jak Paweł Nikołajewicz Kapę. Dzielił się z nią wszystkimi radościami i zmartwieniami. Kapa była naprawdę najbliższym mu człowiekiem, wiernym przyjacielem, kobietą bardzo energiczną i mądrą („Ma w głowie cały sielsowiet!" – chwalił się zawsze Paweł Nikołajewicz). Nigdy nie odczuwał potrzeby, żeby ją zdradzać; ona też go nie zdradzała. To nieprawda, że awansując w hierarchii społecznej mąż zaczyna wstydzić się swojej żony. Awansowali oboje, i to wysoko, w chwili ślubu pracowali w tej samej fabryce makaronu; najpierw w mieszalni ciasta, potem Paweł Nikołajewicz został członkiem rady zakładowej i technikiem BHP, po jakimś czasie z ramienia Komsomołu zasilił kadry działu zbytu, a później przez rok był dyrektorem przyzakładowej dziewięciolatki – lecz przez wszystkie te lata nie rozeszły się drogi małżonków i nie wbili się w nadmierną pychę. I na zabawach zakładowych, wśród prostych ludzi, po paru kieliszkach Rusanowowie lubili powspominać swoją robotniczą przeszłość i pośpiewać na głos: „Wołoczajewskie dni" albo „My, czerwona kawaleria".

Kapa czekała w hallu. Ze swoimi obfitymi kształtami, futrem ze srebrnych lisów, torebką wielkości teczki i wypchaną torbą gospodarczą zajmowała co najmniej trzy miejsca na ławce w najcieplejszym kącie. Pocałowała męża miękkimi ustami i usadowiła go na rozpostartej pole futra, żeby nie zmarzł.

– Mam tu list – powiedziała. Jeden z kącików ust drgał nerwowo i Paweł Nikołajewicz domyślił się od razu, że list zawiera niedobre wiadomości. Na ogół rozsądna i opanowana, Kapa nie mogła pozbyć się głupiego babskiego nawyku: każdą nowinę – dobrą czy złą – musiała obwieścić prosto od progu.

– Proszę bardzo! – nadąsał się Paweł Nikołajewicz. – Dobij mnie, dobij! Skoro to dla ciebie najważniejsze...

Wyrzuciwszy z siebie sensację Kapa uspokoiła się i można było porozmawiać z nią po ludzku.

– Ależ nie, to nic ważnego, naprawdę – przepraszała. – No, mów o sobie. Pasik, jak się czujesz? O zastrzyku wiem wszystko – jeszcze w piątek zadzwoniłam do siostry oddziałowej, wczoraj rano też. Gdyby coś było nie w porządku, od razu bym przyleciała. Powiedziała mi, że dobrze go zniosłeś, tak?

– Zastrzyk zniosłem dobrze – oznajmił Paweł Nikołajewicz, dumny z własnego męstwa. – Tylko te warunki, Kapielko, te warunki! – I natychmiast stanęło mu przed oczami całe to złowrogie, odrażające i straszne otoczenie z Jefriemem i Ogłojedem na czele. Nie wiedział, od czego zacząć litanię skarg.

– Żeby choć była osobna toaleta! – jęknął. – Muszę chodzić z nimi wszystkimi! Nie ma kabin, wszystko na widoku!

(W miejscu pracy Paweł Nikołajewicz korzystał z toalety na piętrze, niedostępnej dla reszty personelu.)

Kapa rozumiała, że mąż musi sobie ulżyć, toteż nie przerywała tego potoku żalów, sama naprowadzała na nowe i stopniowo Paweł Nikołajewicz wyrzucił z siebie wszystkie aż do ostatniego, najbardziej dramatycznego i bezsilnego: „Za co ci lekarze biorą pieniądze?" Szczegółowo wypytała go o samopoczucie po zastrzyku i reakcję guza, potem rozchyliła szalik i obejrzała szyję, a nawet wyraziła opinię, że według niej guz ciut-ciut się zmniejszył.

Guz wcale się nie zmniejszył, Paweł Nikołajewicz wiedział o tym, ale przyjemnie było usłyszeć, że trochę się zmniejszył.

– W każdym razie nie urósł, prawda?

– Ależ skąd! Oczywiście, że nie urósł! – stwierdziła Kapa bezapelacyjnie.

– Żeby tylko nie rósł! – powiedział, a właściwie poprosił Paweł Nikołajewicz łamiącym się głosem. – Żeby tylko przestał rosnąć! Przecież jeśli będzie rosnąć jeszcze przez tydzień, to... to przecież... tydzień i...

Nie, nie mógł wymówić tego słowa, nie mógł zajrzeć w tę czarną otchłań! Jak bardzo był nieszczęśliwy, w jak straszliwym niebezpieczeństwie się znalazł! – Drugi zastrzyk mam dostać jutro. Następny we środę, A jeśli nie pomogą? Co wtedy?

– Wtedy do Moskwy! – stwierdziła stanowczo Kapa. – Zrobimy tak: jeżeli dwa następne zastrzyki nie pomogą, to w samolot – i do Moskwy! Przecież sam dzwoniłeś w piątek, tylko potem się rozmyśliłeś, a ja telefonowałam do Szendiapinów, byłam u Ałymowów, Ałymow osobiście zadzwonił do Moskwy i okazało się, że do niedawna taką chorobę jak twoja leczono wyłącznie w Moskwie, tylko tam, ale teraz aktywizuje się lecznictwo lokalne, żeby miało większą wydajność. Ci lekarze to jednak okropny element! Jakim prawem mówią o wydajności, kiedy pracują z żywym człowiekiem? Nienawidzę lekarzy!

– Tak, tak! – z goryczą powiedział Paweł Nikołajewicz. – Tak! Ja też im to mówiłem.

– Nauczycieli też nienawidzę! Ile się z nimi naużerałam w sprawie Majki! A ile było awantur o Ławrika?!

Paweł Nikołajewicz przetarł okulary.

– Tak, masz rację. Kiedy zostałem dyrektorem szkoły, wszyscy nauczyciele byli wrogo nastawieni, nie nasi. W tamtych czasach mieliśmy jedno zadanie: unieszkodliwić ich. Ale teraz? Co możemy im zrobić?

– No więc słuchaj: z wyjazdem do Moskwy nie będzie problemu, da się załatwić, w końcu mamy jeszcze jakie takie możliwości. Ałymow dogadał się z kim trzeba. No to jak? Poczekamy do trzeciego zastrzyku?

Ustalili konkretny plan i Pawłowi Nikołajewiczowi ulżyło na duszy. Byle tylko nie czekać bezczynnie na najgorsze w tym koszmarnym miejscu! Rusanowowie zawsze byli ludźmi czynu, ludźmi aktywnymi, jedynie działanie zapewniało im równowagę ducha.

Dziś jednak nic ich nie ponaglało i Paweł Nikołajewicz czuł się szczęśliwy, że może siedzieć tu z żoną, a nie wracać do sali. Trochę marzł, gdyż ciągle ktoś otwierał drzwi wejściowe, więc Kapitolina Matwiejewna opatuliła go swoim szalem. Na ławce przycupnęli jacyś kulturalni i schludni ludzie: nie przeszkadzali w rozmowie.

Rusanowowie omawiali różne życiowe sprawy, które przerwała choroba Pawła Nikołajewicza. Unikali tylko jednego tematu – fatalnego finału choroby. W tej kwestii niczego nie mogli zaplanować, zdziałać ani załatwić. Nie byli na to przygotowani i dlatego taka ewentualność w ogóle nie wchodziła w rachubę. (Żonie co prawda parę razy przemknęły przez myśl jakieś majątkowo-mieszkaniowe historie związane ze śmiercią męża, lecz wpojony optymizm podpowiadał, że lepiej zostawić je na później i nie martwić się zawczasu czymś tak przykrym jak pochówek, spadek i testament.)

Rozmawiali też o telefonach, pytaniach o zdrowie i pozdrowieniach od współpracowników z Departamentu Przemysłu, do którego Paweł Nikołajewicz przeniósł się z zakładowego Wydziału Specjalnego dwa lata temu. (Oczywiście nie zajmował się przemysłem, przemysł nadzorowali inżynierowie i ekonomiści, zaś Paweł Nikołajewicz sprawował kontrolę nad inżynierami i ekonomistami.) Wszyscy pracownicy bardzo go lubili i przyjemnie było usłyszeć, że tak martwią się o niego.

Potem mówili o nadziejach Pawła Nikołajewicza na emeryturę specjalną. Tak jakoś wyszło, że mimo wieloletniej nienagannej pracy na bądź co bądź odpowiedzialnych stanowiskach nie mógł liczyć na spełnienie swego największego marzenia – na emeryturę dla zasłużonych. Nie mógł załatwić nawet resortowej, też wysokiej i przyznawanej wcześniej niż zwykła pracownicza. Wszystko przez to, że w trzydziestym dziewiątym wykręcił się od służby wojskowej. Nie udało się załatwić emerytury. Szkoda. Chociaż kto wie – czasy teraz takie niepewne, że może i nie szkoda. Może lepiej mieć święty spokój.

Poruszyli też temat powszechnego w ostatnich latach pędu ludzi do lepszego życia. Ludzie chcieli modnie się ubierać, dostatnio żyć i wygodnie mieszkać. Tu Kapitolina Matwiejewna zaproponowała, że jeśli pobyt Pawła Nikołajewicza w szpitalu przeciągnie się do, powiedzmy, miesiąca czy dwóch, to może warto by wykorzystać ten czas i dokonać pewnych zmian w mieszkaniu. Trzeba przesunąć jedną rurę w łazience, w kuchni przenieść zlew, położyć kafelki w ubikacji, a jadalnię i gabinet Pawła Nikołajewicza koniecznie odmalować – zmienić kolor ścian (Kapitolina Matwiejewna już o tym pomyślała) i dać złoty wałek, to ostatnio szalenie modne. Paweł Nikołajewicz nie miał nic przeciwko temu, choć od razu wynikła pewna przykra kwestia: Fachowcy z administracji, którzy biorą za swoją pracę państwową pensję, będą domagać się – nie prosić, a właśnie domagać się – dopłaty od „gospodarzy". Paweł Nikołajewicz nie żałował pieniędzy (choć ich też było szkoda), ale oburzał go ideologiczny aspekt sprawy: z a c o? Za co ma dopłacać? Dlaczego on sam mógł żyć wyłącznie z ustawowo należnej pensji i premii, żyć uczciwie i nie brać żadnych łapówek czy napiwków? A tym bezczelnym robolom mało państwowych pieniędzy, jeszcze wyciągają łapy po dodatkowe! Nie wolno iść na żadne ustępstwa, tu chodziło o pryncypia, ustępstwo oznaczałoby kapitulację wobec tego drobnoburżazyjnego wrogiego żywiołu! Ilekroć rozmowa dotyczyła tego tematu, Paweł Nikołajewicz popadał w irytację:

– No powiedz sama, Kapa, gdzie ich robotnicza godność? Dlaczego my, kiedy pracowaliśmy w fabryce, nie stawialiśmy żadnych warunków i nie żądaliśmy od majstra, żeby dawał nam „w łapę"? Czy coś podobnego mogło nam w ogóle przyjść do głowy? Absolutnie nie wolno ustępować! Żadnych pieniędzy! Przecież to łapówka!

Kapa zgadzała się z mężem, ale przypomniała, że jeśli nie da się fachowcom w łapę przed rozpoczęciem roboty, po zakończeniu roboty i w trakcie roboty, to zemszczą się, spartolą coś złośliwie i jeszcze trzeba ich będzie przepraszać.

– Słyszałam, że pewien emerytowany pułkownik twardo powiedział – nie! Nie dopłacę ani kopiejki! No i robotnicy wepchnęli do rury odpływowej w łazience zdechłego szczura. Woda nie spływała i strasznie śmierdziało.

Nie dogadali się co do remontu. Życie jest skomplikowane, bardzo skomplikowane.

Rozmawiali o Jurze. Najstarszy syn, ale za bardzo potulny, jakiś taki bezbronny, brak mu rusanowowskiego sprytu, energii. Ukończył prawo, rodzice załatwili mu dobrą posadę, lecz Jura nie nadawał się do takiej pracy. Tak, nie umie zawierać korzystnych znajomości, nie umie się ustawić. Teraz pojechał na inspekcję i pewnie popełni mnóstwo błędów. Paweł Nikołajewicz bardzo się martwił. A Kapitolina Matwiejewna z niepokojem myślała o ożenku Jury. Ojciec namówił go na prawo jazdy, ojciec załatwi mu mieszkanie – ale jak pokierować jego małżeństwem, jak przypilnować, żeby nie popełnił pomyłki? Jest taki łatwowierny, omota go jakaś prządka z kombinatu – nie, prządka raczej nie, nie miałby gdzie się z nią spotykać – ale na przykład w delegacji? Jeden nie przemyślany krok, jedna pieczątka zrujnuje nie tylko życie młodego człowieka, lecz także zniweczy ambicje całej rodziny! Córka Szendiapinów o mały włos nie wyszła za kolegę z roku, chłopaka ze wsi, syna zwyczajnej kołchoźnicy: można sobie wyobrazić eleganckie mieszkanie Szendiapinów i ich gości, ludzi na eksponowanych stanowiskach – i wśród tych gości babinę we wsiowej chuście – teściową!!! Na szczęście udało się pozbyć tego narzeczonego, załatwić go po linii społecznej – uratowali córkę.

Awieta to co innego. Awieta, Awa, Ałła. Awieta to chluba rodziny Rusanowów. Rodzice nie pamiętali, by kiedykolwiek przysporzyła im kłopotów czy zmartwień – nie licząc oczywiście szkolnych psikusów. I piękna, i mądra, i energiczna, ma właściwe podejście do życia i wie, czego chce. O Awietę można być spokojnym – nigdy nie zrobi fałszywego kroku. Ma tylko pretensje o imię: nie trzeba się było wygłupiać, jak to brzmi, teraz mówcie po prostu Ałła! Ale w dowodzie pozostanie: Awieta Pawłowna. Przecież to takie ładne imię! Wakacje się kończą, w środę Awieta wraca z Moskwy i na pewno od razu przybiegnie do szpitala.

Tak, imiona to problem: okoliczności się zmieniają, a imiona nie. Ławrik też ma pretensje o imię. W szkole Ławrik to Ławrik, nikt nie wydziwia, ale w tym roku dostaje dowód osobisty – no i co napiszą? „Ławrientij Pawłowicz". A przecież rodzice nadali mu imię na cześć wielkiego człowieka: niech nazywa się tak samo jak minister, najwierniejszy współpracownik towarzysza Stalina, niech go we wszystkim przypomina! I oto nastały czasy, gdy człowiek zawaha się, zanim powie głośno: „Ławrientij Pałycz". Na szczęście Ławrik chce iść do szkoły wojskowej, w wojsku nikt nie będzie zwracać się do niego po imieniu.

A między nami mówiąc – po co ta cała afera? Szendiapinowie są tego samego zdania: jeśli to nawet prawda, że Beria był dwulicowcem, burżuazyjnym nacjonalistą i chciał przejąć władzę, to proszę bardzo – osądźcie go, rozstrzelajcie po cichutku, ale po co informować o tym społeczeństwo? Po co osłabiać jego wiarę? Po co budzić wątpliwości? Przecież wystarczyłoby rozesłać do określonego szczebla poufną informację i wszystko wyjaśnić, a oficjalnie podać, że umarł na zawał. I pochować z honorami.

Porozmawiali też o najmłodszej, Majce. W tym roku opuściła się w nauce, przestała być prymuską, jej fotografię zdjęto z tablicy honorowej, jechała na samych trójkach. Wszystko dlatego, że zdała do piątej klasy. Przedtem uczyła ją jedna nauczycielka, znała Majkę, znała jej rodziców – i Majka dostawała piątki. A w tym roku uczy ją dwudziestu nauczycieli przedmiotowych, przyjdzie taki na jedną lekcję w tygodniu, nawet twarzy uczniów nie rozróżnia, odwala swój program nauczania i w ogóle nie pomyśli, jak to wpływa na psychikę dziecka, jak kaleczy młody charakter. Kapitolina Matwiejewna tak tego nie zostawi, poprzez Komitet Rodzicielski zaprowadzi w tej szkole porządek!

Rozmawiali o różnych sprawach, lecz rozmowa jakoś się nie kleiła i każde z nich w skrytości ducha uważało ją za zdawkową. Paweł Nikołajewicz był załamany, nie obchodzili go ludzie ani zdarzenia, o których mówiła Kapa, nic mu się nie chciało, miał tylko ochotę położyć się, otulić guz poduszką i uciec od wszystkiego.

Kapitolina Matwiejewna natomiast przez cały czas myślała o liście, który przyszedł dziś rano z K* od jej brata Minaja (a teraz parzył torebkę jak ogień). Rusanowowie mieszkali w K* przed wojną, tam spędzili młodość, tam się pobrali. Tam przyszły na świat ich dzieci. W czasie wojny ewakuowali się tutaj, do K* już nie wrócili, ich mieszkanie przejął brat Kapy. Kapa rozumiała, że mąż nie ma teraz głowy do takich wiadomości, ale też wiadomość nie należała do tych, którymi można dzielić się z pierwszą lepszą znajomą. W całym mieście nie było nikogo, komu mogłaby wyjaśnić doniosłość otrzymanej wiadomości. A przecież pocieszając męża, sama potrzebowała pociechy! Musiała z kimś porozmawiać. Dzieci nie wchodziły w rachubę – no, może tylko Awieta. Jura – w żadnym wypadku. Tak czy owak, musiała przedtem naradzić się z mężem.

A tymczasem mąż siedział coraz bardziej osowiały i coraz mniej nadawał się do rozmowy o najważniejszym.

Musiała już iść, zaczęła więc wyciągać z torby i pokazywać mu, co przyniosła. Mankiety futra ledwo mieściły się w rozwartej paszczy torby.

I nagle na widok tych frykasów (których i tak miał pełną szafkę) Paweł Nikołajewicz przypomniał sobie o rzeczy ważniejszej niż jakiekolwiek jedzenie i picie, o czymś, od czego powinien zacząć tę rozmowę – o czadze, o brzozowym grzybie! I podniecony opowiedział żonie o tym cudzie, o liście, o lekarzu (a może szarlatanie) i o tym, że koniecznie trzeba coś wymyślić, napisać do kogoś, kto nazbierałby huby w Rosji.

– Przecież tam u nas, w K*, rośnie pełno brzóz! Minaj mógłby mi to zorganizować! Natychmiast do niego napisz! I do innych – niech wszyscy starzy przyjaciele wiedzą, w jakiej jestem sytuacji!

Niech pomogą!

Sam wspomniał o K* i Minaju! Kapa wykorzystała okazję i szczękając hałaśliwym jak potrzask zamkiem torebki (listu nie pokazała, brat bardzo ponuro naświetlił całą sprawę) powiedziała:

– Nie wiem, Pasza, czy warto przypominać o sobie w K*... Widzisz, Minka pisze... jeszcze nie wiadomo, może to nieprawda... że w mieście zjawił się Rodiczew... I że podobno został zre-habi-lito-wa-ny... Czy to możliwe?

Wymawiała to wstrętne długie słowo „zrehabilitowany” z wzrokiem utkwionym w torebkę i przeoczyła chwilę, gdy Paweł Nikołajewicz zrobił się blady jak papier.

– Co ci jest?! – jego wygląd przeraził ją jeszcze bardziej niż przedtem list. – Co z tobą?

Osunął się na oparcie ławki i obronnym kobiecym gestem naciągnął na siebie jej szal.

– To jeszcze nic pewnego! – próbowała objąć go za ramiona nie wypuszczając torebki z ręki, wyglądało to, jakby chciała położyć mu ją na plecach. – Jeszcze nic nie wiadomo! Minka go nie widział! Jacyś ludzie opowiadali!

Krew powoli napływała do twarzy, ale Paweł Nikołajewicz czuł obezwładniającą słabość – w pasie, w ramionach, w rękach i siedział nieruchomo ze zwieszoną bezsilnie głową.

– Po co mi to powiedziałaś? – jęknął słabym i żałosnym głosem. – Mało mi jednego nieszczęścia? – Jego piersią targnął suchy nerwowy szloch.

– Paszeńka, wybacz! Pasik, przepraszam! – obejmowała go, pocieszała, ale i jej trzęsły się, trzęsły się miedziane sploty fryzury. – Ja też tracę głowę! Czy on może teraz odebrać pokój Minajowi? Do czego to wszystko doprowadzi? To już trzeci przypadek, o którym słyszymy!

– Co tu ma do rzeczy pokój, niech go szlag trafi! Niech go sobie zabiera! – płaczliwym szeptem mówił Rusanow.

– Jak to – niech szlag trafi pokój? Minaj miałby oddać mu pokój?
– Pomyśl lepiej o własnym mężu! Co będzie ze mną? A o Guzunie nie pisze?
– O Guzunie nie... Słuchaj, a jeśli oni wszyscy zaczną teraz wracać – to co wtedy?
– Skąd mam wiedzieć? – płaczliwie odpowiadał mąż. – Jakim p r a w e m ich wypuszczają? Jak można tak okrutnie krzywdzić ludzi?

14

Tak chciał usłyszeć od żony słowa otuchy i pokrzepienia, a tu masz! Byłoby lepiej, gdyby w ogóle nie przychodziła. Rusanow wracał do sali słaby, roztrzęsiony, kurczowo czepiał się poręczy schodów i czuł coraz silniejsze dreszcze. Kapa nie mogła wejść z nim na górę – w drzwiach sterczała znudzona salowa i nie wpuszczała odwiedzających, więc Kapa kazała jej odprowadzić Pawła Nikołajewicza do sali i zanieść torbę z jedzeniem. Dyżur miała ta wyłupiastooka pielęgniarka Zoja, która nie wiadomo dlaczego tak mu się spodobała pierwszego dnia, a teraz obłożona papierami flirtowała z tym gburem Ogłojedem i wcale nie zajmowała się pacjentami. Rusanow poprosił ją o aspirynę; wyrecytowała zawodowo raźnym tonem, że aspirynę wydaje się dopiero wieczorem. Pozwoliła jednak zmierzyć temperaturę. A potem coś przyniosła.

Nowe zapasy zajęły w szafce miejsce poprzednich. Paweł Nikołajewicz ułożył się tak, jak sobie zaplanował – guz do poduszki (o dziwo mieli tu miękkie poduszki, nie trzeba było przywozić własnej) i koc na głowę.

Tak w nim zawirowały, skłębiły się, żywym ogniem rozgorzały myśli, że całe ciało straciło czucie jak pod narkozą. Przestał słyszeć głupie rozmowy pozostałych pacjentów i nie reagował na wstrząsy łóżka, potrącanego przez Jefriema. I nie widział, jak za oknem pojaśniał dzień, oświetlony promieniami przedwieczornego słońca, które wyjrzało zza chmur gdzieś z drugiej strony budynku. I nie dostrzegał upływu czasu. Zasypiał i, może pod wpływem leków, budził się. Otworzył oczy, gdy paliło się już światło, i znów zasnął. I znów obudził się w środku nocy, w ciemności i ciszy.

I poczuł, że sen go opuścił, zniknęła jego zbawcza zasłona. A strach natychmiast wpił się w środek piersi i siedział tam, i ściskał mocno, mocno.

I różne – różne – różne myśli zaczęły rosnąć, nabrzmiewać i rozpierać się w głowie Rusanowa, w sali i dalej, w całej rozległej ciemności.

Nie, nawet nie myślał – po prostu bał się. Zwyczajnie – bał się. Bał się, że Rodiczew jutro rano wedrze się do szpitala, nie bacząc na siostry i salowe, wpadnie do sali i zacznie go bić. Nie sprawiedliwości, nie ludzkiego potępienia, nie hańby bał się Rusanow, a – bicia. Bito go raz w życiu – w szkole, w jego ostatniej, szóstej klasie; starsi czekali wieczorem przy wyjściu, przyszli po „haracz", nikt nie miał noża, ale na całe życie zapamiętał to przerażające uczucie, kiedy ze wszystkich stron czekają na człowieka okrutne kościste pięści.

Jak młodo zmarły znajomy na długie lata pozostaje w naszej pamięci takim, jakim widzieliśmy go ostatni raz, choć teraz byłby już starcem, tak Rodiczew, który po osiemnastu latach powinien wrócić jako kaleka – może głuchy, może pokręcony – w wyobraźni Rusanowa wciąż był tamtym ogorzałym siłaczem z hantlami na długim balkonie ich wspólnego mieszkania w ostatnią niedzielę przed aresztowaniem. Rozebrany do pasa wołał wesoło:

– Paszka! Chodź tu! No, pomacaj bicepsy! Pomacaj, pomacaj! Teraz wiesz, co to znaczy inżynier nowej formacji społecznej? Żadne tam cherlaki, okularniki, żadne Eduardy Christoforowicze – my rozwijamy się harmonijnie! A ty scherlałeś, usychasz w swoim gabinecie! Chodź do nas do fabryki, załatwię ci robotę na produkcji! No? Nie chcesz? Cha, cha, cha!

Parsknął śmiechem i poszedł się myć, wyśpiewując na całe gardło:

– Myśmy kowale i młody w nas duch!

I tego właśnie osiłka wyobrażał sobie teraz Rusanow, jak wpada do sali i rzuca się na niego z pięściami. I nie mógł uwolnić się od tego obrazu.

Przyjaźnił się kiedyś z Rodiczewem, należeli do jednej organizacji komsomolskiej, pracowali w tej samej fabryce, potem dostali tamto wspólne mieszkanie. Rodiczew poszedł drogą naukową, ukończył kursy dokształcające i studia, został inżynierem, Rusanow zaś drogą związkową, a później administracyjno-kadrową. Najpierw pokłóciły się ich żony, potem oni. Rodiczew często pokpiwał sobie z Rusanowa, w ogóle poczynał sobie zbyt samodzielnie, zadzierał z kolektywem, mieszkanie stało się za ciasne dla obu rodzin. W końcu trudno już było wytrzymać i Rusanow złożył na tamtego doniesienie. Poinformował, że Rodiczew w rozmowie z nim życzliwie wypowiedział się o działalności rozgromionej Prompartii i proponował zorganizowanie w fabryce grupy sabotażowej. (Wprost tego nie mówił, ale można się było domyślić, że o to mu chodziło.)

Rusanow prosił tylko gorąco, by w aktach sprawy nie wymieniano jego nazwiska i żeby nie było konfrontacji: na myśl o takim spotkaniu ogarniał go lęk. Śledczy gwarantował, że prawo nie wymaga podawania nazwiska Rusanowa ani żadnych konfrontacji – wystarczy przyznanie się samego oskarżonego. Do akt sprawy nie musi nawet trafić oryginał donosu, więc podpisując protokół oskarżony z artykułu 206 nigdzie nie zobaczy nazwiska swojego sąsiada.

I wszystko poszłoby gładko, gdyby nie Guzun, sekretarz zakładowej organizacji partyjnej. Otrzymał zawiadomienie z organów, że Rodiczew jest wrogiem ludu i należy wydalić go z partii. Guzun uparł się jednak i podniósł raban, że Rodiczew to swój człowiek, że musi mieć dowody jego winy i tak dalej. Sam sobie zaszkodził: po dwóch dniach aresztowano i jego, a trzeciego dnia rano partia wydaliła ze swoich szeregów obydwóch – za przynależność do tej samej podziemnej organizacji kontrrewolucyjnej.

Rusanowa tknęło teraz nagłe podejrzenie, że w ciągu tych dwóch dni, gdy przekonywano Guzuna, ktoś musiał przecież wymienić nazwisko oskarżyciela. A więc (skoro aresztowano ich za to samo, mogli się przecież tam spotkać) Guzun na pewno powtórzył to Rodiczewowi – i dlatego Rusanow tak bał się tego złowróżbnego powrotu, tego niesamowitego zmartwychwstania.

Żona Rodiczewa, Kat'ka, też mogła się czegoś domyślać. Ciekawe, czy jeszcze żyje? Kapa wykombinowała tak: natychmiast po aresztowaniu Rodiczewa Kat'kę Rodiczewą wyeksmituje się z pokoju i zajmie całe mieszkanie łącznie z balkonem. (Z perspektywy lat ta walka o czternastometrowy pokój bez gazu wydawała się śmiechu warta. No, ale dzieci rosły.) Wszystko było załatwione, przyszli z urzędu wysiedlać Kat'kę, a ona zrobiła kawał – poinformowała, że jest w ciąży. Nie uwierzyli – pokazała zaświadczenie. Dobrze to sobie wymyśliła! Prawo nie pozwala wysiedlać ciężarnych. Wysiedlono Kat'kę dopiero następnej zimy – do tego czasu musieli męczyć się z nią przez wiele miesięcy: czekać, aż donosi, urodzi, a potem jeszcze do końca urlopu macierzyńskiego. Kapa w ogóle nie wpuszczała Kat'ki do kuchni, a Awa – skończyła wtedy cztery latka – tak śmiesznie ją przezywała. Leżąc na wznak w ciemności pełnej sapania i pochrapywania chorych (jedynie nikła poświata nocnej lampki na biurku pielęgniarki przenikała przez matową szybę w drzwiach) Rusanow zastanawiał się, dlaczego tak go przeraziły akurat te dwa cienie, cienie Rodiczewa i Guzuna – i czy byłby równie przerażony, gdyby powrócili inni, których demaskował – choćby wspomniany przez Rodiczewa Eduard Christoforowicz, przedrewolucyjny inżynier z burżuazyjnym wykształceniem; nazwał kiedyś Pawła Nikołajewicza durniem i ignorantem (przy robotnikach! – a potem przyznał się, że marzył o powrocie kapitalizmu); tamta stenografistka, która przekręciła wypowiedź ważnego naczelnika, protektora Pawła Nikołajewicza, a naczelnik powiedział coś zupełnie innego; tamten krnąbrny księgowy (w dodatku okazał się synem popa i zwinęli go momentalnie); małżonkowie Jelczanscy... wielu takich było.

A przecież w swoim czasie Paweł Nikołajewicz nie bał się żadnego z tych ludzi, coraz odważniej i jawniej pomagał ich demaskować, dwa razy brał nawet udział w konfrontacji, mówił tam podniesionym głosem i oskarżał. Nikomu nawet przez myśl wtedy nie przeszło, że jest się czego wstydzić! W tych wspaniałych, uczciwych latach, w trzydziestym siódmym i trzydziestym ósmym wyraźnie oczyściła się atmosfera społeczna, tak lekko się oddychało! Oszczercy, łgarze, krytykanci, przemądrzali inteligenci przepadli, zamilkli, przycichli, a ludzie oddani, wierni, przyjaciele Rusanowa i on sam chodzili z dumnie podniesionymi głowami.

I oto nastały jakieś nowe, mętne, chore czasy: raptem trzeba wstydzić się swej dawniejszej, jakże obywatelskiej postawy! I bać się o siebie.

Bać się! Co za bzdura! Rozmyślając nad minionymi latami życia Rusanow nie mógł zarzucić sobie tchórzostwa. Nigdy się nie bał! Nawet nie miał okazji. Być może nie był człowiekiem szaleńczo odważnym, ale też nie pamiętał sytuacji, w której okazałby tchórzostwo. Na pewno nie bałby się na froncie, ale wyreklamowano go z wojska jako cennego i niezastąpionego pracownika. Z pewnością nie zląkłby się też bombardowań ani pożarów, lecz z K* wyjechali jeszcze przed bombardowaniami, a pożaru Paweł Nikołajewicz nigdy nie widział. Nie bał się też prawa i sprawiedliwości, gdyż prawa nie naruszał, a sprawiedliwość była po jego stronie. I nie bał się potępienia społecznego, gdyż zawsze działał dla dobra i w imieniu społeczeństwa. Nawet w gazecie obwodowej nie mogła pojawić się żadna krytyczna wzmianka o Rusanowie, bo Aleksandr Michajłowicz albo Nił Prokofjewicz nie dopuściliby do tego. Gazeta centralna zaś zajmowała się ważniejszymi sprawami i osobami niż Rusanow. Nie bał się więc i prasy.

I płynąc statkiem po Morzu Czarnym ani trochę nie bał się głębiny. Czy bał się wysokości – nie wiadomo, albowiem nie był takim lekkoduchem, żeby wspinać się na góry czy skały, zaś jego praca nie miała nic wspólnego z budową mostów czy słupów wysokiego napięcia.

Od wielu lat – już prawie dwudziestu – Rusanow zajmował się ankietami. W różnych instytucjach różnie się taka funkcja nazywa, ale jej istota jest ta sama. Mało kto zdaje sobie sprawę, jaka to delikatna i koronkowa praca. Każdy człowiek wypełnia w życiu mnóstwo rozmaitych ankiet, a w każdej odpowiada na określoną ilość pytań. Odpowiedź jednego człowieka na jedno pytanie jednej ankiety to już niteczka wiążąca tego człowieka z wydziałem akt personalnych w jego miejscu zamieszkania. Od każdego człowieka prowadzą do wydziału setki takich niteczek, setki niteczek łączą się w miliony niteczek, i gdyby niteczki te były widzialne, to pokryłyby całe niebo niczym pajęczyna, a gdyby stały się materialne i sprężyste, to zatrzymałyby wszystkie tramwaje, autobusy, ludzi, wszelki ruch i nawet wiatr nie mógłby gnać wzdłuż ulicy liści i strzępków gazet. Nie są widzialne, nie są materialne, a jednak każdy człowiek bezustannie odczuwa ich istnienie. A chodzi o to, że tak zwane kryształowe życiorysy są czymś równie nieosiągalnym jak prawda absolutna. Każdy żyjący człowiek ma w życiorysie jakieś mętne lub podejrzane sprawki, każdy coś przeskrobał albo coś ukrywa – trzeba się tylko dobrze przyjrzeć.

To stałe odczuwanie istnienia niewidzialnych niteczek wywołuje w ludziach naturalny respekt wobec osób, które trzymają je w ręku, i umacnia autorytet tych osób.

Uciekając się do asocjacji muzycznych można powiedzieć, że Rusanow z racji swej szczególnej funkcji dysponował czymś w rodzaju ksylofonu i mógł wedle własnego uznania lub w miarę potrzeby uderzać w odpowiednią płytkę instrumentu. Choć wszystkie płytki ksylofonu są drewniane, każda ma swój własny niepowtarzalny ton.

Jedne płytki-sposoby wydawały tony delikatne i subtelne. Chcąc na przykład okazać pracownikowi swoje niezadowolenie albo po prostu ostrzec go, ustawić na właściwym miejscu, Rusanow stosował specjalny ceremoniał powitania. Gdy człowiek ów mówił „dzień dobry" (oczywiście pierwszy!), Paweł Nikołajewicz mógł odpowiedzieć mu, ale oschle i bez uśmiechu; mógł też zmarszczyć brwi (ćwiczył to przed lustrem w gabinecie) i na ułamek sekundy zawahać się z odpowiedzią – jakby ważąc w myślach, czy warto witać się z tym człowiekiem, czy jest on tego godzien – i dopiero potem odwzajemnić powitanie (i znów: albo z pełnym zwrotem głowy, albo z niepełnym, albo też w ogóle nie zaszczycając tamtego spojrzeniem). Taka chwileczka wahania zawsze przynosi znaczący i pożądany efekt. W głowie tak ozięble potraktowanego pracownika natychmiast rozpoczynało się gorączkowe poszukiwanie ewentualnych grzechów i paniczny rachunek sumienia. Rezerwa okazana przy powitaniu zasiewała niepokój, powstrzymywała pracownika od jakiegoś nierozważnego czynu, który być może właśnie miał zamiar popełnić, a o którym Paweł Nikołajewicz i tak by się wkrótce dowiedział.

Żeby wywołać silniejszy efekt, należało powiedzieć (albo zadzwonić do niego lub nawet wezwać specjalnie w tym celu): „Proszę zajść do mnie jutro o dziesiątej.” – „A dziś nie można?” – spyta oczywiście zaczepiony człowiek, gdyż będzie chciał jak najszybciej wyjaśnić, po co się go wzywa, i czym prędzej mieć to z głowy. – „Nie, dziś nie można” – grzecznie, lecz stanowczo powie Rusanow. Nie doda, że jest zajęty, że idzie na zebranie – o nie, w żadnym przypadku nie poda konkretnego powodu, żeby uspokoić wzywanego (na tym właśnie polega sposób!), ale jeszcze postara się, żeby to: „nie, dziś nie można” zabrzmiało jak najbardziej wieloznacznie i nieprzyjemnie. – „A w jakiej sprawie?” – być może odważy się spytać lub z braku doświadczenia spyta pracownik. – „Jutro się dowiecie” – aksamitnym głosem powie Paweł Nikołajewicz, ignorując nietaktowne pytanie delikwenta. A do następnego dnia, do dziesiątej – ileż czasu! Ileż przypuszczeń! Pracownik musi doczekać końca zmiany, potem pojechać do domu, rozmawiać z żoną, iść do kina albo na zebranie komitetu rodzicielskiego, przespać noc (o ile zaśnie!), rano dławić się śniadaniem – i przez cały czas będzie go dręczyć, gnębić, prześladować pytanie: „po co on mnie wezwał?” Przez te długie godziny pracownik niejednego zacznie żałować, niejednego zacznie się bać i przysięgnie sobie już nigdy nie zadzierać z dyrekcją na zebraniach. A kiedy przyjdzie – dowie się, że chodzi o drobiazg, sprawdzenie daty urodzenia albo numeru dyplomu.

Tak więc na podobieństwo płytek ksylofonu sposoby wzmagały swój drewniany głos aż do oschłego i ostrego: „Siergiej Siergiejewicz (dyrektor naczelny, zakładowy Gospodarz) prosi o wypełnienie tej ankiety do dnia tego i tego”. I dostawał pracownik ankietę do wypełnienia – ale nie zwyczajną ankietę, tylko najbardziej szczegółową, najbardziej podstępną ze wszystkich ankiet, którymi dysponował Paweł Nikołajewicz – na przykład tę związaną z dopuszczeniem do tajemnicy służbowej. Pracownik rzecz jasna wcale nie musi mieć do czynienia z żadną tajnością, Siergiej Siergiejewicz w ogóle o niczym nie wie, ale kto by to sprawdzał, skoro Siergieja Siergiejewicza wszyscy boją się jak ognia? Pracownik bierze ankietę z pozornie dziarską miną, ale jeśli coś do tej pory zatajał, coś ukrywał – trzęsie się w środku jak galareta. Trzęsie się dlatego, że w tej ankiecie niczego nie zdoła zataić. To wspaniała ankieta. Najlepsza.

Właśnie przy pomocy takiej ankiety doprowadził Rusanow do rozwodu kilka kobiet, których mężowie zostali skazani z artykułu 58. I choć kobiety robiły wszystko, żeby ukryć ten fakt, choć wysyłały mężom paczki pod cudzym nazwiskiem, z innych miast albo nawet w ogóle nie wysyłały – wobec ankiety były bezsilne, gąszcz pytań wykluczał jakiekolwiek kłamstwo. I zostawało im tylko jedno wyjście – rozwód. Sąd stosował uproszczoną procedurę, nie wymagał zgody skazanego męża i nie informował go o rozwodzie. Rusanowowi zależało na rozwodach, aby brudne łapy przestępcy nie mogły ściągnąć niewinnej kobiety z drogi, którą kroczyło społeczeństwo. Nawiasem mówiąc, ankiety te nie były do niczego potrzebne: dyrektor czytał je najwyżej dla rozrywki.

Szczególna, nieco tajemnicza i na poły mistyczna rola Rusanowa w miejscu pracy oprócz satysfakcji dawała mu poczucie głębokiej znajomości życia i jego procesów. Zewnętrzne oznaki życia – sprawy przemysłu, narady, zebrania, gazetki, zobowiązania produkcyjne, plan, stołówkę, klub – tylko nie wtajemniczeni mogli wziąć za prawdziwe jego życie. Tymczasem prawdziwe życie toczyło się spokojnie i bez hałasu w zacisznych gabinetach, decydowała o nim rozmowa dwóch – trzech rozumiejących się ludzi lub dyskretny dźwięk telefonu Kryło się też to życie w poufnych dokumentach, w mrocznej głębi segregatorów Rusanowa i długo mogło skradać się za człowiekiem – by w stosownym momencie skoczyć, zaatakować, wyszczerzyć paszczę, rzygnąć ogniem na ofiarę i tak samo nagle zniknąć nie wiadomo gdzie. I znów na powierzchni zostawało to, co przedtem – klub, stołówka, gazetki, plan, produkcja, ale już bez tego człowieka – zwolnionego, zdjętego, usuniętego, nie istniejącego.

Rodzaj zajęcia Rusanowa wymagał również odpowiedniej oprawy. Zawsze był to ustronny gabinet – najpierw z pojedynczymi drzwiami obitymi skórą, a później, w miarę wzrostu poziomu dobrobytu, z dodatkowym ciemnym przedsionkiem. Przedsionek jak przedsionek, niby nic szczególnego – nie więcej niż metr długości, petent spędza w nim najwyżej dwie sekundy – zamknął już pierwsze drzwi i jeszcze nie otworzył drugich. I oto tuż przed ważną rozmową trafia jak gdyby do więzienia: wprawdzie tylko na dwie sekundy, ale otacza go ciemność, brak mu powietrza i natychmiast zaczyna czuć się zupełnie bezbronny wobec tego, do którego wchodzi. I zostawia w przedsionku całą swą hardą pewność siebie.

Oczywiście do Pawła Nikołajewicza nigdy nie wchodziło kilku ludzi naraz, wchodzili zawsze pojedynczo – ci, których wezwano, lub ci, którym pozwolono wejść.

Zarówno budowa gabinetu, jak też sposób przyjmowania interesantów sprzyjały właściwemu, przemyślanemu systemowi pracy w rusanowowskim dziale. Bez przedsionka Paweł Nikołajewicz miałby utrudnione zadanie.

Siłą rzeczy, zgodnie z dialektycznym prawem przenikania się wszystkich elementów rzeczywistości, sposób postępowania Pawła

Nikołajewicza w pracy nie mógł nie wpłynąć na jego styl życia i stosunek do życia w ogóle. Stopniowo i jemu, i Kapitolinie Matwiejewnie przestały wystarczać wagony drugiej klasy, w których tłoczyli się różni prostacy w kożuchach, objuczeni wiadrami i workami, Rusanowowie zaczęli podróżować wyłącznie pierwszą klasą. W hotelach rezerwowano dla Rusanowa pojedyncze pokoje, żeby nie musiał spać w jakimś przypadkowym towarzystwie. I na wczasy jeździli Rusanowowie tylko do takich domów wypoczynkowych, gdzie człowieka znają, szanują i zapewniają mu wydzieloną plażę z dala od pospolitego chamstwa. To samo dotyczyło sanatoriów: gdy lekarze zalecili Kapitolinie Matwiejewnie więcej ruchu i radzili więcej chodzić, to oczywiście mogła to robić wyłącznie w takim właśnie sanatorium, wśród równych sobie.

Rusanowowie kochali lud – swój wspaniały lud, służyli temu ludowi i gotowi byli oddać zań życie.

Jednakże z biegiem lat coraz bardziej nie cierpieli – ludności. Tej nieposłusznej, leniwej, wiecznie z czegoś niezadowolonej i nienasyconej ludności.

Napawały Rusanowów wstrętem tramwaje, trolejbusy, autobusy, gdzie było się narażonym na tłok i popychanie, męczyła ich jazda obok budowlańców i innych roboli w brudnych kufajkach, którzy w każdej chwili mogli ubrudzić płaszcz mazutem albo farbą, do pasji doprowadzał ich zwyczaj klepania w ramię, żeby podać za przejazd, przekazać bilet, dostać resztę – usługiwało się tej hołocie bez końca. Chodzenie piechotą jako zbyt prostackie nie licowało z rangą zajmowanego stanowiska. I gdy samochody służbowe były akurat w rozjazdach lub w remoncie, Paweł Nikołajewicz w żaden sposób nie mógł wrócić do domu na obiad i całymi godzinami czekał w gabinecie na wolny wóz. A co miał robić? Na chodzącego pieszo czyha mnóstwo niebezpieczeństw, wśród przechodniów zdarzają się ludzie źle ubrani, nieuprzejmi, a czasem nawet podpici. Źle ubrany człowiek zawsze jest niebezpieczny, gdyż z pewnością nie piastuje odpowiedzialnego stanowiska i prawdopodobnie niewiele sobą reprezentuje, bo gdyby reprezentował, to byłby dobrze ubrany. Naturalnie milicja i prawo bronią Rusanowa przed źle ubranym człowiekiem, ale obrona nastąpi za późno, nastąpi po fakcie.

I oto, nie bojąc się niczego na świecie, Rusanow zaczął odczuwać zwyczajny i w pełni uzasadniony strach przed bezczelnymi podpitymi ludźmi, a konkretniej – przed ciosem pięścią w twarz.

I właśnie dlatego tak go zbulwersowała wiadomość o powrocie Rodiczewa. Rusanow wyobrażał sobie, że Rodiczew przede wszystkim wyrżnie go pięścią w twarz. Nie bał się, że Rodiczew lub Guzun uciekną się do pomocy prawa: z punktu widzenia prawa nie mogli mieć do niego żadnych pretensji. Co jednak będzie, gdy wrócą w pełni sił i zechcą, mówiąc wulgarnie, skuć mu mordę?

Z drugiej strony, jeśli się dobrze zastanowić, to wszelkie obawy są właściwie bezpodstawne. Może nie ma żadnego Rodiczewa i – daj Boże! – wcale nie wrócił. Przecież te opowieści o powrotach mogą być zwyczajną plotką. Przecież w pracy nie zauważył nic, co mogłoby świadczyć o jakichś ewentualnych zmianach. Poza tym jeśli nawet Rodiczew rzeczywiście wrócił, to do K*, a nie tutaj. I pewnie nie ma teraz głowy do szukania Rusanowa, musi kombinować, żeby znów go stamtąd nie wysiudali.

A jeśli nawet szuka, to nie tak prędko znajdzie nić prowadzącą do Rusanowa. Pociąg z K* jedzie tutaj trzy doby przez osiem obwodów. Poza tym Rodiczew zjawiłby się w mieszkaniu Pawła Nikołajewicza, a nie w szpitalu. W szpitalu Paweł Nikołajewicz jest absolutnie bezpieczny.

Bezpieczny!... Śmiechu warte... Z tym guzem – i bezpieczny... No cóż, skoro mają nadejść takie straszne czasy, to chyba lepiej umrzeć. Lepiej umrzeć, niż bać się każdego powrotu. Co za idiotyzm – pozwalać im wracać! Po co? Przyzwyczaili się już, pogodzili z losem – po co sprowadzać takich z powrotem, komplikować ludziom życie?

Paweł Nikołajewicz nieco ochłonął i postanowił zasnąć. Tak, trzeba było spróbować zasnąć.

Musiał jednak pójść do ubikacji – najbardziej nieprzyjemna czynność w tym szpitalu.

Odwrócił się ostrożnie – guz wpierał się w szyję jak żelazna pięść – wstał z trudem, włożył piżamę, bambosze, okulary i poszedł, cicho szurając podeszwami.

Za biurkiem tkwiła surowa czarna Maria i czujnie obejrzała się na odgłos jego szurania.

W łóżku na końcu korytarza wił się z bólu jakiś nowy – barczysty, długonogi i długoręki Grek. Nie mógł leżeć, siedział w zmiętej pościeli i patrzył na Pawła Nikołajewicza bezsennymi, przerażonymi oczami.

Na półpiętrze na dwóch podłożonych poduszkach półleżał żółty jak wosk, wynędzniały człowiek i oddychał tlenem z poduszki tlenowej. Na szafce miał pomarańcze, ciastka, rachatłukum, kefir, ale było mu to obojętne – płucom brakowało zwykłego, darmowego, czystego powietrza.

Na parterze też stały łóżka pacjentów. Niektórzy spali. Staruszka o azjatyckiej twarzy, na którą spadały zlepione pasma włosów, w męce rzucała głową po poduszce.

Potem minął klitkę, gdzie na przykrótkiej brudnej leżance robiono w dzień lewatywy.

Wreszcie dotarł do ubikacji i wstrzymując oddech wszedł do środka. Właśnie w tej ubikacji bez kabin i sedesów szczególnie boleśnie odczuwał swą bezbronność i żałosny stan, w jakim się znalazł. Sprzątaczki nie nadążały z usuwaniem świeżych wymiotów, krwi i innych nieczystości. Przecież z ubikacji korzystały dzikusy nie nawykłe do zdobyczy cywilizacji oraz pacjenci, którzy nie panowali już nad swoimi odruchami. Koniecznie trzeba było porozmawiać z dyrektorem i uzyskać zgodę na korzystanie z toalety dla lekarzy!

Lecz tę konstruktywną myśl Paweł Nikołajewicz sformułował jakoś bez przekonania.

Znów minął klitkę, gdzie robiono lewatywy, przeszedł obok rozkudłanej staruszki i obok śpiących na korytarzu.

Obok konającego z poduszką tlenową.

A na górze Grek wychrypiał strasznym szeptem:

– Ty, czy tu się umiera?

Rusanow spojrzał na niego dzikim wzrokiem – i nagle poczuł, że nie może już poruszyć głową, że musi obracać cały tułów jak Jefriem. Koszmarna bulwa na szyi napierała na szczękę i obojczyk.

Przyśpieszył kroku.

O czym jeszcze myślał? Kogo się jeszcze bał? Na kogo liczył? Tu, między szczęką i obojczykiem, dokonywał się jego los.

Jego sprawiedliwość.

I w obliczu tej sprawiedliwości nie mogły mu pomóc żadne znajomości, żadne zasługi.

15

– Ile masz lat?
– Dwadzieścia sześć.
– Sporo!
– A ty?
– Szesnaście. Pomyśl tylko: szesnaście lat – i bez nogi!
– Jak wysoko chcą ci...
– Pewnie do kolana, niżej nie tną, już tu widziałem. Czasem amputują na wyrost, z zapasem. Zostanie kikut...
– Dadzą ci protezę. Co chcesz potem robić?
– Chciałbym zdawać na uniwersytet.
– Na jaki kierunek?
– Albo na filologię, albo na historię.
– Zdasz egzamin konkursowy?
– Myślę że tak. Nigdy się nie denerwuję. Jestem bardzo opanowany.
– To dobrze. Proteza wcale ci nie będzie przeszkadzać. Możesz studiować i pracować równocześnie. Możesz dużo osiągnąć w nauce.
– A w życiu? Tak w ogóle...
– Nauka jest najważniejsza. A o co ci jeszcze chodzi?
– No, inne sprawy...
– Małżeństwo?
– No, choćby to...
– Znajdziesz sobie żonę! Spokojna głowa, każda potwora... Słuchaj, a jaka jest alternatywa?
– Co?
– No, co ci powiedzieli: albo noga, albo życie, tak?
– Niby tak... Ale ja nie wiem... A nuż samo przejdzie?
– Nie, Dioma, na „a nuż" nie da rady. To nie jest racjonalne podejście. Mówili ci, jak się nazywa ten nowotwór?
– Coś jakby „es-a".
– Es-a? To trzeba operować.
– Skąd wiesz?
– Wiem. Gdyby to mnie zaproponowano teraz amputację, zgodziłbym się bez wahania. Mimo że muszę być ciągle w ruchu. Pieszo, na koniu. Samochody tam nie jeżdżą... Ale zgodziłbym się.
– A co? Nie chcą operować?
– Nie.
– Za późno się zgłosiłeś?

– Jak by ci tu powiedzieć... Nie o to chodzi... Fakt, trochę zlekceważyłem sprawę. Byłem w terenie. Powinienem przyjechać jakieś trzy miesiące temu, ale nie chciałem przerywać pracy. A od chodzenia i jazdy na koniu zaogniło się, wiesz – zmokłem, obtarłem nogę, zaczęło ropieć. Ropa wybijała na wierzch. Wtedy czułem się lepiej i znowu brałem się do roboty. Że niby można jeszcze zaczekać... A teraz boli nawet od dotknięcia nogawki.

– Nie zakładają ci opatrunku?

– Nie.

– Można zobaczyć?

– Popatrz sobie.

....

– U-u-u-u-u, paskudnie to wygląda. Takie jakieś ciemne...

– Od urodzenia miałem w tym miejscu znamię. Zezłośliwiło się.

– A to co?

– Przetoki. W tych trzech miejscach wybiła ropa... To zupełnie inny rodzaj raka niż u ciebie. Ja mam melanoblastomę. Ta swołocz nie zna litości. Z reguły osiem miesięcy i koniec.

– Skąd wiesz?

– Przeczytałem taką książkę... Wtedy się połapałem, co to jest. Problem polega na tym, że nawet gdybym przyjechał wcześniej, to i tak by nie operowali. Melanoblastoma to takie bydlę, że jak tylko ruszyć ją skalpelem – od razu daje przerzuty. Ona też chce żyć, ale po swojemu, rozumiesz? Zamarudziłem trzy miesiące i już mam przerzut w pachwinie.

– A co mówi Ludmiła Afanasjewna? Badała cię w sobotę, tak?

– Mówiła, że trzeba skombinować koloidowy roztwór złota. Tym złotem zlikwidowaliby przerzut w pachwinie, a to na nodze przystopowaliby naświetlaniami i pożyłbym trochę dłużej.

– Wyleczą?

– Nie, Diomka, mnie już nie można wyleczyć. Melanoblastoma jest nieuleczalna. Z tego się nie wychodzi. Niewiele mogą tu dla mnie zrobić. Amputować nogę? Nie wystarczy, rak poszedł już wyżej. Teraz chodzi tylko o czas – żeby odwlec koniec. Żebym wygrał parę miesięcy czy lat...

– To znaczy, że ty...

– Tak, to znaczy, że ja... Bez ratunku. Już się z tym pogodziłem. Ale nie ten więcej żyje, kto dłużej żyje. Obchodzi mnie tylko jedno – ile i co zdążę zrobić. Muszę zdążyć coś zrobić na tym świecie! Potrzebuję trzech lat. Trzy lata, o nic więcej nie proszę. Ale te trzy lata muszę spędzić w terenie, nie w szpitalu!

Rozmawiali po cichu na łóżku Wadima Zacyrki. Ich rozmowę mógł słyszeć jedynie Jefriem, ale od samego rana leżał jak kłoda i nieruchomym wzrokiem wpatrywał się w sufit. Słyszał też pewnie Rusanow, bo parę razy popatrzył na Wadima z wyraźną sympatią.

– A co ty zdążysz zrobić? – zafrasował się Diomka.

– Posłuchaj. Sprawdzam teraz nową, bardzo kontrowersyjną hipotezę – wybitni naukowcy w ogóle w nią nie wierzą – że złoża rud polimetalicznych można wykrywać na podstawie badań radioaktywności wód. Wiesz, co to znaczy „radioaktywny"? Mam tysiące argumentów, ale na papierze można udowodnić wszystko i na tak, i na nie. A ja c z u j ę, właśnie czuję, że mogę udowodnić tę hipotezę praktycznie, pojechać i odkryć złoża badając wodę, tylko i wyłącznie wodę! Najlepiej byłoby powtórzyć eksperyment w kilku miejscach. Nawet zacząłem, ale na co u nas człowiek traci czas i siły? Drobny przykład: nie ma pompy próżniowej, trzeba użyć odśrodkowej. A więc odessać powietrze. Jak? Ustami. No i napiłem się radioaktywnej wody. Zresztą wszyscy ją tam piliśmy. Kirgizi mówili: „Nasi ojcowie tutaj nie pili i my też nie będziemy!" A Rosjanie pili i piją. Co mi zrobi radioaktywność, skoro mam melanoblastomę? Właśnie teraz mógłbym badać te wody!

– Aleś ty głupi! – wtrącił bezwładny Jefriem niewyraźnym, skrzypiącym głosem. A więc wszystko słyszał. – Umierasz! Co ci po tej geologii? Geologia ci nie pomoże. Pomyślałbyś lepiej, co jest w życiu najważniejsze!

Wadim nie ruszał nogą, ale jego głowa płynnie obróciła się na giętkiej zdrowej szyi i odpowiedział ani trochę nie obrażony:

– To akurat wiem. Twórczość! Kiedy człowiek żyje twórczością, może obejść się nawet bez jedzenia i picia.

I z lekka postukał o zęby plastikowym ołówkiem automatycznym.

– Przeczytaj sobie tę książkę! Dopiero się zadziwisz! – nie zmieniając pozycji Jefriem puknął koślawym paznokciem w niebieską okładkę.

– Już czytałem – wpadł mu w słowo Wadim. – Anachronizm. Nie na nasze czasy. Brak konkretu, dynamizmu. Program? Więcej pracujcie i dzielcie się z innymi. Ot i cała filozofia.

Rusanow poruszył się, życzliwie błysnął okularami i spytał głośno:

– Młody człowieku, czy jest pan komunistą?

Z tą samą gotowością i prostotą Wadim przeniósł spojrzenie na Rusanowa:

– Tak.

– Byłem tego pewien! – triumfalnie wykrzyknął Rusanow i uniósł palec.

Wyglądał zupełnie jak nauczyciel. Wadim klepnął Diomkę w ramię.

– No, idź do siebie. Muszę popracować.

I pochylił się nad „Metodami geochemicznymi". Książka upstrzona była drobnym maczkiem notatek, znakami zapytania i wykrzyknikami.

Czytał, a czarny ołówek automatyczny lekko poruszał się w jego palcach.

Pogrążył się w lekturze, ale podbudowany jego słowami Paweł Nikołajewicz chciał podbudować się jeszcze bardziej przed drugim zastrzykiem i pognębić Jefriema, żeby tamten nie psuł już ludziom nastroju. Utkwił więc wzrok w Jefriemie i zaczął mu przygadywać przez całą salę:

– Towarzysz udzielił wam dobrej lekcji, towarzyszu Poddujew. Nie wolno tak się poddawać chorobie. I nie wolno ulegać wpływom pierwszej lepszej klerykalnej książczyny. Praktycznie rzecz biorąc, idziecie na rękę... – Miał zamiar powiedzieć „wrogowi", w normalnym życiu zawsze dało się wskazać jakiegoś wroga, ale tu, w szpitalu – któż był ich wrogiem? – Trzeba umieć dostrzegać głębię życia! A przede wszystkim uświadomić sobie naturę czynu. Co porywa ludzi do czynu produkcyjnego? A bohaterskie czyny w czasie wojny? Albo na przykład wojny domowej? Głodni, bosi, obdarci, bezbronni...

Dziwnie nieruchomy był dziś Jefriem: nie tylko nie krążył tam i z powrotem po sali, ale jakby w ogóle utracił zdolność ruchu. Przedtem uważał tylko na szyję i niechętnie odwracał tułów, dziś natomiast nie poruszył ani ręką, ani nogą, puknął jedynie palcem o okładkę książki. Namawiano go, żeby zjadł śniadanie, ale powiedział:

– Jak się nie najadłeś, to już się nie naliżesz – i nie tknął talerza. Leżał tak nieruchomo, że gdyby nie mruganie powiek można by pomyśleć, że go sparaliżowało.

A oczy miał otwarte.

Oczy miał otwarte i wcale nie musiał odwracać głowy, by zobaczyć Rusanowa. Jego pole widzenia obejmowało sufit, ścianę i tego okularnika z białą mordą.

I słyszał całą mowę Rusanowa. Poruszył wargami i szorstko, tylko jeszcze bardziej niewyraźnie niż przedtem, powiedział:

– Co – domowa? Walczyłeś w wojnie domowej, czy jak?

Paweł Nikołajewicz westchnął:

– Nie mogłem wtedy walczyć, towarzyszu Poddujew, tak samo zresztą jak wy. Byliśmy przecież za młodzi.

Jefriem pociągnął nosem:

– Czemu ty nie walczyłeś, nie wiem. Ja tam walczyłem.

– Doprawdy? Jak to możliwe?

– Zwyczajnie – Jefriem mówił powoli, odpoczywając po każdym słowie. – Wziąłem nagan i walczyłem. Ciekawe. Nie ja jeden.

– I gdzież to tak wojowaliście?

– Pod Iżewskiem. Biliśmy kontrę. Sam siedmiu iżewskich zastrzeliłem. Do dziś pamiętam.

Tak, przypomniał sobie teraz tych siedmiu dorosłych ludzi, których on, szczeniak, zabił na ulicach zbuntowanego miasta.

Okularnik coś tam jeszcze mówił, ale uszy Jefriema tylko chwilami rejestrowały odgłosy z zewnątrz.

Gdy obudził się o świcie i ujrzał nad sobą kawałek gołego białego sufitu, stanęło mu przed oczami – ni stąd, ni zowąd, bez żadnego powodu – pewne zdarzenie, błahe i całkiem zapomniane.

Było to w listopadzie, już po wojnie. Padał śnieg, który natychmiast zamieniał się w wodnistą bryję, a na wykopanej z głębi rowu nieco cieplejszej ziemi tajał bez śladu. Kopali rów pod gazociąg, zgodnie z projektem miał mieć metr osiemdziesiąt głębokości. Poddujew podszedł do wykopu, popatrzył – rów był za płytki. Przybiegł brygadzista i zaczął gorączkowo przekonywać, że jest już pełny profil. „Dobra, zmierzymy. A jak nie będzie, to mnie popamiętacie!" Poddujew wziął tyczkę z wypalonymi co dziesięć centymetrów kreskami – co piąta dłuższa – i poszli mierzyć, z trudem wyciągając z rozkisłej, lepkiej gliny: on – buty, brygadzista – trzewiki. Zmierzyli w jednym miejscu – metr siedemdziesiąt, poszli dalej. Dalej kopało trzech ludzi: chudy i długi chłop z czarnym zarostem na twarzy, były wojskowy w czapce bez gwiazdki i lakierowanego daszka, z malinowym otokiem umazanym farbą i gliną oraz młodziutki chłopak w cyklistówce i lekkim paletku (w tamtych czasach z sortami było krucho i więźniom nie wydawano ubrań roboczych), i to w paletku tak kusym, lichym i znoszonym, że szyto je chyba wtedy, gdy właściciel chodził jeszcze do szkoły. (Dopiero teraz Jefriem po raz pierwszy tak wyraźnie zobaczył to paletko.) Tamci dwaj trochę się ruszali, machali łopatami, choć rozmiękła glina nie odpadała od żelaza, a ten pisklak stał opierając się o trzonek łopaty, stał jak przebity tym trzonkiem na wylot, zwisał na nim, wyglądał jak ośnieżony strach na wróble i próbował schować dłonie w rękawach. Nie wydano im rękawic, buty miał tylko wojskowy, a dwaj pozostali – „czunie" z opon samochodowych. „Czego stoisz, łajzo?" – wrzasnął na młodego brygadzistę. – „Chcesz do karceru? Załatwię ci!" Chłopak westchnął, osunął się, trzonek wszedł w jego pierś jeszcze głębiej. Brygadzista uderzył go, tamten otrząsnął się, zaczął grzebać łopatą w glinie.

Zmierzyli głębokość wykopu. Zwały ziemi piętrzyły się tuż przy krawędzi rowu, więc Jefriem musiał się porządnie schylić, żeby ustawić tyczkę. Wojskowy niby pomagał, ale ukradkiem odsuwał tyczkę w bok, fałszując pomiar o dziesięć centymetrów. Poddujew sklął go, ustawił tyczkę prosto – wyszło metr sześćdziesiąt pięć.

– Obywatelu naczelniku – poprosił cicho wojskowy – daruj nam te ostatnie centymetry. Nie wykopiemy. W brzuchu pusto, sił brakuje. A pogoda... Sam widzisz.

– A ja za was – pod sąd, co? Wymyślili, psiakrew! Ma być zgodnie z projektem! I żeby ściany były równe!

Gdy Poddujew prostował się, wyciągał tyczkę i przełaził przez wał gliny, wszyscy trzej zadarli głowy, widział ich twarze – jedną czarnobrodą, drugą jak u zamorzonego konia, trzecią pokrytą młodzieńczym meszkiem – śnieg padał na te szare, martwe twarze, a tamci patrzyli na niego z dołu. A mały z trudem otworzył usta i powiedział:

– Ty też będziesz umierać, dziesiętniku...

Poddujew nie napisał na nich raportu, wyliczył tylko dokładnie, ile pracy wykonali, żeby nie brać na siebie odpowiedzialności za ich partactwo. Pamiętał i inne zdarzenia, gorsze też. Od tamtej chwili minęło dziesięć lat. Poddujew nie pracował już w łagrach, odszedł brygadzista, gazociąg budowali prowizoryczny, pewnie dawno go już nie ma, rury wykorzystano do czegoś innego – a jednak słowa zostały, wynurzyły się dziś nie wiadomo skąd i zabrzmiały jak wtedy:

– Ty też będziesz umierać dziesiętniku...

I nie mógł Jefriem odgrodzić się od tego echa, nie mógł zagłuszyć go czymś znaczącym. Że chce żyć? Tamten chłopak też chciał. Że ma silną wolę? Że pojął coś nowego i pragnie zmienić swe życie? Choroba się nie zlituje, choroba ma swój p r o j e k t.

Ta niebieska książeczka ze złoconymi literami, która leżała pod materacem Jefriema, mówiła coś o Hindusach – ponoć wierzą, że dusza po śmierci wciela się w zwierzę albo w innego człowieka. Bardzo przypadła do gustu Jefriemowi: ocalić coś swojego, nie pozwolić zginąć tej jakiejś cząstce samego siebie. Przenieść przez śmierć choć odrobinkę własnego, „ja".

Tylko że ani trochę nie wierzył w tę wędrówkę dusz. Strzykało bólem z szyi do głowy, strzykało bez przerwy, rąbało równo i rytmicznie na cztery takty. I te cztery takty powtarzały:

– Umarł. – Jefriem. – Poddujew. – Kropka. – Umarł. – Jefriem. – Poddujew. – Kropka.

I tak bez końca. I sam zaczął powtarzać te słowa. I im dłużej je powtarzał, tym bardziej oddzielał się od Jefriema Poddujewa, człowieka skazanego na śmierć. I oswajał się z jego śmiercią jak ze śmiercią sąsiada. A to, co myślało w nim o śmierci, myślało tak, jakby samo nie miało umrzeć.

A Jefriem Poddujew? Sąsiad? Dla niego nie było żadnego ratunku. Chyba żeby pić tę brzozową hubę. Lekarz pisał w liście, że trzeba pić przez cały rok. Czyli dwa pudy suszonej huby, a mokrej cztery. Osiem przesyłek. I jeszcze huba musi być świeża, nie zleżała. A więc paczka co miesiąc, regularnie, po części, nie hurtem. Kto będzie zbierać dla niego hubę, a potem przysyłać paczki? Stamtąd, z Rosji?

To musiałby być swój człowiek, bliski.

Wielu, wielu ludzi przewinęło się przez życie Jefriema, ale żaden z nich nie stał mu się bliski. Ani jeden.

Mogłaby zbierać i przysyłać hubę jego pierwsza żona, Amina. Tam, na Ural, mógł napisać tylko do niej, do nikogo innego. A co mu odpisze? „Zdychaj sobie pod płotem, stary łajdaku!" I będzie miała rację.

Będzie miała rację, bo taka jest ludzka miara. A według tej książeczki – nie będzie mieć racji. Według książeczki Amina powinna ulitować się nad nim, a nawet kochać go – nie jako męża, ale jako cierpiącego człowieka. I przysyłać paczki z hubą.

Słuszna była ta książka, tylko żeby wszyscy od razu zaczęli żyć według niej...

Tu dotarło do zagłuchłych uszu Jefriema, jak geolog mówi, że żyje dla pracy. Jefriem puknął na to palcem w okładkę.

A potem nic nie widząc i nic nie słysząc znów pogrążył się w swoich myślach. I znów ból strzykał mu do głowy.

I tak udręczyło go to strzykanie, że lżej i przyjemniej byłoby teraz nie ruszać się, nie leczyć, nie jeść, nie rozmawiać, nie słyszeć, nie widzieć.

Po prostu – przestać być.

Szarpali go jednak za nogę i za łokieć; to Achmadżan pomagał pielęgniarce z chirurgii, stała nad Jefriemem od dłuższej chwili i wzywała go na opatrunek.

I oto musiał Jefriem wstawać nie wiadomo po co i na co. I musiał przekazać wolę tego wstania sześciu pudom własnego ciała – kazać naprężyć się nogom, rękom, plecom, wytrącić z błogiego spokoju wszystkie obrośnięte mięsem kości, zmusić do działania stawy, dźwignąć swój ciężar, stanąć jak pionowy słup, oblec go w szpitalną kurtkę i ponieść ten słup przez korytarze, po schodach na niepotrzebną mękę – rozwijanie i ponowne zawijanie dziesiątków metrów bandaża.

Wszystko to było męczące i pogrążone w jakimś bezgłośnym szmerze. Oprócz Jewgienii Ustinowny krzątali się wokół niego dwaj chirurdzy, którzy nigdy sami nie operowali. Jewgienija Ustinowna coś im tłumaczyła, pokazywała, mówiła też do Jefriema, a Jefriem milczał.

Czuł, że nie ma już o czym z nimi rozmawiać. Monotonny, bezgłośny szmer tłumił wszystkie słowa.

Omotali szyję białym chomątem jeszcze ciaśniej niż poprzednio i tak wrócił do sali. Opatrunek był większy od jego głowy i tylko czubek prawdziwej głowy wystawał ponad obręcz.

Po drodze spotkał go Kostogłotow. Trzymał w ręku kapciuch z machorką.

– No i co powiedzieli?

Jefriem zastanowił się: właśnie, co? I chociaż podczas zmiany opatrunku nie słuchał słów lekarzy, dotarły one do otępiałej świadomości.

I odpowiedział:

– Zdychaj, gdzie chcesz, byle nie na naszym podwórku.

A Federau spojrzał przerażonym wzrokiem na straszną szyję Jefriema (być może czekało go to samo) i spytał:

– Wypisują?

I dopiero po tym pytaniu Jefriem zrozumiał, że nie może już położyć się do łóżka, tak jak chciał, tylko musi załatwiać wypis. A potem przebrać się we własne łachy. A potem dźwigać słup ciała przez ulice miasta. Musiał zdobyć się na ten nadludzki wysiłek, nie wiadomo po co i dla kogo.

Kostogłotow patrzył na niego nie z litością, nie; patrzył z żołnierskim współczuciem – ta kula była pisana tobie, następna może być moja. Nic nie wiedział o dawniejszym życiu Jefriema, nie przyjaźnił się z nim, ale podobała mu się prostota tamtego, w końcu spotykał na swej drodze o wiele gorszych ludzi.

– Trzymaj się, Jefriem – wyciągnął rękę. Jefriem uścisnął ją, wyszczerzył zęby.

– Żyjesz, żresz, pijesz, po śmierci gnijesz.

Oleg miał zamiar wyjść na papierosa, ale w drzwiach stanęła laborantka z plikiem gazet: ponieważ był najbliżej, podała mu jedną. Kostogłotow wziął gazetę, rozłożył ją, lecz dostrzegł to Rusanow i głośno, z wyrzutem przypomniał laborantce, która nie zdążyła jeszcze odejść:

– Chwileczkę, chwileczkę! Przecież wyraźnie prosiłem, żeby gazetę dawać najpierw mnie!

W jego głosie brzmiała autentyczna krzywda, lecz Kostogłotow wcale się tym nie przejął i warknął:

– A niby dlaczego akurat panu, co?

– Jak to dlaczego? Jak to dlaczego? – cierpiał głośno Paweł Nikołajewicz. Cierpiał, bo przy oczywistej bezsporności swego prawa do gazety, nie umiał wyrazić go słowami.

Odczuwał zazdrość, gdy ktoś inny jako pierwszy dotykał gazety świętokradczymi palcami. Nikt w tej sali nie był przecież w stanie zrozumieć w gazecie tego, co mógł zrozumieć wyłącznie on, Paweł Nikołajewicz. Uważał gazetę za powszechnie dostępną, ale w gruncie rzeczy zaszyfrowaną instrukcję, w której o pewnych sprawach nie można było pisać wprost, jednakże człowiek wtajemniczony, z różnych drobnych szczegółów – z przemilczeń, z układu artykułów, spomiędzy wierszy – potrafił wyrobić sobie jasny obraz aktualnej sytuacji i najnowszych tendencji. I właśnie dlatego Rusanow powinien dostawać gazetę przed innymi.

No tak, ale nie mógł przecież tego wszystkiego powiedzieć! Poskarżył się więc żałośnie:

– Zaraz dostanę chemię. Chciałbym przedtem przejrzeć gazetę...

– Zastrzyk? – złagodniał Ogłojed. – Sekundę...

Pobieżnie przerzucił gazetę, materiały z sesji Rady Najwyższej i inne wiadomości. Szedł przecież zapalić. Już zaszeleścił gazetą chcąc ją oddać – i nagle coś zauważył, pogrążył się w lekturze i prawie od razu zaczął z zastanowieniem powtarzać wciąż jedno i to samo słowo:

– Cie-ka-we... Cie-ka-we...

Los zagrzmiał nad jego głową czterema taktami symfonii Beethovena – nikt w sali nie usłyszał i pewnie nie usłyszy – jak więc inaczej mógł wyrazić to, co czuł?

– No co tam? – niecierpliwił się Rusanow. – Niechże pan da tę gazetę!

Kostogłotow nie śpieszył się jednak i nie zwracał uwagi na ponaglenia Pawła Nikołajewicza. Złożył gazetę na pół, potem na czworo, papier nie chciał się składać wzdłuż pierwotnych zgięć, fałdował się i wybrzuszał. Dopiero po dłuższej chwili Kostogłotow zrobił krok w kierunku Rusanowa (a Rusanow ku niemu) i podał gazetę. I tu, w sali, otworzył swój jedwabny kapciuch i drżącymi rękami zaczął skręcać machorkowo-gazetowego papierosa.

Pawłowi Nikołajewiczowi też drżały ręce. To „ciekawe..." Kostogłotowa ugodziło go prosto w serce jak nóż. Co dla takiego Ogłojeda mogło być „ciekawe..."?

Wprawnie i w skupieniu przebiegł wzrokiem tytuły, materiały z sesji... i nagle... Co? Co?!

Wydrukowana zwyczajną czcionką, niewiele mówiąca nie wtajemniczonemu czytelnikowi krzyczała! krzyczała! krzyczała! niesłychana! wprost nieprawdopodobna! – decyzja o odwołaniu wszystkich sędziów Sądu Najwyższego! O odwołaniu Sądu Najwyższego! Sądu Najwyższego ZSRR!

Jak to? Poleciał Matulewicz, zastępca Ulricha? Dotistow? Pawlenko? Kłopów? Czym byłby Sąd Najwyższy bez Kłopowa? Zdjęli samego Kłopowa! Kto teraz będzie osłaniać kadry? Jakieś zupełnie nowe i nieznajome nazwiska... Wszystkich, którzy od ćwierćwiecza władali wymiarem sprawiedliwości – od razu, za jednym zamachem!

To nie mógł być przypadek!

To krok Historii...

Zimny pot oblał Pawła Nikołajewicza. A przecież jeszcze dziś nad ranem uspokoił, przekonał samego siebie, że nie ma się czego bać.

A tu...

– Zastrzyk.

– Co? – wzdrygnął się raptownie.

Doktor Ganhart stała przed nim ze strzykawką w ręku.

– Rusanow, proszę podwinąć rękaw. Czas na zastrzyk.

16

Pełzł. Środkiem jakiejś rury – nie rury, tunelu czy czegoś takiego. Z boku sterczały nie osłonięte części instalacji, zaczepiał o nie, i to akurat bolesną prawą częścią szyi. Pełznąc uciskał płuca i coraz bardziej odczuwał ciężar własnego ciała, które przygniatało go do podłoża. Ciężar był jednak o wiele większy niż waga ciała, nie przywykł do dźwigania takich ciężarów, dosłownie wtłaczało go w ziemię. Najpierw myślał, że to napór betonu, ale nie – ciążyło wyłącznie ciało. Czuł je i wlókł jak worek żelastwa. A potem pomyślał, że z takim ciężarem nie zdoła stanąć na nogach. Najważniejsze było jednak to, żeby wydostać się wreszcie z tunelu, odetchnąć, popatrzeć na świat. Tunel zaś ciągnął się i ciągnął bez końca.

Czyjś głos – ale bezdźwięczny, przekazujący tylko myśli, kazał mu nagle pełznąć w bok. Nie dam rady, przecież tam jest ściana – pomyślał, lecz ta sama siła, która zmuszała go do dźwigania niezmiernego ciężaru ciała, poleciła posłusznie wykonać rozkaz. Stęknął i poczołgał się w bok – nadal pełzł prosto przed siebie. Gdy tylko przyjął stosowną pozycję, głos kazał pełznąć w drugą stronę. Usłuchał. Wszędzie był ten sam obezwładniający ciężar, ciemność i nie kończący się tunel.

Stanowczy głos polecił skręcić w prawo i przyśpieszyć. Zaczął wiec gorliwie pracować łokciami i stopami – i choć z prawej strony wyczuwał nieprzeniknioną ścianę, skręcił w nią i popełzł przed siebie. Natychmiast kazano mu skręcić w lewo, bez zastanowienia popełzł w lewo – udało się. Raz po raz zawadzał o coś szyją, ból odzywał się w całej głowie. Nigdy w życiu nie był w tak okropnej sytuacji, a najbardziej przerażała świadomość, że umrze tu, w tej ciasnej rurze, zanim dopełznie do jej końca.

Nagle poczuł lekkość w nogach – ucisk ustąpił, uniosły się jak nadmuchane, ale nadal nie mógł oderwać od ziemi głowy i piersi. Zaczął nasłuchiwać – żadnego polecenia nie było. Wymyślił wiec sposób, jak się stąd wydostać: gdy nogi uniosą się do sklepienia tunelu, obróci się, cofnie i wyjdzie. I rzeczywiście zaczął się cofać odpychając ziemię rękami – skąd nagle siła? – aż do dziury. Dziura była wąska, podczas przeciskania się przez nią cała krew napłynęła mu do głowy i rozsadzała ją od środka. Na szczęście jeszcze raz odepchnął się rękami od ścian – beton zdzierał mu skórę z ciała – i wydostał się na zewnątrz.

Znalazł się na rurze pośrodku jakiegoś placu budowy, ale wyludnionego, widocznie dzień pracy już się skończył. Plac pokrywało grząskie i brudne błoto. Usiadł na rurze, żeby odpocząć, i zauważył, że obok siedzi dziewczyna w zabłoconym waciaku, z gołą głową i rozpuszczonymi włosami koloru słomy. Dziewczyna nie patrzyła na niego, po prostu siedziała sobie, ale wiedział, że czeka na jego pytanie. W pierwszej chwili ogarnął go strach, potem jednak zrozumiał, że dziewczyna boi się jeszcze bardziej. Nie miał ochoty na rozmowę, lecz tak czekała na to pytanie, że zadał je:

– Gdzie jest twoja matka?

– Nie wiem – odpowiedziała dziewczyna. Patrzyła sobie pod nogi i obgryzała paznokcie.

– Jak to nie wiesz? – zirytował się. – Musisz wiedzieć! I musisz wszystko szczerze powiedzieć! I napisać... Dlaczego milczysz? Pytam jeszcze raz: gdzie jest twoja matka?

– To ja chcę pana o to zapytać – popatrzyła na niego.

Popatrzyła – a oczy miała wodniste. Przeszył go dreszcz i kilkakrotnie domyślił się – nie raz za razem, ale równocześnie, wszystkie razy naraz – domyślił się, że to córka preserki Gruszy, skazanej za wypowiedź przeciwko Wodzowi Narodów. Ta właśnie córka zataiła to w ankiecie, skłamała, zagroził jej sądem, a ona się otruła. Otruła się, ale teraz poznał po oczach i włosach, że utopiła się. I domyślił się jeszcze, że ona domyśla się, kim on jest. I domyślił się też, że skoro się utopiła, a on siedzi obok niej – to również nie żyje. I znów oblał go zimny pot; otarł czoło i spytał:

– Ale gorąco! Nie wiesz, gdzie tu się można napić wody?

– Tam – powiedziała dziewczyna.

Wskazała jakieś koryto czy szaflik ze stęchłą zielonkawą deszczówką. I jeszcze raz się domyślił – tak, to właśnie tej wody nałykała się przed śmiercią, a teraz chce, żeby i on się zachłysnął. Skoro jednak dziewczyna tego chce – to on żyje!

– Wiesz co – sprytnie zmienił temat, żeby jakoś się od niej uwolnić – idź i zawołaj kierownika robót. I niech mi przyniesie buty, przecież nie mogę iść boso.

Dziewczyna skinęła głową, zeskoczyła z rury i poczłapała przez kałuże – niechlujna, z rozpuszczonymi włosami, w waciaku i buciorach.

Męczyło go straszliwe pragnienie, toteż postanowił mimo wszystko napić się z koryta. Jeśli wypije tylko trochę, to przecież nic mu się nie stanie. Zlazł z rury i stwierdził ze zdumieniem, że błoto wcale nie jest grząskie. Było jakieś nieokreślone. Wszystko tutaj było zresztą nieokreślone, pozbawione przestrzeni i kształtów. Mimo to mógłby pójść po wodę, ale nagle przestraszył się, że zgubił ważny dokument.

Szybko przeszukał kieszenie – wszystkie naraz – i jeszcze szybciej zrozumiał, że naprawdę zgubił.

Przeraził się, bardzo się przeraził, gdyż w dzisiejszych czasach ludzie postronni nie powinni czytać takich rzeczy. Może mieć z tego powodu poważne nieprzyjemności. I od razu uświadomił sobie, gdzie go zgubił – przy wylocie rury. Szybko zawrócił, ale nie umiał odnaleźć tego miejsca. Rura zniknęła, kręcili się za to jacyś młodzi robotnicy. I to było najgorsze – mogli przecież znaleźć jego dokument.

Nie znał tych robotników. Chłopak w brezentowej bluzie spawacza przystanął w pobliżu i patrzył na niego. Dlaczego tak patrzył? Może już znalazł?

– Kolego, masz zapałki? – zagadnął go Rusanow.

– Przecież ty nie palisz – odparł spawacz.

(Wszystko wiedzą! Skąd wiedzą?)

– Potrzebuję dla kogoś.

– Jak to dla kogoś? – spawacz przyglądał mu się uważnie.

Rzeczywiście, bardzo głupio wymyślił! Typowa odpowiedź dywersanta. Mogą go aresztować, a przez ten czas ktoś znajdzie kartkę. Potrzebował zapałek, żeby ją spalić.

Chłopak podchodził coraz bliżej i bliżej. Rusanowa ogarnęło złe przeczucie. Tamten spojrzał mu prosto w oczy i wyraźnie, bardzo dobitnie powiedział:

– Na podstawie tego, że Jelczanskaja prosiła mnie o opiekę nad swoją córką, wnoszę, iż poczuwała się do winy i spodziewała się aresztowania.

Rusanow zadygotał.

– Skąd pan to wie?

(Spytał, choć było jasne, że chłopak dopiero co przeczytał jego donos: cytował tekst słowo w słowo!)

Spawacz nic jednak nie odpowiedział i poszedł swoją drogą. Rusanow zaczął gorączkowo szukać. Donos musiał leżeć gdzieś tutaj, szybko, szybko!

I miotał się między jakimiś murami, skręcał za rogi, strach go ponaglał, a nogi nie nadążały, nogi ledwie się wlokły, rozpacz. Lecz oto dostrzegł kartkę! Od razu wiedział, że to ta. Chciał do niej podbiec, ale nogi ani drgnęły. Opadł więc na czworaki i wlokąc się na rękach popełzł do kartki. Żeby tylko nikt go nie ubiegł! Żeby tylko nie wyprzedził, nie porwał sprzed nosa! Bliżej, bliżej... Wreszcie miał ją w rękach! Tak, to ta! Nie miał jednak siły jej podrzeć, padł na twarz, żeby odpocząć, i nakrył papier całym ciałem.

W tym momencie ktoś dotknął jego ramienia. Postanowił nie odwracać się i nie pokazywać kartki. Dotyk był jednak delikatny, kobiecy i Rusanow domyślił się, że to Jelczanskaja we własnej osobie.

– Przyjacielu – powiedziała smutno tuż nad jego uchem. – Przyjacielu mój, gdzie moja córka? Co z nią zrobiłeś?

– Jest w dobrym miejscu, Jeleno Serafimowna, proszę się nie martwić! – odparł Rusanow, nie odwracając głowy.

– Gdzie?

– W przytułku.

– W którym? – nie żądała, nie nalegała, w cichym głosie był tylko smutek.

– Ależ ja nie wiem – naprawdę chciałby jej odpowiedzieć, ale rzeczywiście nie wiedział: nie on oddawał dziecko do przytułku, a zresztą mogli je potem wysłać gdzie indziej.

– A czy pod moim nazwiskiem? – w pytaniach pobrzmiewały niemal czułe tony.

– Nie – westchnął Rusanow ze współczuciem. – Nazwisko się zmienia. Taki jest tryb postępowania. Ja nie miałem na to wpływu.

Leżał i myślał, że właściwie nawet lubił tych Jelczanskich. Nic do nich nie miał. Donos na starego napisał tylko dlatego, że poprosił go o to Czuchnienko, któremu Jelczanskij z jakichś względów zawadzał. Po uwięzieniu Jelczanskiego Rusanow pomagał jego rodzinie. To właśnie wtedy Jelczanskaja spodziewając się aresztowania poprosiła go o zaopiekowanie się córką. Nie pamiętał natomiast, jak to się stało, że doniósł i na Jelczanską.

Odwrócił się, żeby na nią spojrzeć – ale Jelczanskiej nie było, wcale jej nie było (przecież umarła, więc jak mogłaby być?) – i poczuł targnięcie bólu z prawej strony szyi. Wyprostował głowę i nadal leżał bez ruchu. Musiał odpocząć – zmęczył się jak nigdy w życiu. Łamało go w całym ciele.

Leżał teraz w jakimś chodniku kopalni, w sztolni, lecz oczy szybko oswoiły się z ciemnością i zauważył obok siebie przysypany węglem telefon. Bardzo go to zdziwiło – skąd tu taki aparat telefoniczny? Czy działa? Można by zadzwonić, żeby przyniesiono mu coś do picia. I żeby odwieziono do szpitala.

Podniósł słuchawkę, ale zamiast sygnału usłyszał energiczny, stanowczy głos:

– Towarzysz Rusanow?

– Tak, tak – ożywił się (czuło się, że to głos z góry, a nie z dołu!).

– Zajdźcie do Sądu Najwyższego.

– Do Sądu Najwyższego? Oczywiście! Natychmiast! – już odkładał słuchawkę, ale przypomniał sobie: – Przepraszam, a do którego Sądu Najwyższego – poprzedniego czy nowego?

– Do nowego – brzmiała oschła odpowiedź. – Pośpieszcie się.

Przypomniał sobie o odwołaniu Sądu Najwyższego – i poczuł złość na samego siebie, że w ogóle podniósł słuchawkę. Nie było już Matulewicza... I Kłopowa! Tak... Berii nie było! Co za czasy!

Musiał iść. Sam nie miałby siły wstać, ale przecież wzywano go, więc – musiał. Napinał mięśnie rąk i nóg, podnosił się i padał jak nowo narodzone cielę. Co prawda głos nie podał konkretnego terminu, ale powiedział: „Pośpieszcie się!" Wreszcie wstał przytrzymując się ściany i powlókł się przed siebie na osłabłych i niepewnych nogach. Szyja bolała bez przerwy.

Szedł i myślał. Czy będą go sądzić? Czy naprawdę ktoś może być tak okrutny? Sądzić człowieka po tylu latach! Ach, ta zmiana sądu! Nic dobrego z tego nie wyniknie!

No cóż, przy całym szacunku dla Najwyższej Instancji, nie pozostaje mu nic innego, jak bronić się. Tak! Będzie się bronić!

Oto co powie: nie ja osądzałem! Nie ja prowadziłem śledztwa! Ja tylko informowałem o swoich podejrzeniach. Jeżeli we wspólnej ubikacji znajduję strzęp gazety z podartym zdjęciem Wodza, to moim obowiązkiem jest zanieść ten strzęp, gdzie trzeba, i zasygnalizować niebezpieczeństwo. A śledztwo powinno sprawdzić i wyjaśnić sytuację. Może to przypadek, może coś innego. Śledztwo musi ustalić prawdę! A ja spełniam tylko podstawowy obywatelski obowiązek.

I powie jeszcze jedno: przez wszystkie te lata najważniejszym zadaniem było uzdrowienie społeczeństwa. Uzdrowienie moralne! A tego nie da się zrobić bez czystki. Jak oczyścić społeczeństwo nie brudząc sobie rąk? Muszą być tacy, którzy nie brzydzą się szufli i miotły.

Im więcej gromadził argumentów, tym bardziej podniecał się własną odwagą. Już on wygarnie, co myśli! Zapragnął nawet, żeby sąd pośpieszył się z wezwaniem, żeby jak najszybciej stanąć przed sędziami i wykrzyczeć im prosto w twarz:

– Nie tylko ja to robiłem! Dlaczego sądzicie akurat mnie? A k t o t e g o n i e r o b i ł? Kto mógłby utrzymać się na stanowisku, gdyby n i e p o m a g a ł?! ...Guzun?! No i co? Sam wpadł!

Wydawało mu się, że już krzyczy, ale nie krzyczał, gardło nie wydawało żadnego dźwięku. I bolało.

Sztolnia zniknęła, szedł teraz zwyczajnym korytarzem i nagle ktoś zawołał go z tyłu:

– Paszka! Ty co, chory jesteś? Czemu się tak wleczesz?

Zebrał siły i pomaszerował krokiem zdrowego człowieka. Obejrzał się, kto go woła – był to Zweinek, miał na sobie mundur.

– Janie, a ty dokąd? – spytał Paweł i zdziwił się, że tamten jest taki młody. To znaczy był młody, ale ileż to lat temu?

– Jak to dokąd? Tam gdzie i ty, na komisję.

– Na jaką komisję? – zdziwił się Paweł. Przecież wzywano go w inne miejsce, tylko nie pamiętał, co to miało być.

Dostosował się do kroku Zweineka i poszedł z nim – dziarsko, szybko, młodo. I poczuł, że nie ma jeszcze dwudziestu lat, że jest kawalerem.

Przechodzili przez jakąś dużą kancelarię, było tam mnóstwo biurek, przy których siedziała inteligencja – starzy buchalterzy w krawatach, z brodami jak u popów; inżynierowie z młoteczkami na wyłogach; podstarzałe damy o wyglądzie dziedziczek; maszynistki – młodziutkie, umalowane, w spódnicach powyżej kolan. Gdy weszli dźwięcznie stukając obcasami, wszyscy ci ludzie zwrócili ku nim twarze – niektórzy wstawali, inni kłaniali się z miejsca i odprowadzali ich wzrokiem, a w oczach mieli strach. I strach ten schlebiał Pawłowi i Janowi.

Weszli do następnego pokoju i przywitali się z pozostałymi członkami komisji. Potem zasiedli za stołem pokrytym czerwonym suknem.

– No to wpuszczajcie! – powiedział Wieńka, przewodniczący. Otworzyli drzwi. Pierwsza zjawiła się ciocia Grusza, preserka.

– Ciociu Gruszo, a ty czego? – zdziwił się Wieńka. – My tu będziemy robić czystkę aparatu, a ty co? Do aparatu się załapałaś, czy jak?

Wszyscy wybuchnęli śmiechem.

– Gdzie tam! – nie speszyła się ciocia Grusza. – Córka mi rośnie, trza by jej załatwić przedszkole, no nie?

– Dobrze, ciociu Gruszo! – krzyknął Paweł. – Napisz podanie, załatwimy przedszkole! Wszystko córce załatwimy! A teraz nie przeszkadzaj, będziemy czyścić inteligencję!

I sięgnął po karafkę, żeby nalać sobie wody, ale karafka była pusta. Poprosił więc sąsiada o drugą karafkę z tamtego końca stołu. Podali mu ją – pusta.

– Pić! – poprosił. – Pić!

– Zaraz – powiedziała doktor Ganhart. – Zaraz pan dostanie wody.

Rusanow otworzył oczy. Siedziała na łóżku obok niego.

– W szafce mam kompot – odezwał się słabym głosem. Trzęsło go, łamało w kościach, głowa pękała od ciężkich uderzeń bólu.

– No to napijemy się kompotu – powiedziała Ganhart z uśmiechem. Sama otworzyła szafkę, wyjęła słoik i kubek.

Zza okien sączył się blask wieczornego słońca. Paweł Nikołajewicz zerknął ukradkiem, jak Ganhart nalewa kompot. Żeby tylko czegoś nie dosypała.

Kwaskowaty kompot był rozkosznie smaczny. Paweł Nikołajewicz nie podnosząc się wypił z rąk lekarki cały kubek.

– Dziś źle się czułem – poskarżył się.

– Zniósł pan zastrzyk bardzo dobrze – zaprotestowała Ganhart. – Po prostu zwiększyliśmy dawkę.

Nowe podejrzenie tknęło Pawła Nikołajewicza.

– I będziecie zwiększać za każdym razem?

– Ależ nie, teraz dawki będą takie same. Przyzwyczai się pan.

– A Sąd Najwyższy...? – zaczął i urwał.

Sam już nie wiedział, co jest majakiem, co rzeczywistością.

17

Wiera Kroniljewna niepokoiła się, jak Rusanow zniesie pełną dawkę, w ciągu dnia zaglądała do niego kilka razy i nawet została po dyżurze. Nie musiałaby tak często przychodzić, gdyby zgodnie z grafikiem dyżurowała Olimpiada Władysławowna, ale Olimpiadę Władysławownę mimo interwencji wezwano na kurs skarbników związkowych i zastępował ją Turgun, na którym nie można było polegać.

Rusanow zniósł zastrzyk ciężko, ale w granicach normy. Natychmiast po chemii dostał środek nasenny; usnął; spał jednak źle, rzucał się niespokojnie, dygotał, jęczał. Za każdym razem Wiera Korniljewna obserwowała go uważnie i badała puls. Podkurczał i rozprostowywał nogi. Twarz miał czerwoną i mokrą od potu. Bez okularów, z głową na szpitalnej poduszce stracił cały swój władczy wygląd. Rzadkie białe włoski żałośnie przyklejały się do ciemienia.

Zaglądając kilkakrotnie do Rusanowa Wiera Korniljewna załatwiała przy okazji i inne sprawy. Wypisano Poddujewa, który pełnił funkcję starosty sali: choć było to czysto fikcyjne stanowisko, należało wybrać nowego. Spojrzała więc na najbliższe łóżko i oznajmiła:

– Kostogłotow. Od dziś będzie pan starostą sali.

Kostogłotow leżał ubrany na kocu i czytał gazetę (Ganhart zaglądała tu już drugi raz, a on wciąż czytał). W obawie przed jakimś jego kolejnym wyskokiem złagodziła te słowa porozumiewawczym uśmiechem, że to tylko ot tak, na niby. Kostogłotow uniósł znad gazety rozbawioną twarz i nie wiedząc, jak najlepiej okazać lekarce szacunek, podkurczył swoje długachne nogi. Uśmiechnął się życzliwie i powiedział:

– Wiero Korniljewno! Chce mi pani wyrządzić okrutną krzywdę moralną. Człowiek na takim stanowisku popełnia błędy, a czasem władza uderza mu do głowy. Dlatego też po wieloletnim namyśle przysiągłem sobie, że nigdy więcej nie będę zajmować stanowisk kierowniczych.

– A zajmował pan? Wysokie? – podchwyciła jego żartobliwy ton.

– Naturalnie. Byłem nawet pomocnikiem dowódcy plutonu. A praktycznie dowódcą. Mojego dowódcę plutonu ze względu na całkowitą tępotę i brak zdolności skierowano na kursy doskonalące, po których musiał awansować co najmniej na dowódcę baterii i nie wrócił już do naszego dywizjonu. A drugiego oficera od razu ściągnęli do wydziału politycznego. Dowódca dywizji nie miał do mnie zastrzeżeń, bo byłem doskonałym topografem i chłopaki mnie słuchali. W ten sposób jako starszy sierżant zostałem na dwa lata p.o. dowódcy plutonu i dowodziłem nim od Jelca do Frankfurtu nad Odrą. Nawiasem mówiąc, wbrew pozorom były to najlepsze lata mojego życia.

Poczuł, że siedzenie na łóżku z podkurczonymi nogami nie jest zbyt uprzejme, i opuścił je na podłogę.

– No proszę – Ganhart przez cały czas uśmiechała się przyjaźnie. – Dlaczego więc pan odmawia? Znów miałby pan satysfakcję...

– Co za logika! Ja miałbym satysfakcję! A demokracja? Łamie pani zasady demokracji: sala mnie nie wybierała, wyborcy nie znają nawet mojego życiorysu... Pani zresztą też nie zna.

– Więc niech pan opowie.

Mówiła cicho, on też zniżył głos: Rusanow spał, Zacyrko czytał, łóżko Poddujewa opustoszało – właściwie nikt ich nie słyszał.

– To długa historia. Poza tym krępuje mnie, że ja siedzę, a pani stoi. Tak się nie rozmawia z kobietami. Jeśli jednak stanę teraz na środku sali jak żołnierz przed dowódcą, to będzie to głupio wyglądało. Proszę, niech pani usiądzie na łóżku.

– Powinnam już iść – powiedziała. I przycupnęła na brzegu łóżka.

– Widzi pani, najwięcej oberwałem właśnie za przywiązanie do demokracji. Próbowałem zaprowadzić demokrację w wojsku – to znaczy za dużo się mądrzyłem. Za to w trzydziestym dziewiątym nie puścili mnie do szkoły wojskowej, zostałem szeregowcem. W czterdziestym roku dostałem się do tej szkoły, tam napyskowałem dowódcy i wyrzucili mnie. Dopiero w czterdziestym pierwszym roku ukończyłem kurs dla młodszych oficerów na Dalekim Wschodzie. Prawdę mówiąc, byłem wściekły, że nie zostałem oficerem, wszyscy moi przyjaciele nosili już gwiazdki. W młodości człowiek bardzo przeżywa takie rzeczy. Ale wyżej ceniłem sobie sprawiedliwość.

– Pewien bardzo bliski mi człowiek – powiedziała Ganhart z wzrokiem utkwionym w koc – miał taki sam los: też był inteligentny, sprawiedliwy i – pozostał szeregowcem. – Sekunda milczenia przemknęła między nimi i Wiera Korniljewna podniosła wzrok. – Tyle, że pan jest taki do dziś.

– Jaki? Inteligentny czy – szeregowiec?

– Arogancki. Na przykład jak pan rozmawia z lekarzami? Szczególnie ze mną.

Miało to brzmieć surowo, ale dziwna była ta surowość, złamana i przepojona łagodnością jak wszystkie słowa i gesty Wiery Korniljewny, łagodnością melodyjną i pełną nieuchwytnej harmonii.

– Ja – z panią? Z panią rozmawiam wyjątkowo uprzejmie! To, jeśli chodzi o mnie, najwyższy stopień uprzejmości w rozmowie, choć pani jeszcze o tym nie wie. A jeśli ma pani na myśli nasze pierwsze spotkanie... Nie ma pani pojęcia, w jakiej byłem wtedy sytuacji. Z obwodu wypuścili mnie prawie konającego. Przyjechałem do tego miasta – patrzę, zamiast zimy deszczyk, a ja łażę z walonkami pod pachą, przecież u nas straszne mrozy! Oddałem walonki do przechowalni bagażu, wsiadłem w tramwaj i jadę do starego miasta, miałem adres jednego mojego żołnierza, jeszcze z frontu. Na dworze już ciemno, ludzie mówią, żebym tam nie szedł, bo można dostać nożem w plecy. Po amnestii w pięćdziesiątym trzecim wypuścili całą żulię, teraz już jej nie wyłapią. Nie byłem pewien, czy dobrze trafiłem, ulica taka, że nikt o niej nie słyszał. Zrezygnowałem, idę do hotelu. Jeden, drugi, trzeci... Takie eleganckie hotele, że aż wstyd wchodzić, w niektórych były nawet wolne pokoje, ale co zamiast dowodu pokażę moje poświadczenie tożsamości z miejsca zesłania, to słyszę tylko: „Nie wolno!", „Nie wolno!" Co miałem robić? Byłem gotów umrzeć, ale z jakiej racji miałem umierać pod płotem? Idę prosto na milicję: „Słuchajcie, jestem w a s z! Załatwcie mi nocleg!" Trochę się łamali, potem mówią: „Przenocujcie w czajchanie, tam nie sprawdzamy dokumentów". Ale nie znalazłem tej czajchany, pojechałem z powrotem na dworzec. Nie wolno, milicjant przepędza. Rano – do was, do przychodni. Kolejka. Zbadali – natychmiast do szpitala! No więc zasuwam dwoma tramwajami przez całe miasto do komendantury. W całym Związku Radzieckim trwają właśnie godziny urzędowania, ale komendant ma to gdzieś – wyszedł sobie. Nie wiadomo – wróci? Nie wróci? Siedzę i czekam, ale nagle przyszło mi do głowy, że przecież jak oddam mu poświadczenie tożsamości, to na dworcu nie wydadzą mi walonek! No to szybciutko znowu dwoma tramwajami na dworzec. Każda jazda – półtorej godziny.

– Jakoś nie pamiętam pańskich walonek. Miał je pan?

– Nie pamięta pani, bo od razu na dworcu sprzedałem je jakiemuś dziadkowi. Liczyłem, że tę zimę przeleżę w szpitalu, a następnej i tak nie dożyję. No i potem z dworca jeszcze raz do komendantury! Na same bilety czerwońca wydałem. A od przystanku jeszcze kilometr na piechotę po błocie, wszystko mnie boli, ledwo idę. I wszędzie ciągnę swój worek. Na szczęście komendant wrócił. Oddaję mu poświadczenie tożsamości, pokazuję skierowanie do szpitala, on sobie zapisuje – mam już zgodę na szpital. No to jadę – nie do szpitala oczywiście, ale do centrum. Przeczytałem afisz, że grają „Śpiącą królewnę".

– Ach tak! Więc jeszcze chciało się panu biegać po baletach. Gdybym wiedziała, nie przyjęłabym pana do kliniki! O nie!

– Wiero Korniljewno, przecież to cudo! Ostatni raz przed śmiercią obejrzeć balet! Zresztą co tam śmierć – na swojej wiecznej zsyłce też bym już nigdy w życiu nie zobaczył baletu! Ostatnia okazja! No i masz – pech! Spektakl odwołany! Zamiast „Śpiącej królewny" wystawiają „Agu-Bały"!

Ganhart kręciła głową i śmiała się bezgłośnie. Bardzo ją ubawiły te perypetie konającego, który chciał pójść do teatru.

– Co dalej? W konserwatorium – koncert fortepianowy. Ale to daleko od dworca i nie zdobędę potem wolnej ławki do spania. A deszcz leje i leje! Jedyne wyjście – jechać do szpitala. Przyjeżdżam – „Nie ma miejsc, trzeba poczekać parę dni!" A pacjenci mówią, że czasem czeka się nawet tydzień. Gdzie czekać? Co miałem robić? Trzeba było zastosować łagrowy sposób... A tu jeszcze pani chce mi zabrać skierowanie! Jak mogłem z panią rozmawiać? Tylko tak!

Oboje śmiali się teraz z tamtej rozmowy.

Oleg opowiadał to wszystko bez udziału myśli – głowę miał zaprzątniętą czymś zupełnie innym: jeżeli ukończyła studia w czterdziestym szóstym, to musiała mieć nie mniej niż trzydzieści jeden lat, byli zatem prawie w tym samym wieku. Dlaczego więc Wiera Korniljewna wydaje mu się młodsza od dwudziestotrzyletniej Zoi? To nie kwestia wyglądu, raczej sposobu bycia: jest nieśmiała, skromna. Kto wie, może nawet jeszcze nigdy nie... Męskie oko rozpoznaje takie kobiety po zachowaniu. Ale Ganhart jest przecież mężatką. Dlaczego więc?...

Ona zaś patrzyła na niego i dziwiła się, czemu początkowo wzięła go za opryskliwego i antypatycznego gbura. Ma co prawda ponure spojrzenie, bywa szorstki w obejściu, ale umie też rozmawiać bardzo przyjaźnie i wesoło, tak jak teraz. Pewnie zmienia styl wedle własnego uznania i nigdy nie wiadomo, na który ma właśnie ochotę.

– Sprawę baletu i walonek już wyjaśniliśmy – uśmiechnęła się. – A buty? Czy pan wie, że to niesłychane wprost naruszenie naszego regulaminu?

I zmrużyła oczy.

– Znowu jakieś rygory – skrzywił się Kostogłotow i jego blizna też się skrzywiła. – Przecież nawet w więzieniu zezwala się na spacery! Ja nie mogę bez spaceru, inaczej nie wyzdrowieję! Przecież nie zabroni mi pani odrobiny świeżego powietrza, prawda?

Tak, Ganhart nieraz widziała, jak długo spacerował po odludnych alejkach szpitalnego parku. Wyglądał przy tym dość niezwykle –

wyżebrał u bieliźnianej damski szlafrok (mężczyźni nie dostawali szlafroków – nie starczało) i nosił go zamiast płaszcza. Nadmiar materiału ściągał z brzucha na boki i spinał wojskowym pasem, ale poły i tak rozjeżdżały się na prawo i lewo. W butach, bez czapki, z rozkudłaną czarną głową chodził po parku wielkimi sztywnymi krokami i patrzył sobie pod nogi, a gdy dochodził do zamierzonej granicy – zawracał. I zawsze spacerował z rękami splecionymi za plecami. I zawsze był sam.

– Lada dzień spodziewamy się obchodu Nizamutdina Bachramowicza. Czy pan wie, co będzie, jeśli znajdzie pańskie buty? Dostanę naganę z wpisaniem do akt...

Znów nie żądała, prosiła, skarżyła mu się. Sama była zdziwiona własnym tonem – już nawet nie równości, a podporządkowania się: w kontaktach z pacjentami nigdy jeszcze nie doświadczyła czegoś podobnego.

Kostogłotow dotknął jej ręki swoim łapskiem:

– Wiero Korniljewno! Sto procent gwarancji, że ich nie znajdzie! I nigdy nie zobaczy mnie w butach na oddziale.

– A na spacerze?

– Tam nie pozna, że jestem z jego oddziału! Chce pani – możemy napisać dla hecy anonimowy donos na mnie, że trzymam buty w sali: niech przyjdzie z dwiema salowymi, niech szukają – nigdy nie znajdą!

– A czy to ładnie pisać donosy? – Znów zmrużyła oczy. Jeszcze coś: po co malowała usta? Szminka nie pasowała do jej subtelności, naruszała delikatne rysy, raziła. Westchnął:

– Ale ludzie je piszą, Wiero Korniljewno, i to jeszcze jak! W dodatku skutecznie. Rzymianie mawiali: testis unus – testis nullus, jeden świadek – to nie świadek. A w dwudziestym wieku nie potrzeba nawet tego jednego. Wystarczy donos.

Odwróciła wzrok. To nie był dobry temat.

– I gdzie je pan schowa?

– Buty? Są dziesiątki sposobów na każdą porę roku. Może schowam je do pieca, może wywieszę na sznurku za okno. Proszę się nie martwić!

Nie mogła powstrzymać się od śmiechu i nie wątpiła, że Kostogłotow przechytrzy lekarza naczelnego.

– A jak się panu udało przemycić je do szpitala?

– To było całkiem łatwe. W tej klitce, w której się przebierałem, schowałem je za drzwiami. Salowa zgarnęła moje rzeczy do worka i wyniosła do przechowalni. Po wyjściu z łaźni zawinąłem buty w gazetę i wziąłem do sali.

Rozmawiali o jakichś głupstwach. Miała tyle pracy, po co tu siedziała? Rusanow spał, pocił się, ale spał i nie wymiotował. Ganhart jeszcze raz sprawdziła mu puls i już miała wyjść, ale coś sobie przypomniała i spytała Kostogłotowa:

– Aha, czy dostaje pan dodatkową porcję?

– Nie dostaję – nastawił uszu Kostogłotow.

– A więc od jutra będzie pan dostawać. Codziennie dwa jajka, dwa kubki mleka i pięć deka masła.

– Co? Czy ja się nie przesłyszałem? Przecież nigdy w życiu nikt mnie tak nie karmił! A zresztą, może to i sprawiedliwe. W końcu za to chorowanie nie dostanę w pracy ani grosza.

– Dlaczego?

– Zwyczajnie. Za krótko należę do związków zawodowych. Trzeba należeć co najmniej pół roku, żeby mieć prawo do płatnego zwolnienia.

– Ojej! I jak to się stało?

– Po prostu odzwyczaiłem się od normalnego życia. Przyjechałem na zesłanie, skąd miałem wiedzieć, że najważniejsza rzecz to związki?

Taki sprytny, a równocześnie taki zagubiony i nieżyciowy. O te dodatkowe porcje dla niego walczyła osobiście i wcale nie było to łatwe... Trzeba iść, nie można tracić całego dnia na pogaduszki.

Otwierała już drzwi, gdy zawołał wesoło:

– A może chce pani przekupić starostę? Od pierwszego dnia wpadam w szpony korupcji! Będą mnie dręczyć wyrzuty sumienia, zobaczy pani!

Ganhart wyszła.

Po obiedzie zajrzała jednak znowu, musiała rzucić okiem na Rusanowa. Dowiedziała się też, że spodziewany obchód lekarza naczelnego odbędzie się już jutro. Miała więc dodatkowe zajęcie – musiała skontrolować szafki pacjentów, gdyż Nizamutdin Bachramowicz z niezwykłą skrupulatnością wymagał, by w szafkach nie było okruchów, niepotrzebnych zapasów, a najlepiej – w ogóle nic oprócz przydziałowego chleba i cukru. Sprawdzał też czystość – swym sokolim okiem potrafił wypatrzeć brud w takich miejscach, że nawet kobieta by nie zauważyła.

Wiera Korniljewna weszła na piętro, zadarła głowę i uważnie obejrzała wszystkie zakamarki wysokich szpitalnych sufitów. W kącie nad Sibgatowem dostrzegła pajęczynę (zrobiło się widniej, na dworze zaświeciło słońce). Wezwała salową – była to Jelizawieta Anatoljewna, tajemniczym zrządzeniem losu wszystkie takie alarmy zdarzały się akurat podczas jej dyżurów – wytłumaczyła, co i jak należy posprzątać na jutro, po czym pokazała pajęczynę.

Jelizawieta Anatoljewna wydobyła z kieszeni fartucha okulary, założyła je i powiedziała:

– Rzeczywiście, ma pani absolutną słuszność. Co za okropność! – Zdjęła okulary i poszła po drabinę. Sprzątała zawsze bez okularów.

Ganhart ponownie weszła do sali męskiej. Rusanow jeszcze spał, pocił się, ale tętno nieco spadło. Kostogłotow właśnie wkładał szlafrok i buty – wybierał się na spacer. Wiera Korniljewna poinformowała wszystkich o jutrzejszym wydarzeniu i poprosiła, żeby każdy uporządkował swoją szafkę, zanim ona to zrobi.

– Zaczniemy od starosty – powiedziała.

Mogła zacząć przegląd od kogokolwiek, ale sama nie wiedząc dlaczego znów podeszła do łóżka Kostogłotowa.

Cała Wiera Korniljewna składała się z dwóch trójkątów, stykających się jednym wierzchołkiem: dolny trójkąt był nieco szerszy, górny, odwrócony – węższy. Widząc cienkość tej talii miało się ochotę objąć ją palcami i podnieść Wierę Korniljewnę do góry. Kostogłotow oczywiście nic takiego nie zrobił, tylko usłużnie otworzył swoją szafkę.

– Proszę.

– Zobaczymy, zobaczymy – zajrzała do wnętrza. Odsunął się. Usiadła na jego łóżku i zaczęła szperać w szafce.

Siedziała, a on stał nad nią z tyłu i patrzył na cienką bezbronną szyję i ciemne włosy, zebrane w zwyczajną kitkę bez żadnych pretensji do mody.

Nie, musiał jakoś uwolnić się od tej obsesji! Przecież to niemożliwe, żeby każda sympatyczna kobieta wywoływała taki zamęt w głowie. Ot, posiedziała z nim, pogadała, poszła – a on przez wszystkie te godziny myśli wyłącznie o niej, o niej... Po co? To lekarka, wróci wieczorem do domu, mąż ją przytuli...

Tak, musiał się uwolnić! Lecz uwolnić się od myśli o kobietach mógł wyłącznie poprzez kobietę.

Stał więc i patrzył na jej karczek, karczek, karczek... Kołnierzyk fartucha odchylił się łukowato, odsłaniając okrągłą kostkę na plecach. Można by ją obrysować palcem...

– No tak. Najbardziej zagracona szafka w całej klinice – komentowała Ganhart. – Resztki jedzenia, tłusty papier, machorka, książka, rękawice. Jak panu nie wstyd? Jeszcze dziś musi pan to wszystko posprzątać!

A on patrzył na jej szyję i milczał.

Wysunęła szufladę i nagle między różnymi drobiazgami zauważyła małą buteleczkę z jakimś płynem. Buteleczka była szczelnie zakorkowana, obok leżał plastikowy kieliszeczek i pipeta.

– A to co? Lekarstwo?

Kostogłotow sapnął.

– Takie tam...

– Co to za lek? My panu takiego nie dawaliśmy.

– A co, nie mogę mieć własnego?

– Dopóki leży pan w naszej klinice, bez naszej wiedzy i zgody – w żadnym wypadku!

– Niezręcznie mi o tym mówić... To płyn na odciski. Obracała w palcach tajemniczą buteleczkę bez etykietki, a potem zaczęła wyciągać korek, żeby powąchać zawartość – i Kostogłotow musiał się wtrącić. Ujął jej dłonie w swoje twarde garści i odciągnął tę, którą chciała otworzyć buteleczkę. Ta odwieczna gra rąk, nieuchronny ciąg dalszy rozmowy...

– Ostrożnie – uprzedził bardzo cicho. – To trzeba umieć. Nie wolno wylać na palce. Wąchać też nie wolno.

I delikatnie odebrał jej buteleczkę.

No nie, to już przekraczało wszelkie granice!

– Co to jest? – spoważniała Ganhart. – Jakiś silny środek?

Kostogłotow też spoważniał, usiadł obok niej i powiedział półgłosem:

– Bardzo silny. To korzeń z Issyk-Kułu. Nie wolno go wąchać – ani nalewki, ani suszonego. Dlatego jest tak szczelnie zamknięty.

Wiera Korniljewna przestraszyła się.

– I po co on panu?

– Co za pech – narzekał Kostogłotow. – Że też musiała pani to wygrzebać! Powinienem był lepiej schować... Leczę się nim. Leczyłem się u siebie, teraz też...

– Tylko po to? – spojrzała na niego przenikliwym wzrokiem. Nie mrużyła już oczu, była znów lekarzem i tylko lekarzem.

– Tak – powiedział szczerze.

– A może to... na wszelki wypadek? – nie wierzyła.

– Jeśli chce pani wiedzieć, to myślałem o tym, kiedy tu jechałem... Żeby się niepotrzebnie nie męczyć... Potem bóle ustąpiły, więc zrezygnowałem. Ale jako lekarstwo – owszem, zażywam.

– Pewnie kiedy nikt nie widzi?

– A co człowiek ma robić, skoro mu nic nie wolno? Wszystko zabronione!

– Po ile kropel pan pije?

– Według przepisu. Od jednej kropli do dziesięciu, potem od dziesięciu do jednej i dziesięć dni przerwy. Teraz właśnie jest przerwa. Szczerze mówiąc nie jestem pewien, czy bóle ustąpiły akurat od rentgena. Może to korzeń pomógł?

Rozmawiali przyciszonymi głosami.

– Na czym jest ta nalewka?

– Na wódce.

– Sam pan robił?

– Uhm.

– Jakie stężenie?

– Jakie, jakie... Dali mi pełną garść i powiedzieli, że to na trzy półlitrówki. Rozdzieliłem na oko.

– A waga?

– Nie ważyłem. Wszystko na oko.

– Na oko! Taką truciznę! Czysty tojad! Niech pan tylko pomyśli!

– Co mam myśleć? – zirytował się Kostogłotow. – Spróbowałaby pani umierać sama jedna w całym kosmosie, kiedy komendantura nie pozwala ruszyć się poza granice osady! Akurat miałaby pani głowę do ważenia i mierzenia! Wie pani, ile mógł mnie kosztować ten korzeń? Dwadzieścia pięć lat katorgi! Za samowolne oddalenie się z miejsca zesłania! A ja się oddaliłem! O sto pięćdziesiąt kilometrów. W góry. Mieszka tam pewien starzec, Kriemiencow, broda jak u akademika Pawłowa. Osadnik jeszcze z początku wieku. Prawdziwy znachor! Sam zbiera korzeń, sam wyznacza dawki. We wsi wszyscy się z niego śmieją, nikt nie jest prorokiem we własnym domu. A ludzie przyjeżdżają do niego nawet z Moskwy i z Leningradu! Był nawet korespondent „Prawdy". Podobno przekonał się do skuteczności tej metody. Korzeń naprawdę leczy. A ostatnio słyszałem, że starego zamknęli. Podobno jacyś durnie zostawili nalewkę w kuchni, potem zaprosili gości, zabrakło im wódki i goście wypili nalewkę na korzeniu. I jeszcze gdzieś tam dzieci się potruły, czy co... A co tu zawinił stary? Przecież uprzedzał...

Zorientował się, że sam dostarcza jej argumentów przeciwko sobie, i umilkł.

– No właśnie! – denerwowała się. – Przechowywanie trucizn w salach ogólnych jest kategorycznie zabronione! I absolutnie niedopuszczalne! Przecież może dojść do nieszczęścia! Proszę mi to natychmiast oddać!

– Nie – odmówił stanowczo.

– Proszę oddać! – gniewnie zmarszczyła brwi i wyciągnęła rękę. Jego silne, spracowane palce zacisnęły się jeszcze mocniej, całkowicie zasłaniając buteleczkę.

Uśmiechnął się.
– Tak nic pani nie wskóra.
Zmieniła taktykę.
– Wiem, kiedy wychodzi pan na spacery. Zabiorę buteleczkę bez pana wiedzy.
– Dobrze, że mnie pani uprzedziła. Schowam.
– Na sznurku za oknem? Trudno, mam tylko jedno wyjście: zamelduję naczelnemu.
– Nie wierzę. Sama dziś pani mówiła, że to nieładnie donosić.
– Nie pozostawia mi pan wyboru.
– I wobec tego trzeba od razu lecieć z donosem, tak? To brzydko i niehonorowo. Boi się pani, że truciznę wypije ten tutaj towarzysz Rusanow? Nie dopuszczę do tego. Zawinę buteleczkę i schowam. Ale kiedy wyjdę ze szpitala, znów zacznę się leczyć tym korzeniem! Pani pewnie nie wierzy, że on pomaga?
– Oczywiście, że nie! To ciemnota, zabobon i igranie ze śmiercią. Wierzę wyłącznie w metody naukowe, potwierdzone w praktyce! Tak mnie uczono. I tak myślą wszyscy onkolodzy. Proszę oddać buteleczkę.
Jeszcze raz próbowała rozerwać jego palce.
Patrzył w te rozgniewane jasnokawowe oczy i czuł, że gotów jest oddać jej nie tylko tę nieszczęsną buteleczkę, ale nawet całą szafkę. Postąpić wbrew swoim przekonaniom było mu jednak trudno.
– Ech, święta nauka! – westchnął. – Gdyby wszystko w nauce było takie pewne i sprawdzone, to nie zmieniałoby się co dziesięć lat... A w co mam wierzyć? W wasze zastrzyki? Po co przepisano mi jeszcze jakieś nowe? Co to za zastrzyki?
– Bardzo potrzebne! Do ratowania pańskiego życia! Musimy uratować panu ż y c i e! – Powiedziała to ze szczególnym naciskiem, w głosie brzmiała niezachwiana wiara. – Proszę nie myśleć, że już pan wyzdrowiał!
– A konkretnie: na czym polega ich działanie?
– Po co to panu? Najważniejsze, że leczą! Zapobiegają przerzutom. Procesu i tak pan nie zrozumie... No dobrze, umówmy się, że da mi pan buteleczkę na przechowanie – słowo honoru, oddam ją panu, kiedy wyjdzie pan ze szpitala.
Patrzyli na siebie.
Wyglądał przekomicznie w tym damskim szlafroku i wojskowym pasie z gwiazdą na sprzączce.
Ale się uparła! Czort z buteleczką, u siebie miał dziesięć razy tyle tego tojadu. Najgorsze było co innego: oto miła kobieta o jasnoka-

wowych oczach. Taka promienna twarz. Tak przyjemnie z nią się rozmawia. Ale nigdy nie będzie można jej pocałować. I gdy wróci do swojej głuszy, w ogóle nie będzie mógł uwierzyć, że naprawdę siedział obok takiej cudownej kobiety, kobiety, która za wszelką cenę chciała go uratować. Jego, Kostogłotowa!

Lecz uratować go nie może.

– Boję się to pani dać – zażartował. – Jeszcze ktoś w domu wypije.

(Kto? Kto mógłby wypić? Żyła samotnie. Nie, nie powie mu tego, przecież nie wypada.)

– Dobrze, pójdziemy więc na kompromis. Wylejemy to.

Roześmiał się. Poczuł żal, że tak mało może dla niej zrobić.

– Zgoda, wyleję na dworze.

Tak, jednak naprawdę niepotrzebnie malowała usta.

– O nie, teraz panu nie wierzę. Muszę to zobaczyć na własne oczy!

– Ma pani pomysły! A może nie wylewać? Wie pani co – oddam to jakiemuś porządnemu człowiekowi, którego pani już nie wyleczy. A nuż mu pomoże?

– Komu?

Wskazał ruchem głowy Wadima Zacyrkę i jeszcze bardziej zniżył głos:

– Melanoblastoma, prawda?

– No, teraz nie mam już żadnych wątpliwości, że trzeba to wylać! Naprawdę byłby pan zdolny podać truciznę ciężko choremu człowiekowi? Przecież mógłby go pan zabić! Nie dręczyłoby pana sumienie?

Unikała jego imienia. Rozmawiali już tak długo, a ani razu nie powiedziała do niego po imieniu!

– Ten się nie otruje. To twardy chłopak.

– Nie, nie, nie! Idziemy!

– Ma pani szczęście, że jestem dziś w dobrym nastroju. Chodźmy.

I poszli między łóżkami, potem po schodach.

– Nie zmarznie pani?

– Nie, mam pod spodem sweterek.

Powiedziała: „Mam pod spodem sweterek." Po co to powiedziała?

Od razu nabrał ochoty zobaczyć ten sweterek – jaki jest, jaki ma kolor. Ale nigdy go nie zobaczy.

Wyszli na taras. Dzień był całkiem wiosenny, ktoś przyjezdny nie uwierzyłby, że to zaledwie siódmy lutego. Świeciło słońce. Strzeliste topole i niskie meandry żywopłotów nie miały jeszcze pączków, ale śnieg już stopniał, jedynie w zacienionych miejscach bielały jego brudne resztki. Między drzewami zalegała szarobura zeszłoroczna trawa. Alejki, chodniki, kamienie, asfalt – wszystko ociekało wilgocią. Na dróżkach i ścieżkach panował ożywiony ruch – wzdłuż, wszerz, w lewo, w prawo, na przełaj. Kręcili się lekarze, pielęgniarki, salowe, pracownicy obsługi, pacjenci z przychodni i mnóstwo odwiedzających. Ktoś siedział nawet na ławce. W pawilonach tu i ówdzie otwarto już pierwsze okna.

Jakoś nie wypadało wylewać trucizny tuż przy wejściu.

– Chodźmy tam! – wskazał alejkę między pawilonem onkologii i otorinolaryngologii. Była to jedna z tras jego spacerów.

Szli obok siebie. Lekarski czepek Ganhart sięgał Kostogłotowowi akurat do ramienia.

Zerknął na nią z ukosa. Szła z powagą, jakby miała do spełnienia jakąś niesłychanie ważną misję. Rozśmieszyło go to.

– Jak nazywano panią w szkole? – spytał.

Obrzuciła go szybkim spojrzeniem.

– A jakie to ma znaczenie?

– Żadnego, ale jestem ciekaw.

Przez chwilę szła w milczeniu, postukując obcasami o płyty chodnika. Na smukłość jej gazelich nóg zwrócił uwagę już pierwszego dnia, gdy umierał w poczekalni, a ona podeszła do niego.

– Wega – powiedziała.

(Nieprawda! Częściowa prawda. Tak nazywał ją w szkole tylko jeden człowiek. Tamten inteligentny szeregowiec, który nie wrócił z wojny. A teraz ku własnemu zaskoczeniu, nagle i nie wiadomo dlaczego wyjawiła to imię innemu.)

Wyszli z cienia prosto na słońce i wiatr.

– Wega? Na cześć gwiazdy? Ale Wega jest olśniewająco biała.

Zatrzymali się.

– Nie jestem olśniewająca – pokręciła głową. – Jestem WIEra GAnhart. Tylko tyle.

Po raz pierwszy speszony był on, a nie ona.

– Chciałem powiedzieć... – wymamrotał.

– Rozumiem. Proszę wylać! – poleciła, nie pozwalając sobie na uśmiech.

Kostogłotow rozkiwał ciasno wbity korek, wyjął go ostrożnie, schylił się (wyglądał bardzo śmiesznie w tej swojej szlafroko-spódnicy do pięt) i odwrócił nieduży kamień.

– Niech pani patrzy! Bo potem powie pani, że przelałem do kieszeni! – przykucnął u jej nóg.

Te nogi, nogi gazeli zauważył od razu, od razu... Do wilgotnego dołka w brunatnej ziemi wlał tę czyjąś mętnoburą śmierć. Albo czyjeś mętnobure ocalenie.

– Można przywalać? – spytał.

Patrzyła na niego z góry i uśmiechała się.

To wylewanie i przywalanie kamieniem miało w sobie coś z chłopięcej zabawy. Coś z zabawy i coś z przysięgi. Z tajemnicy.

– Niechże mnie pani pochwali – wstał z kucków.

– Chwalę – uśmiechnęła się smutno. – Życzę przyjemnego spaceru.

I poszła.

Patrzył na jej białe plecy. Na dwa trójkąty, górny i dolny.

Podniecał go każdy kontakt z kobietą. W każdym słowie doszukiwał się ukrytego znaczenia. Po każdym geście czekał na więcej.

We-ga. Wiera Ganhart. Wyczuł, że coś tu było nie tak, ale nie wiedział, co. Patrzył na jej plecy.

– We-go! We-go! – powtórzył półgłosem, starając się przekazać jej myśl na odległość. – Wróć! Słyszysz mnie? Wróć! Obejrzyj się!

Nie wyszło. Nie odwróciła się.

18

Jak rower, jak koło, któremu ruch zapewnia stabilność, a bezruch ją niweczy, tak gra między kobietą i mężczyzną raz rozpoczęta musi toczyć się dalej; jeśli od wczoraj nie posunęła się do przodu – zamiera.

Oleg nie mógł się doczekać wtorkowego wieczoru i nocnego dyżuru Zoi. Radosne tęczowe koło ich gry musiało potoczyć się dalej niż tamtej pierwszej nocy i jeszcze dalej niż w niedzielę. Pragnął tej gry, był do niej gotów i wyczuwał taką samą gotowość w Zoi, toteż czekał na nią niecierpliwie.

Najpierw czekał przed pawilonem, wiedział, którą alejką powinna nadejść, wypalił dwa machorkowe skręty, ale potem pomyślał sobie, że w babskim szlafroku wygląda głupio, nie tak, jak by chciał. Poza tym zapadał zmierzch. Wrócił więc do sali, zdjął szlafrok, ściągnął buty i w piżamie – zresztą równie śmiesznej – stanął u podnóża schodów. Niesforne włosy przyczesał dziś na tyle, na ile było to możliwe.

Wybiegła z szatni lekarzy spóźniona i zadyszana. Śpieszyła się. Na widok Olega uniosła brwi, ale nie ze zdziwieniem, a jak gdyby odnotowując fakt – że tak być powinno, że spodziewała się go zobaczyć właśnie w tym miejscu, u podnóża schodów.

Nie zatrzymała się, ruszył więc za nią na swoich długich nogach, przeskakując po dwa schodki. Teraz nie sprawiało mu to już trudności.

– No, co nowego? – spytała w przelocie jak adiutanta.

Co nowego!? Odwołanie Sądu Najwyższego! To była nowina! Zoja nie mogła jednak docenić jej doniosłości. I nie o to pytała.

– Ma pani nowe imię. Nareszcie je odgadłem.

– Tak? A jakie? – szybko i zgrabnie pokonywała schody.

– Teraz nie powiem. To zbyt poważna sprawa.

Dotarli na piętro, na ostatnich stopniach został nieco z tyłu. Patrząc na nią zauważył, że nogi ma grube, masywne. Pasowały zresztą do jej pełnych kształtów. Miało to nawet swoisty urok. Ale smukłe nogi są ładniejsze. Smukłe i delikatne. Jak nogi Wegi.

Dziwił się samemu sobie. Nigdy jeszcze nie nachodziły go podobne myśli, nigdy nie uganiał się za kobietami i nie patrzył na nie w sposób, który dotychczas uważał za wulgarny. Jego dziadek nazwałby to c h c i c ą. Ludzie mawiają: jedz z głodu, kochaj za młodu. A Oleg za młodu nie miał okazji się wyszaleć. I teraz, w krótkim powrocie życia i już u jego schyłku – nie wątpił, że u schyłku – pragnął pośpiesznie napawać się, sycić się kobietami na podobieństwo jesiennej rośliny, która gorączkowo wysysa z ziemi ostatnie soki, żeby nie żałować zmarnowanego lata. Reagował na kobiety gwałtowniej niż inni, gdyż przez wiele lat w ogóle ich nie widywał, w dodatku tak blisko. I nie słyszał kobiecych głosów, zapomniał, jak brzmią.

Zoja przejęła dyżur i z miejsca zaczęła kręcić się jak bąk – właśnie jak dziecięcy bąk wirowała wokół swego biurka, zeszytu dyspozycji, szafki z lekarstwami, potem znikała za którymiś drzwiami, wracała – istny bąk!

Oleg czekał na stosowny moment i gdy tylko uznał, że Zoja ma chwilę wytchnienia, zjawił się przy jej biurku.

– I nic więcej się nie wydarzyło? – spytała swoim miłym głosikiem. Wygotowywała właśnie strzykawki na kuchence elektrycznej i otwierała ampułki.

– O, wydarzyło się! I to coś nadzwyczajnego! Obchód samego Nizamutdina Bachramowicza.

– Tak? Całe szczęście, że mnie to ominęło! I co? Pewnie zabrano panu buty?

– Butów nie znaleźli, ale nie obeszło się bez małej awantury.

– O co?

– W ogóle była to wielka uroczystość. Weszło co najmniej piętnaście białych fartuchów – ordynatorzy, doktorzy, lekarze, stażyści, nawet tacy, których nigdy nie widziałem. A naczelny rzucił się jak tygrys na nasze szafki. Wywiad uprzedził nas jednak o ataku i poczyniliśmy pewne przygotowania. Nic nie znalazł. Był bardzo niezadowolony. Akurat omawiali mój przypadek i Ludmiła Afanasjewna strzeliła gafę – przeczytała w aktach sprawy...

– Jakiej s p r a w y?

– No, w historii choroby, ciągle mi się myli... Przeczytała, skąd przyszło pierwsze rozpoznanie, i Nizamutdin dowiedział się, że jestem z Kazachstanu. – „Co?! – powiedział. – Z innej republiki?! Łóżek brakuje, a my obcych leczymy! Natychmiast wypisać!"

– Przecież pół sali to „obcy"!

– Oczywiście, ale trafił właśnie na mnie. I tu Ludmiła Afanasjewna – nigdy bym się po niej tego nie spodziewał – zaczęła mnie bronić jak kwoka swojego pisklaka: „To bardzo interesujący przypadek! Jest nam niezbędny do dalszych badań naukowych..." Zrobiło mi się głupio – dopiero co kłóciłem się z nią i żądałem, żeby mnie wypisała, a tu... Miałem doskonałą okazję, wystarczyło powiedzieć Nizamutdinowi: „No właśnie, panie doktorze!" i już bym pani nie zobaczył...

– A więc to z mojego powodu postanowił pan zostać?

– A jak pani myśli? – Kostogłotow ściszył głos. – Przecież nie dała mi pani swojego adresu. Jak bym panią odnalazł?

Zoja była jednak zajęta strzykawkami i nie mógł się zorientować, czy uwierzyła mu, czy nie.

– Musiałem trzymać stronę Ludmiły Afansjewny – znów mówił głośniej. – Siedzę więc i milczę. A Nizamutdin powiada: „Zaraz zejdę do przychodni i przyprowadzę pani pięć identycznych przypadków! I to naszych! Wypisać!" I tu palnąłem głupstwo – straciłem okazję, żeby się stąd wyrwać. Żal mi się zrobiło Ludmiły Afanasjewny, stała bez słowa i tylko mrugała oczami... Usiadłem wygodniej, odchrząknąłem i pytam spokojnie: „A jakże to chcecie mnie wypisać, skoro jestem szturmowcem ugorów?" – „Ach tak, szturmowiec! – przestraszył się Nizamutdin (bądź co bądź popełniłby błąd polityczny!) – Pionierom nowych ziem kraj niczego nie żałuje!" I poszli dalej.

– Ma pan tupet! – pokręciła głową.

– Nauczyłem się tego w łagrze. Przedtem taki nie byłem. Łagier wyrabia w człowieku zupełnie nowe cechy. Ja też mam sporo takich cech.

– Ale poczucie humoru – to chyba nie stamtąd?

– Dlaczego? Jestem wesoły, bo przywykłem do strat. Na przykład nie rozumiem, dlaczego tu, w klinice, wszyscy płaczą na widzeniach. Czemu płaczą? Przecież nikt ich nie zsyła, nie konfiskuje im dobytku...

– A więc zostaje pan u nas jeszcze miesiąc?

– Niech pani odpuka... Najwyżej jakieś dwa tygodnie. Wygląda na to, że dałem Ludmile Afanasjewnie wolną rękę...

Zoja napełniła strzykawkę rozgrzanym płynem i poszła z nią do pacjenta.

Czekało ją dziś kłopotliwe zadanie i nie wiedziała, jak postąpić. Musiała zrobić zastrzyk Olegowi. Zastrzyk należało zrobić w tradycyjną i przeznaczoną do tego część ciała, ale w obecnym stadium ich znajomości było to niemożliwe – zniweczyłoby całą grę. A przerwać gry i zrezygnować z rodzącej się zażyłości nie miała ochoty, tak samo jak Oleg. Daleko jeszcze musieli przetoczyć koło uczucia, by zastrzyk stał się możliwy – jak wszystko między naprawdę bliskimi sobie ludźmi.

Przygotowując zastrzyk dla Achmadżana Zoja spytała:

– A pan nie boi się zastrzyków?

Zadać takie pytanie Kostogłotowowi! Tylko czekał na podobne okazje.

– Zojeńko, zna pani moje poglądy. Nie chcę brać tych zastrzyków. Wykręcam się jak mogę. Tyle że różnie to bywa. Najłatwiej jest z Turgunem: ciągle szuka partnerów do szachów. Zawarłem z nim umowę: wygram – nie robi mi zastrzyku, przegram – robi. Sztuka polega na tym, że gram z nim bez wieży. Ale już z Marią nie wygram: podchodzi ze strzykawką, twarz jak z kamienia. Próbuję żartować, a ona tylko: „Pacjent Kostogłotow! Proszę obnażyć miejsce do zastrzyku!" Nigdy nie powie jakiegoś cieplejszego słowa.

– Ona was nienawidzi.

– Mnie?

– Wszystkich mężczyzn.

– Ach tak... Rozumiem. Teraz jest nowa pielęgniarka i też nie umiem się z nią dogadać. A kiedy wróci Olimpiada...o, ona nigdy nie ustępuje.

– Ja też nie ustąpię! – powiedziała Zoja odmierzając dwa centymetry sześcienne leku. Ton głosu zdradzał jednak, że na pewno ustąpi.

I poszła do Achmadżana. A Oleg został przy biurku. Miała własne powody, żeby nie robić Olegowi tych zastrzyków. Od niedzieli zastanawiała się, czy powiedzieć mu o ich działaniu – i skutkach.

Bo co będzie, jeśli nagle naprawdę spełni się to, o czym mówili tylko żartem? Jeśli tym razem nie skończy się na smętnym zbieraniu porozrzucanych części garderoby, a zrodzi się coś trwałego i Zoja rzeczywiście zdecyduje się być dla Olega pszczółką, jeśli pojedzie do miejsca jego zesłania (w końcu Oleg ma rację – czy człowiek wie, w jakiej głuszy spotka swoje szczęście?) – to w takiej sytuacji zastrzyki Olega dotyczyły również jej.

I była im przeciwna.

– No! – powiedziała wesoło, gdy wróciła z pustą strzykawką. – Nabrał pan odwagi? Pacjencie Kostogłotow, proszę udać się do łóżka i obnażyć stosowne miejsce. Zaraz przyjdę.

Nie poruszył się, siedział i patrzył na nią wzrokiem, który nie był wzrokiem pacjenta. O zastrzyku nawet nie myślał – przecież doszli już do porozumienia.

Patrzył w jej nieco wypukłe oczy.

– Zoju, chodźmy gdzieś – nie powiedział tego, ale wymruczał niskim głosem. Im bardziej głucho brzmiał jego głos, tym dźwięczniejszy był głosik Zoi:

– Dokąd? – zdziwiła się. – Do miasta?

– Do pokoju lekarzy.

Wchłonęła, wchłonęła, wchłonęła w siebie to uporczywe spojrzenie i porzucając grę powiedziała:

– Oleg, nie mogę. Mam mnóstwo pracy.

Zdawało się, że nie zrozumiał.
– Chodźmy!
– Aha – przypomniała sobie – muszę napełnić poduszkę tlenową dla... – wskazała głową schody, może nawet wymieniła nazwisko pacjenta, ale nie usłyszał. – Zawór butli ciężko się odkręca. Pan mi pomoże. Chodźmy.
Zeszli na półpiętro.
Pożółkły nieszczęśnik z wyostrzonym nosem, dogorywający na raka płuc, wiecznie skurczony z bólu, tak wyniszczony chorobą, w tak beznadziejnym stanie, że na obchodach lekarze w ogóle już do niego nie podchodzili, o nic już nie pytali – siedział na łóżku i z głośnym rzężeniem wdychał tlen z poduszki. Od dawna było z nim źle, ale dziś nawet niedoświadczone oko mogło rozpoznać, że to koniec. Wdychał resztki tlenu z poduszki, druga, opróżniona, leżała obok.
Chory nie reagował już na otoczenie, nie widział, że ktoś podchodzi, przechodzi.
Zabrali pustą poduszkę i zeszli na parter.
– Jak go leczycie?
– Nie leczymy. Przypadek nieoperacyjny. A rentgen nie pomógł.
– Nowotworów klatki piersiowej w ogóle się nie operuje.
– U nas jeszcze nie.
– Więc on umrze?
Pokiwała głową.
I choć szli po tlen dla konającego, żeby się nie udusił, od razu o nim zapomnieli. Pochłaniała ich gra, a za chwilę miało się stać coś ważnego dla nich obojga.
Wysoka butla z tlenem stała w ustronnym zamkniętym korytarzu – w tym samym korytarzu obok rentgena, gdzie Ganhart umieściła kiedyś przemoczonego, umierającego Kostogłotowa (od tego „kiedyś" nie minęły nawet trzy tygodnie).
I jeśli nie zapalało się drugiej lampy (zapalili tylko pierwszą), to w kącie, w którym stała butla, panował półmrok.
Zoja była niższa od butli, a Oleg wyższy.
Zaczęła łączyć zawór poduszki z zaworem butli. Oleg stał z tyłu i oddychał jej włosami, wymykającymi się spod czepka.
– Ten zawór ciężko chodzi – poskarżyła się.
Objął zawór palcami i od razu go odkręcił. Tlen przepływał z cichym sykiem.
Oleg puścił zawór i bez żadnego uprzedzenia ujął Zoję za nadgarstek wolnej ręki.
Nie drgnęła, nie zdziwiła się. Obserwowała poduszkę.

Pogłaskał więc, objął jej przedramię, łokieć i sięgnął wyżej, do ramienia.
Niewinny zwiad, ale potrzebny obojgu. Sprawdzenie, czy wszystkie słowa zostały właściwie zrozumiane.
Nie było wątpliwości.
Dotknął też dwoma palcami jej grzywki, nie zareagowała, nie odtrąciła palców – obserwowała przepływ tlenu.
Wtedy mocno chwycił Zoję za ramiona, pociągnął całą ku sobie i nareszcie dopadł jej ust, tych tak skorych do śmiechu i tyle mówiących ust.
Spodziewał się warg miękkich, rozchylonych, osłabłych, a napotkał napięte, chętne, gotowe.
Pojął to w mgnieniu oka, gdyż jeszcze minutę temu nie pamiętał, zapomniał, nie wiedział, że usta bywają różne, że pocałunki bywają różne, że nie ma dwóch takich samych.
Zetknięcie się warg trwało teraz i trwało, był to jeden długi uścisk, jedno długie zwarcie, którego nie można było skończyć, nie było zresztą po co kończyć. Chciało się zostać tak na zawsze.
Jednakże po dwóch stuleciach usta oderwały się od ust – i Oleg zobaczył nagle Zoję. I od razu usłyszał jej głos:
– Czemu zamykasz oczy?
Zamykał oczy? Nie wiedział o tym! Nie zauważył.
– Wyobrażasz sobie inną?
Gdzie tam! Żadnej już nie pamiętał...
I jak poławiacze, którzy łapią oddech i ponownie nurkują, by tam, na dnie, na samym dnie szukać wymarzonej perły, znów zatopili się w pocałunku, Oleg znów zamknął oczy, lecz uprzytomnił to sobie i natychmiast je otworzył. I zobaczył blisko, bliziutko, niewiarygodnie blisko żółtobrązowe oczy Zoi, wydały mu się drapieżne. Jednym okiem widział jedno jej oko, drugim – drugie.
Całowała tymi napiętymi, doświadczonymi, pewnymi siebie ustami, chwiała się leciutko i nie spuszczała wzroku z Olega, jak gdyby chcąc wyczytać z jego spojrzenia, co się z nim dzieje po jednej wieczności, po drugiej, po trzeciej.
Nagle jednak jej oczy uciekły gdzieś w bok, oderwała się od niego i zawołała:
– Zawór!
Boże, zawór! Gwałtownie wyrzucił rękę, zakręcił. Że też poduszka nie pękła!
– To są skutki całowania się! – łapiąc oddech powiedziała Zoja. Miała potarganą grzywkę i przekrzywiony czepek.

I znów chciwie przylgnęli do siebie.

Przez matową szybę z korytarza ktoś mógł zobaczyć uniesione łokcie – jej biały i jego różowy – ale nie miało to żadnego znaczenia. A gdy w końcu powietrze znów napłynęło do płuc, Oleg przyjrzał się jej włosom i powiedział:

– Złotogłówka. Takie masz imię.

Powtórzyła zabawnie:

– Złotogłówka... Może być.

– Nie przeszkadza ci, że jestem zesłańcem? Przestępcą?

– Nie – potrząsnęła beztrosko głową.

– I że jestem stary?

– Jaki tam z ciebie stary!

– I chory?

Wtuliła twarz w jego pierś i nie odpowiedziała. Przyciągnął ją bliżej, jeszcze bliżej, te ciepłe, obłe wsporniki (ciekawe, czy utrzymałyby linijkę?), i mówił:

– Pojedziesz ze mną do Usz-Tereku, prawda? Pobierzemy się. Zbudujemy sobie domek...

Zapowiadało to kontynuację, ów ciąg dalszy, którego tak jej zawsze brakowało – tę pewną i twórczą kontynuację związku po fazie zbierania rozrzuconych na podłodze części garderoby. Przytulała się do Olega i usiłowała odgadnąć – czy to ten? Czy to z nim jej sądzone...?

Wspięła się i znów objęła go za szyję.

– Oleg, kochany, czy wiesz, na czym polega działanie tych zastrzyków?

– Na czym? – przytulił ją do policzka.

– Te zastrzyki... Jak by ci tu wytłumaczyć... To tak zwana hormonoterapia... Stosuje się ją kontrastowo, to znaczy mężczyznom wstrzykuje się hormony kobiece, a kobietom – męskie... Żeby zapobiec przerzutom... Ale przede wszystkim ...te zastrzyki pozbawiają mężczyznę... no, rozumiesz...

– Co? Nie! Niezupełnie! – Oleg zmienił się na twarzy, mówił urywanym głosem. Nadal trzymał ją za ramiona, ale inaczej, jak gdyby chciał wytrząsnąć z niej prawdę. – Mów! Mów!

– Zanika... potencja... Mogą nawet wystąpić drugorzędne cechy płciowe. Przy dużych dawkach kobietom rosną brody, a mężczyznom – piersi...

– Zaczekaj! Co takiego? – ryknął. Dopiero teraz zrozumiał sens jej słów. – Te zastrzyki? Ta chemia, którą mam dostawać? One wszystko likwidują?

– No, nie wszystko. Przez dłuższy czas utrzymuje się jeszcze libido.
– Co to jest libido?
Spojrzała mu prosto w oczy i leciutko pociągnęła za kędzior.
– No, to co teraz do mnie czujesz... Pragnienie...
– Pragnienie zostaje, a możliwości zanikają, tak? – dopytywał się oszołomiony.
– Możliwości słabną. Później zanika wszystko, pragnienie też. Rozumiesz? – przesunęła palcem po jego bliźnie i ogolonym dziś policzku. – Dlatego nie chcę, żebyś dostawał te zastrzyki.
– No ładnie! – wyprostował się. – Czułem, że coś tu nie gra, miałem nosa!
Był wściekły, chciał kląć wszystkich lekarzy za ich samowolę w dysponowaniu życiem innych. I nagle przypomniał sobie promienną twarz Ganhart – wczoraj, gdy tak serdecznie patrzyła na niego: „To bardzo ważne dla pańskiego życia! Trzeba uratować panu życie!"
Wega! Pragnęła jego dobra? Dla jego dobra oszukiwała go, gotowała mu taki los? Ty też taka będziesz? – spojrzał na Zoję z ukosa.
Nie, ona nie! Pojmowała życie tak samo jak on: bez tego nie ma po co żyć. Chciwymi płomiennymi ustami uniosła go dziś na szczyty Kaukazu. Była naprawdę i jej usta też były naprawdę! I dopóki to libido żyło, dopóki dawało o sobie znać, należało korzystać – i całować!
– A możesz wstrzyknąć mi coś na odwrót?
– Wyrzucą mnie z pracy...
– A są takie zastrzyki?
– To te same, ale nie kontrastowo...
– Słuchaj, Złotogłówko, chodźmy gdzieś...
– Przecież już poszliśmy. I przyszliśmy. I musimy wracać...
– Chodź do pokoju lekarzy!
– Nie można, salowa zobaczy, ludzie się kręcą... Jeszcze jest wcześnie...
– No to w nocy.
– Oleg, nie trzeba się śpieszyć! Nie będziemy mieli nic na potem...
– Jakie „potem", skoro potem zaniknie libido? Albo jeszcze gorzej – libido zostanie! Piękne dzięki! Libido zostanie... Wymyśl coś i chodź!
– Trzeba zostawić coś na później... Nie śpiesz się... Musimy zanieść poduszkę...
– Faktycznie, musimy zanieść poduszkę. Zaraz zaniesiemy...
– Zaraz zaniesiemy...

– Za-raz za-nie-sie-my... Zaraz...

Wchodzili po schodach, ale nie trzymali się za ręce, tylko nieśli razem napompowaną jak piłka poduszkę i odczuwali przez nią wspólny rytm swoich kroków. I było to tak samo, jakby trzymali się za ręce.

A na półpiętrze, na polowym łóżku, obok którego dniem i nocą snuli się obojętnie chorzy i zdrowi, siedział i już nie kaszlał, lecz tłukł głową o uniesione kolana, głową – o kolana, trupio żółty, wyniszczony człowiek o zapadłej piersi i być może własne kolana wydawały mu się ścianami matni.

Jeszcze żył, ale nie było go już wśród żywych.

Kto wie, może umierał właśnie teraz – brat Olega, bliźni Olega, samotny, spragniony współczucia. Może siadając przy jego łóżku Oleg ulżyłby mu jakoś w tych ostatnich chwilach.

Oni jednak zostawili mu tylko poduszkę i poszli dalej. Zostawili te pożegnalne centymetry sześcienne życia, poduszkę, która dla nich była jedynie pretekstem do ukrycia się i poznawania smaku pocałunków.

Oleg szedł za Zoją jak urzeczony. Nie myślał o konającym, nie pamiętał, że dwa tygodnie temu sam był w takim stanie: myślał wyłącznie o tej dziewczynie, o tej kobiecie, o tej babie – jak namówić ją na najważniejsze.

A dawno zapomniany i dlatego tak przejmujący ból spierzchniętych, obrzmiałych od pocałunków warg słodko i młodo pulsował w całym jego ciele.

19

Nie każdy nazywa mamę – mamą, zwłaszcza przy ludziach. Wstydzą się tego chłopcy powyżej piętnastego roku życia i mężczyźni przed trzydziestką. Wadim, Boris i Jurij Zacyrkowie nigdy jednak nie wstydzili się swojej mamy. Kochali ją za życia ojca, a po jego rozstrzelaniu – jeszcze bardziej. Dzieliła ich niewielka różnica wieku, rośli jak równolatki, zawsze sumienni w szkole i w domu, nie podatni na wpływy ulicy – nigdy nie przysparzali kłopotów owdowiałej matce. Co dwa lata szła z nimi do fotografa (później robili zdjęcia własnym aparatem) i album rodzinny wzbogacał się o wciąż nowe pamiątki: matka i trzej synowie, matka i trzej synowie. Była blondynką, oni zaś brunetami – pewnie po tym tureckim jeńcu, który dawno temu ożenił się z ich zaporoską prababką. Ludzie postronni nie zawsze potrafili rozróżnić chłopców na fotografii. Z biegiem lat mężnieli, dorośleli, przerastali mamę, a mama starzała się pomalutku, lecz zawsze stawała przed obiektywem wyprostowana, dumna z tej żywej historii swojego życia. Była lekarką, wyleczyła wielu chorych, przyjęła wiele kwiatów, podziękowań i wyrazów uznania, ale i bez tego mogła o sobie powiedzieć, że nie zmarnowała życia: samo wychowanie takich trzech synów nadawało mu sens. Wszyscy wybrali politechnikę: najstarszy skończył geologię, średni – wydział elektrotechniczny, najmłodszy kończył właśnie architekturę. Mieszkał z mamą.

Opiekowała się nim, dopóki nie dowiedziała się o chorobie Wadima. We czwartek postanowiła przyjechać tutaj. W sobotę dostała depeszę od Doncowej, że potrzebne jest złoto koloidowe. W niedzielę odpowiedziała telegraficznie, że jedzie do Moskwy starać się o złoto. Od poniedziałku dobija się pewnie do różnych ministrów, żeby przez wzgląd na pamięć i zasługi ojca (w czasie wojny pozostał w mieście, udając inteligenta obrażonego na władzę radziecką, a potem rozstrzelali go Niemcy za współpracę z partyzantami i ukrywanie rannych) załatwili jej przydział złota koloidowego dla syna.

Wszystkie te starania napawały Wadima wstrętem. Nie znosił protekcji, wykorzystywania zasług i znajomości. Było mu wstyd nawet z powodu depeszy, w której mama uprzedziła Doncową o jego przyjeździe. Choć zależało mu na życiu, nie chciał korzystać z żadnych przywilejów. Zresztą obserwując Doncową szybko zrozumiał, że i bez depeszy od mamy Ludmiła Afanasjewna poświęciłaby mu tyle samo czasu i uwagi. Tyle że nie wysłałaby telegramu w sprawie złota.

Jeżeli mama zdobędzie złoto, to oczywiście przyleci z nim tutaj. Jeżeli nie załatwi, to też przyleci. Napisał do niej o czadze – nie dlatego, że uwierzył w moc huby, ale żeby zająć czymś mamę, dać jej poczucie działania. Jeśli rozpacz weźmie górę, mama nie bacząc na swoje przekonania i wiedzę medyczną pojedzie do tego znachora po korzeń z Issyk-Kułu. (Oleg Kostogłotow wyznał wczoraj, że ustąpił babie i wylał nalewkę na korzeniu, zresztą i tak było tego za mało. Poza tym dał adres znachora i obiecał, że jeśli starego zamknęli, to podzieli się z Wadimem własnym zapasem.)

Mama nie zazna już spokoju. Najstarszy syn w niebezpieczeństwie! Mama zrobi wszystko, nawet więcej niż wszystko, nawet rzeczy zupełnie bez sensu. Jeśli on pojedzie w teren, ona pojedzie za nim, choć wie, że w górach czeka na Wadima Gałka. Ze strzępków zasłyszanych rozmów, z fragmentów przeczytanych książek Wadim zrozumiał, że jego choroba, ta melanoblastoma, miała swe źródło w przesadnej matczynej zapobiegliwości i przezorności: od dziecka miał na nodze duże znamię, mama jako lekarz przeczuwała widocznie niebezpieczeństwo i wpadła na pomysł, żeby profilaktycznie usunąć to znamię – a właśnie tego nie należało robić. Lecz jeśli nawet jego obecne umieranie było następstwem błędu mamy, to nie mógł mieć do niej żadnych pretensji. Nie wolno być aż tak logicznym, żeby sądzić wyłącznie po następstwach. Człowiekowi bardziej przystoi sądzić po intencjach. I niesprawiedliwością byłoby obarczać teraz mamę winą za przerwaną pracę, za nie spełnione marzenia, za zmarnowane możliwości. Przecież ani tych marzeń, ani tych możliwości nie mogło być bez Wadima, a Wadima – bez mamy.

Wybaczając mamie, Wadim nie mógł wybaczyć losowi i okolicznościom! Nie mógł oddać im ani centymetra tkanki! I nie mógł nie zaciskać zębów.

Ach, jak bardzo weszła mu w paradę ta przeklęta choroba, jak zwaliła go z nóg akurat w najważniejszej chwili!

Chociaż, prawdę mówiąc, już od wczesnego dzieciństwa miał przeczucie, że zabraknie mu czasu. Denerwował się, gdy przychodziła jakaś sąsiadka albo znajoma i plotła trzy po trzy, zabierając czas jemu i mamie. Wpadał w gniew, kiedy w szkole i na uczelni wszelkie zbiórki – do pracy, na wycieczkę, na wiec – wyznaczano o godzinę wcześniej, niż trzeba, w przekonaniu, że wszyscy i tak się spóźnią. Nie znosił półgodzinnych dzienników radiowych, gdyż wszystkie naprawdę ważne wiadomości można było przekazać w pięć minut, a nie ględzić bez sensu. Do szału doprowadzało go, że idąc do sklepu miało się zawsze szansę natrafienia na remont, remanent albo przyjęcie towaru i nigdy nie można było tego przewidzieć. Każda rada wiejska, każda wiejska poczta mogła być zamknięta o dowolnej porze, bez względu na godziny urzędowania – i nikt nie wiedział, czy w promieniu dwudziestu pięciu kilometrów uda się znaleźć otwartą.

Być może tę chciwość czasu wpoił mu ojciec. Ojciec nie lubił bezczynności i Wadim pamiętał jego słowa: „Jeśli nie potrafisz wykorzystać minuty, to zmarnujesz i godzinę, i cały dzień, i całe życie!"

Nie, nie! Ten szatan – nieustanna żądza czasu – tkwił w nim samym od najmłodszych lat. Gdy tylko zabawa z chłopakami zaczynała go nudzić – odchodził, nie zważając na docinki. Gdy tylko książka wydawała mu się mało treściwa – odkładał ją i sięgał po sensowniejszą. Gdy pierwsze kadry filmu okazywały się głupie (a przed kupieniem biletu niczego się o filmie nie dowiesz, robią to specjalnie!) – trzaskał fotelem i wychodził, nie żałując straconych pieniędzy. Irytowali go nauczyciele, którzy przez dziesięć minut zanudzali klasę wymówkami, potem nie mogli zdążyć z nowym materiałem, marudzili, gubili się, a pracę domową zadawali już po dzwonku. Nie mieli pojęcia, że uczeń potrafi zaplanować sobie przerwę lepiej niż oni lekcję.

A może nic nie wiedząc o niebezpieczeństwie, od dziecka przeczuwał je w sobie? Może instynktownie bał się tego fatalnego znamienia na nodze? I gdy tak walczył o czas, gdy zarażał tą żądzą czasu swoich braci, gdy czytał książki dla dorosłych jeszcze przed pójściem do szkoły, a będąc w szóstej klasie urządził w domu prawdziwe laboratorium chemiczne – może już ścigał się z przyszłym nowotworem, ale ścigał się w ciemno, nie znał, nie widział przeciwnika? A choroba widziała wszystko, zaatakowała, powaliła w najważniejszej, przełomowej chwili.

Wadim nie zauważył, kiedy się zaczęła. Było to podczas ekspedycji, na Ałtaju. Znamię stwardniało, zaczęło boleć, potem podbiegło ropą, pękło – poczuł ulgę, potem znów nabrzmiało i tak boleśnie reagowało na dotyk ubrania, że nie mógł chodzić. Nie napisał o tym do mamy i nie przerwał pracy, gdyż właśnie zgromadził pewną ilość materiałów, które koniecznie musiał zawieźć do Moskwy.

Ich ekspedycja zajmowała się wyłącznie wodami radioaktywnymi i nikt nie wymagał od jej uczestników badania złóż metali. Jednakże z racji oczytania i zainteresowania chemią Wadim przewidywał, podejrzewał, a może przeczuwał, że jest na tropie nowej metody wykrywania złóż. Kierownik kręcił nosem na te przypuszczenia, kierownika interesowało wyłącznie wykonanie planu badań.

Wadim poprosił go o delegację do Moskwy, kierownik nie zgodził się. Wtedy Wadim powiedział o chorobie, dostał zwolnienie i przyjechał tutaj. Lekarze postawili diagnozę i kazali natychmiast kłaść się do szpitala – sprawa nie cierpiała zwłoki. Wadim wziął skierowanie do szpitala, schował je do kieszeni i poleciał do Moskwy. Odbywało się tam właśnie sympozjum, na którym spodziewał się spotkać Czieriegorodcewa. Wadim nigdy go nie widział, znał tylko podręcznik jego autorstwa i różne publikacje. Znajomi opowiadali, że Czieriegorodcew słucha tylko jednego zdania: po pierwszym zdaniu decyduje, czy warto kontynuować rozmowę, czy nie. Przez całą drogę do Moskwy Wadim układał to zdanie. Przedstawiono go Czieriegorodcewowi w przerwie obrad, na progu bufetu. Wadim wystrzelił swoje zdanie, Czieriegorodcew zawrócił, ujął Wadima pod ramię i poprowadził ze sobą. Ich pięciominutowa rozmowa nie była łatwa – Wadim uznał ją za sprzeczkę – gdyż należało mówić bardzo szybko, nie zwlekać z odpowiedziami, błysnąć erudycją i znajomością tematu, ale nie zdradzić najważniejszego. Czieriegorodcew od razu zgłosił mnóstwo zastrzeżeń i kontrargumentów, z których wynikało, że wody radioaktywne to jedynie pośredni dowód występowania złóż i nie mogą być zasadniczym elementem poszukiwań. Mówił tak, lecz widać było, że gotów jest dać się przekonać, czekał na to minutę, nie doczekał się i odszedł. Wadim wywnioskował z tej rozmowy, że w Moskwie cały instytut badawczy kręci się w kółko wokół problemu, który on, Wadim, rozpracował w górach Ałtaju.

Nie mógł usłyszeć lepszej wiadomości! Teraz dopiero trzeba było brać się do roboty!

Teraz – czekała jednak klinika. Napisał do mamy. Mógł jechać i do Nowoczerkasska, ale tu bardziej mu się podobało – no i był bliżej swoich gór.

W Moskwie zbierał informacje nie tylko o wodach i rudach. Dowiedział się też, że melanoblastoma to wyjątkowo złośliwy nowotwór. Że zabija. Że rzadko kiedy można przeżyć z nią rok, najczęściej – osiem miesięcy.

No cóż, jak w przypadku ciała mknącego z prędkością bliską prędkości światła, jego czas i jego masa uległy zmianie: czas był bardziej pojemny, masa – bardziej przenikliwa. Lata kurczyły się do tygodni, dni – do minut. Śpieszył się przez całe życie, ale dopiero teraz zaczął śpieszyć się naprawdę! Po sześćdziesięciu latach spokojnej egzystencji nawet dureń może zostać doktorem nauk. A umierający dwudziestosiedmiolatek?

Dwadzieścia siedem lat. Wiek Lermontowa. Lermontow też nie chciał umierać. (Wadim wiedział, że jest trochę podobny do niego – niewysoki brunet, zgrabny, delikatnej budowy ciała, z drobnymi rękami, tylko bez wąsów.) A przecież Lermontow pozostał w ludzkiej pamięci – i to nie na jakieś głupie sto lat – na zawsze!

W obliczu śmierci, w obecności przyczajonej tuż obok, gotowej do skoku pantery, Wadim jako człowiek myślący powinien rozwiązać problem – jak z nią żyć? Jak twórczo spędzić te ostatnie miesiące, jeśli są to już tylko miesiące? Powinien przeanalizować śmierć jako nagły i nowy element swojego życia. Dokonał takiej analizy i stwierdził, że zaczyna przyzwyczajać się do myśli o śmierci, a nawet oswajać się z nią.

Przede wszystkim należało unikać roztrząsania ewentualnych strat: nie myśleć o tym, jak mógłby być szczęśliwy, co mógłby zwiedzić i co zrobić, gdyby żył długo. Najsłuszniejszą rzeczą było uznanie prawdziwości statystyki: ktoś musi umierać młodo. Za to ten ktoś, kto umiera młodo, w pamięci innych na zawsze pozostaje młody. Za to ten ktoś, kto zabłysnął przed śmiercią, jaśnieje blaskiem przez wieki. Była w tym istotna i jedynie pozornie paradoksalna prawda, którą Wadim zrozumiał w ciągu ostatnich tygodni: że człowiek utalentowany łatwiej i szybciej godzi się ze śmiercią niż beztalencie. A przecież umierając traci o wiele więcej niż beztalencie! Miernota za wszelką cenę chce żyć długo.

Oczywiście dobrze by było pożyć jeszcze jakiś czas, trzy czy cztery lata i doczekać chwili, gdy naukowcy odkryją lek przeciwko melanoblastomie. Wadim postanowił jednak nie marzyć o przedłużeniu życia i wyzdrowieniu, nie tracić czasu na tak jałowe mrzonki – a sprężyć się, pracować, pracować i wynaleźć nową metodę wykrywania złóż rud metali.

Odkrycie to miało nadać sens jego przedwczesnej śmierci.

Najszlachetniejszym i najważniejszym uczuciem, jakiego zaznał w swym dwudziestosiedmioletnim życiu, było uczucie pożytecznie spędzonego czasu. I tak właśnie miał zamiar spędzić te ostatnie miesiące.

I z tym świętym zapałem do pracy, trzymając pod pachą kilka książek z dziedziny geologii, Wadim wszedł do sali.

Pierwszym wrogiem, którego spodziewał się spotkać, był głośnik. Wadim nastawił się na walkę z głośnikiem wszelkimi legalnymi i nielegalnymi sposobami, poczynając od podburzania sąsiadów i wbijania igły w przewody, a na wyrwaniu kontaktu ze ściany kończąc. Obowiązkowe audycje, z niewiadomych względów uznawane u nas za dowód umasowienia kultury, są czymś wręcz przeciwnym –

dowodem zacofania kulturowego i środkiem rozpowszechniania lenistwa intelektualnego. Wadim nigdy jednak nie mógł nikogo o tym przekonać. To nieustanne dudnienie, namolne wciskanie nieproszonej informacji i niechcianej muzyki było marnotrawstwem czasu, entropią i rozpraszaniem myśli – rzeczą bardzo wygodną dla ludzi prymitywnych, lecz nieznośną dla twórczych i aktywnych. Głupiec spędzałby zapewne wieczność na słuchaniu radia.

Na szczęście w sali nie wykrył głośnika! Nie znalazł go zresztą na całym piętrze (niedopatrzenie to wynikało z faktu, że onkologia od lat czekała na przeniesienie do nowego, lepiej wyposażonego obiektu – i oczywiście całkowicie zradiofonizowanego).

Drugim potencjalnym wrogiem Wadima była ciemność – wczesne gaszenie światła, późne zapalanie, łóżko z dala od okna. Dzięki wielkoduszności Diomki ulokował się jednak przy oknie i już pierwszego dnia ustalił optymalny wariant postępowania: zasypiać wcześnie, razem ze wszystkimi, budzić się o świcie i pracować – wykorzystywać najlepszą i najcichszą porę dnia.

Trzecim wrogiem mógł być nadmierny hałas w sali. Rzeczywiście, pacjenci dużo rozmawiali. Ogólnie jednak podobali się Wadimowi – zwłaszcza ci małomówni.

Najsympatyczniejszy wydał mu się Jegenbierdijew; stale milczał i tylko uśmiechał się do wszystkich, rozciągając przyjaźnie tłuste wargi i tłuste policzki.

Mursalimow i Achmadżan też byli w porządku – sympatyczni, nie narzucający się ludzie. Nawet ich rozmowy po uzbecku nie przeszkadzały Wadimowi, gdyż rozmawiali spokojnie i po cichu. Mursalimow sprawiał wrażenie mądrego starca, Wadim widywał takich w górach. Raz tylko Mursalimow posprzeczał się z Achmadżanem i podniósł nieco głos. Wadim poprosił o wyjaśnienie przyczyny sporu. Okazało się, że Mursalimow jest oburzony na nowomodny zwyczaj nadawania imion tworzonych z kilku słów. Twierdził, że Prorok przewidział dla ludzi tylko czterdzieści imion, a wszystkie inne są niestosowne i nieważne.

Achmadżan był równie sympatyczny. Kiedy prosiło się go o ciszę, zniżał głos. Wadim opowiedział mu raz o życiu Ewenków. Opowieść bardzo poruszyła wyobraźnię Achmadżana. Przez dwa dni myślał tylko o Ewenkach i zadawał Wadimowi mnóstwo zaskakujących pytań:

– Powiedz, a jakie umundurowanie noszą Ewenkowie?

Wadim coś tam odpowiadał i Achmadżan na kilka godzin pogrążał się w zadumie. Potem kuśtykał do łóżka Wadima i znów pytał:

– A jaki mają porządek dnia?

I następnego ranka:

– A jakie zadanie bojowe im wyznaczono?

Jakoś nie mógł uwierzyć, że Ewenkowie żyją sobie ot tak, zwyczajnie.

Cichym i uprzejmym człowiekiem był również Sibgatow, który często przychodził do Achmadżana na szachy. Mimo widocznego braku wykształcenia zdawał sobie sprawę, że nie wypada mówić zbyt głośno. I gdy tylko zaczynała się jakaś sprzeczka z Achmadżanem, Sibgatow uspokajał oponenta:

– E, czy tu w ogóle rośnie prawdziwa winorośl?

– A gdzie to niby rośnie prawdziwa, co? – gorączkował się Achmadżan.

– Jak to gdzie? Na Krymie... Gdybyś ją zobaczył...

Podobał się też Wadimowi Diomka, chłopak rozsądny i poważny. Myślał, uczył się, pytał Kostogłotowa o stereometrię. Co prawda w jego twarzy nie można było doszukać się blasku talentu. Uczył się z widocznym wysiłkiem, ale uparcie i wytrwale. Czasami z takich powolnych wyrastają całkiem tędzy naukowcy.

Nie miał też zastrzeżeń do Rusanowa. Rusanow należał do gatunku sumiennych i rzetelnych pracowników, choć oczywiście pozbawionych polotu. Nie był głupi, nie umiał tylko jasno wyrażać swoich myśli, ubierał je w skostniałe i wyświechtane słowa.

Kostogłotow początkowo nie spodobał się Wadimowi: ordynarny krzykacz. Okazało się jednak, że to pozory, że Kostogłotow nie jest zarozumiałym sobkiem, lecz człowiekiem nawet życzliwym. Po prostu życie mu się nie ułożyło i stąd to nieprzyjemne zachowanie. Zapewne sam ponosił winę za swoje niepowodzenia – musiał mieć trudny charakter. Najwyraźniej wracał do zdrowia: mógłby zacząć zupełnie nowe życie, gdyby tylko wziął się w garść i zdecydował, czego właściwie chce. Brakowało mu dyscypliny wewnętrznej, przejawiało się to w marnotrawstwie czasu i bezsensownej miotaninie – to wychodził na dwór i bez celu łaził po parku, to szedł zapalić, to brał się do lektury, odkładał ją – a przede wszystkim uganiał się za spódniczkami. A Wadim w obliczu śmierci absolutnie nie traciłby czasu na kobiety. W górach czekała Gałka, bardzo chciała wyjść za niego za mąż, ale nie miał już prawa tego robić i niewiele mógł zaofiarować Gałce.

Ani żadnej innej.

Taka jest cena i trzeba ją zapłacić. Owładnęła nim jedna namiętność, inne musiały ustąpić.

Denerwował go jedynie Poddujew. Poddujew był złośliwy, silny – i nagle rozkleił się zupełnie, uwierzył w jakieś ckliwe idealistyczne historyjki. Wadim nie cierpiał tych rzewnych opowiastek o pokorze i miłości bliźniego, o tym, że trzeba się poświęcić i nie robić nic innego, tylko z rozdziawioną gębą wypatrywać tego bliźniego, żeby mu pomóc. A przecież taki bliźni może okazać się śmierdzącym leniem albo zwyczajnym bandziorem! Ta bałamutna, naciągana i obezwładniająca filozofijka była zaprzeczeniem jego młodzieńczej pasji, tej palącej niecierpliwości, by wybuchnąć jedną chwilą blasku – i zgasnąć. On też chciał dawać z siebie innym, a nie brać – ale nie po troszeczku, nie każdemu z osobna, lecz poprzez jeden rozbłysk odkrycia od razu wszystkim, całemu narodowi, całej ludzkości!

I ucieszył się, gdy Poddujewa wypisano, a jego łóżko zajął blondyn Federau. Ten był cichutki! Potrafił milczeć przez cały dzień – leżał tylko i patrzył smutnym wzrokiem. Bardzo dziwny człowieczek. Jako sąsiad sprawował się idealnie, ale już pojutrze, w piątek, mieli go operować.

Milczeli więc: dziś jednak zaczęli rozmawiać o chorobach i Federau powiedział, że kiedyś o mało co nie umarł na zapalenie opon mózgowych.

– Oho! Uderzył się pan?

– Nie, przeziębienie. Zgrzałem się, a potem odwieźli mnie do domu ciężarówką, siedziałem na skrzyni i zawiało mi głowę. Wywiązało się zapalenie opon mózgowych, przestałem widzieć...

Opowiadał spokojnie, z zażenowaniem, nie podkreślał, że była to tragedia, okropność.

– A gdzie się pan tak zgrzał? – spytał Wadim, lecz ukradkiem zerkał na książkę: czas uciekał. Inni jednak słuchali; Federau zauważył wzrok Rusanowa i odpowiedział na pytanie, zwracając się do nowego rozmówcy.

– Nastąpiła awaria kotła, trzeba było wykonać skomplikowany spaw. Wyłączyć kocioł, spuścić parę, ochłodzić, potem uruchomić od nowa... Zajęłoby to co najmniej dobę. W nocy dyrektor przysłał po mnie samochód, powiada: – „Federau! Nie możemy dopuścić do przestoju! Wkładaj kombinezon ochronny i właź do środka! Dasz radę?" – „Skoro trzeba – mówię – to trzeba!" Czas był gorący, przedwojenny, plan nas gonił – musiałem... Wlazłem do kotła i zespawałem. Półtorej godziny siedziałem w gorącej parze... Jak mogłem odmówić? Moje zdjęcie zawsze wisiało na tablicy honorowej...

Rusanow słuchał z aprobatą.

– Czyn, powiedziałbym, godny bolszewika – pochwalił.

– Bo też jestem... członkiem partii – jeszcze skromniej, jeszcze bardziej nieśmiało uśmiechnął się Federau.

– B y ł pan? – poprawił go Rusanow.

– Jestem – cichutko powtórzył Federau.

Rusanow nie miał dziś ochoty zajmować się innymi, dyskutować i ustawiać ich na właściwym miejscu. Nie mógł jednak nie zareagować na tak oczywiste kłamstwo. A geolog znów wetknął nos w książkę. Słabym głosem, lecz dobitnie (wiedział, że wszyscy wytężą słuch i usłyszą) Rusanow powiedział:

– To niemożliwe. Przecież jest pan Niemcem?

– Tak – przyznał Federau ze skruchą.

– No więc? Przecież przed zesłaniem na pewno odebrano panu legitymację partyjną.

– Nie odebrano – zaprzeczył Federau.

Rusanow skrzywił się, trudno mu było mówić:

– A więc to po prostu niedopatrzenie, ktoś z pośpiechu zapomniał o legitymacji. Sam powinien pan ją oddać.

– Ależ nie! – nieśmiały Federau okazał nagle niezwykłą stanowczość. – Mam legitymację od czternastu lat i nie ma tu żadnej pomyłki! Zebrali nas w rajkomie i powiedzieli: pozostajecie nadal członkami partii, nie traktujemy was na równi z innymi. Zesłanie zesłaniem, a składki składkami. Nie wolno wam pełnić funkcji kierowniczych, ale na stanowiskach roboczych powinniście być przykładem dla bezpartyjnych! Właśnie tak nam powiedzieli!

– No nie wiem – westchnął Rusanow. Pragnął zamknąć oczy i nie odzywać się do nikogo.

Drugi zastrzyk nie pomógł – guz ani drgnął, nie zelżał jego stalowy uścisk. Minęły dwa dni. Przeczuwając kolejną noc maligny osłabiony Rusanow czekał na trzecią iniekcję. Po trzecim zastrzyku miał jechać do Moskwy, lecz nagle stracił całą wolę walki, poczuł, że jest skazany: trzeci zastrzyk czy dziesiąty, tutaj czy w Moskwie – co za różnica, skoro guz nie reaguje na chemię? Guz czynił człowieka potworem, kaleką, inwalidą, lecz dopiero wczoraj Paweł Nikołajewicz skojarzył go sobie ze śmiercią – wczoraj, gdy Ogłojed zaczął komuś tłumaczyć, że rak rozłazi się po całym ciele i zabija.

Poruszyło to Pawła Nikołajewicza; zrozumiał, że jest bliższy śmierci, niż mu się wydawało.

Wczoraj też widział na własne oczy, jak z bloku pooperacyjnego wywożono człowieka pod prześcieradłem. I uświadomił sobie, co miały na myśli salowe, gdy mówiły: „Temu niewiele już brakuje do p r z e ś c i e r a d e ł k a". A wiec to tak – wyobrażamy sobie śmierć jako czerń, ale to nieprawda, śmierć jest b i a ł a.

Wiedział oczywiście, że skoro ludzie są śmiertelni, to kiedyś umrze i on, Paweł Nikołajewicz Rusanow. K i e d y ś, ale nie teraz! Nie strasznie jest umierać k i e d y ś – strasznie jest umrzeć t e r a z.

Biała obojętna śmierć, prześcieradło na nieruchomym kształcie, na nicości, zbliżała się do niego ostrożnie, bezszelestnie, w szpitalnych kapciach. A Rusanow nie tylko nie mógł z nią walczyć, ale w ogóle nie był w stanie nic zaradzić, wymyślić, zdecydować. Przyszła bezprawnie i nie istniała taka sprawiedliwość, nie istniała taka instrukcja, która mogłaby obronić Pawła Nikołajewicza.

I było mu żal samego siebie. Dlaczego tak logiczne, celowe, po prostu piękne życie miało zginąć, strącone kamieniem tego bezsensownego raka, z którym rozum nie mógł się pogodzić?

Było mu tak żal samego siebie, że chciało się płakać, łzy mąciły wzrok. W dzień maskował je okularami, udawał katar, nakrywał głowę ręcznikiem, a w nocy płakał – długo i cichutko, nie wstydząc się tego płaczu. Nie płakał od czasów dzieciństwa, zapomniał już, jak to jest, a jeszcze bardziej zapomniał, że łzy pomagają. Nie chroniły go przed żadnym zagrożeniem czy nieszczęściem – ani przed śmiercią, ani przed sądową rewizją przeszłości, ani przed jutrzejszym zastrzykiem i nocną gorączką, ale jak gdyby troszeczkę oddalały od tych niebezpieczeństw. Przynosiły mu ulgę.

Bardzo osłabł, niechętnie wstawał, niewiele jadł. Osłabł – i o dziwo znajdował w tym przyjemność, lecz niedobrą przyjemność: jak zamarzający, który nie ma siły się poruszać. Coś sparaliżowało, otuliło watą jego dawniejsze zaangażowanie społeczne, czujną niezgodę na wszelkie wypaczenia i nieprawidłowości. Wczoraj Ogłojed z uśmieszkiem na ustach łgał w żywe oczy lekarzowi naczelnemu, że jest szturmowcem nieużytków; wystarczyło otworzyć usta, powiedzieć dwa słowa – i nie byłoby śladu po Ogłojedzie.

A Paweł Nikołajewicz nie odezwał się, przemilczał. Z punktu widzenia interesów państwa postąpił nieuczciwie, jego obowiązkiem było zdemaskować kłamstwo. A jednak nic nie powiedział. Wcale nie dlatego, że brakowało mu tchu, nie z obawy przed zemstą Ogłojeda – nie. Po prostu nie miał ochoty zabierać głosu – zupełnie jakby wydarzenia w sali w ogóle nie dotyczyły jego, Pawła Nikołajewicza. Doznał nawet dziwnego uczucia, że ten pyskacz i grubianin, który tak bezczelnie nie pozwalał gasić światła, otwierał lufcik bez pytania o zgodę i wydzierał nie przeczytaną gazetę, też jest bądź co bądź dorosłym człowiekiem, ma własny los (niezbyt szczęśliwy) i niech sobie żyje, jak chce.

A dziś Ogłojed znowu się popisał. Przyszła laborantka z listą wyborczą (pacjenci oczywiście brali udział w wyborach) i zaczęła sprawdzać dokumenty tożsamości, wszyscy pokazywali jej dowody osobiste albo zaświadczenia, a Kostogłotow nie miał nic, żadnego papierka! Laborantka zdziwiła się, w związku z czym Kostogłotow podniósł raban, że trzeba znać przepisy, że są różne kategorie zesłańców, że laborantka powinna zadzwonić pod taki to a taki numer, że on, Kostogłotow, ma prawo głosować, a jak się nie podoba, to proszę bardzo, może nie iść na te wybory.

Oto jak pdejrzanym i zepsutym do szpiku kości człowiekiem okazał się jego sąsiad! Przeczucie nie zawiodło Pawła Nikołajewicza! Lecz zamiast oburzać się i zżymać na tak niegodne sąsiedztwo, przymknął obojętnie oczy: co za różnica – jakiś Kostogłotow, jakiś Federau, jakiś Sibgatow... Niech sobie wracają do zdrowia, niech żyją, jak chcą – byle tylko i on pozostał przy życiu.

Przypomniał sobie białe prześcieradło.

Niech żyją, Paweł Nikołajewicz nie będzie wypytywać ich i sprawdzać. Tylko żeby oni też o nic go nie wypytywali. Żeby nikt nie odgrzebywał przeszłości. Wszystko minęło i byłoby rzeczą niesprawiedliwą doszukiwać się teraz, kto i jaką pomyłkę popełnił przed osiemnastu laty.

Z parteru dobiegł głos Nelli, jedyny w swoim rodzaju. Wcale nie krzycząc pytała kogoś z odległości dwudziestu metrów:

– Ty, a lakierki ile kosztują?

Odpowiedzi koleżanki nie było słychać, za to jazgot Nelli – jak najbardziej:

– E-e-ch, poszłabym se w takich na ubaw! Ale by się chłopy zleciały!

Koleżanka wyraziła chyba wątpliwość, bo Nella przytaknęła:

– Oj tak! Jak pierwszy raz włożyłam kaprony, to żaden nie przylazł. A Siergiej rzucił zapałkę i od razu dziurę mi wypalił, swołocz jedna!

Weszła do sali ze szczotką i spytała:

– No, chłopaki, szorowanko było wczoraj, to dziś chyba tylko przetrzemy, co nie?... O! A wiecie – przypomniała sobie i wskazując palcem Federaua oznajmiła radośnie: – A ten wasz to się zawinął! Wykitował!

Choć zazwyczaj tak opanowany, Heinrich Jakobowicz wzdrygnął się.

Pozostali nie zrozumieli, więc Nella wyjaśniła:

– No, ten obwiązany! Wczoraj na dworcu. Koło kasy. Teraz przywieźli go na sekcję.

– Mój Boże! – jęknął Rusanow żałośnie. – Trzeba mieć trochę taktu, towarzyszko salowa! Jak można rozpowszechniać takie przykre wiadomości?

Wszyscy zamyślili się. Jefriem dużo mówił o śmierci i wyglądał na skazanego, to pewne. Stawał na środku sali i cedził ponuro:

– Tak, kie-e-epsko z nami!

Nie widzieli jego ostatnich chwil, toteż pamiętali go żywego. A teraz trzeba było sobie wyobrazić, że człowiek, który jeszcze przedwczoraj chodził po tych samych deskach co oni, leży w kostnicy z wnętrznościami na wierzchu jak rozcięta sardynka.

– Opowiedziałabyś co wesołego – poprosił Achmadżan.

– Ojej, mogę i wesołe! Jak opowiem, to pospadacie z łóżek! Tylko trochę nieprzyzwoite...

– Nie szkodzi! Opowiadaj! – prosił Achmadżan – No, mów!

– Aha! – Nella popatrzyła na Wadima. – Wołają cię na rentgen! Ciebie, chłopaczku, ciebie!

Wadim odłożył książkę na parapet. Ostrożnie opuścił chorą nogę, potem drugą. I poszedł do drzwi – gdyby nie ta obrzmiała, ciążąca noga, wyglądałby jak baletmistrz.

Słyszał nowinę, ale nie żałował Poddujewa. Poddujew nie był człowiekiem cennym dla społeczeństwa, tak samo jak ta prymitywna sprzątaczka. W kategoriach ludzkości liczy się nie bezmyślnie rosnąca ilość, lecz jakość.

Weszła laborantka z prasą.

Za nią szedł Ogłojed, wyraźnie czyhał na gazetę.

– Mnie! Mnie! – słabym głosem poprosił Paweł Nikołajewicz. Dostał gazetę.

Nawet bez okularów zauważył, że całą pierwszą stronę zajmują wielkie fotografie i wielkie tytuły. Powoli umościł się w łóżku, powoli włożył okulary i zaczął czytać. Zgodnie z jego przypuszczeniami artykuł wstępny dotyczył zakończenia sesji Rady Najwyższej ZSRR. Zdjęcia przedstawiały członków prezydium i panoramę sali, pod spodem zaś informowano o najważniejszych uchwałach i decyzjach.

Dziś nie trzeba było szukać po całej gazecie drobnych, a tak wiele znaczących wzmianek.

– Co?? Co??? – nie wytrzymał Paweł Nikołajewicz, choć nie wypadało tak głośno wykrzykiwać ze zdumienia.

Tłustym drukiem, na pierwszej kolumnie podano, że przewodniczący Rady Ministrów G.M. Malenkow złożył wniosek o zwolnienie go ze stanowiska na własną prośbę. Rada Najwyższa jednogłośnie przyjęła jego rezygnację.

Tak zakończyła się sesja, która w mniemaniu Rusanowa miała jedynie zatwierdzić budżet!

Gazeta wypadła mu z rąk. Nie miał siły czytać dalej.

Nie rozumiał, do czego to wszystko zmierza. Przestał rozumieć instrukcję – ogólnie dostępną, rozpowszechnianą. Rozumiał tylko, że to zbyt nagłe zmiany, zbyt gwałtowne!

Oto gdzieś we wnętrzu Ziemi, bardzo, bardzo głęboko drgnęły warstwy geologiczne, niedostrzegalnie poruszyły się w swoim łożysku – i od tego poruszenia zatrzęsło się, zadygotało miasto, szpital i łóżko Pawła Nikołajewicza.

A tymczasem przez salę, zupełnie nieświadoma tego dygotania ścian i podłogi, miękkim krokiem szła ku niemu doktor Ganhart ze strzykawką w ręku.

– No to zrobimy zastrzyk! – oznajmiła promiennie.

Kostogłotow wykorzystał okazję i szybko sięgnął po gazetę. I też od razu zobaczył. I przeczytał.

Przeczytał i wstał. Nie mógł usiedzieć na miejscu.

On też nie do końca zdawał sobie sprawę z doniosłości tej informacji. Lecz jeśli przedwczoraj odwołano cały Sąd Najwyższy, a dziś – premiera, to były to kroki Historii.

Kroki Historii! Przecież nie mogły oznaczać zmian na gorsze!

Jeszcze przedwczoraj przytrzymywał dłonią oszalałe serce i powtarzał sobie, że nie wolno wierzyć, nie wolno mieć nadziei!

I zaledwie po dwóch dniach znów zagrzmiały nad nim tamte cztery takty symfonii Beethovena!

A pacjenci spokojnie leżeli w łóżkach – i nic nie słyszeli!

I Wiera Ganhart spokojnie wprowadzała do żyły embichinę.

Oleg zerwał się, wybiegł – na powietrze.

Na otwartą przestrzeń!

20

Nie, dawno już zabronił sobie wierzyć. Nie miał prawa pozwolić sobie na radość!

To tylko przez pierwsze lata odsiadki nowicjusz wierzy, że każde wywołanie z celi z rzeczami, że każda pogłoska o amnestii to trąby archanielskie. A tymczasem wywołują go z celi, żeby odczytać jakiś parszywy papierek i przenieść piętro niżej, do innej celi, jeszcze bardziej dusznej i śmierdzącej. Mityczna amnestia odwleka się – od rocznicy Zwycięstwa do rocznicy Rewolucji, od rocznicy Rewolucji do sesji Rady Najwyższej, a potem marzenia pękają jak bańka mydlana, bo amnestia obejmuje wyłącznie złodziei, bandytów, dezerterów – lecz nie tych, którzy walczyli i cierpieli.

I stopniowo obumierają w sercu niepotrzebne komórki człowieczej radości. I pustoszeją, usychają w płucach pęcherzyki wiary.

Tyle już razy wierzył, tyle razy miał nadzieję, że teraz pragnął tylko jednego – powrotu na swoje Przepiękne Zesłanie, do cudownego Usz-Tereku! Tak – cudownego! – zadziwiające, ale właśnie takim wydawało mu się miejsce zsyłki stąd, ze szpitala, z tego wielkiego miasta, z tego skomplikowanego i niezrozumiałego świata, do którego Oleg nie umiał – a i nie chciał – się przystosować.

Usz-Terek to po uzbecku „trzy topole". Osadę nazwano tak ze względu na trzy prastare topole, widoczne w stepie z odległości dziesięciu kilometrów. Topole rosną obok siebie. Brak im typowo topolowej smukłości, są nawet nieco krzywe. Mają co najmniej po czterysta lat. Choć wysokie, rozrosły się wszerz i solidnie ocieniły gałęziami główny aryk. Podobno było ich więcej, ale resztę wycięto w 1931 roku, kiedy Budionny rżnął Kazachów. Nowe nie chcą się jakoś przyjąć. Ilekroć pionierzy zasadzą nowe drzewka, kozy natychmiast je niszczą. Przetrwały tylko klony amerykańskie przed siedzibą rajkomu.

Które miejsce godne jest twojej miłości? Czy to, w którym przyszedłeś na świat jako wrzeszczący noworodek, nieświadom jeszcze niczego, nawet doznań własnych oczu i uszu? Czy to, w którym po raz pierwszy powiedziano ci: „Możecie iść bez konwoju. Idźcie sami!"

Sami! „Weź łoże swoje i idź!"

Pierwsza noc na półwolności! Póki co, trwało jeszcze załatwianie formalności w komendanturze, nie wpuszczono ich do osady, ale mogli przenocować bez konwoju pod stogiem siana na dziedzińcu posterunku. Przy stogu nieruchome konie przez całą noc chrupały siano – czyż można sobie wyobrazić piękniejszy odgłos?

Oleg nie mógł zasnąć. Twardą ziemię dziedzińca zalewało białe światło księżyca – wstał więc i zaczął krążyć jak urzeczony po tym białym podwórzu. Nie było żadnych wieżyczek, nikt go nie obserwował – i z zachwytem, potykając się o kamienie, chodził tak z zadartą głową, wpatrywał się w białe niebo, szedł dokądś, śpieszył się, jak gdyby czekał nań nie zapadły auł, lecz ogromny i radosny świat. W ciepłym powietrzu wczesnej południowej wiosny unosiły się różne dźwięki: jak na dużej stacji węzłowej słychać nawoływania parowozów, tak ze wszystkich krańców aułu aż do rana namiętnie, tęsknie i uroczyście ryczały osły i wielbłądy – ryczały o swoim pożądaniu, o woli przedłużenia życia. I ów godowy ryk zlewał się w jedno z tym, co huczało w piersi Olega.

Czyż można nie kochać miejsca, w którym spędziło się taką noc?

Tak, tamtej nocy znów wierzył i miał nadzieję, choć tyle razy przysięgał sobie, że nie da się już nabrać!

W porównaniu z łagrem życie na zesłaniu nie wydawało się zbyt okrutne. Wprawdzie i tu bili się motykami o wodę, ale świat zesłańca był o wiele przestronniejszy, znośniejszy, bardziej różnorodny. Nie brakowało, rzecz jasna, trudności: niełatwo wrastał w ziemię korzonek rośliny, niełatwo kiełkowała wątła łodyżka. Trzeba było wykombinować, żeby komendant nie zesłał jeszcze dalej, sto pięćdziesiąt kilometrów w głąb stepu. Trzeba było znaleźć jakiś słomiano-gliniany dach nad głową i płacić gospodyni – i oczywiście postarać się o pieniądze. Trzeba było kupować chleb powszedni i coś do chleba. Trzeba było załatwić sobie robotę, a po siedmiu latach machania kilofem nie ciągnęło człowieka do motyki i pracy przy nawadnianiu. Owszem, mieszkało w aule sporo wdów, gotowych wyjść za samotnego zesłańca, ale Olega nie ciągnęło do małżeńskich kajdan: przecież życie dopiero się zaczynało, a nie kończyło.

W łagrze więźniowie zapewniali: wyjdziesz za bramę, a każda napotkana kobieta będzie twoja! Na wolności brakowało ponoć mężczyzn. Wszyscy wierzyli, że kobiety chodzą wyposzczone, chętne, łatwe i myślą wyłącznie o jednym. W osadzie roiło się jednak od dzieci, kobiety wyglądały na zadowolone z życia i żadna – panna, wdowa, samotna – nie chciała t a k, a koniecznie po ślubie, uczciwie. I żeby zbudować domek, uwić gniazdko na oczach całego aułu. W Usz-Tereku panowały obyczaje sprzed stu lat.

I oto od dawna już nie było żadnych konwojentów i drutów, a Oleg żył bez kobiety zupełnie tak samo jak w łagrze, choć mieszkały w osadzie kruczoczarne Greczynki i pracowite jasnowłose Niemki.

W orzeczeniu o zsyłce napisano „wieczna" i Oleg pogodził się już z myślą, że pozostanie tu na całą wieczność, nie czekał na nic innego. Ale żenić się tutaj nie chciał. Coś go powstrzymywało. Runął Beria z blaszanym łoskotem pustego bałwana – wszyscy oczekiwali wielkich zmian, a zmiany ślimaczyły się, były małe i bez znaczenia. Oleg odnalazł swoją dawną sympatię – na zesłaniu w kraju krasnojarskim – i napisali do siebie. Nawiązał też korespondencję z pewną znajomą z Leningradu i przez parę miesięcy żył nadzieją, że przyjedzie do niego (któż jednak porzuciłby mieszkanie w Leningradzie, żeby zaszyć się w takiej głuszy?). A potem zaczęła się choroba, przesłoniła wszystko swoim straszliwym bólem i w kobietach widział już tylko dobrych ludzi, nic więcej.

Oleg stwierdził, że zesłanie oprócz niedogodności, znanych chociażby z literatury (nie ten krajobraz, w którym chciałbyś mieszkać; nie ci ludzie, których pragnąłbyś widzieć), ma też swoje dobre strony, choć raczej mało znane: zsyłka uwalnia od wątpliwości, od odpowiedzialności za samego siebie. Naprawdę nieszczęśliwi byli nie zesłańcy, lecz ci, którzy otrzymywali dowody osobiste z paskudnym wpisem o artykule 39, a potem musieli uważać na każdym kroku, dokądś jechać, szukać miejsca, gdzie pozwolono by się im osiedlić, szukać pracy – wieczni tułacze, przepędzani zewsząd i przez wszystkich. Zesłaniec przyjeżdżał na miejsce przeznaczenia w pełnym majestacie prawa: nie on wybierał to miejsce i nikt nie mógł go stąd przepędzić! Decydowały za niego władze i nie musiał pluć sobie w brodę, że być może źle trafił, gdzie indziej byłoby lepiej. Wiedział, że kroczy jedyną możliwą drogą i świadomość ta zapewniała mu pogodę ducha.

I wracając teraz do zdrowia, w obliczu odzyskanego, lecz wciąż tak samo zagmatwanego życia Oleg cieszył się, że istnieje takie szczęśliwe miejsce – Usz-Terek, gdzie ktoś myśli za niego, gdzie wszystko jest jasne i proste, gdzie uchodzi za niemal pełnoprawnego obywatela i dokąd wróci jak do domu, jak *do domu*. Jakieś niewidzialne nici wiązały go już z tym miejscem i gotów był mówić o nim: *u nas*...

W Usz-Tereku przebywał od roku, przez dziewięć miesięcy chorował – i nie zdążył przyjrzeć się tamtejszej przyrodzie i życiu, nie czerpał z nich radości. Człowiekowi choremu step wydawał się zbyt suchy, słońce – zbyt ostre, ogrody – zbyt nędzne, domostwa – zbyt prymitywne.

Jednakże teraz, gdy życie znów wibrowało w nim jak namiętny ryk osłów tamtej wiosennej nocy, Oleg krążył po alejkach szpitalnego parku, patrzył na drzewa, ludzi, kolory, wielkie murowane domy – i tęsknie przypominał sobie każdy szczegół ubogiego, skąpego świata Usz-Tereku. I ów ubożuchny świat był mu bliższy, gdyż był to jego świat, swój, swój aż do grobowej deski, swój po wieczne czasy, zaś w tym znalazł się tylko chwilowo, przelotnie.

I przypomniał sobie stepowy żusan o gorzkim, a przecież tak swojskim zapachu. I żantak o kolczastych gałęziach. I jeszcze bardziej kolczasty dżingil – doskonały na żywopłoty (kwitnie w maju, ma fioletowe kwiaty i pachnie równie mocno jak bez). I to oszałamiające drzewo dżidu, którego kwiaty wydzielają tak silną korzenną woń, jak kobieta wyperfumowana ponad wszelką miarę.

Jakie to dziwne, że on, Rosjanin, przypisany do rosyjskich pól i lasów, do spokojnej środkoworosyjskiej przyrody, zesłany tu wbrew własnej woli i na zawsze, tak szybko przywiązał się do tego monotonnego bezkresnego pejzażu, to spalonego słońcem, to smaganego wichrami, do krainy, w której pochmurny dzień jest chwilą wytchnienia, a deszcz – świętem... I chyba pogodził się już z myślą, że pozostanie tu do śmierci. I zatęsknił do takich ludzi jak Sarymbietow, Tieliegienow, Maukojew, bracia Skokowowie – nie znał jeszcze ich języka, a już polubił ten lud: pełen naiwnego szacunku dla jego starożytności, w natłoku nowych wrażeń, gdy pozory mylą się z rzeczywistością, uznał ów lud za prostoduszny, zawsze gotowy odpłacić szczerością za szczerość i życzliwością za życzliwość...

Oleg miał trzydzieści cztery lata. Na wszystkich uczelniach obowiązuje limit wieku – przyjmują tylko do trzydziestego piątego roku życia. A więc nigdy nie zdobędzie wykształcenia. Trudno, nie wyszło. Dopiero niedawno zdołał awansować z wyrabiacza cegieł na pomocnika geodety (nie na stanowisko geodety, jak skłamał Zoi, a jedynie na pomocnika, za trzysta pięćdziesiąt rubli miesięcznie). Jego szef nie bardzo umiał odczytywać skalę na tyczce i Oleg mógłby mieć mnóstwo pracy, ale nie miał: kołchozy otrzymywały ziemię w wieczystą (znowu ta wieczność!) dzierżawę i bardzo rzadko udawało się uszczknąć kawałek gruntu na potrzeby osiedli. Gdzież mu tam do miraba – władcy systemu nawadniającego, miraba, który z daleka wyczuwa każdą nierówność gruntu! Cóż, pewnie z czasem uda się znaleźć lepsze zajęcie. Lecz teraz, teraz – dlaczego tak ciepło wspomina swój Usz-Terek i czeka na wypis ze szpitala, żeby móc tam wrócić, żeby dowlec się choćby na czworakach?

Czyż nie powinien raczej nienawidzić tego miejsca, przeklinać go? A tymczasem nawet to, co należałoby chłostać biczem satyry, wydawało się Olegowi po prostu zabawne. I nowy dyrektor szkoły Aben Bierdienow, który zerwał ze ściany „Szpaki" Sawrasowa i wrzucił do pieca (dostrzegł na obrazie cerkiew i uznał go za propagandę religijną). I kierowniczka rejonowego ośrodka zdrowia, rzutka Rosjanka, która wygłasza prelekcje dla miejscowej inteligencji, a po cichu sprzedaje babom krepdeszyn, zanim pojawi się w sklepie (i oczywiście bierze dwa razy drożej). I karetka pogotowia, wykorzystywana przez sekretarza do rozwożenia po mieszkaniach makaronu i masła. I „hurtowy" handel Oriembajewa, kierownika sklepu: w jego sklepiku nigdy nic nie ma, na dachu piętrzy się sterta pustych skrzynek, ale Oriembajew zawsze dostaje premie za przekroczenie planu obrotów, choć spokojnie drzemie przez cały dzień przed drzwiami swojej placówki. Jest leniwy, nie chce mu się ważyć, przesypywać, pakować. Gdy zaopatrzy już w towar wszystkich lokalnych prominentów, wybiera sobie ludzi, których uznaje za godnych tego zaszczytu i proponuje: „Bierz pudło makaronu – tylko całe", „Bierz worek cukru – tylko cały!" Pudło czy worek wędruje następnie z magazynu do mieszkania klienta, a Oriembajew ma obroty. Albo trzeci sekretarz rajkomu, który zapragnął nagle ukończyć szkołę średnią jako ekstern, a że kompletnie nie wyznawał się w matematyce, postanowił załatwić sprawę polubownie – zakradł się nocą do nauczyciela-zesłańca i wręczył mu karakułową skórkę.

Po okrutnych latach łagru wszystko wydawało się tylko zabawne. A co po łagrze mogło wyglądać poważnie? Co nie było odpoczynkiem?

Przecież jaka to rozkosz – włożyć o zmierzchu białą koszulę (zresztą jedyną, z przetartym kołnierzykiem, o butach i spodniach lepiej nie mówić) i pójść na spacer po głównej ulicy osady. Koło klubu pod trzcinowym okapem zobaczyć afisz: „Nowy zdobyczny film fabularny..." i głupiego Waśkę, który zwołuje wszystkich do kina. Kupić najtańszy bilet za dwa ruble – w pierwszym rzędzie, między dzieciarnią. A raz w miesiącu poszaleć – usiąść w czajchanie z szoferami – Czeczeńcami – i wypić kufel piwa za dwa pięćdziesiąt.

Tę pogodę, z jaką znosił zesłanie, tę bezustanną radość zawdzięczał przede wszystkim staruszkom Kadminom – ginekologowi Nikołajowi Iwanowiczowi i jego żonie Jelenie Aleksandrownie. Cokolwiek by się im przydarzyło, powtarzają niezmiennie:

– Jak dobrze! Nie da się w ogóle porównać z tym, co było! Ależ mieliśmy szczęście, że trafiliśmy do tego cudownego miejsca!

Udało się kupić bochenek pszennego chleba – radość! Do księgarni przywieziono dwutomowe wydanie Paustowskiego – radość! W klubie wyświetlają dziś dobry film – radość! Przyjechał technik dentystyczny i dopasował sztuczną szczękę – radość! Przysłano jeszcze jednego ginekologa, kobietę, też na zesłanie – bardzo dobrze! Zajmie się położnictwem i nielegalnymi skrobankami, Nikołaj Iwanowicz zostawi sobie tylko internę – mniej pieniędzy, ale za to więcej czasu, a i zajęcie spokojniejsze. Pomarańczowo-różowo-purpurowo-szkarłatnie-amarantowy zachód słońca nad stepem – cudo! Szczuplutki, siwiuteńki Nikołaj Iwanowicz bierze pod rękę swoją krągłą, przytęgą, schorowaną Jelenę Aleksandrownę i raźnie maszerują za osadę podziwiać zachód słońca.

Jednakże życie jako jedna wielka girlanda kwitnących radości rozpoczęło się dla nich w dniu, w którym kupili na własność zrujnowaną lepiankę z ogródkiem – ostatnią przystań, ostatnie schronienie: dożyją w nim do końca swoich dni i umrą. (Umrzeć chcą razem: umówili się, że gdy jedno umrze, drugie natychmiast podąży w jego ślady – po co i dla kogo miałoby wtedy żyć?) Nie mają żadnych mebli – proszą wiec starego Chomratowicza, zesłańca, by zbudował w kącie chaty podest z cegieł – samanów. Powstaje małżeńskie łoże: Jakie szerokie! Jakie wygodne! Co za radość! Do tego uszyje się worek na siennik i wypcha go słomą. Następne zamówienie dla Chomratowicza – stół – koniecznie okrągły! Zdumiewa się Chomratowicz: siedemdziesiąt lat na świecie żyje, a okrągłego stołu nigdy nie widział. Dlaczego okrągły? – „Bardzo pana proszę: o, taki! – pokazuje Nikołaj Iwanowicz swoimi białymi, zwinnymi rękami ginekologa. – Musi być okrągły!” – Nowe zadanie: zdobyć lampę naftową, ale nie blaszaną, tylko ze szkła, na wysokiej nóżce, z dużym knotem – i klosze do niej. W Usz-Tereku takiej nie ma, zdobywa się ją stopniowo, dobrzy ludzie przywożą części z daleka, ale w końcu na okrągłym stole staje wymarzona lampa, w dodatku z abażurem wykonanym przez Jelenę Aleksandrownę – i tu, w Usz-Tereku, w roku 1954, gdy w stolicach ludzie uganiają się za kinkietami elektrycznymi i skonstruowano bombę wodorową – lampa naftowa na okrągłym stole wyczarowuje w glinianej lepiance wykwintny salon z osiemnastego wieku. Co za święto! Siadają we troje wokół stołu i Jelena Aleksandrowna mówi ze wzruszeniem:

– Ach, Oleg, jak dobrze nam się teraz żyje! Czy pan wie, że jeśli nie liczyć dzieciństwa, to najszczęśliwszy okres mojego życia?

Ma rację! To nie dobrobyt czyni nas szczęśliwymi, lecz dobroć i sposób widzenia własnego życia. I jedno, i drugie zawsze zależy od nas samych: człowiek zawsze może być szczęśliwy, jeśli tylko tego zechce, i nikt nie jest w stanie mu przeszkodzić.

Przed wojną mieszkali pod Moskwą razem z teściową, teściowa była tak zrzędliwa i nieprzejednana w swej wrogości, a syn tak pełen szacunku dla matki, że Jelena Aleksandrowna – kobieta dojrzała, samodzielna, nie pierwszy raz zamężna – czuła się zupełnie zahukana. Lata te nazywa teraz „swoim średniowieczem". Tylko jakieś wielkie nieszczęście mogło zmienić ten fatalny układ rodzinny.

I nieszczęście takie wydarzyło się – z winy samej teściowej: w pierwszym roku wojny przyszedł do ich domu obcy człowiek bez dokumentów i poprosił o ukrycie. Godząc w sercu oschłość wobec własnej rodziny z chrześcijańską miłością bliźniego, teściowa uznała za swój obowiązek przygarnąć dezertera – nawet nie spytała młodych o zgodę. Dezerter spędził pod gościnnym dachem dwie noce, potem poszedł sobie, potem go złapali i w trakcie przesłuchania wskazał dom, w którym udzielono mu schronienia. Teściowa dobiegała osiemdziesiątki, więc zostawiono ją w spokoju, ale uznano za stosowne aresztować pięćdziesięcioletniego syna i czterdziestoletnią synową. Podczas śledztwa sprawdzono, czy dezerter był ich krewnym: gdyby był, to okoliczność ta mogłaby wpłynąć na złagodzenie wyroku: czyn można by uznać za w pełni zrozumiały, a nawet wybaczalny. Dezerter okazał się jednak człowiekiem zupełnie obcym, przypadkowym – i dostali Kadminowie po dziesiątce: nie jako wspólnicy dezertera, lecz jako wrogowie ojczyzny, świadomie działający na szkodę Armii Czerwonej. Wojna się skończyła, dezerter wyszedł na mocy wielkiej amnestii stalinowskiej z czterdziestego piątego (historycy długo będą łamać sobie głowy, dlaczego darowano karę akurat dezerterom – i to bezwarunkowo). Wyszedł i dawno już zapomniał, że w ogóle nocował kiedyś w czyimś domu, że komuś stała się z tego powodu krzywda. A Kadminów amnestia nie objęła: nie byli wszak dezerterami, byli wrogami. Odsiedzieli swoje dziesięć lat, ale nie zwolniono ich do domu: nie działali przecież w pojedynkę, a w grupie, w organizacji – mąż i żona! To zaś oznaczało wieczne zesłanie. Przewidując taki rozwój wypadków Kadminowie zawczasu napisali podania, żeby przynajmniej na zesłaniu pozwolono im być razem. I choć pozornie nikt nie miał nic przeciwko temu, choć prośba była jak najbardziej zgodna z prawem – męża zesłano na południe Kazachstanu, a żonę do kraju krasnojarskiego. Może chciano ich rozłączyć jako członków tej samej organizacji? Ależ skąd, nie chodziło o żadne represje, nie zrobiono im tego na złość – po prostu w Ministerstwie Spraw Wewnętrznych nie pracował taki urzędnik, który miałby obowiązek łączyć mężów i żony. Ponieważ nikt nie miał takiego obowiązku, więc nie połączono ich. Pięćdziesięcioletnia żona, chora na reumatyzm, znalazła się w tajdze, gdzie mogła pracować jedynie przy wyrębie lasu, czyli robić to samo co w łagrze. (Do dziś jednak wspomina tajgę nad Jenisiejem – co za pejzaże!) Jeszcze przez rok pisali odwołania – do Moskwy, do Moskwy, do Moskwy – i dopiero wtedy speckonwój odstawił Jelenę Aleksandrownę tutaj, do Usz-Tereku.

Jakże więc nie mieli cieszyć się z życia? Nie pokochać Usz-Tereku? I swojej glinianej lepianki? Czyż mogli oczekiwać większej łaskawości losu?

Po wieczne czasy – to po wieczne czasy! Mając do dyspozycji wieczność można doskonale zbadać klimat Usz-Tereku! Nikołaj Iwanowicz wywiesza za oknem trzy termometry, wystawia puszkę do pomiaru opadów, a po dane dotyczące siły wiatru zachodzi do Inny Sztrem, uczennicy dziesiątej klasy, która prowadzi obserwacje dla państwowej stacji meteorologicznej. Stacja stacją, a Nikołaj Iwanowicz z godną podziwu skrupulatnością gromadzi własne spostrzeżenia w tej dziedzinie.

Już w dzieciństwie przejął po ojcu, inżynierze drogownictwa, zamiłowanie do dokładności, porządku i działania. Nie wiadomo, czy Korolenko był pedantem, ale zwykł mawiać (a Nikołaj Iwanowicz cytować): „Porządek wśród przedmiotów i spraw jest odzwierciedleniem spokoju ducha człowieka". I jeszcze jedno zdanie często powtarza doktor Kadmin: „Rzeczy znają swoje miejsce". Każda rzecz zna swoje miejsce, a my nie powinniśmy jej przeszkadzać.

Na zimowe wieczory Nikołaj Iwanowicz ma inne pożyteczne zajęcie: introligatorstwo. Lubi przywracać radosny, schludny wygląd postrzępionym, rozlatującym się i skazanym na zagładę książkom. W Usz-Tereku wykonano dla niego prasę introligatorską i bardzo ostrą gilotynę do papieru.

Lepianka dopiero co kupiona, a już Kadminowie oszczędzają każdy grosz, nie kupują ubrań, skąpią sobie wszystkiego – ciułają pieniądze na radio tranzystorowe. Jeszcze trzeba umówić się ze sprzedawcą – Kurdem, żeby odłożył baterie, kiedy będzie dostawa: baterie sprzedaje się osobno i rzadko bywają. Jeszcze trzeba przełamać w sobie przerażenie, jakie odczuwa każdy zesłaniec na myśl o radiu: co pomyśli pełnomocnik MSW? Czy nie uzna, że chcą słuchać Londynu?

Lecz oto strach pokonany, baterie kupione, radio włączone – i muzyka, rozkosz dla uszu więźnia: Puccini, Sibelius, Bortnianskij, co dzień coś nowego, można wybierać z programu – rozbrzmiewa w lepiance Kadminów. I już wypełniony, nasycony jest ich świat, już nie chłonie niczego z zewnątrz, ale sam promieniuje, dzieli się nadmiarem.

A na wiosnę krótsze są wieczory przy radioodbiorniku – czeka ogród! Tysiąc metrów kwadratowych swojej posiadłości Nikołaj Iwanowicz rozplanował tak starannie, że ani się do niego umywa stary książę Bołkonskij z Łysymi Górami i specjalnym architektem. W ośrodku zdrowia Nikołaj Iwanowicz mimo sześćdziesiątki jest jeszcze bardzo czynny – pracuje na półtora etatu i o każdej porze dnia i nocy pędzi do porodów. Nie chodzi po aule, a biega z rozwianymi połami marynareczki z żaglowego płótna, którą uszyła mu żona. Do łopaty nie ma już jednak siły – pokopie rano pół godzinki, zasapie się i musi odpocząć. Ręce i nogi odmawiają wprawdzie posłuszeństwa, lecz plany ma wspaniałe i przemyślane do najdrobniejszego szczegółu. Oprowadza Olega po swym pustym królestwie, oznakowanym dwoma palikami, i chwali się:

– A tędy przez całą długość ogrodu będzie biegła dróżka. Po lewej stronie zobaczy pan kiedyś niewielką winnicę, winorośl na pewno się przyjmie. Na końcu dróżki zbuduję altankę – najprawdziwszą altankę, jakiej Usz-Terek jeszcze nie widział! Fundament już jest – to tamten półokrągły murek z samanów (znowu Chomratowicz: „Dlaczego półokrągły?) i tyczki. Po tyczkach puszczę chmiel. A obok zasadzę krzaki tytoniowe, niech pachną. W dzień będziemy chronić się w altance przed upałem, a wieczorami – pić herbatę z samowara, proszę szanownego pana! (Samowara oczywiście też jeszcze nie ma!)

Co oprócz tego ma rosnąć w ogrodzie – nie wiadomo, wiadomo natomiast, czego nie będzie – nie będzie ziemniaków, ogórków, kapusty, pomidorów i tykw, które uprawiają sąsiedzi. „To można przecież kupić!" – argumentują Kadminowie.

I kupują. Mieszkańcy Usz-Tereku to ludzie gospodarni, hodują krowy, świnie, owce, drób. Kadminowie też mają żywy inwentarz, ale ich hodowlę trudno uznać za praktyczną – same psy i koty. Kadminowie rozumują tak: mleko i mięso można kupić na targu, ale gdzie człowiek kupi psią wierność? Czy za pieniądze będzie cię tak obskakiwać kłapouchy czarno-biały Żuk, ogromny jak niedźwiedź, albo malutki sprytny Tobik, cały biały, z ruchliwymi czarnymi uszkami?

Nie szanujemy jakoś w ludziach miłości do zwierząt, pokpiwamy sobie z czyjegoś przywiązania do kotów. Czyż jednak nie jest tak, że najpierw przestajemy lubić zwierzęta, a potem – tracimy serce do ludzi?

Kadminowie kochają swoje czworonogi za charakter i osobowość. I ta serdeczność, którą promieniują małżonkowie, bez żadnej tresury prawie natychmiast udziela się ich zwierzętom. Zwierzęta bardzo lubią, gdy Kadminowie z nimi rozmawiają: potrafią słuchać całymi godzinami. Zwierzęta chwalą sobie towarzystwo pana i pani i są dumne, gdy mogą z nimi dokądś pójść. Jeśli Tobik leży w pokoju (psom wolno przebywać w domu i wchodzić doń, kiedy tylko zechcą) i widzi, jak Jelena Aleksandrowna wkłada płaszcz i bierze torbę, to już wie, że będzie spacer do osady. Zrywa się więc z miejsca, pędzi do ogrodu po Żuka i wraca razem z nim. Widocznie powiedział mu o spacerze w jakimś psim języku – i Żuk przybiega podniecony, gotów do wymarszu.

Żuk doskonale orientuje się w czasie. Odprowadza Kadminów do kina, ale nie czeka przed klubem, odchodzi – i zawsze wraca tuż przed końcem seansu. Pewnego razu film był krótszy niż zazwyczaj i Żuk spóźnił się. Ileż było rozpaczy, a potem ileż skoków z radości!

I tylko do pracy psy nigdy nie odprowadzają Nikołaja Iwanowicza – wiedzą, że byłby to nietakt. Jeśli zaś przed wieczorem doktor wychodzi za bramę swoim lekkim, młodzieńczym krokiem, psy wyczuwają jakimś tajemnym instynktem, czy idzie odebrać poród (wtedy mu nie towarzyszą), czy kąpać się (i wtedy idą razem z nim). To daleka wyprawa – kąpać się można w rzece Czu, pięć kilometrów od osady. Ani miejscowi, ani zesłańcy, ani młodzi, ani dorośli nie chodzą tam zbyt często – za daleko. Chodzi tylko dzieciarnia i doktor Kadmin z psami. To jedyny spacer, który nie sprawia psom przyjemności: ścieżka jest twarda i porośnięta kłującymi trawami, Żuk ma obolałe, pokaleczone łapy, a Tobika wrzucono kiedyś do wody i boi się wpaść do niej jeszcze raz. Poczucie obowiązku jest jednak silniejsze niż strach i ból, toteż psy wiernie towarzyszą doktorowi. Dopiero trzysta metrów przed rzeką Tobik zwalnia, żeby go nie złapano, przeprasza uszami i kładzie się, przezornie zachowując bezpieczny dystans. Żuk podchodzi do skraju urwiska, układa na nim swoje duże ciało i obserwuje kąpiel z góry jak posąg.

Tobik uważa za swój obowiązek odprowadzać również Olega, który często bywa u Kadminów. (Tak często, że budzi to czujność pełnomocnika; wypytuje: „A dlaczego tak się przyjaźnicie? Co was łączy? O czym rozmawiacie?") Żuk nie musi odprowadzać Olega, ale Tobik – tak. I to bez względu na pogodę. Na dworze deszcz i błoto, można zmarznąć w łapy, nie chce się Tobikowi wychodzić, ale – pójdzie! Jest też posłańcem – gdy trzeba przekazać Olegowi wiadomość, że dziś w klubie grają dobry film albo że w radiu zapowiada się ciekawy koncert, albo że w sklepie pojawiło się coś atrakcyjnego, Kadminowie zakładają Tobikowi płócienną obrożę z karteczką, pokazują palcem kierunek i mówią: „Do Olega!". I Tobik biegnie posłusznie na swoich wysokich, cienkich łapach, a nie zastawszy gospodarza czeka cierpliwie pod drzwiami. Najdziwniejsze, że nikt go tego nie uczył, nie tresował, po prostu pojął wszystko dobrym psim sercem i zaczął spełniać swój obowiązek. (Trzeba jednak dodać, że Oleg za każdym razem podbudowuje jego zaangażowanie ideowe smakowitymi bodźcami materialnymi.)

Żuk wielkością i sylwetką przypomina owczarka niemieckiego, ale nie ma w nim charakterystycznej dla tej rasy agresywności, czujności, przepełnia go dobrotliwy spokój stworzenia dużego i silnego. Nie jest już młody, miał wielu właścicieli, a Kadminów wybrał sobie sam. Przedtem należał do kierownika czajchany Wasadze. Wasadze trzymał go na uwięzi obok pojemników z naczyniami, a czasem dla zabawy spuszczał z łańcucha i szczuł na psy sąsiadów. Żuk walczył dzielnie i szerzył wśród tych spasionych żółtych kundli prawdziwy popłoch. Z natury dobry i spokojny, nie mógł przecież nie wierzyć swemu panu. Podczas jednej z takich chwil wolności Żuk bawił na psim weselu w pobliżu domu Kadminów i widocznie poczuł jego serdeczność, bo zaczął przybiegać na podwórko, choć nikt go tam nie podkarmiał. Wasadze wyjechał z Usz-Tereku i podarował Żuka swojej przyjaciółce, zesłance Emilii. Emilia dbała o Żuka, ale on zrywał się z łańcucha i uciekał do Kadminów. Emilia obrażała się na Kadminów, zabierała Żuka, przywiązywała – a on i tak uciekał. Przywiązała więc do łańcucha koło samochodowe. Pewnego razu Żuk zobaczył jednak na ulicy Jelenę Aleksandrownę i poznał ją, choć odwróciła twarz w drugą stronę. Szarpnął – i jak koń pociągowy, chrypiąc z wysiłku, wlókł za sobą koło przez sto metrów, dopóki nie padł. Po tym zdarzeniu Emilia odstąpiła psa. U nowych państwa Żuk szybko uznał abstrakcyjny humanizm za obowiązującą normę postępowania. Inne psy przestały się go bać, a przechodniów traktował życzliwie, choć bez nadmiernej poufałości.

W Usz-Tereku mieszkali jednak miłośnicy polowania. Chodzili pijani po ulicach aułu i z braku lepszej zwierzyny zabijali psy. Dwukrotnie strzelali też do Żuka. Teraz bał się każdego wymierzonego weń otworu, nawet obiektywu aparatu i nie pozwalał się fotografować.

Kadminowie mieli też koty – rozpieszczone, kapryśne i rozmiłowane w sztuce, ale Oleg spacerując po szpitalnym parku wyobrażał sobie właśnie Żuka, ogromny, dobry łeb Żuka, i to nie na ulicy, ale w kwadracie swojego okna: oto w oknie pojawia się łeb Żuka – pies stanął na tylnych łapach i zagląda przez okno jak człowiek. A to znaczy, że obok podskakuje Tobik, a za chwilę zjawi się Nikołaj Iwanowicz we własnej osobie.

I nagle Oleg poczuł z rozrzewnieniem, że jest całkiem zadowolony ze swego losu, że pogodził się z zesłaniem i prosi Boga jedynie o zdrowie, o nic innego.

Trzeba żyć tak jak Kadminowie – cieszyć się tym, co jest! Prawdziwy mędrzec zadowala się małym.

Któż to jest optymista? To człowiek, który mówi: wszystko idzie źle, wszędzie jest jeszcze gorzej, ale mnie się udało, mnie jest dobrze. I cieszy się tym, co ma.

A pesymista? Pesymista powiada: wszystko idzie wspaniale, wszędzie jest dobrze, tylko mnie się nie udało, mnie jest źle. I bezustannie zadręcza się swoją ciężką dolą.

Byle tylko wytrzymać to leczenie! Wyrwać się z tych kleszczy – radioterapii, hormonoterapii – we względnie znośnym stanie. Byle zachować libido i to, co trzeba – bo bez tego, bez tego...

I wrócić do Usz-Tereku. I przestać być kawalerem! Ożenić się! Zoja pewnie nie przyjedzie. A jeśli nawet przyjedzie, to dopiero po studiach, za półtora roku. Znowu czekać, czekać, całe życie czekać – nie, dosyć już czekania!

Można by ożenić się z Ksaną. Co za gospodyni! – przeciera zwyczajne talerze, ściereczka na ramieniu, a wygląda jak królewna, oczu nie oderwiesz! To byłby solidny związek – dom zbudować, dzieci niańczyć...

A może Inna Sztrem? Trochę głupio, ma dopiero osiemnaście lat. Chociaż ... Urok młodości ... Inna ma taki roztargniony, a zarazem bezczelny uśmiech, jest w nim i zaduma, i wyzwanie. To też kusi..

A więc nie wolno wierzyć, nie wolno łudzić się, nie wolno słuchać tych taktów symfonii Beethovena! Wszystko to pobożne życzenia, bańki mydlane. Uspokoić oszalałe serce – i nie wierzyć! Na nic nie czekać! Nie spodziewać się żadnych zmian na lepsze!

Ciesz się tym, co masz!

Jak wieczność – to wieczność!

21

Oleg zetknął się z nią w drzwiach pawilonu. Uskoczył w bok, przytrzymał drzwi – szła z takim impetem, że jak nic zwaliłaby go z nóg.

Dostrzegł tylko błękitny beret na czekoladowych włosach, głowę pochyloną jakby pod wiatr i jakiś zdumiewający, nieprawdopodobnie długi płaszcz, zapięty pod szyję.

Gdyby wiedział, że to córka Rusanowa, na pewno by zawrócił. A że nie wiedział – poszedł do parku na swój samotny spacer.

Awieta bez trudu załatwiła sobie przepustkę – przecież ojciec nie miał siły zejść do hallu, a poza tym był czwartek, dzień odwiedzin. Zdjęła płaszcz, a na bordowy sweterek narzuciła biały fartuch – tak ciasny, że pasowałby na nią chyba tylko w dzieciństwie.

Po wczorajszym, trzecim zastrzyku Paweł Nikołajewicz naprawdę opadł z sił i jeśli nie musiał, to nie wysuwał nawet nóg spod koca. Nie wstawał, jadł bez apetytu, nie zakładał okularów i nie wdawał się w rozmowy. Zniknęła gdzieś jego niezłomna wola, poddał się chorobie. Nowotwór, który najpierw go irytował, potem napawał lękiem, zawładnął teraz organizmem i to on, a nie Paweł Nikołajewicz decydował o tym, co ma być.

Paweł Nikołajewicz wiedział, że Awieta wróciła z Moskwy, i czekał na nią od samego rana. Czekał jak zawsze z radością, ale dziś również z pewnym niepokojem: Kapa miała opowiedzieć córce o liście od Minaja, o Rodiczewie, o Guzunie – o wszystkim. Dotychczas Awieta nie musiała o niczym wiedzieć, teraz jednak potrzebna była jej głowa i rada. To mądra dziewczyna, mądrzejsza nawet od rodziców, a mimo to Paweł Nikołajewicz czuł się niepewnie: jak zareaguje? Czy zrozumie? Czy nie osądzi zbyt pochopnie?

Awieta wkroczyła energicznie i zamaszyście, choć w jednej ręce niosła pękatą torbę, a drugą przytrzymywała fartuch na ramieniu. Jej młoda twarz jaśniała świeżością, nie było w niej tego smętnego współczucia, z jakim ludzie podchodzą do ciężko chorych, a które sprawiłoby przykrość Pawłowi Nikołajewiczowi.

– No, tatku! Co ty wyprawiasz? – przywitała się dziarsko, usiadła na brzegu łóżka i szczerze, bez cienia udawania ucałowała ojca w oba nie ogolone policzki. – Jak się czujesz? Musisz mi wszystko dokładnie opowiedzieć. No, mów!

Jej kwitnący wygląd i ten rześki, wymagający ton podniosły Pawła Nikołajewicza na duchu, toteż nieco się ożywił.

– Jak by ci tu powiedzieć? – zaczął powoli i z namysłem, jakby odpowiadał samemu sobie. – Guz chyba się nie zmniejszył, ale jakoś łatwiej poruszać głową. Mam wrażenie, że trochę łatwiej. Tak mi się wydaje. Mniej uciska.

Córka bez pozwolenia, lecz tak, żeby nie sprawić bólu, rozpięła mu kołnierzyk piżamy i obejrzała guz – badawczo, rzeczowo, jak lekarz, który codziennie ma do czynienia z takimi przypadkami.

– Nic groźnego! – orzekła. – Powiększony gruczoł, i tyle. A mama narobiła takiej paniki, że spodziewałam się nie wiadomo czego. Mówisz, że trochę ci lżej? No widzisz, zastrzyki robią swoje! Kiedy guz będzie dwa razy mniejszy i przestanie ci przeszkadzać, będziesz mógł się stąd wypisać.

– Oj tak – westchnął Paweł Nikołajewicz. – Gdyby to było dwa razy mniejsze, dałoby się żyć.

– I leczyć się w domu!

– Myślisz, że mógłbym?

– Oczywiście! Przyzwyczaisz się do leku, organizm przestanie tak gwałtownie reagować i będziesz mógł dostawać zastrzyki w domu. Zostaw to nam! Załatwimy!

Paweł Nikołajewicz odzyskiwał dobry humor. Załatwią albo i nie, ale determinacja córki, jej wola walki, napełniały go dumą. Nawet bez okularów widział szczerą i uczciwą twarz Awiety, taką energiczną, taką bystrą, z ruchliwymi nozdrzami i ruchliwymi brwiami, które tak gniewnie marszczyły się na widok każdej niesprawiedliwości. Ktoś – chyba Gorki – powiedział: jeżeli twoje dzieci nie są lepsze od ciebie, to spłodziłeś je na próżno i na próżno żyłeś. Paweł Nikołajewicz nie żył na próżno.

Niepokoił się jednak, czy córka wie o t a m t y m i co powie.

Awieta nie śpieszyła się, wypytywała o leczenie, o lekarzy, zajrzała do szafki, sprawdziła, co już zjadł, a co się zepsuło, wyjęła z torby nowe smakołyki.

– Przywiozłam ci butelkę specjalnego wina na wzmocnienie, pij po kieliszeczku. Tu masz czerwony kawior, lubisz go, prawda? A tu pomarańcze. Z Moskwy!

– Dziękuję.

Przez ten czas zlustrowała wzrokiem salę i pozostałych pacjentów, po czym skrzywiła się porozumiewawczo – masz rację, straszne tu dziadostwo, ale trzeba podchodzić do tego z humorem.

Wreszcie przysunęła się bliżej i choć nikt ich raczej nie słyszał, zniżyła głos:

– Tak, tato, to okropne – od razu przystąpiła do sedna sprawy. – W Moskwie stale się o tym mówi. Zaczynają się rewizje wyroków. To już prawie masowe zjawisko.

– Masowe?

– Dosłownie masowe! Jakaś epidemia. Obłęd! Przecież nie można zawrócić koła historii! Kto to robi? Jakim prawem? Zgoda, osądzono tych ludzi, skazano ich słusznie czy niesłusznie, ale po co pozwalać im wracać? Przecież taki powrót do dawniejszego życia jest dla nich trudny i bolesny! Trzeba mieć trochę litości i zostawić ich tam, gdzie są! Niektórzy nie żyją – po co o nich przypominać? Po co rozbudzać w ich rodzinach jakieś nieuzasadnione nadzieje i chęć zemsty? I co w ogóle znaczy to słowo – „rehabilitacja"? Przecież nie może oznaczać, że taki ktoś był zupełnie niewinny! Skoro go skazano, to coś tam musiał mieć na sumieniu, to oczywiste. Choćby drobiazg!

Jaka mądra! Z jakim żarliwym przekonaniem to mówiła! Nie rozmawiali jeszcze o sprawie Pawła Nikołajewicza, ale czuł, że nie zawiedzie się na córce, że Ałła będzie po jego stronie.

– Słyszałaś o przypadkach powrotów? Do Moskwy też?

– Nawet do Moskwy! Wszyscy chcą wracać do Moskwy! Ciągnie ich tam jak pszczoły do miodu. A jakie zdarzają się tragedie! Wyobraź sobie: mieszka sobie człowiek spokojnie i nagle wzywają go – tam. Na konfrontację z takim, co wrócił! Wyobrażasz to sobie?

Paweł Nikołajewicz wzdrygnął się. Ałła zauważyła to, lecz zawsze dopowiadała myśl do końca, nie mogła się powstrzymać.

– ... I chcą, żeby powtórzył to wszystko, co mówił dwadzieścia lat temu! Coś niesłychanego! Kto by pamiętał? Komu to potrzebne? Skoro tak was przypiliło, to sobie rehabilitujcie, proszę bardzo, ale bez tych konfrontacji! Po co szarpać ludziom nerwy? Przecież ten człowiek wrócił potem do domu – i chciał się powiesić!

Pawła Nikołajewicza oblał zimny pot. Nie pomyślał, że sąd może go wezwać na konfrontację – z Rodiczewem, z Jelczanskim, z innymi...

– A kto kazał tym durniom podpisywać różne bzdury na siebie? Przecież mogli nie podpisywać! – giętki umysł Ałły ogarniał wszystkie aspekty sprawy. – Kto ma czelność odgrzebywać przeszłość nie myśląc o ludziach, którzy wtedy pracowali? A powinno się myśleć! Jak oni cierpią! Jak przeżywają te nagłe zmiany!

– Mama ci powiedziała?

– Tak, tatku! Wszystko! W ogóle nie powinieneś się tym przejmować! – chwyciła go za ramiona. – Chcesz znać moje zdanie?

Uważam, że ten, który *informuje*, jest człowiekiem światłym i świadomym! Kierują nim najszlachetniejsze pobudki, najlepsze intencje, działa dla dobra społeczeństwa! Społeczeństwo ceni to i rozumie. Oczywiście człowiek taki może się czasem pomylić, ale nie myli się tylko ten, kto nic nie robi. On zaś postępuje zgodnie ze swoim instynktem klasowym, a instynkt klasowy nigdy nie zawodzi.

– Dziękuję ci! Dziękuję! – Paweł Nikołajewicz poczuł napływające łzy, ale były to dobre łzy, łzy ulgi. – Trafnie to ujęłaś: społeczeństwo ceni i rozumie.

Szkoda, że nie wiadomo dlaczego za społeczeństwo, za *lud* uważa się tylko tych *na dole*.

Spoconymi palcami pogłaskał chłodną dłoń córki. – To bardzo ważne, żeby młodzi nas zrozumieli, żeby nie potępiali. Powiedz mi jeszcze... Jak myślisz: czy w kodeksie jest taki paragraf, żeby nas teraz...no, na przykład mnie...sądzić za... fałszywe zeznania?

– Wyobraź sobie – ożywiła się Ałła – że w Moskwie byłam raz świadkiem dyskusji o... właśnie takich niebezpieczeństwach. I pewien prawnik powiedział, że artykuł za tak zwane fałszywe zeznania przewiduje najwyżej dwa lata, a poza tym były już dwie amnestie i jest absolutnie wykluczone, żeby ktokolwiek kogokolwiek mógł sądzić za fałszywe zeznania sprzed lat! A Rodiczew ani piśnie, możesz być pewien!

Paweł Nikołajewicz miał wrażenie, że guz się skurczył. Tyle radości!

– Ach, moja ty mądralo! – powtarzał uszczęśliwiony. – Ty zawsze wszystko wiesz! I wszędzie jesteś w samą porę! Żeby nie ty...

Objął rękami dłoń córki i ucałował ją z uszanowaniem. Paweł Nikołajewicz był człowiekiem bezinteresownym. Dobro dzieci przedkładał ponad własne. Wiedział, że poza lojalnością, systematycznością i wytrwałością nie wyróżnia się niczym szczególnym. Prawdziwy rozkwit przeżywał więc w córce – i grzał się w jej blasku.

Symboliczny fartuch ciągle zsuwał się z ramion, zniecierpliwiona Ałła ze śmiechem zarzuciła go na oparcie łóżka nad wykresem temperatury. O tej porze dnia nikt z personelu nie zaglądał do sal.

Została w swoim bordowym sweterku – nowym, którego ojciec jeszcze nie widział. Szeroki, biały, wesoły zygzak biegł od mankietu do mankietu przez oba rękawy i pierś – świetnie pasował ten energiczny zygzak do energicznych ruchów Ałły.

Ojciec nigdy nie żałował pieniędzy na stroje dla Ałły. Kupowali rzeczy po znajomości, zagraniczne – i ubierała się Ałła śmiało, dumnie, podkreślała swą rzucającą się w oczy urodę, która tak znakomicie współgrała z jasnym i trzeźwym umysłem.

– Słuchaj – szeptał ojciec – a pamiętasz, o co cię prosiłem? Miałaś się dowiedzieć o to dziwne określenie... czytam czasem albo słyszę w radiu... k u l t j e d n o s t k i. Czy to przypadkiem nie jest aluzja do...

Zabrakło Pawłowi Nikołajewiczowi tchu, żeby wymówić następne słowo.

– Obawiam się, tatku, że tak... Obawiam się, że niestety tak... Na zjeździe związku pisarzy też parę razy była o tym mowa... Nikt nie mówi wprost, a wszyscy udają, że wiedzą, o co chodzi.

– Słuchaj, przecież to po prostu... bluźnierstwo! Kto się ośmiela...

– Wstyd i hańba! Ktoś wymyślił i teraz to krąży, krąży... Trudno się połapać, z jednej strony „kult jednostki", ale z drugiej – „wielki kontynuator", raz tak, raz siak... Trzeba dużo sprytu, żeby utrzymać się pośrodku, poczekać, co z tego wyniknie. A tak w ogóle, tatku, należy dostosowywać się do wymogów epoki. Zmartwisz się, tatku, ale czy chcemy, czy nie, musimy iść z duchem czasu! Wiesz, poznałam w Moskwie środowisko literackie, nawet dość dobrze... Myślisz, że pisarzom łatwo jest przestawić się na nowe tory, na nowy sposób myślenia? Bardzo trudno! Ale jacy to doświadczeni, jacy przewidujący ludzie, jak wielu rzeczy można się od nich nauczyć!

W ciągu tego kwadransa, kiedy Ałła siedziała przy nim i swoimi szybkimi precyzyjnymi replikami rozpraszała posępne cienie przeszłości, wyczarowując równocześnie świetlane dale, Paweł Nikołajewicz poweselał, nabrał otuchy i zupełnie nie miał już ochoty na rozmowę o guzie, o przeniesieniu do innej kliniki – pragnął tylko słuchać radosnych opowieści córki, wdychać ten idący od niej poryw wiatru.

– No mówże, opowiadaj – prosił. – Co u ciebie? Jak tam było w Moskwie? Jesteś zadowolona?

– Ach! – Ałła potrząsnęła głową jak koń, który opędza się od gzów. – Czyż Moskwę można opisać słowami? Moskwę trzeba zobaczyć na własne oczy, mieszkać w niej! Moskwa to inny świat! Pojechać do Moskwy – to jakby zajrzeć w przyszłość! Po pierwsze: w Moskwie wszyscy oglądają telewizję...

– U nas też niedługo będzie.

– Niedługo!... I jaka – lokalna... A w Moskwie – życie jak w powieściach Wellsa; ludzie siedzą sobie przed telewizorami, oglądają. Co tam zresztą telewizja, słuchaj, mam wrażenie – wiesz, że szybko się orientuję – że już wkrótce zmieni się cały nasz styl życia, to będzie prawdziwa rewolucja! Nie chodzi mi o pralki czy lodówki, to coś więcej, o wiele więcej! Na przykład przeszklone halle, szklane ściany, wyobrażasz sobie? W hotelach są teraz takie niskie stoliki, zupełnie niziutkie, całkiem jak w Ameryce. W pierwszej chwili człowiek nawet nie wie, jak przy takim usiąść! Moda się zmienia i to bardzo! Takie płócienne abażurki jak u nas w domu to wstyd i hańba, mieszczaństwo – muszą być szklane klosze! Łóżka z oparciami to też okropny wstyd, modne są niskie, szerokie wersalki albo tapczany... Pokój wygląda wtedy zupełnie inaczej. W ogóle życie się zmienia, nie masz, tatku, pojęcia! Wiesz, rozmawiałam już z mamą – koniecznie musimy zmienić w domu mnóstwo rzeczy! Oczywiście wszystko trzeba będzie przywieźć z Moskwy, przecież u nas niczego się nie dostanie... Są niestety również bardzo szkodliwe mody, doprawdy oburzające, na przykład taki wyuzdany taniec rock and roll, to zupełnie nie da się opisać! I do tego rozczochrane włosy – specjalnie rozczochrane, jakby się dopiero co wstało z łóżka.

– To robota Zachodu! Chce nas zdemoralizować.

– Oczywiście, upadek moralny. Ale to znajduje natychmiast odzwierciedlenie w kulturze, na przykład w poezji.

Skończyli już poufną rozmowę, w związku z czym Ałła zaczęła mówić głośniej, bez skrępowania i wszyscy ją słyszeli. Spośród tych wszystkich jedynie Diomka nadstawił uszu, żeby choć w ten sposób zapomnieć o dokuczliwym bólu, nieubłaganie ciągnącym go na stół operacyjny. Pozostali nie okazywali zainteresowania; tylko Wadim Zacyrko odrywał się niekiedy od książki i spoglądał na plecy Awiety. Plecy te były równomiernie ciemnobordowe z wyjątkiem jednego ramienia, na które padał zajączek światła – nie promień słońca, lecz odblask otwartego gdzieś okna; ramię to jaśniało soczystą purpurą.

– Opowiadaj, opowiadaj! – prosił ojciec.

– No więc, tatku, wyjazd był bardzo udany. W wydawnictwie obiecano mi, że włączą do planu tomik moich wierszy. Co prawda dopiero za rok, ale to i tak bardzo szybko. Szybciej nie da rady!

– Alka, naprawdę? Naprawdę za rok wezmę do ręki...

– Może dopiero za dwa, zobaczymy...

Lawiną radości przywaliła go dziś córka! Wiedział, że zawiozła do Moskwy swoje wiersze, ale droga od kartek maszynopisu do książki z nazwiskiem AŁŁA RUSANOWA wydawała się bardzo daleka.

– Jak ci się to udało załatwić?

Ałła uśmiechnęła się triumfalnie. Też była dumna.

– Oczywiście, jeśli człowiek pójdzie do wydawnictwa i zaproponuje tam swoje wiersze, to nikt nie zechce z nim nawet rozmawiać! Ale Anna Jewgienjewna przedstawiła mnie M., potem S., przeczytała im dwa czy trzy moje wiersze, orzekli, że dobre, do kogoś zadzwonili, do kogoś napisali – wszystko poszło jak z płatka.

– To wspaniale – promieniał Paweł Nikołajewicz. Pogrzebał w szafce, znalazł okulary i założył je, jakby już miał czytać tę przyszłą książkę.

Diomka pierwszy raz w życiu widział prawdziwego poetę, w dodatku nawet nie poetę, a poetkę. Aż usta otworzył.

– Przyjrzałam się życiu pisarzy. Jacyż są mili, bezpośredni, serdeczni! Laureaci – a mówią do siebie po imieniu. Tacy skromni, prostolinijni! Nam się wydaje, że pisarz buja gdzieś w obłokach, blady, uduchowiony, daleki od wszystkiego – ani przystąp! A tymczasem – nic podobnego! Lubią się zabawić, popić, zakąsić, wyskoczyć za miasto. A jacy są towarzyscy! Robią sobie kawały. Boki można zrywać! Powiedziałabym, że to właśnie pisarze w e s o ł o sobie żyją. A kiedy trzeba napisać powieść, zamykają się na daczy, dwa – trzy miesiące – i gotowe! Strasznie podoba mi się takie życie – samodzielne, wolne, godne! Zrobię wszystko, żeby dostać się do związku pisarzy!

– To nie będziesz pracować w swoim zawodzie? – zaniepokoił się Paweł Nikołajewicz.

– Tatku! – Ałła zniżyła głos. – Dziennikarstwo to lokajska służba. Nie ma co się łudzić. Dostaje człowiek zadanie i musi je wykonać. Żadnej swobody, nic tylko wywiady z tymi... znanymi ludźmi. Nie ma nawet porównania! Wiesz, pewien pisarz, jak tylko został pisarzem, od razu nauczył pisać książki żonę i siostrzenicę. Teraz piszą wszyscy troje!

– Coś podobnego!

– Bo to się opłaca!

– Ałła, wiesz, trochę się jednak boję: a jeśli ci się nie powiedzie?

– Dlaczego? Naiwny jesteś. Gorki powiedział: każdy może zostać pisarzem. Pracą osiągnie się wszystko! W ostateczności mogę zostać pisarką dla dzieci, to naprawdę może robić każdy!

– W zasadzie masz rację – rozważał Paweł Nikołajewicz. – Literaturą powinni zajmować się ludzie zdrowi moralnie.

– I nazwisko mam piękne! Nie będę piać pod pseudonimem. Nazwisko i warunki zewnętrzne. Jak na pisarkę po prostu wyjątkowe.

Istniało jednak jeszcze jedno niebezpieczeństwo, które córka powinna brać pod uwagę:

– A co będzie, jeśli krytyka się przyczepi? Przecież to jakby publiczne potępienie, to niebezpieczne!

Z odrzuconymi do tyłu pasmami czekoladowych włosów Awieta patrzyła w przyszłość jak nieustraszona amazonka:

– Widzisz, tak n a p r a w d ę poważnie nigdy mnie nie skrytykują, bo w moich książkach nie będzie odchyleń ideowych. A co do wartości artystycznych – mój Boże, kogóż to się krytyka nie czepia! Najważniejsze to nie przeoczyć zmian, jakie niesie życie. Przedtem zalecano: „Nie należy pisać o konfliktach!" A teraz? „Fałszywa teoria bezkonfliktowości". Gdyby były jakieś różnice poglądów i zdań, gdyby jedni mówili po staremu, a inni po nowemu, to byłoby widać, że coś się zmieniło. Tymczasem wszyscy od razu zaczynają mówić po nowemu, jednogłośnie – no i nie widać żadnego zwrotu, żadnej odmiany. Powtarzam: najważniejsza rzecz to być przewidującym i dostosowywać się do nowych okoliczności. Wtedy nie podpada się krytyce... Aha, tatku, prosiłeś o książki, przyniosłam ci kilka. Nareszcie masz trochę czasu na czytanie!

Sięgnęła do torby.

– „U nas już ranek", „Światło nad ziemią", „Pracownicy świata", „Góry w kwiatach"...

– Poczekaj, „Góry w kwiatach" chyba już czytałem.

– Czytałeś „Ziemię w kwiatach", a to są „Góry w kwiatach". O, jeszcze: „Młodość z nami", koniecznie musisz to przeczytać. Same tytuły podnoszą na duchu, specjalnie takie wybrałam.

– To dobrze – powiedział Paweł Nikołajewicz. – A nie przyniosłaś czegoś sentymentalnego?

– Sentymentalnego? Nie, tatku. Jesteś teraz w takim nastroju... Myślałam...

– To wszystko znam – Paweł Nikołajewicz trzepnął dwoma palcami o kupkę książek. – Przynieś mi coś dla duszy.

Wstała, gotowa do wyjścia.

Diomka, który ponuro wiercił się w swoim kącie – może z bólu, może z braku odwagi, żeby zacząć rozmowę z dziewczyną, i to poetką – nabrał śmiałości i spytał ochryple:

– Przepraszam bardzo – odchrząknął – chciałem zapytać... a co pani sądzi o szczerości w literaturze?

– Słucham? – Awieta spojrzała na niego i uśmiechnęła się zachęcająco, gdyż ochrypły ton wyraźnie zdradzał nieśmiałość rozmówcy. – Wszędzie ta szczerość! Widzę, że dotarła nawet tutaj! Cała redakcja przez nią poleciała, ale nic nie pomogło! Rozłazi się i rozłazi!

Popatrzyła na prostacką, nierozgarniętą twarz Diomki. Śpieszyła się, lecz musiała wyrwać tego chłopaka spod niedobrych wpływów.

– Chłopcze, niech pan posłucha! – oznajmiła dobitnie jak z trybuny. – Autor artykułu wszystko pokręcił albo czegoś nie przemyślał. Szczerość w żadnym wypadku nie może być podstawowym kryterium wartości książki. Jeśli książka zawiera niesłuszną myśl lub obce nam nastroje, szczerość może jedynie zwiększyć szkodliwe oddziaływanie utworu, szczerość jest szkodliwa! Obiektywna szczerość może być sprzeczna z prawdziwością obrazu przedstawianego życia, może go wypaczać – rozumie pan tę dialektykę?

Diomka z trudem chwytał wątek, marszczył czoło.

– Nie bardzo – wyznał.

– No dobrze, wytłumaczę panu – Awieta rozłożyła ręce i biały zygzak jak błyskawica przemknął przez piersi od dłoni do dłoni. – To żadna sztuka wybrać jakieś negatywne zjawisko i po prostu je opisać. Trzeba jednak głęboko przeorać tworzywo, żeby obnażyć te kiełki przyszłości, których jeszcze nie widać...

– Kiełki...

– Słucham?

– Kiełki muszą wyrosnąć same – pośpiesznie wtrącił Diomka. – Jeśli się je przeorze, to nie wyrosną.

– No dobrze, dobrze, przecież nie rozmawiamy o rolnictwie! Literatura powinna być prawdziwa, ale to wcale nie znaczy, że trzeba skupiać się na mankamentach i niedociągnięciach! Można równie odważnie pisać o tym, co dobre, żeby stało się jeszcze lepsze! Skąd to fałszywe założenie, że należy ukazywać „surową prawdę"? Dlaczego prawda musi być „surowa"? Dlaczego nie może być porywająca, piękna, optymistyczna? Cała nasza literatura powinna być właśnie taka – radosna, świąteczna! Po co pisać o życiu w tak ciemnych barwach? To obraża ludzi! Ludzie lubią, gdy literatura upiększa ich życie!

– W zasadzie ma pani słuszność – rozległ się z tyłu przyjemny męski głos. – Po co szukać dziury w całym?

Awieta nie potrzebowała żadnego wsparcia i była pewna, że jeśli ktoś się odezwie, to oczywiście przyzna jej rację. Odwróciła się, biały zygzak zalśnił w odblasku światła zza okna. Młody człowiek o wyrazistych rysach, jej rówieśnik, postukiwał o zęby końcówką czarnego ołówka automatycznego.

– Czemu służy literatura? – ciągnął dalej. Nie wiedziała, czy mówi do niej, czy do Diomki. – Literatura ma dostarczać człowiekowi rozrywki i poprawiać mu nastrój.

– Literatura to nauczycielka życia – wychrypiał Diomka i zaczerwienił się, czując niezręczność tego zdania.

Wadim odrzucił głowę do tyłu.

– Akurat! Bez literatury też można żyć. Czego cię nauczy? Czy pisarze są mądrzejsi od nas, praktyków? Bzdura.

On i Ałła skrzyżowali spojrzenia. Myśleli to samo: byli rówieśnikami, podobali się sobie, ale każde szło własną drogą i żadne przypadkowe spojrzenie nie mogło oznaczać początku przygody.

– W ogóle przecenia się znaczenie literatury – mówił dalej Wadim. – Wychwala się książki, które wcale na to nie zasługują. Na przykład „Gargantua i Pantagruel". Człowiek myśli, że to jakieś arcydzieło, czyta – i co? Same świństwa, szkoda na to czasu!

– Wątek erotyczny występuje również we współczesnej literaturze, jest czasem potrzebny – gorąco zaprotestowała Awieta. – Nie koliduje z ideowością dzieła. Na przykład w książkach...

– Nie jest potrzebny – uciął stanowczo. – Książki nie są od pobudzania namiętności. Środki pobudzające kupuje się w aptekach!

Przestał patrzeć na amazonkę w bordowym sweterku i nie czekając na jej kolejną replikę pogrążył się w lekturze.

Awietę zawsze irytowało, że ludzkie myśli nie dzielą się jasno i wyraźnie na słuszne i niesłuszne, tylko rozmywają się, przybierają różne odcienie i wywołują zamęt ideologiczny. Czy ten młody człowiek popiera jej poglądy, czy nie? Spierać się z nim dalej czy zrezygnować?

Zrezygnowała i ponownie zwróciła się do Diomki:

– Musisz zrozumieć, chłopcze, że łatwiej jest opisywać to, co jest, niż to, czego jeszcze nie ma, ale ty wiesz, że będzie. To, co widzimy dziś na własne oczy, niekoniecznie musi być prawdą. Prawda to to, c o p o w i n n o być, co będzie w przyszłości, jutro! I trzeba opisywać właśnie to nasze wspaniałe, jutro"!

– A kiedy już nastanie? Co będzie się opisywać jutro? – marszczył czoło ten beznadziejny smarkacz.

– Jutro? No, jutro będzie się opisywać pojutrze, jeszcze dalszą przyszłość.

Stała w przejściu między łóżkami – krzepka, solidna, zdrowa rusanowowska rasa. Paweł Nikołajewicz z satysfakcją wysłuchał jej wykładu o literaturze.

Ałła ucałowała ojca i uniosła dłoń w pożegnalnym geście.

– No, tatku, walcz o zdrowie! Walcz, lecz się, zniszcz ten guz – i o nic się nie martw! – podkreśliła znacząco – wszystko – wszystko – wszystko będzie dobrze!

Część druga

22

„3 marca 1955 r.

Drodzy Jeleno Aleksandrowno i Nikołaju Iwanowiczu!

Najpierw zagadka: co to za miejsce i gdzie jestem? W oknach kraty (co prawda tylko na parterze – zabezpieczenie przed złodziejami, w dodatku ozdobne: stalowe promienie, rozchodzące się z jednego rogu na całe okno, blind też nie ma). W salach stoją łóżka z pełnym wyposażeniem pościelowym. W każdym leży zastraszony człowieczek. Rano dostaje się porcję – chleb, cukier i herbatę (tu odstępstwo od regulaminu: dodają jeszcze śniadanie!). Przed południem panuje ponure milczenie, nikt z nikim nie rozmawia, ale wieczorem – hałas i ożywione dyskusje. Kłótnie o otwieranie lufcika, zgadywanie, co kogo czeka, albo spór, z ilu cegieł zbudowano meczet w Samarkandzie. W dzień „ciągają" pojedynczo – na rozmowy z tutejszymi funkcjonariuszami, na różne tortury, na widzenia z rodziną. Szachy, książki – dozwolone. Niektórzy dostają paczki i opychają się ich zawartością. Administracja przyznaje czasem dodatkowe racje żywnościowe, ale nie kapusiom (wiem na pewno, bo sam dostaję). Zdarzają się rewizje – nie wolno mieć własnych rzeczy, jak znajdą, to zabierają, dlatego trzeba je chować. I walczyć o prawo do spacerów. Najważniejszym wydarzeniem i zarazem największym utrapieniem jest łaźnia: czy będzie ciepła woda? Czy jej wystarczy? Jaką bieliznę dostaniesz? Bardzo śmieszni są nowi – chodzi taki, zadaje głupie pytania i w ogóle nie zdaje sobie sprawy, co go tu czeka...

No, zgadliście już? Pewnie powiecie, że zmyślam: jeżeli to więzienie tranzytowe, to skąd pościel? A jeżeli śledcze – to gdzie nocne przesłuchania? Podejrzewam, że na poczcie w Usz-Tereku ktoś przejrzy mój list, więc chyba zrezygnuję z dalszych analogii.

Siedzę na tej onkologii już piąty tydzień. Chwilami wydaje mi się, że wróciłem do tamtego życia i trwa ono w nieskończoność. Bezterminowa odsiadka do czasu zwołania sądu specjalnego. To bardzo męczy. (A komendantura dała zezwolenie na trzy tygodnie, nie wróciłem w wyznaczonym terminie i właściwie mogliby mnie już sądzić za ucieczkę.) Lekarze nic nie mówią o wypisie, niczego nie obiecują. Pewnie zgodnie z instrukcją muszą wycisnąć z pacjenta, ile się da, a wypuścić go dopiero wtedy, kiedy krew przestanie „trzymać" leki.

A efekty? Ten, jak go określiliście w poprzednim liście „euforyczny" stan, w którym znajdowałem się po dwóch tygodniach leczenia, kiedy po prostu radośnie powracałem do życia – minął. Bardzo żałuję, że się wtedy nie wypisałem. Leczenie przestało pomagać, teraz już tylko szkodzi. Naświetlają mnie lampami dwa razy dziennie po dwadzieścia minut, za każdym razem – 300 „er". Bóle, które miałem jeszcze w Usz-Tereku, dawno ustąpiły, ale za to zaczęły się mdłości (od rentgena, a może od zastrzyków – pewnie od jednego i drugiego). Męczy mnie to całymi godzinami. Palenie rzuciłem, samo się rzuciło. Taki okropny stan – ani chodzić, ani siedzieć, w końcu znalazłem jako tako znośną pozycję (właśnie teraz tak leżę – dlatego piszę ołówkiem i koślawo): bez poduszki, na plecach, nogi trochę wyżej, głowa trochę niżej, zwieszona ku podłodze. Kiedy idę na naświetlanie i czuję ten gęsty „rentgenowski" zapaszek, to o mało mnie nie rozrywa od środka. Podobno na mdłości dobra jest kiszona kapusta i kiszone ogórki, ale w szpitalu ich się nie kupi, a do sklepu nie wypuszczają: „Niech wam krewni przyniosą!" Krewni! Nasi krewni po krasnojarskiej tajdze na czworakach biegają! Co ma robić biedny zesłaniec? Wkładam buty, przewiązuję babski szlafrok wojskowym pasem i drałuję do dziury w murze. Przełażę i w pięć minut jestem na rynku. Mój widok nikogo nie dziwi i nie śmieszy. Dostrzegam w tym przejaw równowagi duchowej naszego ludu, który przyzwyczaił się już do wszystkiego. Chodzę po rynku i targuję się ponuro (tak jak tylko łagiernicy potrafią: na widok tłustej biało-żółtej kury trzeba mówić: „No, ciotka, to ile chcesz za tego kurzego suchotnika?"). Skąd mam forsę? Są sposoby! Mój dziadek mawiał: „Kopiejka rubla strzeże, a rubel głowy!" Mądrego miałem dziadka.

Ratuję się tylko tymi ogórkami. W ogóle straciłem apetyt. Głowę mam ciężką, kiedyś porządnie mi się w niej zakręciło. Całe szczęście, że rak jest o połowę mniejszy, ledwo go wyczuwam. Tylko krew jest coraz gorsza, poją mnie różnymi lekarstwami na podniesienie poziomu leukocytów (podnoszą, ale za to szkodzą na coś innego!) i chcą „w celu prowokacji leukocytozy" (tak to się w medycynie nazywa – co za język!) dawać mi zastrzyki... z mleka! Barbarzyństwo! Daliby lepiej kubek takiego prosto od krowy! Nie pozwolę na zastrzyki z mleka! Za nic!

Z ordynatorką radiologii jestem na noże, co spotkanie, to awantura. Ostatnio zaczęła obmacywać mi pierś i narzekać, że „brak reakcji na sinestrol", że unikam zastrzyków, że ją oszukuję. Ostra kobieta! Oburzyłem się oczywiście (choć faktycznie oszukuję!).

Odgraża się, że zrobi mi transfuzję. Wykręcam się jak mogę. Ratuje mnie grupa krwi – mam pierwszą, rzadko taką przywożą.

Natomiast wobec lekarki prowadzącej nie umiem być taki twardy. Dlaczego? Bo jest bardzo łagodna. (Nikołaju Iwanowiczu, opowiadał mi pan kiedyś, skąd się wzięło porzekadło: „Łagodne słowo kości łamie", ale zapomniałem. Czy mógłby mi pan przypomnieć?) Nigdy nie podnosi głosu, nawet brwi nie potrafi zmarszczyć jak należy. Przepisuje mi leczenie wbrew mojej woli – i spuszcza oczy. A ja – sam nie wiem dlaczego – też ustępuję. O pewnych sprawach trudno mi z nią rozmawiać: jest młoda, młodsza ode mnie i jakoś głupio pytać o różne szczegóły. Jest też ładna.

O medycynie myśli jednak jak typowy lekarz, ślepo wierzy w sprawdzone metody leczenia i w żaden sposób nie mogę jej przekonać. W ogóle nikt tu nie raczy zniżyć się do dyskusji ze mną, nikt nie chce widzieć we mnie partnera, a nie zwyczajnego pacjenta. Żeby mieć jasny obraz sytuacji, muszę podsłuchiwać rozmowy lekarzy, domyślać się, dopowiadać sobie to i owo, zaglądać do książek medycznych – a i tak nie bardzo wiem, co dalej.

Co robić? Jak postąpić? Często obmacują mnie pod obojczykami – jakie jest prawdopodobieństwo przerzutów? Po co bombardują mnie tysiącami cząstek radioaktywnych? Czy rzeczywiście tylko po to, żeby guz nie zaczął znów rosnąć? A może to na wszelki wypadek, z pięciokrotnym, dziesięciokrotnym zapasem bezpieczeństwa, jak na budowie? A może dlatego, że tak zaleca instrukcja, jakaś bezduszna instrukcja, której muszą się trzymać, bo inaczej wyrzucą ich z pracy? Zgoda, ale ja nie muszę się trzymać instrukcji! Mógłbym przerwać ten krąg, tylko żeby powiedzieli mi prawdę! Nie mówią.

Mógłbym plunąć na ten szpital i wyjechać, ale w takim przypadku nie dostanę zaświadczenia – Świętego Zaświadczenia!, a zaświadczenie – wiadomo, w zsyłce rzecz niezbędna! Może jutro komendant albo oper zechce zesłać mnie trzysta kilometrów dalej, na pustynię, a ja mu – bach! – zaświadczonko pod nos: „wymaga stałej kontroli i opieki lekarskiej". Proszę bardzo, obywatelu naczelniku! Czyż stary doświadczony zek zrezygnuje z zaświadczenia lekarskiego? Przenigdy! Cóż więc mi pozostaje? Nadal kręcić, udawać, oszukiwać, kombinować – przez całe życie to samo! (Kiedy człowiek robi się za sprytny, to w końcu zaczyna popełniać błędy. Sam napytałem sobie biedy tym listem od laborantki z Omska – tym, o który pana prosiłem. Oddałem go lekarzom, rzucili się jak na zdobycz, załączyli do historii choroby i dopiero poniewczasie zrozumiałem, że ordynatorka wykorzystała to przeciwko mnie: teraz bez wahania aplikuje mi hormonoterapię. A gdyby nie list, może miałaby wątpliwości co do diagnozy.) Zaświadczenie, zdobyć zaświadczenie i zwinąć się czym prędzej. Jeśli uda mi się wrócić do Usz-Tereku, a guz nie da przerzutów, to wykończę go korzeniem z Issyk-Kułu. Leczenie trucizną ma w sobie coś szlachetnego: trucizna nie udaje niewinnego lekarstwa, mówi wprost: – Jestem trucizną! Strzeż się! Uważaj! Albo ty, albo ja! Oboje wiemy, jakie jest ryzyko!

Nie zależy mi na długim życiu! Nie proszę o nie! Nażyłem się dosyć – ciągle pod konwojem, ciągle w boleściach... Teraz pragnę pożyć troszeczkę bez konwoju i bez bólu – to szczyt moich marzeń. Nie chcę do Leningradu, nie chcę do Rio de Janeiro, chcę do naszej głuszy, do naszego ubożuchnego Usz-Tereku! Idzie lato: chciałbym tego lata spać pod gołym niebem, pod gwiazdami, budzić się w nocy i odczytywać godzinę z pozycji Pegaza i Łabędzia... Przeżyć to jedno lato, tylko to jedno lato – ale tak, żeby widzieć gwiazdy, żeby nie zaćmiewały ich łagrowe reflektory. Potem mógłbym się już nie budzić. I chciałbym jeszcze, Nikołaju Iwanowiczu, chodzić z panem wieczorami (oraz z Żukiem i Tobikiem oczywiście!) nad Czu, siadać na piaszczystym dnie w najgłębszym miejscu, gdzie woda sięga powyżej kolan, wyciągać nogi z nurtem i siedzieć tak długo, długo, nieruchomo jak czapla na drugim brzegu.

Nasza Czu nie wpada do żadnego morza ani jeziora. Rzeka, ginąca w piaskach! Rzeka, która traci po drodze swoje najlepsze wody i najlepsze siły, traci na próżno, nadaremnie – przyjaciele! Czyż to nie symbol naszych zmarnowanych więziennych istnień – jałowych, skazanych na zapomnienie? My też niczego nie dokonamy, rozpłyniemy się bez śladu. Jesteśmy tylko martwym zakolem, które jeszcze nie wyschło, a wszystko, co z nas zostało, to zaledwie parę kropel wody na dłoni, odrobina, którą się dzielimy – spotkanie, rozmowa, pomoc.

Rzeka ginąca w piaskach! A tymczasem lekarze chcą mi odebrać nawet to ostatnie zakole! Jakimś prawem (nie zastanawiają się, czy w ogóle mają takie prawo, są święcie przekonani, że tak!) beze mnie, za mnie, bez mojej zgody zadecydowali, że trzeba zastosować straszną metodę leczenia – hormonoterapię. Hormonoterapia jest jak wypalanie żelazem – moment, a człowiek zostaje kaleką na całe życie. Tu, w klinice, to prozaiczny, rutynowy zabieg...

Wiele razy zastanawiałem się – a teraz szczególnie często – jaka właściwie jest najwyższa cena życia? Jaką cenę można zapłacić, a jakiej już nie? W szkołach uczą: Życie jest najcenniejszą wartością, bo człowiek żyje tylko raz... A więc – trzymaj się życia za wszelką cenę... W łagrze wielu z nas zrozumiało, że zdrada, wydawanie na śmierć dobrych i bezbronnych ludzi to zbyt wysoka cena, że nasze życie nie jest jej warte. Lecz gdy mówiliśmy o służalczości, wazeliniarstwie, kłamstwie – zdania były podzielone, nawet w łagrze ludzie twierdzili, że taką cenę można jeszcze zapłacić.

No dobrze, a jeśli za ocalenie życia trzeba zapłacić tym wszystkim, co nadaje mu barwę, zapach, urok? Jeśli to ocalone życie sprowadza się do trawienia, oddychania, czynności mięśni i mózgu – i niczego więcej? Jeśli człowiek staje się jedynie chodzącym układem fizjologicznym? Czy ta cena nie jest zbyt wysoka? Czy to nie ironia losu? Mam ją zapłacić? Po siedmiu latach wojska i po siedmiu latach łagru – po podwojonych baśniowych czy biblijnych chudych latach – mam zatracić zdolność bycia mężczyzną? O nie!

Wasz ostatni list (doszedł niezwykle szybko – w pięć dni) bardzo mnie poruszył: ekspedycja geodezyjna? U nas? Jak cudownie byłoby wziąć do ręki teodolit! Chociaż przez rok popracować jak człowiek! Tylko czy mnie zaangażują? Przecież musiałbym przekroczyć wyznaczone granice miejsca pobytu, poza tym wszystkie tego typu badania są tajne. Zawsze tak jest, a ja mam krechę w życiorysie.

Zachwalacie „Most Waterloo" i „Rzym, miasto otwarte", ale ja tych filmów nie obejrzę: w Usz-Tereku drugi raz ich nie wyświetlą, a tutaj byłoby to możliwe dopiero po wyjściu ze szpitala, ale żeby pójść do kina, trzeba by załatwić nocleg na mieście – nie da rady.

Poza tym nie wiem, w jakim stanie stąd wyjdę – może na czworakach...

Chcecie mi podesłać trochę forsy... Serdecznie dziękuję. W pierwszej chwili chciałem odmówić: przez całe życie starałem się unikać (i uniknąłem) długów. Przypomniałem sobie jednak, że po mojej ewentualnej śmierci coś niecoś zostanie i zabierzecie to sobie. Zostanie na przykład baranica, uszyta już w Usz-Tereku – bardzo przydatna! A dwa metry czarnego sukna, którego używam zamiast koca? A poduszka puchowa, prezent od Mielniczuków? A trzy skrzynki, na których sypiam? A dwa rondle? Kubek – jeszcze z łagru? Łyżka! Wiadro! Siekiera! Reszta drewna na opał! Lampa naftowa! Tyle tego, że powinienem był być bardziej przewidujący i spisać testament!

Będę bardzo wdzięczny, jeśli przyślecie mi półtorej setki (nie więcej!). O waszym zamówieniu – nadmanganian potasu, soda, cynamon – pamiętam. Kupię wszystko po wyjściu ze szpitala. Pomyślcie i napiszcie, co wam jeszcze przywieźć. Może żelazko turystyczne? Nie krępujcie się, piszcie, załatwię!

Nikołaju Iwanowiczu, z pańskiego komunikatu meteorologicznego wynika, że w Usz-Tereku jeszcze zima w pełni i śnieg. A tutaj wiosna na całego, aż się wierzyć nie chce!

A propos meteorologii: proszę przekazać pozdrowienia dla Inny Sztrem. Bardzo serdeczne pozdrowienia! I powiedzcie jej, że często o niej...

A może lepiej nie...

Nachodzą mnie różne dziwne myśli i uczucia, sam nie wiem, czego chcę. Czego oczekuję? Czego mam prawo chcieć i oczekiwać?

Kiedy jednak przypominam sobie nasze pocieszenie, nasze powiedzonko: „Było gorzej!" – to od razu jakoś mi raźniej. Kto jak kto, ale my nie możemy się poddawać! Jeszcze powojujemy!

Jelena Aleksandrowna napisała ponoć w ciągu dwóch wieczorów dziesięć listów. Pomyślałem sobie: któż dziś tak pamięta o swoich bliskich i poświęca im całe wieczory? Właśnie dlatego bardzo lubię pisywać do was długie listy – wiem, że przeczytacie każdy z nich na głos, raz, potem drugi, przedyskutujecie każde słowo i odpowiecie na wszystko. Pozostańcie szlachetni i dobrzy jak zawsze, przyjaciele moi!

Wasz
Oleg"

23

Piątego marca dzień na dworze był mglisty, przesłonięty zimną mżawką, w sali zaś – ciekawy i urozmaicony: Diomka podpisał zgodę na operację i przenosił się piętro niżej, na chirurgię, a poza tym przybyli dwaj nowi.

Pierwszy z nich zajął łóżko po Diomce – w rogu koło drzwi. Był to wysoki człowiek, ale bardzo zgarbiony, ze skrzywionymi plecami i twarzą starca. Górne powieki miał tak obrzmiałe, a dolne tak mu obwisły, że oczy stały się całkiem okrągłe, a chorobliwie przekrwione białka i jasnobrązowe tęczówki sprawiały wrażenie nienaturalnie wielkich. Tymi wielkimi okrągłymi oczami starzec przyglądał się wszystkim z jakąś bezustanną i nieprzyjemną uwagą.

Diomka przez ostatni tydzień czuł się fatalnie: noga bolała coraz bardziej, nie mógł spać, nie mógł się uczyć i z trudem panował nad sobą, żeby nie krzyczeć, nie przeszkadzać sąsiadom. Cierpiał tak strasznie, że noga nie wydawała się już bezcenną częścią ciała, lecz przeklętym ciężarem, którego trzeba pozbyć się jak najszybciej. Jeszcze miesiąc temu operacja oznaczała dla niego tragedię, koniec świata, a teraz czekał na nią jak na zbawienie. Tak zmienia się nasza miara rzeczy i zjawisk.

Diomka przed podpisaniem zgody naradził się wprawdzie ze wszystkimi współtowarzyszami niedoli, zasięgnął ich opinii, ale i dziś, spakowawszy już swój tobołek, żegnał się z nimi tak, żeby jeszcze raz usłyszeć słowa otuchy i utwierdzić się w słuszności podjętej decyzji. I Wadim musiał powtórzyć mu to, co już kiedyś powiedział: że Diomka ma szczęście, bo wykręci się tak tanim kosztem; że on, Wadim, chętnie by się z nim zamienił.

A Diomka ciągle miał wątpliwości:

– Podobno kość piłą piłują. Jak zwyczajne polano. Ponoć nawet pod narkozą człowiek słyszy to piłowanie...

Wadim jednak nie umiał i nie lubił długo pocieszać:

– Nie będziesz pierwszy. Inni wytrzymali, to i ty wytrzymasz.

Był jak zawsze obiektywny i sprawiedliwy: sam nie prosił o żadną pociechę i nie zniósł by czegoś takiego. Pocieszanie miało w sobie coś łzawego, trąciło religią.

Zachowywał się Wadim równie powściągliwie, dumnie i uprzejmie jak w pierwszych dniach pobytu tutaj, tylko jego ogorzała górska cera stawała się coraz bardziej żółta, przez usta coraz częściej przebiegał skurcz bólu, a czoło marszczyło się ze zdziwienia i irytacji. Tak, mówił, że zostało mu osiem miesięcy życia, ale od tego czasu jeździł konno, odbył podróż do Moskwy, rozmawiał z Czieriegorodcewem – i w głębi ducha wierzył, że mimo wszystko jakoś się z tego wykaraska. A teraz? Leżał tu już miesiąc – jeden miesiąc z tych ośmiu, może wcale nie pierwszy, może już trzeci albo czwarty? Poruszanie się sprawiało mu coraz większą trudność – o jeździe konnej i wyprawie w góry nie było nawet co marzyć. Bolało w pachwinie. Z sześciu przywiezionych książek przeczytał trzy, lecz zaczynał wątpić, czy problem związku złóż rud metali z poziomem radioaktywności wód ma w ogóle jakiekolwiek znaczenie – czytał więc bez zapału, nie wypisywał na marginesach tylu wykrzykników, uwag i znaków zapytania. Zawsze twierdził, że życie wtedy ma sens, gdy człowiekowi nie starcza dnia na wszystkie zajęcia. I oto nagle dnia zaczęło wystarczać, ba – było go aż za dużo; dnia starczało, a życia – nie. Opuścił Wadima entuzjazm, pasja pracy. Już nie budził się tak często o świcie, żeby poczytać w ciszy i spokoju, a czasem po prostu leżał z głową pod kocem i myślał, że może lepiej poddać się, zrezygnować, zaprzestać walki. Po co się męczyć? Grozą i wstrętem przejmowało go to żałosne otoczenie, te idiotyczne rozmowy – i tracąc panowanie nad sobą miał ochotę wyć, wyć jak zwierzę w potrzasku: „Dosyć! Puść moją nogę! Puść!"

Matka Wadima dotarła do czterech wysoko postawionych osobistości, ale złota nie załatwiła. Przywiozła z Rosji czagę, umówiła się z salową, żeby ta zaparzała grzyb dla Wadima co drugi dzień, a sama poleciała z powrotem do Moskwy, kołatać do drzwi następnych dygnitarzy. Nie mogła pogodzić się z myślą, że złoto leży gdzieś bezużytecznie, a tymczasem przerzuty atakują ciało jej syna.

Diomka podszedł i do Kostogłotowa powiedzieć ostatnie słowo albo je usłyszeć. Kostogłotow leżał na łóżku; nogi zarzucił na oparcie, a głowę zwiesił poniżej materaca, do podłogi. Nie zmieniając pozycji podał Diomce rękę i powiedział cicho (kiedy mówił głośno, zaczynało go boleć w dole płuc):

– Nie pękaj, Diomka. Przyjechał Lew Leonidowicz, sam widziałem. Ciachnie ci nogę raz-dwa!

– Tak? – rozpromienił się Diomka. – Widziałeś go?

– Na własne oczy.

– To by było dobrze! Całe szczęście, że doczekałem!

Rzeczywiście, sama obecność tego drągala-chirurga o zbyt długich, zwisających rękach wystarczała, by podnieść pacjentów na duchu: to właśnie jego brakowało w klinice przez ostatni miesiąc. Gdyby przed operacją zaprezentowano chorym wszystkich chirurgów, a potem pozwolono wybierać, to wszyscy bez wahania wybraliby Lwa Leonidowicza. Snuł się po klinice z wiecznie znudzoną miną, ale nawet to znudzenie tłumaczono sobie tak: nudzi się, bo dziś dzień nieoperacyjny.

I choć Diomka nie miał nic przeciwko Jewgienii Ustinownie, choć świetnym chirurgiem była wątła Jewgienija Ustinowna, to zdecydowanie wolał oddać się w owłosione małpie ręce Lwa Leonidowicza. Nieważne, jak się skończy ta operacja, uratują Diomkę czy nie uratują – co do jednego nie miał żadnych wątpliwości: że Lew Leonidowicz nie popełni błędu.

Na krótko wiąże się pacjent z chirurgiem, ale jest to więź silniejsza niż z rodzonym ojcem.

– A co, dobry chirurg? – spytał głucho nowy z okrągłymi oczami, który zajął łóżko po Diomce. Sprawiał wrażenie speszonego i zagubionego. Marzł, nawet w sali nie zdejmował barchanowego szlafroka. Rozglądał się dokoła jak człowiek zaniepokojony w środku nocy nagłym hałasem, kiedy to wstaje i nasłuchuje ciszy pustego domu, nie wiedząc, skąd grozi mu niebezpieczeństwo.

– M-m-m! – mruknął Diomka, coraz weselszy, coraz bardziej zadowolony, jakby połowę operacji miał już za sobą. – To jest ktoś! Ma dryg! A pan też na operację? Co panu zoperują?

– Też – uciął nowy. Zignorował pozostałe pytania. Entuzjazm Diomki nie wywarł na nim wrażenia, nie zmieniły wyrazu jego wielkie, okrągłe, wpatrzone w jeden punkt oczy – ni to zbyt przenikliwe, ni to nic już nie widzące.

Diomka wyszedł, salowa zasłała łóżko, nowy usiadł na nim, oparł się o ścianę i znów bez słowa zaczął patrzeć tymi swoimi okrągłymi oczami. Nie wodził nimi, lecz wlepiał wzrok w któregoś z pacjentów i obserwował go przez dłuższy czas. Potem odwracał całą głowę i wpatrywał się w następnego. Nie reagował na hałasy i ruch. Nie mówił, nie odpowiadał, nie pytał. Siedział tak od godziny i przez ten czas bąknął tylko, że pochodzi z Fergany. A pielęgniarka wymieniła jego nazwisko: nazywał się Szułubin.

Puchacz! Wykapany puchacz! Rusanow trafił w dziesiątkę: te okrągłe, przenikliwe, nieruchome oczy – puchacz! Jeszcze tylko takiego tu brakowało! Wlepił oczy w Rusanowa i przyglądał mu się bezczelnie długo. Przyglądał się wszystkim po kolei, jakby miał o coś pretensję. I od razu w sali zrobiło się jakoś ciężko i nieprzyjemnie.

Paweł Nikołajewicz dostał wczoraj dwunasty zastrzyk. Przyzwyczaił się już do chemii i nie majaczył po nocach, ale bardzo osłabł i nękały go częste bóle głowy. Najważniejsze, że nie groziła mu śmierć: oczywiście od początku były to tylko rodzinne histerie. Guz zmalał o połowę, jego resztka zmiękła i prawie przestała przeszkadzać, głowa odzyskiwała swobodę ruchu. Osłabienie da się wytrzymać, jest w nim nawet coś przyjemnego: można sobie leżeć i leżeć, czytać „Ogoniok" i „Krokodyla", pić różne płyny na wzmocnienie, jeść najsmaczniejsze rzeczy, rozmawiać z sympatycznymi ludźmi, słuchać radia – ale w domu... Tu zaś psuła mu nastrój Doncowa, która bezlitośnie i boleśnie miętosiła wgłębienia pod pachami albo dźgała twardymi palcami jak szpikulcem. Czegoś szukała, a po miesiącu pobytu na onkologii łatwo się było domyśleć, czego: szukała nowego guza. Wzywała też Pawła Nikołajewicza do gabinetu, układała na leżance i mocno, energicznie ugniatała pachwiny.

– A co, mogą być przerzuty? – dopytywał się przerażony Paweł Nikołajewicz. Badania odbierały mu spokój.

– Po to właśnie leczymy, żeby nie było! – odpowiadała Doncowa. – Czeka pana jeszcze wiele zastrzyków!

– Ile? – jęczał Rusanow.

– To się okaże.

(Lekarze nigdy nie mówią konkretnie!)

Tak przecież osłabł po dwunastu zastrzykach, sama Doncowa kręciła głową nad jego morfologią – i miał znosić dalsze męczarnie? Jak nie kijem go, to pałką – choroba robiła swoje. Guz się zmniejszał, ale Paweł Nikołajewicz nie cieszył się z tego powodu. Leżał całymi dniami i na nic nie miał ochoty. Ogłojed też przycichł, przestał pyskować i czepiać się Rusanowa, widać było, że nie udaje, choroba przycisnęła i jego. Coraz częściej zwieszał głowę z łóżka i leżał tak z zamkniętymi powiekami. Paweł Nikołajewicz łykał proszki od bólu głowy, przykładał kompresy na czoło i zasłaniał oczy przed światłem. I tak zgodnie i cichutko leżeli obok siebie całymi godzinami.

W korytarzu na półpiętrze (skąd zabrano do kostnicy tamtego terminalnego, który ciągle oddychał tlenem z poduszek) personel zawiesił hasło, wypisane jak należy białymi literami na czerwonym płótnie:

„Pacjenci, nie rozmawiajcie ze sobą o chorobach!"

Oczywiście na takiej czerwieni i w tak widocznym miejscu należało wywiesić raczej coś z okazji Października albo 1 Maja, ale okoliczności w pełni uzasadniały treść hasła i Paweł Nikołajewicz powoływał się na nie kilkakrotnie, powstrzymując pacjentów od defetystycznych rozważań.

(A tak w ogóle ze względu na interes społeczny lepiej byłoby nie grupować pacjentów onkologicznych na jednym oddziale, tylko rozproszyć ich po zwyczajnych szpitalach: nie straszyliby się nawzajem i można by im nie mówić prawdy – to bardziej humanitarne.)

Do sali nigdy jakoś nie trafiali ludzi rześcy i weseli, wszyscy nowi byli z reguły tak samo przygnębieni i wyniszczeni. Tylko Achmadżan, który chodził już bez kuli i szykował się do wypisu, szczerzył wesoło białe zęby, ale nikogo prócz siebie nie mógł zabawić i wzbudzał jedynie zawiść.

I właśnie dziś, w dwie godziny po ponurym starcu z okrągłymi oczami, w samym środku szarego, posępnego dnia, gdy wszyscy leżeli w swoich łóżkach, a spłukiwane deszczem szyby przepuszczały tak mało światła, że jeszcze przed obiadem miało się ochotę zapalić światło i jak najszybciej doczekać wieczora – do sali żwawym zdrowym krokiem wszedł niewysoki, niebywale ruchliwy człowiek. Właściwie nie wszedł, lecz wpadł – i to z takim pośpiechem, jak gdyby wiedział, że pacjenci czekają na niego z uroczystym powitaniem i zmęczyli się staniem w szpalerze. Wpadł – i zatrzymał się w progu zdumiony, że wszyscy leżą smętnie pod kocami. Nawet gwizdnął. A potem wypalił dziarsko:

– E, braciszkowie, coście tacy markotni? No, co jest? – I nie czekając na reakcję zameldował: – Czałyj, Maksim Pietrowicz! Do usług! Spocznij!

W jego twarzy nie było ani śladu choroby, jaśniał na niej beztroski i pełen radości życia uśmiech, toteż niektórzy też się uśmiechnęli. Uśmiechnął się i Paweł Nikołajewicz. Pierwszy normalny człowiek wśród tych mazgajów! Pierwszy od miesiąca!

– Ta-a-ak – nowy bystrymi oczami wypatrzył swoje łóżko i ruszył w jego kierunku. Było to łóżko po Mursalimowie, obok Pawła Nikołajewicza. Nowy zaszedł od strony Rusanowa, usiadł na łóżku, podskoczył parę razy i ocenił: – Amortyzacja – sześćdziesiąt procent. Lekarz naczelny słabo się stara.

I zaczął rozpakowywać rzeczy, a rzeczy miał niewiele: w jednej kieszeni brzytwę, a w drugiej talię prawie nowych kart do gry. Wyciągnął karty, przejechał paznokciem po ich grzbietach, popatrzył sprytnym wzrokiem na Pawła Nikołajewicza i spytał:

– Grywa pan!

– Tak, czasami – uprzejmie przyznał Paweł Nikołajewicz.

– W preferansa?

– Nie bardzo... Najczęściej w durnia.

– To nie gra – stanowczo stwierdził Czałyj. – A w sztosa? W winta? W pokerka?

– Ależ skąd – zmieszał się Paweł Nikołajewicz. – Jakoś nie miałem okazji się nauczyć...

– No to nauczymy! – podskoczył Czałyj. – Jak to mówią: nie umiesz – nauczymy, nie zechcesz – przymusimy!

I śmiał się. Miał nieproporcjonalnie wielki nos, okazały, mięsisty, o nieco czerwonym zabarwieniu. Lecz właśnie dzięki temu nosowi jego twarz sprawiała wrażenie życzliwej i dobrodusznej.

– Nie ma nic lepszego od pokera! – stwierdził autorytatywnie.

– I gry w ciemno!

Rozejrzał się po sali w poszukiwaniu partnerów. Najbliżsi sąsiedzi nie wyglądali zbyt obiecująco.

– Ja! Ja się nauczę! – krzyknął z głębi sali Achmadżan.

– Dobra – zgodził się Czałyj. – Wykombinuj jakiś stolik.

Obejrzał się, zauważył zamarły wzrok Szułubina, potem jeszcze jednego Uzbeka w różowej czałmie, z obwisłymi, jakby cyzelowanymi w srebrze wąsami – i w tym momencie weszła Nella z wiadrem i ścierką.

– Oho-ho! – ucieszył się. – Ale dziewuszka! Gdzieś się podziewała, że cię nigdy nie spotkałem? Zabawilibyśmy się!

Nella wydęła grube wargi. Miało to oznaczać uśmiech.

– Teraz też nie za późno. Tylko żeś ty pacjent. Chory, kudy ci tam do romansów!

– Chłopu na kobicie zaraz wraca życie – wyrecytował Czałyj. – A może ci się nie podobam, co?

– Phi, ile tam w tobie chłopa zostało! – droczyła się Nella.

– Mało zostało, ale radę by dało! – rymował Czałyj. – Szoruj już tę podłogę, popatrzymy sobie na cerkiewne kopuły!

– A patrz sobie, to u nas za darmo – łaskawie pozwoliła Nella, plasnęła mokrą ścierką o podłogę i schyliła się do szorowania.

Może Czałyj w ogóle nie był chory? Nie miał żadnych zewnętrznych oznak chorób, kwitnący wygląd nie zdradzał też jakichś dolegliwości wewnętrznych. A może trzymał się dzięki hartowi ducha, dawał ten przykład, którego tak brakowało w sali, a który powinien wykazywać każdy współczesny człowiek? Paweł Nikołajewicz patrzył na Czałego z zazdrością.

– A na co pan choruje? – spytał przyciszonym głosem, żeby nikt nie słyszał.

– Ja? Na polipy.

Wielu pacjentów chorowało na polipy, ale nikt nie wiedział, co to właściwie jest.

– Nie ma pan bólów?

– Jak tylko zaczęło boleć, od razu się zgłosiłem. Operacja? Proszę bardzo, po co odwlekać?

– A w którym miejscu? – pytał Rusanow z coraz większym szacunkiem.

– Na żołądku czy gdzieś obok – Czałyj uśmiechnął się lekceważąco. – Ciachną mi żołądek. Trzy czwarte. O tak.

Przesunął kantem dłoni po brzuchu i zmrużył oczy.

– I jak pan będzie żyć bez żołądka? – zdumiał się Paweł Nikołajewicz.

– Jakoś się przy – sto – suję! Nie ma sprawy! Byle wódeczka się mieściła!

– Bardzo dzielnie się pan trzyma.

– Kochany – pokiwał Czałyj swoją sympatyczną głową z życzliwymi oczami i czerwonawym nosem. – Żeby nie pękać, nie trzeba kwękać. Kto nie narzeka, ten zdrowia doczeka! Tobie też radzę!

Achmadżan przyniósł kawałek dykty. Oparli ją o łóżka Rusanowa i Czałego, wyszedł całkiem udany stolik.

– Kulturalnie – cieszył się Achmadżan.

– Zapalić światło! – komenderował Czałyj.

Zapalili. Zrobiło się jeszcze weselej.

– A czwarty?

Czwartego na razie brakowało.

– Nie szkodzi, póki co niech pan nauczy nas dwóch – Rusanow nabrał wigoru. Siedział z nogami opuszczonymi na podłogę jak zdrowy człowiek. Szyja bolała o wiele mniej niż przedtem. Dykta nie dykta, a miał przed sobą malutki stolik do gry, oświetlony jaskrawym, wesołym blaskiem lampy. Wyraźne i też wesołe znaki czerwienią i czernią kontrastowały z połyskliwą bielą kart. Może faktycznie trzeba traktować chorobę tak jak Czałyj, a wtedy sama ustąpi? Po co się martwić? Po co się przejmować, snuć te smętne myśli?

– No, uczmy się! – ponaglał Achmadżan.

– Ta-a-k – Czałyj przepuścił talię przez palce z szybkością taśmy filmowej: potrzebne karty na jedną kupkę, niepotrzebne – na drugą. – Gra się od dziewiątek do asów. Starszeństwo kolorów: najmłodsze trefle, potem kara, kiery i piki. – Pokazał kolory Achmadżanowi. – Rozumiesz?

– Tak jest! – odpowiedział zachwycony Achmadżan.

Z trzaskiem tasując wybrane karty Maksim Pietrowicz przeszedł do zasad gry:

– Daje się na rękę po pięć kart, reszta w zapasie. Teraz trzeba zapamiętać starszeństwo figur. Najpierw idzie para – pokazał. – Dwie pary. Strit – pięć kart po kolei. Tak albo tak. Dalej jest trójka. Full...

– Który to Czałyj? – spytał ktoś od drzwi.
– Ja jestem Czałyj!
– Na widzenie, żona przyszła!
– Z torbą? No dobra, chłopaki, przerwa.
I dziarsko, beztrosko wyszedł z sali.
W sali zapadła cisza. Paliły się światła. Achmadżan wrócił do swojego łóżka. Nella rozchlapywała wodę po podłodze i wszyscy musieli zadrzeć nogi.
Paweł Nikołajewicz też się położył. Znów poczuł na sobie wzrok Puchacza: natarczywy, uwierający w skroń. I żeby pozbyć się tego przykrego ucisku, spytał:
– A wy, towarzyszu, na co jesteście chorzy?
Posępny starzec w ogóle nie zareagował, jakby pytanie dotyczyło kogoś innego. Wpatrywał się okrągłymi czerwono-brązowymi oczami w jakiś punkt poza głową Pawła Nikołajewicza. Paweł Nikołajewicz nie doczekawszy się odpowiedzi zaczął obracać w rękach lakierowane karty i dopiero wtedy usłyszał głuche:
– Na to samo.
Co to znaczy „na to samo"? Gbur! Paweł Nikołajewicz nie zaszczycił go nawet spojrzeniem, położył się na wznak i zamknął oczy. Myślał. Przybycie Czałego i zabawa z kartami odwróciły jego uwagę od najważniejszego – czekał przecież na gazetę. Dziś był doniosły i pamiętny dzień. Bardzo ważny dzień. Znaczący. Dzisiejsza gazeta może wiele powiedzieć o przyszłości. A przyszłość kraju to przyszłość każdego z nas. Czy cała gazeta będzie w żałobnej obwódce? A może tylko pierwsza strona? Czy zamieszczą zdjęcie na całą kolumnę, czy tylko na ćwierć? W jakim tonie będą utrzymane nagłówki i artykuł wstępny? Po lutowych zmianach to bardzo ważne. W pracy Paweł Nikołajewicz mógłby zasięgnąć informacji u znajomych, tu zaś zdany był wyłącznie na prasę.
Po sali buszowała Nella, za tęga, żeby wcisnąć się między łóżka. Mycie podłogi szło jej jednak sprawnie, właśnie kończyła i rozwijała chodnik.
A po chodniku stąpał ostrożnie Wadim. Wracał z naświetlania. Usta drżały mu z bólu.
Niósł gazetę.
Paweł Nikołajewicz przywołał go:
– Wadim! Niech pan tu pozwoli! Proszę usiąść.
Wadim stanął, pomyślał, podszedł do Rusanowa, przytrzymał nogawkę, żeby nie ocierała bolącego miejsca i usiadł na łóżku.

Po sposobie złożenia gazety widać było, że Wadim już ją czytał. Paweł Nikołajewicz od razu zauważył brak żałobnej obwódki i zdjęcia na pierwszej stronie. Szeleszcząc niecierpliwie papierem przejrzał cały numer – nic! Nic!!! Żadnych obwódek, żadnego zdjęcia, żadnego żałobnego nagłówka, a nawet – jak to?! – żadnego artykułu!

– Nie ma? Nic nie ma? – spytał Wadima. Był tak osłupiały, że zapomniał dodać, c z e g o właściwie nie ma.

Prawie nie znał Wadima. Tamten należał wprawdzie do partii, ale był bardzo młody. I nie zajmował kierowniczego stanowiska. Nie sposób przewidzieć, co taki ma w głowie. Niedawno jednak zaprezentował się z jak najlepszej strony: rozmawiali o zesłanych narodach, Wadim oderwał się od swojej geologii, popatrzył na Rusanowa, wzruszył ramionami i powiedział cicho, żeby inni nie słyszeli: „Widocznie coś tam było. U nas nie zsyła się bez powodu."

To jedno słuszne zdanie pozwalało uznać Wadima za człowieka mądrego i oddanego sprawie.

I chyba nie pomylił się Paweł Nikołajewicz! Nie musiał wyjaśniać, o co chodzi! Wadim sam przerzucił strony gazety i pokazał artykuł w dole kolumny, na który Rusanow nie zwrócił uwagi.

Zwyczajny artykuł. Nie obramowany, nie podkreślony, bez zdjęcia. Po prostu artykuł jakiegoś akademika. I wcale nie o drugiej rocznicy śmierci! Nie o rozpaczy narodu! Nie o tym, że „żyje i żyć będzie!" Tylko – „Stalin a problemy budownictwa komunistycznego".

Tylko tyle? Tylko „a problemy..."? Problemy budownictwa? Dlaczego budownictwa? Równie dobrze mogli napisać o leśnych pasach ochronnych! A gdzie zwycięstwa? Gdzie Genialny Filozof? Gdzie Koryfeusz Nauk? Gdzie miłość narodu?

Marszcząc czoło Paweł Nikołajewicz skierował wzrok pełen cierpienia na chmurną twarz Wadima.

– Jak to możliwe? – Ostrożnie zerknął przez ramię na Kostogłotowa. Kostogłotow chyba spał, oczy miał zamknięte. – Jeszcze dwa miesiące temu – dwa, prawda? Pamięta pan? – siedemdziesiąta piąta rocznica urodzin! Wszystko jak dawniej: ogromna fotografia! Ogromne nagłówki! „Wielki Kontynuator"! Przecież tak było! Było, prawda?

Najbardziej poruszyła Rusanowa nie świadomość niebezpieczeństwa, jakim groziły te zmiany takim jak on, lecz niewdzięczność. Niewdzięczność! Doznawał uczucia, że splugawiono, wdeptano w błoto jego własne, osobiste zasługi, całe jego uczciwe, nieposzlakowane życie. Jeśli Sława, która miała trwać Wieki, rozpada się w proch już po dwóch latach, jeśli Najukochańszego, Najmądrzejszego, którego słuchali twoi przełożeni i przełożeni tych przełożonych, obala się i usuwa w ciągu zaledwie dwudziestu czterech miesięcy – to co zostaje? W czym znaleźć oparcie? I jak tu wyzdrowieć?

– To dlatego – Wadim zniżył głos do szeptu – że niedawno podjęto oficjalną decyzję, żeby obchodzić tylko rocznicę urodzin. Oczywiście, artykuł też o czymś świadczy...

Niewesoło pokręcił głową.

Jemu też było przykro. Przede wszystkim przez wzgląd na zmarłego ojca. Pamiętał, jak ojciec kochał Stalina – chyba bardziej niż siebie samego (dla siebie ojciec nigdy niczego nie żądał). I bardziej niż Lenina. I bardziej niż żonę i synów. O rodzinie mógł mówić spokojnie, nawet żartować, o Stalinie – nigdy, głos drżał mu ze wzruszenia. Jeden portret Stalina wisiał w jego gabinecie, drugi w stołowym, trzeci – w pokoju chłopców. Rosnąc, stale widzieli nad sobą krzaczaste brwi, gęste wąsy i to niewzruszone oblicze, nie znające strachu ani radości, twarz, na której wszystkie uczucia skupiły się w blasku czarnych aksamitnych oczu. Każde wystąpienie Stalina ojciec czytał najpierw sam, a potem odczytywał wybrane fragmenty synom i tłumaczył im, jak głęboką myśl zawarł tu towarzysz Stalin, jak precyzyjnie i jak pięknym językiem ją wyłuszczył. W parę lat później, już po śmierci ojca, dorastający Wadim stwierdził, że język tych dzieł i przemówień był w gruncie rzeczy nudny, a myśli – rozwlekłe. Można by je wyrazić o wiele bardziej treściwie. Spostrzeżenia te zachował jednak dla siebie i nigdy nikomu o nich nie mówił. Poza tym przyjemniej było odnajdywać w sobie ów dziecięcy zachwyt, wpojony przez ojca.

Pamiętał też dzień Śmierci. Wszyscy płakali – starzy, młodzi, dzieci. Dziewczyny zanosiły się szlochem, chłopcy wycierali oczy. Słuchając tego powszechnego płaczu miało się wrażenie, że to nie śmierć jednego człowieka, a koniec świata. I że dzień ten na zawsze pozostanie w pamięci ludzkości jako najczarniejsza data.

I oto zaledwie po dwóch latach poskąpiono nawet czarnej farby na żałobną obwódkę. Nikt nie zdobył się na parę prostych ciepłych słów: „Dwa lata temu zmarł..." Ten, z którego imieniem na ustach padali i ginęli żołnierze wielkiej wojny.

Nie tylko sentyment do uczucia z lat dziecinnych, również rozum nakazywał czcić pamięć Wielkiego Zmarłego. Gwarantował stabilizację, dawał pewność, że dzień jutrzejszy nie przekreśli dzisiejszego. Otoczył opieką naukę, zatroszczył się o naukowców, uwolnił ich od prozaicznych kłopotów codzienności, nie musieli zabiegać o pieniądze, o mieszkania. Sama nauka potrzebowała Jego siły, Jego niewzruszonych gwarancji, że żaden wstrząs nie oderwie uczonych od najważniejszych zadań, że nic nie każe im zajmować się bzdurami w rodzaju przebudowy społeczeństwa, kształcenia tępaków albo polemik z durniami.

Przygnębiony Wadim powlókł swoją chorą nogę na łóżko.

Do sali wrócił tymczasem Czałyj – bardzo zadowolony, z torbą zapasów. Przekładał je do szafki i uśmiechał się skromnie:

– Ostatnia okazja, żeby sobie podjeść! Bez żołądka jak bez rąk!

Rusanow wprost nie mógł się na niego napatrzeć: ale zuch! Ale optymista!

– Co tu mamy... Marynowane pomidorki... – wyliczał Czałyj. Wyciągnął palcami pomidora ze słoika, przełknął, zmrużył oczy: – Doskonałe! Cielęcinka... Soczysta, nie za sucha... – polizał. – Złote kobiece rączki!

I dyskretnie, zasłaniając torbę przed innymi, ale na oczach Rusanowa, schował do szafki pół litra. I mrugnął do Pawła Nikołajewicza.

– A więc jest pan tutejszy? – spytał Paweł Nikołajewicz.

– Nie. Bywam tutaj przejazdem, w delegacjach.

– I ma pan tu żonę?

Czałyj nie dosłyszał, poszedł zwrócić torbę. Po powrocie otworzył szafkę, znów zmrużył oczy, ocenił zawartość, zjadł jeszcze jednego pomidora i z zadowoleniem pokiwał głową.

– Na czym to stanęliśmy? Jedziemy dalej!

Achmadżan przez ten czas znalazł czwartego, młodego Kazacha ze schodów. W oczekiwaniu na Czałego opowiadał mu z zapałem po rosyjsku, jak nasi Rosjanie gromili Turków (wczoraj obejrzał w sąsiednim pawilonie film „Zdobycie Plewny"). Teraz podeszli, znów ułożyli dyktę między łóżkami i Czałyj, jeszcze weselszy, ciągnął dalej swój wykład:

– Full wygląda tak – przerzucał karty zwinnymi palcami. – To jest trójka takich kart i para takich. Rozumiesz, tubylec?

– Nie jestem tubylec – zaprotestował Achmadżan, ale bez gniewu. – Przed wojskiem byłem tubylec. Teraz nie.

– No dobra. Następny jest kolor. Wszystkie karty tego samego koloru. Po kolorze idzie kareta: cztery karty tej samej wysokości, jedna dowolna. Potem poker. To strit jednego koloru, od dziewiątki do króla. Tak... albo tak... Duży poker...

Nie wszystko było zrozumiałe, ale Maksim Pietrowicz powiedział, że w trakcie gry szybko się nauczą. Głos miał serdeczny, dźwięczny, czysty i Paweł Nikołajewlcz poczuł ciepło pod sercem. Nie spodziewał się, że spotka w tej sali takiego sympatycznego i życzliwego człowieka: oto siedzą jak zgrany i zgodny kolektyw, spędzą razem niejedną godzinę i niejeden dzień, po co więc myśleć o chorobie? Po co się zamartwiać? Maksim Pietrowicz ma rację!

Paweł Nikołajewicz miał właśnie zamiar zastrzec, żeby nie grać na pieniądze, dopóki wszyscy się nie nauczą, gdy w drzwiach stanęła salowa:

– Który to Czałyj?

– Ja jestem Czałyj!

– Na widzenie, żona przyszła!

– O kurwa! – pogodnie zaklął Maksim Pietrowicz. – Mówiłem jej, żeby przyszła w niedzielę! Ale się przyczepiła! Wybaczcie, chłopaki.

I znów nici z pokera! Maksim Pietrowicz wyszedł. Achmadżan i Kazach sięgnęli po karty, zaczęli powtarzać poznane kombinacje.

I znów przypomniał sobie Paweł Nikołajewicz o guzie, o marcowej rocznicy, poczuł nieprzyjazny uporczywy wzrok Puchacza, a odwróciwszy głowę zobaczył otwarte oczy Ogłojeda. Ogłojed wcale nie spał!

Kostogłotow nie spał, nie spał ani przez chwilę, słyszał, jak Wadim i Rusanow szeleścili gazetą, słyszał ich szeptaną rozmowę i specjalnie nie otwierał oczu. Był ciekaw, co powiedzą, zwłaszcza Wadim. Teraz nie musiał nawet czytać gazety – wiedział już wszystko.

Znów łomotało mu serce. Łomotało serce w drzwi żelazne, które nigdy nie miały się otworzyć – ale zgrzytały! Dygotały! I pierwsze okruchy rdzy sypały się z zawiasów!

Kostogłotowowi nie mieściło się w głowie, że tamtego dnia na w o l i płakali starzy i młodzi, że cały świat wydawał im się osierocony. Nie mógł sobie tego wyobrazić, gdyż pamiętał, jak to było u n i c h. Nagle, ni z tego, ni z owego nie wyprowadzono ich do roboty, zostali w barakach. A wiecznie włączony głośnik za zoną – zamilkł. Wyglądało na to, że gospodarze nie wiedzą, co robić, że przydarzyło im się jakieś wielkie nieszczęście. A zmartwienie gospodarzy to radość dla więźniów! Do roboty nie wychodzisz, na pryczy się wylegujesz, porcję wcinasz... Najpierw odsypiali zaległości, potem dziwili się, potem grali na gitarach, na bandurze, chodzili jeden do drugiego i snuli najprzeróżniejsze domysły. A potem zaczęła przenikać prawda, prawda do każdego łagru dotrze, nawet w najdzikszej głuszy – przez krajalnię chleba, przez kuchnię. I rozeszła się wieść, rozeszła! Krążyli po baraku, przysiadali na pryczach i powtarzali – jeszcze niepewnie, z niedowierzaniem: „E, chłopaki... Mówią, że Ludojad kopyta wyciągnął." – „Coś ty? W życiu nie uwierzę!" – „A ja wierzę!" – ‚Najwyższy czas!" – I – w śmiech! Głośniejszy od gitary, głośniejszy od bałałajki! Dwadzieścia cztery godziny siedzieli pod kluczem. A następnego ranka, na Syberii jeszcze mroźnego, gospodarze spędzili cały łagier na apel, przyszedł major, dwaj kapitanowie, lejtnanci – wszyscy. I major, z twarzą pociemniałą z rozpaczy, zaczął przemawiać:

– Z głębokim żalem... Wczoraj w Moskwie...

I wyszczerzyły się z ledwie maskowaną radością szorstkie, prostackie, toporne, obrośnięte aresztanckie gęby. I widząc tę wzbierającą lawinę uśmiechów zakomenderował oburzony major:

– Czapki zdjąć!

I zamarł łagier w niepewności i wahaniu, i stanęło na ostrzu noża: nie zdjąć – jeszcze nie można, zdjąć – już wstyd. I w tej chwili napięcia ubiegł wszystkich łagrowy dowcipniś, niepoprawny wesołek: zerwał z głowy czapkę – „stalinkę" – i podrzucił ją do góry! Wykonał rozkaz! Setki ludzi zobaczyły to – i poleciały czapki ku niebu!

I zatkało majora.

I po czymś takim dowiedział się Kostogłotow, że płakali starzy i młodzi, że płakały dziewczyny, że świat wydawał się osierocony...

Wrócił Czałyj, jeszcze weselszy niż poprzednio – i znów z torbą pełną zapasów, ale inną. Ktoś uśmiechnął się na ten widok, a Czałyj sam zażartował:

– No i co tu robić z babami? Widocznie mają z tego przyjemność. Co to szkodzi im dogodzić?

Skoro taka potrzeba,
trzeba babę wy.....!

I wybuchnął śmiechem, zarażając nim innych. Paweł Nikołajewicz też był ubawiony: bardzo zgrabnie wychodziły Maksimowi Pietrowiczowi te żarciki, bardzo zgrabnie!

– Która to żona? – krztusił się ze śmiechu Achmadżan.

– Oj, bracie, lepiej nie mów – wzdychał Maksim Pietrowicz przekładając zapasy do szafki. – Trzeba zreformować prawo i wprowadzić wielożeństwo jak u muzułmanów. To bardziej humanitarne. Od sierpnia można legalnie robić skrobanki – jak to ułatwia życie! Czemu kobieta ma żyć samotnie? A tak każda miałaby męża. Przynajmniej raz na rok. I jaka to wygoda na delegacji: w każdym mieście wikt i opierunek zapewniony!

Znów między wiktuałami mignęła ciemna butelka.

Czałyj zamknął drzwiczki szafki i odniósł torbę. Tej baby nie rozpieszczał – wrócił bardzo szybko. Przystanął w przejściu jak kiedyś

Jefriem i patrząc na Rusanowa podrapał się w głowę (a włosy miał bujne, koloru ni to lnu, ni to słomy owsianej).

– Może coś przekąsimy, sąsiedzie?

Paweł Nikołajewicz odpowiedział porozumiewawczym uśmiechem. Obiad jakoś się spóźniał, zresztą cóż znaczył szpitalny obiad wobec tych pyszności, które Maksim Pietrowicz tak smakowicie układał w szafce? A i w samym Maksimie Pietrowiczu, w uśmiechu jego wydatnych warg było coś przyjemnego, zmysłowego, co zachęcało do biesiady z tym człowiekiem.

– Bardzo chętnie – Rusanow otworzył swoją szafkę. – Też mam trochę różnych...

– A kieliszeczki? – Czałyj zgrabnie przeniósł słoiki i zawiniątka na szafkę Rusanowa.

– Przecież nie wolno! – pokręcił głową Paweł Nikołajewicz. – W naszym stanie to kategorycznie zabronione!

Przez cały miesiąc nikt nawet nie ośmielił się pomyśleć o alkoholu, ale dla Czałego nie istniały żadne zakazy.

– Jak ci na imię? – w mgnieniu oka znalazł się w przejściu od strony Rusanowa i usiadł naprzeciwko niego.

– Paweł Nikołajewicz.

– Pasza! – Czałyj przyjacielskim gestem położył mu dłoń na ramieniu. – Nie słuchaj lekarzy! Lekarz kuruje i grób wykopuje! A żyć trzeba na całego, z jajami!

Jaka krzepiąca pewność i życzliwość promieniowała z tej całkiem przeciętnej twarzy o czerwonawym nosie i soczystych, pełnych wargach!

A w klinice – sobota, lekarze zjawią się dopiero w poniedziałek. Za oknem lał deszcz, oddzielając Rusanowa od rodziny i przyjaciół. W gazecie nie było żałobnej fotografii i duszę przepełniało niejasne poczucie krzywdy. Zbyt wcześnie zapalone lampy zwiastowały długi, długi wieczór i miał ochotę wypić z tym człowiekiem, wypić, zakąsić, a potem pograć w pokera. (To będzie sensacja dla przyjaciół Pawła Nikołajewicza – poker!)

A Czałyj, spryciarz, miał schowaną butelkę pod poduszką, wycisnął palcem korek i dyskretnie nalał po pół kubka.

Prawdziwie po rosyjsku odrzucił Paweł Nikołajewicz wszelkie obawy, lęki, zakazy i przyrzeczenia, pragnął tylko przegnać troski i poczuć błogie ciepło.

– Jeszcze pożyjemy, Pasza! Jeszcze pożyjemy! – przekonywał Czałyj i jego wesołkowata twarz stała się nagle poważna, nawet zawzięta. – Jeśli ktoś chce zdychać, niech zdycha, ale my – będziemy żyć!

Wypili. Rusanow bardzo osłabł przez ten miesiąc, nie pił żadnego alkoholu oprócz cienkiego czerwonego wina – i oblało go żywym ogniem, z każdą minutą rozchodziło się, rozpływało po ciele przeświadczenie, że nie ma się co przejmować, że onkologia też jest dla ludzi i być może uda się wyjść stąd cało.

– A bardzo bolą te... polipy? – spytał.

– Owszem. Ale ja się nie daję! Pasza! Zrozum – od wódki nie może się pogorszyć! Wódka to lekarstwo na wszystkie choroby! Wiesz, przed operacją napiję się spirytusu. A coś ty myślał? Mam go w tej butelce, widzisz? Dlaczego akurat spirytusu? Bo się od razu wchłania, nie zostawia żadnej wody! Chirurg otworzy żołądek i nic nie znajdzie, puściutko, a ja – na bańce! Walczyłeś na froncie, to sam wiesz! Nie ma natarcia bez gorzały! Byłeś ranny?

– Nie.

– Miałeś szczęście! A ja – dwa razy. O, tu i tu... W kubkach znów było po dwie setki.

– Wystarczy – słabo opierał się Paweł Nikołajewicz. – To niebezpieczne...

– Co niebezpieczne? Kto ci nakładł do głowy takich głupot? Zakąś pomidorkiem. Cudo, nie pomidorki!

Rzeczywiście, co za różnica? Sto gram czy dwieście – co za różnica, skoro się już zaczęło? Dwieście gram czy dwieście pięćdziesiąt, skoro umarł wielki człowiek, a nikt o nim nie pisze? I wypił Paweł Nikołajewicz za pamięć Gospodarza. Wypił jak na wspominkach. I usta wykrzywiły mu się w smutną podkówkę. I smutno zakąszał marynowanym pomidorkiem. I z rozrzewnieniem słuchał swojego nowego przyjaciela.

– Ech, czerwoniutkie! – zachwycał się Maksim. – Tu kosztują rubla za kilo, a w Karagandzie – trzydzieści! I ludzie kupują z pocałowaniem ręki. A zawieźć – nie wolno! Nadać na bagaż – nie wolno! Dlaczego nie wolno? Pasza, no sam powiedz – dlaczego nie wolno?

Zirytował się Maksim Pietrowicz, rozszerzyły mu się źrenice i błysnęło w nich pytanie – o sens! O sens i logikę.

– Przyjdzie do naczelnika stacji człeczyna w starej marynareczce. „Chcesz żyć, naczelniku?" A ten za telefon, myśli, że będą go mordować... A człeczyna kładzie mu na stół trzy papierki. Dlaczego – nie wolno? Ty chcesz żyć i ja chcę żyć. Bierz forsę i pozwól nadać kosze na bagaż! I życie zwycięża, Pasza! Jedzie pociąg do takiej Karagandy, niby nazywa się pasażerski, ale to, bracie, pociąg – pomidorowy! Kosze na półkach, kosze pod siedzeniami. Konduktorowi – w łapę, kontrolerowi – w łapę, zmieniają się kontrolerzy – w łapę...

Rusanowowi kręciło się w głowie, ale czuł, że jest teraz silniejszy od choroby. Maksim jednak mówił chyba coś takiego, co nie mogło być zgodne... co przeczyło...

– To przeczy! – stwierdził stanowczo Paweł Nikołajewicz. – To przeczy i jest... jest... niedobre...

– Niedobre? – zdziwił się Czałyj. – To weź małosolnego! Albo sałatki z bakłażanów! W Karagandzie jest taki napis, wykuty w kamieniu: „Węgiel to chleb!" Chleb dla przemysłu, oczywiście. Chleb dla przemysłu jest, a pomidorków dla ludzi – nie ma. I jeśli obrotni spece nie przywiozą, to nie będzie. W Karagandzie ludziska z pocałowaniem ręki bulą po dwadzieścia pięć rubli i cieszą się, że w ogóle mogą kupić. Nie masz pojęcia, co za durnie tam rządzą! Zatrudniają kupę strażników, kontrolerów, inspektorów – po co? Posłaliby ich lepiej na południe, żeby przywieźli ze czterdzieści wagonów jabłek! Ale nie, gdzie tam! Oni muszą pilnować, żeby nikt nie woził jabłek do Karagandy! No i pilnują, sukinsyny! Nie wolno! Nie wolno i koniec!

– A ty handlujesz? – zmartwił się Paweł Nikołajewicz.

– Skąd! Ja z koszami nie jeżdżę. Jeżdżę z teczuszką. Z walizeczką! Majorzy, pułkownicy dobijają się do kasy: delegacja się kończy, a biletów – nie ma! Nie ma! A ja zawsze załatwię bilet. Mam chody na każdej stacji, wiem, do kogo pójść – tu do bufetowego, tam do przechowalni bagażu... Pamiętaj, Pasza: życie zawsze zwycięża!

– A gdzie pracujesz?

– Jestem technikiem, chociaż technikum nie kończyłem. I zaopatrzeniowcem. Tak kombinuję, żeby forsa była. Przestają płacić forsę – odchodzę. Kapujesz?

Paweł Nikołajewicz czuł, że coś tu jest nie tak, rozmowa zbaczała na jakieś niezrozumiałe i dwuznaczne tory. Od miesiąca nie rozmawiał jednak z takim wesołym, dobrym i swojskim człowiekiem. Nie miał serca sprawić mu przykrości.

– Ale czy to w porządku? – upewniał się tylko. – Czy to dobrze?

– Jasne! Wszystko w porządku! – uspokajał Maksim. – Spróbuj cielęcinki. Zaraz chlapniemy twojego kompociku. Pasza! Raz się żyje! Czemu człowiek ma żyć źle? Trzeba żyć dobrze, użyć tego życia! No nie?

Paweł Nikołajewicz nie mógł nie przyznać mu racji: Słusznie, raz się żyje, czemu żyć źle? Tylko...

– To nie jest dobrze widziane – przypomniał łagodnie.

– To zależy, Pasza – przekonywał Maksim obejmując go ramieniem. – To zależy, kto i jak patrzy.

W cudzej.....źdźbło przeszkadza,
a we własną belkę wsadza!

– śmiał się Czałyj i walił Rusanowa dłonią w kolano, Paweł Nikołajewicz też trząsł się ze śmiechu.

– Ileż ty znasz tych wierszy! Maksim, jesteś prawdziwym poetą!

– A ty? Gdzie pracujesz? – dopytywał się nowy przyjaciel. Przyjaźń przyjaźnią, ale w tym momencie Paweł Nikołajewicz wyprostował się odruchowo: stanowisko zobowiązywało.

– W kadrach.

Przez skromność przemilczał, jak wysokie stanowisko zajmuje.

– A gdzie?

Paweł Nikołajewicz wymienił nazwę instytucji.

– Słuchaj! – ucieszył się Maksim. – Trzeba załatwić pracę jednemu porządnemu facetowi! Składkę oczywiście uiści, nie martw się!

– Co ty sobie myślisz! – obraził się Paweł Nikołajewicz.

– A co tu myśleć? – w lekko zmętniałych oczach Czałego znów zamigotało pytanie o sens i logikę. – Jeśli kadry przestaną brać w łapę, to z czego będą żyć? Za co dzieci wykarmią? Ile masz dzieci?

– Można wziąć gazetkę? – rozległ się nad nimi głuchy, nieprzyjemny głos.

To Puchacz w rozmamłanym szlafroku przywlókł się ze swojego kąta, stał i patrzył złymi podpuchniętymi oczami.

Okazało się, że Paweł Nikołajewicz siedzi na gazecie: była dość pognieciona.

– Proszę, proszę! – poderwał się Czałyj, wyszarpnął gazetę spod Pawła Nikołajewicza. – Pasza, puść! Bierz ojczulku, czego jak czego, ale tego nie pożałujemy!

Szułubin wziął gazetę i chciał odejść, lecz zatrzymał go Kostogłotow. Miał okazję przyjrzeć się nowemu z bliska i bardzo dokładnie – i przyglądał mu się bez słowa równie uporczywie, jak tamten innym.

Kim mógł być ten człowiek? Przypominał aktora, który dopiero co zmył z twarzy charakteryzację. Z niedbałą swobodą spotkań w więzieniach etapowych, kiedy od razu można pytać o wszystko każdego obcego, Kostogłotow nie zmieniając swej dziwnej pozycji spytał:

– Ojczulku, kim jesteście z zawodu?

Szułubin odwrócił głowę w jego kierunku. Spojrzał nieruchomym wzrokiem i pokręcił szyją jakby uwierał go kołnierzyk, choć kołnierzyk wcale nie uwierał, był luźny. I nagle powiedział:

– Bibliotekarzem.

– A gdzie? – Kostogłotow nie omieszkał zadać następnego pytania.

– W technikum rolniczym.

Nie wiadomo dlaczego – może za to ciężkie spojrzenie, za ten milczący sowi bezruch w kącie zapragnął Paweł Nikołajewicz upokorzyć go, ustawić na właściwym miejscu. A może po prostu przemówiła przez niego wódka – i głośniej niż trzeba, bardziej nierozważnie, niż powinien, zawołał:

– Oczywiście bezpartyjny?

Puchacz zamrugał brązowymi oczami. Popatrzył z niedowierzaniem. Znów zamrugał. I nagle odezwał się:

– Przeciwnie.

I poszedł do swojego kąta.

Szedł jakoś nienaturalnie, musiało go coś kłuć albo uwierać. Raczej kuśtykał w szlafroku z rozpostartymi połami, przewalał się niezdarnie jak wielki ptak, któremu podcięto skrzydła, żeby nie mógł poderwać się do lotu.

24

W nasłonecznionym miejscu obok ławki siedział na kamieniu Kostogłotow. Podwinął nogi, kolanami prawie dotykając ziemi, ręce opuścił bezwładnie i siedział tak ze zwieszoną głową, wygrzewał się w słońcu, równie nieruchomy w swoim szarym szlafroku jak ten szary kamień. Słońce paliło go w czarnowłosą głowę i prażyło w plecy, a on siedział, o niczym nie myślał, chłonął marcowe ciepło i mógł siedzieć tu w nieskończoność, ładować organizm tym wszystkim, czego przez lata nie dodawano mu do chleba i zupy. Postronny obserwator nie zauważyłby nawet, czy jego ramiona unoszą się i opadają w rytmie oddechu. Nie przewracał się jednak, jakoś utrzymywał równowagę.

Tęga salowa z parteru, dorodna kobieta, która przepędzała go kiedyś z korytarza w trosce o sterylność, amatorka pestek dyni (idąc alejką też popluwała łupinami), podeszła do Kostogłotowa i zawołała tonem życzliwej przekupki:

– Ej, wujaszku! Chodź no!

Kostogłotow uniósł głowę, skrzywił twarz od słońca i przyjrzał się salowej zmrużonymi oczami.

– Idź do zabiegowego! Doktorka woła.

Tak było dobrze trwać w nagrzanym bezruchu, tak nie chciało się wstawać, iść – jak do znienawidzonej pracy!

– Która doktorka? – burknął.

– Która potrzebuje, to i woła! – zirytowała się salowa. – Nie mam obowiązku latać za wami po całym parku! Każą iść, to idź!

– Nie mam żadnych zabiegów. Pewnie chodzi o kogoś innego – upierał się Kostogłotow.

– O ciebie, o ciebie! – wypluwała pestki salowa. – A bo to ciebie, żurawia długonogiego, można z kimś pomylić? Jeden żeś u nas taki!

Kostogłotow westchnął, wyprostował nogi i zaczął wstawać, stękając z wysiłku.

Salowa przyglądała się temu krytycznie.

– Chodził, chodził, aż wszystkie siły wychodził. A było leżeć!

– Oj, siostrzyczko – jęknął. – Żeby to człowiek mógł przewidzieć!

I powlókł się alejką. Nie nosił już pasa, zniknęła gdzieś jego wojskowa postawa, garbił się.

Szedł ku jakimś nowym nieprzyjemnościom, gotów bronić się przed nieznanym.

W gabinecie zabiegowym czekała na niego nie Ella Rafaiłowna, która od dziesięciu dni zastępowała Wierę Korniljewnę, lecz nieznajoma młoda, korpulentna lekarka o czerwonych, tryskających zdrowiem policzkach. Nigdy jeszcze jej nie widział.

– Nazwisko? – spytała, gdy tylko stanął w progu.

Choć słońce nie raziło już w oczy, nadal mrużył je z niezadowoleniem. Milczał: zwlekał z podaniem nazwiska, bo chciał najpierw wybadać sytuację. Czasem lepiej nie podać albo powiedzieć fałszywe. Zastanawiał się, co wybrać.

– No? Nazwisko! – powtórzyła lekarka.

– Kostogłotow – przyznał się niechętnie.

– Gdzie się włóczycie? Rozbierzcie się szybciutko i na leżankę!

Dopiero teraz przypomniał sobie, zorientował się i zrozumiał: transfuzja! No tak, wyleciało mu z głowy, że w gabinecie zabiegowym robią transfuzje! Co to, to nie! Po pierwsze, wyznawał zasadę: cudzej krwi nie chcę, własnej nie dam. Po drugie, ta rzutka kobietka, która sama wyglądała, jakby napiła się czyjejś krwi, nie wzbudzała w nim zaufania. Wega wyjechała. Znowu nowy lekarz, nowe pomysły, nowe błędy – co za diabelska kołomyjka, dlaczego ciągle coś się zmienia?

Niechętnie ściągał szlafrok, szukał, gdzie go powiesić – pielęgniarka wskazała mu wieszak – i przez cały czas rozmyślał, jak by się wykręcić, do czego by się przyczepić. Powiesił szlafrok. Zdjął kurtkę piżamy i też powiesił. Zzuł buty, postawił je w kącie. Poczłapał boso po czystym linoleum do wysokiej leżanki. Nie mógł wykombinować żadnego pretekstu, ale wiedział, że zaraz coś wymyśli.

Na niklowanym statywie lśnił aparat do przetaczania krwi: gumowe przewody, szklane rurki. Całość uzupełniały uchwyty do ampułek o różnej pojemności: do półlitrowych, ćwierćlitrowych i „ósemek". W jednym uchwycie wisiała pełna ampułka – „ósemka". Brązowawą zawartość zasłaniała naklejka z grupą krwi, nazwiskiem dawcy i datą pobrania.

Zgodnie ze swoim zwyczajem wtykania nosa gdzie nie trzeba Kostogłotow zdążył przeczytać te dane i nie kładąc głowy na podgłówku oznajmił triumfalnie:

– No tak! Krew z 28 lutego! Ta krew jest przeterminowana! Nie wolno takiej przetaczać!

– A cóż to za fochy? – oburzyła się lekarka. – Przeterminowana, świeża, nieświeża – znalazł się specjalista! Krew można przechowywać ponad miesiąc!

Pod wpływem gniewu jej czerwona twarz przybrała barwę malinową. Obnażone do łokci tęgie różowe ramiona pokrywała gęsia skórka. I właśnie ta gęsia skórka ostatecznie utwierdziła Kostogłotowa W przekonaniu, że nie powinien się poddawać.

– Podwinąć rękaw i rozluźnić mięśnie! – dyrygowała lekarka. Robiła transfuzje od dwóch lat i nie pamiętała pacjenta, który nie byłby podejrzliwy. Każdy zachowywał się jak hrabia, dbały o czystość swej błękitnej krwi. Zawsze wybrzydzali. A to na kolor, a to na datę ważności, a to na grupę, narzekali, że krew jest za zimna albo za ciepła i notorycznie stwierdzali z satysfakcją: – „No oczywiście, znowu dajecie niedobrą krew!" – „Dlaczego?" – „Bo na butelce jest napis «zastrzeżona»." – „To dlatego, że krew była zastrzeżona dla kogoś innego, ale jej widocznie nie wykorzystano." Pacjent niby ustępuje, ale mruczy pod nosem: „Jasne, pewnie jakaś wybrakowana!" Tylko stanowczość pozwalała przełamać te głupie fanaberie. Lekarka śpieszyła się, w innych szpitalach czekali następni pacjenci, a dzienna norma transfuzji była męcząco wysoka.

Kostogłotow widział jednak na własne oczy straszliwe krwiaki – efekt przebicia żyły na wylot albo wprowadzenia igły obok niej, widział ludzi w szoku potransfuzyjnym, gdy z pośpiechu nie przeprowadzono najpierw próby krzyżowej. I absolutnie nie miał ochoty oddać się w te niecierpliwe, tęgie, różowe ręce. Własna, wykończona rentgenem, słaba i chora krew była mu droższa niż ów butelkowy dodatek. Własna dojdzie jakoś do normy. Poza tym przy słabej krwi prędzej przerwą leczenie. I wypiszą.

– Nie! – oznajmił stanowczo. Nie podwinął rękawa i nie rozluźnił mięśni. – Ta krew jest przeterminowana. I źle się czuję!

Wiedział, że nigdy nie należy podawać dwóch powodów – zawsze tylko jeden! – ale tak mu się powiedziało.

– Tak? Zaraz zmierzymy ciśnienie – jego słowa nie wywarły na lekarce najmniejszego wrażenia, a pielęgniarka niosła ciśnieniomierz.

Lekarka była obca, zaś pielęgniarka tutejsza, z gabinetu zabiegowego, tyle że Oleg nigdy się z nią nie zetknął – całkiem młodziutka wysoka czarnulka o nieco skośnych oczach, podobna do Japonki. Na głowie miała tak skomplikowaną fryzurę, że ani czepek, ani chustka nie zdołałyby jej ukryć i dlatego każde pasmo tej wieży włosów, każdy splot omotany był bandażem – pielęgniarka musiała chyba przychodzić do pracy kwadrans wcześniej, niż trzeba, i poświęcać go na okiełznanie fryzury.

Oleg z ciekawością przyglądał się białej koronie na głowie pielęgniarki, usiłując wyobrazić sobie dziewczynę bez tej misternej konstrukcji. Powinien skupić się na walce z lekarką, dyskutować, wybrzydzać, stawiać opór, ale jego uwagę pochłonęła dziewczyna o japońskich oczach. Jak wszystkie młode dziewczyny kryła w sobie zagadkę, tajemnicę, intrygowała właśnie tą niepojętą młodością.

A tymczasem zaciśnięto mu ramię czarną rurką gumową i ustalono, że ciśnienie jest w porządku.

Otworzył usta, gotów do dalszych protestów, ale ktoś poprosił lekarkę do telefonu.

Zerwała się i wyszła. Pielęgniarka chowała części ciśnieniomierza do pudełka. Oleg nadal leżał na plecach.

– Skąd jest ta lekarka? – spytał.

Pytał o lekarkę, lecz tak naprawdę zwracał się do tej dziewczęcej tajemnicy, dziewczyna czuła to i odpowiadała, uważnie wsłuchując się we własny głos.

– Ze stacji krwiodawstwa.

– A czemu przywozi przeterminowaną krew? – Oleg próbował pomarudzić przynajmniej pielęgniarce.

– Krew wcale nie jest przeterminowana – dziewczyna pokręciła głową i płynnie oddaliła się ze swą kunsztowną koroną.

Była absolutnie pewna, że wie wszystko, co powinna wiedzieć.

Może miała rację.

Słońce przesunęło się, świeciło teraz od strony gabinetu zabiegowego. Jego promienie nie docierały do wnętrza, ale dwa okna jaśniały słonecznym blaskiem, a na suficie drżała duża plama światła, które odbijało się od czegoś na dworze. Było bardzo jasno, czysto i cicho.

Było dobrze.

Ktoś otworzył drzwi, lecz weszła inna kobieta, nie tamta lekarka.

Weszła niemal bezdźwięcznie, nie wystukując obcasami swego „ja".

Oleg domyślił się.

Nikt inny tak nie chodził. Właśnie jej brakowało w tym gabinecie, tylko jej.

Wega!

Nie pomylił się. Weszła w jego pole widzenia. Weszła tak zwyczajnie, jakby dopiero co stąd wyszła.

– Gdzież się pani podziewała, Wiero Korniljewno? – uśmiechnął się Oleg.

Nie wykrzykiwał, spytał cichym, uszczęśliwionym głosem. I nie usiadł, choć mógł to zrobić. Było cicho, jasno i dobrze. Wega też zadała pytanie, też z uśmiechem:

– Wojuje pan?

Lecz Oleg, coraz bardziej skłonny do kapitulacji, odparł:
– Ja? Skądże, ja już swoje odwojowałem... Gdzie pani zniknęła? Tyle czasu, ponad tydzień...
Powoli, jak nauczyciel, który dyktuje niezbyt rozgarniętemu uczniowi nowe słówka, odpowiedziała:
– Organizowałam punkty onkologiczne. Popularyzowałam profilaktykę.
– Gdzieś w głębi?
– Tak.
– Ale teraz już pani nie wyjedzie?
– Na razie nie. Źle się pan czuje?
Co było w jej oczach? Skupienie. Uwaga. Pierwszy niepokój. Oczy lekarza.
Miały kolor jasnej kawy – kawy, do której wlano mleka na dwa palce, nie więcej. Oleg nie pamiętał wprawdzie koloru kawy, nie pił jej od bardzo dawna, ale wiedział, że są to oczy przyjaciela. Dobrego przyjaciela.
– Nie, skądże. To przez słońce. Siedziałem, siedziałem, o mały włos nie usnąłem.
– Przecież nie wolno panu! Czy pan nie rozumie, że nowotworu nie należy nagrzewać?
– Myślałem, że to dotyczy tylko termoforu.
– Słońca też!
– A więc – żegnajcie czarnomorskie plaże?
Pokiwała głową.
– Co za życie! Trzeba poprosić, żeby zesłali mnie do Norylska.
Wzruszyła ramionami. Nie była w stanie tego zrozumieć.
– Dlaczego pani zdradziła?
– Co?
– Naszą umowę. Obiecała pani, że zrobi mi transfuzję osobiście, a nie odda w ręce jakichś praktykantów.
– To nie praktykantka, wręcz przeciwnie – specjalistka. Kiedy przyjeżdża ktoś ze stacji krwiodawstwa, my nie mamy prawa przetaczać krwi. Zresztą już sobie pojechała.
– Jak to?
– Wezwano ją.
Znowu ta kołomyjka! Lecz właśnie kołomyjka mogła go uratować.
– A więc – pani?
– Ja. Co to za afera z tą przeterminowaną krwią?
Wskazał ampułkę.

– Wcale nie jest przeterminowana. Tyle że nie dla pana. Panu damy dwieście pięćdziesiąt. – Wiera Korniljewna przyniosła inną ampułkę i pokazała mu. – Proszę, niech pan czyta, sprawdza.

– Ależ, Wiero Korniljewno, takie już moje życie: nikomu nie wierzyć, wszystko sprawdzać. Czy pani myśli, że ja się nie cieszę, kiedy nie trzeba sprawdzać, kontrolować?

Powiedział to zamierającym głosem, ale jego bystre spojrzenie nie mogło nie zatrzymać się na naklejce. Przeczytał: „I grupa. Jarosławcewa I. L., 5 marca".

– O! Piąty marca! To mi pasuje! – ożywił się. – To mi odpowiada!

– Nareszcie się pan przekonał. A ile było dyskusji!

Nie zrozumiała. Trudno.

Podwinął rękaw i ułożył rękę wzdłuż ciała.

To właśnie sprawiało największą przyjemność jego podejrzliwej naturze: zaufać, pozwolić sobie na zaufanie. Wiedział już, że ta subtelna, utkana z powietrza kobieta o delikatnych i precyzyjnych ruchach nie popełni żadnego błędu.

Leżał więc i odpoczywał.

Rozległa, jakby koronkowa plama światła na suficie tworzyła nieregularny blady owal. To odbicie nie wiadomo czego też było przyjemne, upiększało czysty i cichy gabinet.

Wiera Korniljewna podstępnie wyciągnęła strzykawką odrobinę krwi z żyły, uruchomiła wirówkę, przygotowała cztery kapilary.

– Po co aż cztery? – spytał tylko dlatego, że przez całe życie lubił pytać o wszystko. Wcale nie zależało mu na odpowiedzi.

– Jeden do próby krzyżowej, trzy do sprawdzenia grupy. Na wszelki wypadek.

– Skoro grupa się zgadza, to po co jeszcze próba krzyżowa?

– Żeby ustalić, czy krew dawcy nie powoduje krzepnięcia krwi biorcy. Czasem się to zdarza.

– Aha. A po co wirówka?

– Wytrącamy erytrocyty. Wszystko chce pan wiedzieć.

Nawet nie słuchał. Patrzył na drżącą słoneczną plamę. Wszystko? Wszystkiego człowiek i tak się nie dowie. I umrze tak samo głupi, jak się urodził.

Pielęgniarka w białej koronie umieściła w uchwycie stojaka ampułkę krwi z piątego marca. Potem podłożyła Olegowi poduszeczkę pod łokieć. Wsunęła mu na rękę czerwoną gumową opaskę i zaczęła ją zaciskać, obserwując zmrużonymi japońskimi oczami, czy już wystarczy.

Dziwne, że dopatrywał się w niej jakiejś tajemnicy. Dziewczyna jak dziewczyna.

Podeszła Ganhart ze strzykawką napełnioną przezroczystym płynem. Strzykawka wyglądała całkiem zwyczajnie, tylko zamiast igły miała dziwną rurkę z trójkątną końcówką. Wizja wbijania rurki w żyłę nie należała do najprzyjemniejszych.

– Świetnie widać żyłę – pocieszyła Ganhart szukając jej wzrokiem. Uniosła jedną brew i z wysiłkiem (Olegowi wydało się, że wyraźnie słyszy tępy chrzęst przekłuwanej skóry) wbiła dziwaczną rurkę. – No i już po wszystkim!

Olega intrygowało jeszcze wiele rzeczy: po co ta opaska powyżej łokcia? A ten płyn w strzykawce? Można było zapytać albo domyślić się samemu: pewnie po to, żeby do żyły nie dostało się powietrze, a do strzykawki – krew.

Tymczasem rurka została w żyle, pielęgniarka rozluźniła opaskę, zdjęła ją z ramienia, zręcznie odłączyła strzykawkę, strząsnęła nad miseczką pierwszą krew z końcówki wężyka – i już Ganhart przykręcała tę końcówkę do rurki w żyle, przytrzymywała ją jedną ręką, a drugą odkręcała zaworek.

Przez przeźroczysty płyn z wolna zaczęły przepływać przeźroczyste bąbelki.

I tak samo jak one przepływały przez głowę pytania – czemu igła w żyle jest taka szeroka? Po co strząsa się pierwszą krew z końcówki wężyka? Skąd te bąbelki? Jeden dureń może zadać tyle pytań, że stu mądrych nie odpowie.

Pragnął spytać o coś innego.

Cały gabinet wyglądał dziwnie świątecznie, zwłaszcza ta biaława plama światła na suficie.

Miał mnóstwo czasu. Rurkowatą igłę wbito na długo, poziom krwi w ampułce prawie się nie obniżał. Wcale się nie obniżał.

– Wiero Korniljewno, czy jestem jeszcze pani potrzebna? – przymilnie spytała skośnooka pielęgniarka, wsłuchując się we własny głos.

– Nie – cicho odpowiedziała Ganhart.

– To ja... tylko na pół godzinki, dobrze?

– M n i e nie jest pani potrzebna.

Pielęgniarka wybiegła z pokoju jak na skrzydłach.

Powoli przepływały bąbelki. Wiera Korniljewna dotknęła zaworka - i przestały. Zniknęły.

– Zakręciła pani?

– Tak.

– A dlaczego?

– Znowu chce pan wszystko wiedzieć? – uśmiechnęła się. Ale z życzliwą zachętą.

W sali panowała cisza. Grube mury i solidne drzwi tłumiły wszelki dźwięk. Można było rozmawiać niemal szeptem, mówić bez żadnego wysiłku, po prostu wydychając powietrze.

– Taki już mam paskudny charakter. Zawsze chcę wiedzieć więcej, niż powinienem.

– To dobrze, że jeszcze pan chce... – zauważyła. Jej usta nigdy nie pozostawały obojętne na to, co wymawiały. Każdym ledwie dostrzegalnym ruchem – skrzywieniem, skurczem, drgnięciem kącików – wspomagały myśl i czyniły ją bardziej czytelną. – Po pierwszych dwudziestu pięciu centymetrach sześciennych należy zrobić dłuższą przerwę i obserwować reakcję pacjenta. – Wciąż jeszcze przytrzymywała końcówkę wężyka u nasady igły. I rozchylając wargi w nikłym uśmiechu, wpatrzyła się w Olega życzliwym i badawczym wzrokiem.

– No, jak się pan czuje?

– W tej chwili – wspaniale.

– Czy to nie przesada z tym „wspaniale"?

– Nie, naprawdę czuję się wspaniale. O wiele lepiej niż „dobrze".

– Nie odczuwa pan dreszczy albo nieprzyjemnego smaku w ustach?

– Nie.

Ampułka, igła, transfuzja, krew – była to ich wspólna krzątanina wokół kogoś trzeciego, kogo razem leczyli i pragnęli wyleczyć.

– A n i e w tej chwili?

– A n i e w tej chwili. – Cudownie jest tak długo, długo patrzeć sobie w oczy, gdy ma się prawo patrzeć i nie trzeba odwracać wzroku.

– Tak w ogóle... Całkiem kiepsko.

– Ale konkretnie, konkretnie!

Naprawdę chciała się dowiedzieć, niepokoiła się jak prawdziwy przyjaciel. Lecz – zasłużyła sobie na karę. Oleg poczuł, że zaraz jej tę karę wymierzy. Bez względu na łagodne jasnokawowe oczy.

– W sensie moralnym. Mam świadomość, że płacę tu zbyt wysoką cenę za życie. A pani podbija tę cenę i oszukuje mnie.

– Ja???

Gdy człowiek bardzo długo wpatruje się w oczy drugiego człowieka, dostrzega w nich coś, czego nie widać przy przelotnym spojrzeniu. Oczy tracą swą naturalną otoczkę obronną i ujawniają całą prawdę, nie są w stanie jej ukryć.

– Jak mogła mnie pani przekonywać, że zastrzyki sinestrolu są niezbędne, ale że nie zrozumiem zasady ich działania? A cóż tam jest do rozumienia? Hormonoterapia, i tyle!

To nie było uczciwe tak przygwoździć bezbronne jasnokawowe oczy. Był to jednak jedyny sposób, żeby dowiedzieć się prawdy. Coś w nich mignęło; wahanie, może niepewność.

I doktor Ganhart – nie, Wega – odwróciła wzrok.

Tak dowództwo wycofuje z pola walki zdziesiątkowaną kompanię.

Popatrzyła na ampułkę – po co, skoro zaworek był zakręcony? Popatrzyła na bąbelki – lecz bąbelki przecież nie przepływały.

Odkręciła zaworek. Bąbelki popłynęły. Przerwa się skończyła.

Wega przesunęła palcami po gumowej rurce, jak gdyby sprawdzając jej drożność. Podłożyła trochę waty pod nasadę igły, żeby rurka nie mogła się zgiąć. Potem przełożyła rurkę między palcami Olega – w ten sposób rurka sama się trzymała.

Teraz Wega nie musiała niczego przytrzymywać, nie musiała stać obok niego, nie musiała patrzeć mu w oczy.

Z poważną służbową miną wyregulowała przepływ bąbelków, po czym powiedziała:

– Proszę się nie ruszać. I wyszła.

Nie, nie z gabinetu, zniknęła tylko z kadru, z pola widzenia Olega. Ponieważ nie mógł się ruszać, w zasięgu jego wzroku została tylko kroplówka, ampułka z brązową krwią, przeźroczyste bąbelki, górne połowy rozsłonecznionych okien, ich odbicia w matowym kloszu lampy i cały sufit z migotliwą bladą plamą światła.

A Wegi nie było.

Pytanie upadło jak niefortunnie rzucony przedmiot.

A Wega go nie złapała.

Nie mógł jednak zrezygnować.

Zaczął więc myśleć na głos z wzrokiem utkwionym w sufit:

– Życie i tak mam zmarnowane. Zawsze będę tylko wiecznym zesłańcem, wiecznym zekiem. Los niczego mi już nie przyniesie. A jeszcze z pełną świadomością chcą we mnie zabić *te* możliwości. Po co mi takie życie? Po co je ratować? Po co?

Wega słyszała, ale była poza polem widzenia. Może to i lepiej: łatwiej się mówiło.

– Odbierają mi prawo do... przedłużenia własnego istnienia. Dla kogo i po co miałbym żyć? Taki okaleczony? Żeby się ludzie nade mną litowali? Po to?

Wega milczała.

A plama na suficie od czasu do czasu drżała, falowała brzegami, marszczyła się, jakby ją też dręczyły jakieś myśli, jakieś sprawy, których nie rozumiała. I znów zastygała w bezruchu.

Bulgotały wesołe przeźroczyste bąbelki... Ubywało krwi w ampułce. Poziom obniżył się o jedną czwartą. Krew kobiety. Krew Jarosławcewej. Iriny. Dziewczyny? Staruszki? Studentki? Handlarki?

– Wielka łaska...

I nagle niewidoczna Wega – nie, nie odezwała się, wybuchła gdzieś tam w głębi gabinetu:

– Przecież to nieprawda! Jak p a n może tak myśleć! Nie wierzę, że pan, właśnie p a n tak myśli! Niech się pan zastanowi! To są jakieś cudze myśli, pan nie może tak myśleć! To nie mogą być pańskie myśli!

Wyrzucała z siebie słowa z energią, o jaką nigdy by jej nie podejrzewał. Widocznie niechcący dotknął jakiegoś bolesnego miejsca. I nagle urwała, zamilkła.

– A j a k mam myśleć? – spytał Oleg ostrożnie.

W gabinecie zaległa taka cisza, że słychać było podzwanianie nieważkich bąbelków w kroplówce.

Wega mówiła z trudem, łamiącym się głosem pokonywała przeszkodę ponad siły.

– Przecież ktoś powinien myśleć inaczej! Nie tylko o t y m! Choćby paru ludzi, choćby garstka – ale inaczej! Jeśli wszyscy będą myśleć wyłącznie o t y m, wyłącznie t a k – to jak wśród nich żyć? Po co? W imię czego?

Ostatnie pytanie wykrzyczała z prawdziwą rozpaczą. Popchnęła go tym krzykiem. Popchnęła go, cisnęła z całej siły, żeby doleciał – niedomyślny, ciężki – tam, gdzie czekał ratunek.

I jak kamień z procy, jakie chłopcy robią z łodygi słonecznika, albo jak pocisk z tych dział o długiej lufie, używanych pod koniec wojny – pocisk, który opuszcza lufę z ciężkim stęknięciem i eksploduje wysoko w powietrzu – Oleg wzleciał i poszybował oszałamiającym łukiem, wyrywając się z twardej skorupy, odrzucając obce, nabyte, wpojone – poszybował nad jedną pustynią swojego życia, nad drugą pustynią swojego życia i przeniósł się do jakiejś odległej i dawnej krainy.

Do krainy dzieciństwa! Nie od razu ją rozpoznał. Lecz gdy tylko rozpoznał nie dowierzającymi, jeszcze niepewnymi oczami – poczuł zawstydzenie; przecież jako chłopiec myślał tak samo jak Wega, a jednak teraz nie on jej, a ona jemu musiała o tym przypomnieć.

I jeszcze jedno trzeba było odnaleźć w pamięci, koniecznie, tu, teraz – i odnalazł.

Odnalazł szybko, ale powiedział powoli, z namysłem:

– W latach dwudziestych ogromną popularnością cieszyły się książki niejakiego doktora Friedlanda, wenerologa. Uważano wówczas, że należy *otwierać* oczy społeczeństwu i młodzieży. Było to coś w rodzaju propagandy higieny zdrowotnej, tyle że dotyczącej spraw najbardziej intymnych. No cóż, chyba lepsze to niż obłudne milczenie. Pamiętam tytuły: „Za zamkniętymi drzwiami", „O cierpieniach miłosnych"... Czy pani... też je czytała? No... jako lekarz?

Słychać było bulgotanie bąbelków i chyba oddech – poza kadrem.

– Przyznam się pani, że przeczytałem te książki w bardzo młodym wieku, miałem najwyżej dwanaście lat. Oczywiście ukradkiem, w tajemnicy przed dorosłymi. To był wstrząs, książki odzierały z wszelkich złudzeń, pustoszyły umysł... Miało się wrażenie, że nie ma po co żyć.

– Czytałam – dobiegło nagle spoza kadru.

– A wiec pani też? – ucieszył się Oleg. Powiedział „pani też?" takim tonem, jakby spotkał nagle zwolennika swojej teorii. – Te książki... Był to tak konsekwentny, logiczny, nieubłagany materializm, że właściwie... odbierał życiu sens. Te dokładne wyliczenia, jaki procent kobiet nic nie odczuwa, jaki procent ma orgazm. Te historie, jak to kobiety... szukając swej tożsamości przechodzą z jednej kategorii do drugiej... – Przypominając sobie nowe szczegóły wciągnął z sykiem powietrze jak przy skaleczeniu czy oparzeniu. – Ta beznamiętna pewność, że cała psychologia małżeństwa, wszystkie związki uczuciowe dwojga ludzi to zjawisko wtórne, bo podstawą jest tylko i wyłącznie fizjologia, że fizjologia tłumaczy absolutnie wszystko, nawet „niezgodność charakterów". Zresztą sama pani pamięta... Kiedy czytała pani te książki?

Milczała.

Nie trzeba było pytać. Poza tym mówił pewnie zbyt dosłownie, zbyt wulgarnie. Nie miał doświadczenia w rozmowach z kobietami.

Dziwna plama światła na suficie zmarszczyła się nagle, zamigotała szybkimi srebrzystymi refleksami, zafalowała. I patrząc na te ruchliwe srebrne falki Oleg zrozumiał wreszcie, że zagadkowy krąg mglistej poświaty na suficie to po prostu odblask kałuży pod oknem. Metamorfoza zwyczajnej kałuży: powiał wietrzyk...

Wega milczała.

– Proszę mi wybaczyć! – przepraszał Oleg. Jak przyjemnie, jak słodko było ją przepraszać. – Nie tak to wszystko powiedziałem...

– Usiłował odwrócić głowę, ale Wega nadal znajdowała się poza zasięgiem wzroku. – Przecież takie myślenie niszczy w człowieku wszystko, co ludzkie... Przecież, jeśli tak myśleć, jeśli się z tym zgodzić... – Z radością odnajdywał swoje dawne poglądy, swoją dawną wiarę i przekonywał – ją!

I Wega wróciła! Weszła w kadr – i nie dostrzegł w jej twarzy ani śladu tamtej rozpaczy, którą słyszał. Uśmiechała się jak zwykle.

– Właśnie nie chcę, żeby pan się z tym zgadzał. Byłam pewna, że pan tak nie myśli.

Też promieniała radością.

Oczywiście, była dziewczynką, którą znał w dzieciństwie, koleżanką ze szkoły – jak mógł jej nie poznać!

Zapragnął powiedzieć coś serdecznego, jakieś proste słowa, na przykład „no to ręka na zgodę" i uścisnąć dłoń – no widzisz, jak dobrze, że się porozumieliśmy!

Lecz prawą rękę miał unieruchomioną.

Powiedzieć do niej – Wego! Albo – Wiero!

Nie mógł.

A krwi w ampułce ubywało, została najwyżej połowa. Jeszcze kilka dni temu krążyła w czyimś ciele, karmiła sobą czyjeś myśli i uczucia – a teraz wlewała w jego żyły czerwono-brązowe zdrowie Czy wsączała też coś własnego?

Oleg obserwował ruchliwe ręce Wegi: Poprawiła poduszeczkę pod łokciem, watkę pod igłą, przesunęła palcami po gumowym przewodzie i wydłużyła ruchomą oś stojaka, podnosząc ampułkę do góry.

Chciał ucałować tę rękę. Nie uścisnąć, a ucałować.

Nawet wbrew temu, co zostało powiedziane.

25

Wyszła z kliniki w świątecznym nastroju i nuciła sobie cichutko, z zamkniętymi ustami. W jasnym płaszczu, już bez botów, gdyż ulice całkiem obeschły, czuła się niezwykle lekko, lekkość ta przepełniała całe ciało, a zwłaszcza nogi – bez żadnego wysiłku mogły ją nieść choćby przez całe miasto.

Wieczór był równie słoneczny jak dzień, nieco chłodny, ale zupełnie wiosenny. Głupio byłoby wlec się zatłoczonym autobusem. Miała ochotę iść pieszo. I poszła.

Nie było w ich mieście niczego piękniejszego niż kwitnący uriuk. Zapragnęła nagle – teraz, natychmiast, koniecznie – zobaczyć choć jeden kwitnący uriuk, zobaczyć na szczęście, choćby z daleka, popatrzeć na tę powietrzną różowość, niepowtarzalną, jedyną w swoim rodzaju.

Było jednak za wcześnie. Drzewa przybierały dopiero ten zielonkawy odcień szarości, gdy widać już cień zieleni, ale szarzyzny jest o wiele więcej. A jeśli nawet gdzieś za murem, duwałem, uchował się jakiś skrawek sadu, to dostrzegało się tam jedynie suchą rudawą ziemię, spulchnioną motyką właściciela. Na uriuk było za wcześnie.

Kończąc pracę z niepotrzebnym pośpiechem pędziła zazwyczaj do autobusu, mościła się na połamanych sprężynach siedzenia albo trzymała się parcianego uchwytu i myślała, że nic się jej nie chce: ma przed sobą cały wieczór, a zupełnie nic się jej nie chce. Po co udawać, że się coś robi, skoro godziny wieczoru trzeba tylko spędzić, zabić jakoś czas, doczekać nocy i ranka, a rano takim samym autobusem jechać do kliniki.

A dziś szła pieszo – powoli, nie śpiesząc się – i rozpierała ją energia, chciała zrobić mnóstwo rzeczy. Czekał dom, sklepy, szycie, biblioteka, czekało tyle cudownych spraw, którymi dotychczas też mogła się zajmować, ale nie wiadomo dlaczego nie miała na to ochoty. Teraz ją miała – na wszystko naraz, już, natychmiast! A mimo to szła bez pośpiechu, wolniutko, z przyjemnością stukając obcasami pantofelków o suchy asfalt. Przechodziła obok otwartych jeszcze sklepów, ale nie wstępowała do nich po zakupy. Przechodziła obok afiszów, ale nie przeczytała ani jednego, choć właśnie na nie rzuciłaby chętnie okiem.

Po prostu szła sobie, szła i sprawiało jej to przyjemność.

I uśmiechała się do siebie.

Wczoraj, mimo święta, czuła się przygnębiona i niepotrzebna. A dziś, w zwyczajny powszedni dzień – tyle radości, taki wspaniały nastrój!

Doznajesz radości, gdy wiesz, że masz rację. Twoje rozpaczliwe, najżarliwsze argumenty, które wszyscy odrzucają ze śmiechem i wzgardą, ta cieniutka niteczka, na której wisisz – okazuje się nagle stalową liną, tak wytrzymałą, że wytrzymałość tę uznaje i ufnie przyłącza się do ciebie taki doświadczony przez życie, podejrzliwy i zgorzkniały człowiek.

I zaufanie jak wagonik kolejki linowej niesie was oboje nad bezdenną przepaścią ludzkiego niezrozumienia.

Zachwyciła się tym uczuciem! Przecież to zupełnie co innego wiedzieć, że jest się normalnym, że ma się słuszność, a co innego usłyszeć, że – tak, jesteś normalna, masz słuszność! I to od kogo usłyszeć! Była gotowa dziękować mu, że tak powiedział, że tak myślał, że pozostał właśnie taki mimo wszystkich klęsk, jakie przyniosło mu życie.

Zasłużył sobie na wdzięczność, ale na razie musiała się przed nim wytłumaczyć z hormonoterapii. Nie był zwolennikiem Friedlanda, lecz nie akceptował też hormonoterapii. Tkwiła w tym niekonsekwencja, jednakże konsekwencji wymaga się od lekarza, a nie od pacjenta.

Tak czy owak należało nakłonić go do uznania tej terapii. Nie wolno było oddać tego człowieka chorobie, rak musiał przegrać! Ogarnęła ją gorączka hazardu: przekonać, zmusić do leczenia i wyleczyć właśnie tego pacjenta! Lecz żeby walczyć z takim zgryźliwym uparciuchem, trzeba być absolutnie pewnym swego. Ona zaś uświadomiła sobie nagle, że hormonoterapię wprowadzono w ich klinice w oparciu o ogólnokrajową instrukcję Ministerstwa Zdrowia. Instrukcja dotyczyła wielu rodzajów nowotworów i niezbyt przekonująco uzasadniała przydatność nowego sposobu leczenia. Wiera nie przypominała sobie żadnego artykułu w prasie fachowej na temat skuteczności hormonoterapii w leczeniu nasieniaka. Ktoś na pewno o tym pisał, trzeba by poszukać i przeczytać. Od dawna jakoś nie miała okazji...

Teraz na pewno przeczyta! Wszystko przeczyta! Na pewno!

Kostogłotow palnął kiedyś, że nie wie, dlaczego znachor ma być gorszy od lekarza, że w medycynie też wszystko robi się na wyczucie. Wiera prawie się obraziła, ale później pomyślała, że jest w tym trochę racji. Czy lekarze, którzy naświetlają tkankę promieniami rentgena, wiedzą choćby w przybliżeniu, ile niszczą zdrowych komórek, a ile rakowych? Czym się to różni od wiedzy znachora, odmierzającego tojad garściami, na oko? Czy ktokolwiek obliczał dawki w domowych sposobach leczenia, na przykład w okładach z gorczycy? Albo coś takiego: wszyscy rzucili się na penicylinę. Cudowny lek, panaceum! A czy choć jeden lekarz wiedział, na czym polega jej działanie? Czarna magia! Ile trzeba czytać, myśleć, wiedzieć! Teraz nadrobi wszystkie zaległości!

Znalazła się – jak szybko, nie wiadomo kiedy! – na podwórzu domu, w którym mieszkała. Po kilku schodkach weszła na dużą wspólną werandę z balustradą (na balustradzie wietrzyły się czyjeś chodniki i dywaniki), zrobiła parę kroków po spękanej, dziurawej cementowej podłodze, bez wstrętu otworzyła odrapane drzwi i przeszła przez ciemny korytarz. Nie zapalała światła – żarówki należały do różnych właścicieli i podłączone były do różnych liczników.

Drugim kluczem otworzyła drzwi swojego pokoju – i o dziwo nie odczuła przygnębienia na widok tej wiecznie ciemnej pustelni z kratą w oknie (w całym mieście okna na parterze miały takie zabezpieczenie przed złodziejami). Słońce docierało tu jedynie bardzo wczesnym rankiem. Wiera zatrzymała się w drzwiach i nie zdejmując płaszcza patrzyła na swój pokój z takim zdumieniem, jakby widziała go pierwszy raz w życiu. Jak dobrze i wesoło można by w nim mieszkać! Trzeba tylko zmienić serwetę. I trochę posprzątać. I przewiesić obrazy: biała noc nad Twierdzą Pietropawłowską i czarne cyprysy Ałupki.

Zdjęła płaszcz i założyła fartuszek, ale najpierw poszła do kuchni. Coś podpowiadało, że należy zacząć od kuchni. No tak! Włączyć prymus i ugotować sobie coś do jedzenia.

W kuchni urzędował jednak synalek sąsiadów, kawał chłopa; zastawił kuchnię motocyklem, rozebrał go, porozkładał części na podłodze i pogwizdując smarował swój pojazd. Zachodzące słońce oświetlało kuchnię, było w niej jeszcze całkiem widno. Od biedy można by się przecisnąć do stołu, ale Wiera straciła raptem ochotę na kuchenną krzątaninę. Zapragnęła być sama, w pokoju.

Poza tym w ogóle nie chciało się jej jeść. Ani trochę! Wróciła do siebie i z zadowoleniem zamknęła drzwi na zatrzask. Nie miała po co wychodzić dziś z pokoju. Na talerzyku leżały cukierki czekoladowe, można je zjeść zamiast kolacji...

Wiera przykucnęła przed komodą po mamie i wysunęła ciężką szufladę, w której leżała czysta serweta.

Nie, najpierw trzeba odkurzyć!

A jeszcze przedtem – przebrać się w domowe ciuchy!

Ta gonitwa myśli miała w sobie coś z tańca i każdy nowy pomysł sprawiał przyjemność jak kolejne taneczne pas.

A może najpierw przewiesić twierdzę i cyprysy? Nie, do tego potrzebny był młotek i gwoździe, zresztą wbijanie gwoździ to męskie zajęcie. I uciążliwe. Niech sobie wiszą.

Chwyciła ściereczkę i nucąc zaczęła kręcić się po pokoju.

I prawie natychmiast rzuciła się jej w oczy kolorowa pocztówka, oparta o pękaty wazonik. Na jednej stronie pocztówki pyszniły się czerwone róże, zielone wstążki i błękitna ósemka. Na odwrocie zaś mogła sobie przeczytać życzenia, napisane na maszynie. Były to życzenia od komitetu miejskiego z okazji międzynarodowego dnia kobiet.

W święta człowiek samotny czuje się szczególnie samotnie. A dla samotnej kobiety, której przybywa jałowych i beznadziejnych lat, najgorsze jest święto kobiet. Owdowiałe i niezamężne, zbierają się wtedy kobiety we własnym gronie, żeby napić się wina, pośpiewać i poudawać wesołość. Tu, na podwórku, też zasiadło wczoraj takie babskie towarzystwo. Jedna przyszła z mężem: podchmielone, całowały się z nim po kolei.

Komitet miejski z całą powagą życzył Wierze sukcesów w pracy zawodowej i szczęścia w życiu osobistym.

Życie osobiste! Martwa poczwarka, uschły kokon, z którego nic się nie wylęgło.

Podarła pocztówkę i wyrzuciła do kosza.

Szła przez pokój, wycierała z kurzu wazoniki, szklaną piramidkę z widokami Krymu, pudło z płytami obok radia, plastikową żebrowaną obudowę gramofonu.

Dziś mogła bez bólu słuchać wszystkich płyt. Mogła nastawić nawet tę najbardziej wzruszającą: „Mija czas, a ja wciąż jestem sam, stale sam..."

Szukała jednak innej, znalazła, przełączyła radioodbiornik na gramofon, a sama z podkurczonymi nogami wtuliła się w głęboki fotel.

Roztargnione palce nadal ściskały rożek ściereczki od kurzu, ściereczka zwisała ku podłodze jak proporzec.

W pokoju zrobiło się już całkiem szaro, świeciło tylko zielone oko radia.

To była suita ze „Śpiącej królewny". Adagio, a potem „Przybycie wróżki".

Wiera słuchała, ale za kogoś innego. Chciała sobie wyobrazić, jak mógłby słuchać tego adagia przemoknięty, umęczony bólem, skazany na śmierć człowiek, któremu nie dane było zaznać szczęścia. Nastawiła płytę jeszcze raz. I jeszcze raz.

Zaczęła z nim *rozmawiać* – ale w myślach. Wyobraziła sobie, że siedzi przy okrągłym stole naprzeciwko niej, w zielonkawej poświacie radia. Mówiła do niego, a potem domyślała się odpowiedzi. Trudno było co prawda przewidzieć, z czym raptem wyskoczy, ale chyba już się do tego przyzwyczaiła.

Dopowiadała mu to wszystko, czego nie wypadało powiedzieć w gabinecie zabiegowym, lecz teraz – tak. Wygłaszała własną teorię na temat mężczyzn i kobiet. Supermężczyźni z książek Hemingwaya to istoty, które nie zasługują na miano człowieka, Hemingway jest płytki. (Oleg burknie oczywiście, że nie czytał żadnego Hemingwaya, i stwierdzi z dumą, że w wojsku i w łagrze nie miał takiej możliwości.) Kobieta potrzebuje od mężczyzny czegoś zupełnie innego: troskliwej czułości i poczucia bezpieczeństwa, opieki, ochrony. Właśnie przy Olegu – wyjętym spod prawa, słabym chorym, nic nie znaczącym – nie wiadomo dlaczego czuła się bezpiecznie.

A kobiety? Ideałem kobiecości stała się Carmen, kobieta, która myśli wyłącznie o rozkoszy i aktywnie jej poszukuje! To nie jest prawdziwa kobieta, to po prostu przebrany mężczyzna!

Musi wyjaśnić mu jeszcze wiele spraw, lecz on, zaskoczony jej słowami, nie wie, co odpowiedzieć. Zastanawia się. A ona jeszcze raz nastawia tę samą płytę.

Zrobiło się ciemno i zupełnie zapomniała o sprzątaniu. Coraz intensywniejszą zielenią lśniło oko radioodbiornika.

Nie chciała zapalać światła, a musiała koniecznie na coś popatrzeć. Mimo ciemności bezbłędnie natrafiła dłonią na ramkę, zdjęła ją troskliwie ze ściany i przysunęła do zielonego oka. Nawet gdyby zgasło, gdyby zniknęła ta gwiezdna zielona poświata, Wiera i tak dostrzegałaby każdy szczegół fotografii: tę chłopięcą czystą twarz; bezbronną jasność oczu, które jeszcze niczego nie widziały; pierwszy w życiu krawat na bielutkiej koszuli; pierwszy w życiu garnitur na ramionach – i cenny znaczek w klapie marynarki: okrągły, biały, z czarnym profilem pośrodku. Fotografia miała wymiary sześć na dziesięć, znaczek wyglądał jak mała kropka, ale przy świetle można było wyraźnie zobaczyć, a po ciemku – pamiętać, że to profil Lenina.

– Innych orderów nie potrzebuję! – żartował chłopiec.

Ten chłopiec nazwał ją Wegą.

Raz w życiu zakwita agawa i wkrótce potem – obumiera.

Tak pokochała Wiera Ganhart. Na wpół dziecinną miłością, jeszcze w szkole.

A on – poległ na froncie.

Od tej chwili nie miało już znaczenia, czy wojna była sprawiedliwa, słuszna, bohaterska, ojczyźniana, święta – dla Wiery Ganhart stała się wojną o s t a t n i ą. Wojną, na której zabito i ją.

Tak chciała zginąć! Rzucić instytut i pójść na front. Nie mogła – była Niemką.

Dwa, trzy pierwsze miesiące wojny spędzili jeszcze razem. Oboje wiedzieli jednak, że on niebawem dostanie kartę powołania. Teraz nie sposób było wyjaśnić, dlaczego się nie pobrali. A nawet bez ślubu – jak mogli zmarnować te miesiące – ostatnie? Jedyne? Co ich powstrzymało? Co mogło ich powstrzymać, skoro wszystko dokoła waliło się w gruzy?

A jednak było coś takiego.

„Wego! Moja Wego! – wołał z frontu. – Nie mogę umrzeć ze świadomością, że do mnie nie należysz! Gdyby udało się wyrwać choć na trzy dni – na urlop! do szpitala! – wzięlibyśmy ślub! Prawda? Prawda?"

„Bądź spokojny. Nigdy nie będę należeć do innego. Zawsze będę twoja".

Tak pisała. Ale – do żywego!

A on – nie został ranny, nie przyjechał na urlop, nie trafił do szpitala. Zginął na miejscu.

Nie żył, lecz jego gwiazda, jego Wega, jaśniała. Nadal jaśniała...

Jaśniała nadaremnie.

Nie była to gwiazda, która świeci, choć sama dawno już zgasła. Raczej taka, która gorzeje pełnym blaskiem, ale blasku tego nikt już nie widzi i nie potrzebuje.

Nie pozwolono jej zginąć na froncie. Musiała żyć dalej. Studiować.

W instytucie została nawet starostą grupy. Wszędzie była pierwsza – do pracy społecznej, do żniw, na wykopki. A cóż jej pozostawało?

Ukończyła studia z wyróżnieniem, a doktor Orieszczienkow, u którego praktykowała, wyrażał się o niej z uznaniem. (To on polecił ją Doncowej.) Znalazła sobie cel: szpital, leczenie, pacjenci. Cel – i ratunek.

Oczywiście z punktu widzenia takiego Friedlanda była to bzdura, odchylenie od normy, wariactwo: pozostać wierną nieboszczykowi i nie szukać sobie żywego. Zachowanie sprzeczne z naturą, bo niezmienne są prawa tkanek, prawa hormonów, prawa wieku.

Niezmienne? W jej organizmie prawa te przestały działać.

Nie, nie czuła się związana przysięgą: „zawsze będę twoja", nie o to chodziło. Chociaż może i o to: przecież najbliższy nam człowiek nie może umrzeć do końca, ostatecznie, przecież trochę widzi, trochę słyszy, jest obecny, istnieje. I zobaczy – bezsilny, milczący – jak go oszukujesz.

Co tu mają do rzeczy prawa rozrostu komórek, reakcje, przemiana materii? Nie ma drugiego takiego człowieka! Nie ma takiego drugiego! Nie ma! Jakie procesy fizjologiczne? Jakie komórki?

Po prostu w miarę upływu czasu popadamy w coraz większe otępienie. Jesteśmy coraz bardziej zmęczeni. Przestajemy być prawdziwi w rozpaczy i wierności. Bez oporu oddajemy je czasowi. A potem interesuje nas już tylko jedno – żeby napchać co dzień brzuch i oblizać palce. Pod tym względem nic się w nas nie zmienia. Dwa dni bez pokarmu i przestajemy być sobą.

Nie ma co, daleko zaszliśmy – my, ludzkość! Nie zmieniła się Wega, lecz – załamała się. Zmarła jej matka, a tylka ją miała na świecie. Umarła, bo też się załamała: jej syna, starszego brata Wiery, inżyniera, aresztowano w czterdziestym roku. Jeszcze przez kilka lat pisywał do nich; jeszcze przez kilka lat posyłali mu paczki gdzieś do Buriacji. Pewnego razu przyszło nieczytelne awizo z poczty i matka dostała swoją paczkę z powrotem, ostemplowaną kilkoma pieczątkami i z przekreślonym nazwiskiem adresata. Niosła tę paczkę do domu jak trumienkę. On tuż po urodzeniu zmieściłby się w tym pudełku.

To załamało matkę. To – i szybkie zamążpójście narzeczonej syna. Matka nie mogła tego zrozumieć. Rozumiała Wierę.

I została Wiera sama.

Nie ona jedna, oczywiście, nie jedyna, tylko – jedna z milionów. W kraju żyło tyle samotnych kobiet, że patrząc na swoje znajome Wiera zastanawiała się, czy nie jest ich więcej niż zamężnych? Wszystkie te samotne kobiety były jej rówieśnicami. Dziesięć kolejnych roczników. Rówieśnice poległych na froncie.

Wojna okazała się łaskawsza dla mężczyzn, zabrała ich. A kobiety zostały – na dalszą mękę.

A jeśli nawet wykaraskał się któryś z wojennej pożogi cały i nieżonaty, to nie szukał wśród rówieśnic, wybierał młodszą. Zaś młodsi o parę lat mężczyźni byli młodsi o pokolenie, byli dziećmi; nie naznaczyła ich wojna.

I tak oto, nie zgrupowane w dywizje, żyły miliony kobiet na próżno i dla nikogo. Odrzut historii.

Szansę miały tylko te, które umiały korzystać z życia auf die leichte Schulter.

Mijały długie zwyczajne lata, a Wiera przez cały czas żyła i chodziła jak gdyby w masce przeciwgazowej, z głową ściśniętą złowieszczą gumą. Aż nadszedł dzień, gdy półprzytomna i osłabiona zerwała maskę.

Zaczęła żyć bardziej po ludzku: zadbała o swój wygląd, ubierała się starannie i nie unikała kontaktów z innymi ludźmi.

Wierność jest pięknym uczuciem. Może nawet najpiękniejszym. Nawet wtedy, kiedy nikt o niej nie wie. Nawet wtedy, kiedy nikt jej nie docenia.

Tylko żeby czemuś służyła!

A jeśli niczemu nie służy? Jeśli nikt jej nie potrzebuje?

Okulary maski przeciwgazowej są duże, ale widać przez nie źle i niewiele. Zerwawszy maskę, Wega mogłaby widzieć lepiej. I więcej.

Lecz – nie zobaczyła. Nie przyzwyczajona – uderzyła się boleśnie. Nieostrożna – potknęła się. Jedno krótkie przypadkowe zbliżenie nie tylko nie rozjaśniło jej życia, nie przyniosło radości, ale upokorzyło ją samą, naruszyło harmonię, zburzyło ład.

Nie mogła jednak cofnąć czasu. Ani wyrzucić z pamięci.

Nie, nie umiała traktować życia lekko, ze wzruszeniem ramion. Nie ona. Im wrażliwszy człowiek, tym trudniej mu zbliżyć się z podobnym sobie. Potrzeba wielu dziesiątków, setek sprzyjających okoliczności. Każde kolejne odkrycie czegoś wspólnego zbliża zaledwie o mały krok. A wystarczy jedno nieporozumienie, by wszystko przepadło.

I zawsze zdarza się – tak wcześnie, tak brutalnie. Nie miała kogo spytać: jak postąpić? Jak żyć?

Ilu ludzi, tyle dróg.

Życzliwi gorąco namawiali, żeby wzięła sobie dziecko na wychowanie. Długo i szczegółowo dyskutowała o tej sprawie z różnymi kobietami, już ją prawie przekonały, już się zapaliła, już zaczęła odwiedzać domy dziecka.

A jednak zrezygnowała. Nie mogła pokochać dziecka ot tak, od razu – bo postanowiła pokochać, bo nie miała innego wyjścia. Co gorsza – czuła, że w przyszłości może przestać je kochać. I co najgorsze – dziecko mogło wyrosnąć na zupełnie obcego człowieka.

Gdybyż mieć własną, prawdziwą córkę! (Córkę, bo dziewczynkę można ukształtować na swoje podobieństwo, chłopca – nie).

Nie miała jednak siły przebyć jeszcze raz tej grząskiej drogi z następnym mężczyzną.

Przesiedziała w fotelu do północy, nic nie zrobiła, nie zapaliła nawet światła. Tak dobrze było siedzieć i myśleć z wzrokiem utkwionym w łagodną zieleń oka radioodbiornika i czarne kreski stacji na skali. Słuchała płyt, mogła słuchać nawet tych najbardziej przejmujących. Nawet marszów. Marsze jak miniaturowe defilady przeciągały w mroku podłogi u jej stóp. A ona, wtulona w stary fotel o wysokim oparciu, siedziała z podwiniętymi zgrabnymi nogami i przyjmowała te defilady niczym zwycięski wódz.

Przeszła przez czternaście pustyń – i nareszcie doszła. Przeszła przez czternaście lat szaleństwa – i okazało się, że ma słuszność! Właśnie dziś jej wieloletnia wierność ujawniła nowy, ostateczny sens. Prawie-wierność. Można uznać, że – wierność. W tym, co najważniejsze – jednak wierność.

Lecz właśnie dziś po raz pierwszy zobaczyła, odczuła zmarłego – jako chłopca. Nie jako równolatka, nie jako mężczyznę, lecz chłopca, bez tej upartej męskiej twardości, w której kobieta znajduje oparcie i bezpieczną przystań. Tamten nie widział ani całej wojny, ani jej końca, ani wielu trudnych powojennych lat, na zawsze pozostał chłopcem o bezbronnych jasnych oczach.

Położyła się: długo nie mogła zasnąć, lecz nie martwiła się, że będzie spać dziś tak krótko. A gdy zasnęła, budziła się co jakiś czas i widziała wiele snów, trochę za dużo jak na jedną noc. Jedne były zupełnie głupie, a inne chciała zatrzymać przy sobie do rana.

Rano obudziła się – uśmiechnięta.

Ludzie w autobusie gnietli ją, szarpali, popychali, deptali po nogach, ale znosiła wszystko cierpliwie i bez słowa.

Idąc na zebranie z przyjemnością dostrzegła już z daleka rosłą, silną i sympatycznie śmieszną postać małpoluda – Lwa Leonidowicza; a więc wrócił już z Moskwy! Zbyt ciężkie, zbyt duże ręce zwisały ku ziemi, pociągając za sobą ramiona, i na pierwszy rzut oka szpeciły sylwetkę, choć w istocie były jej ozdobą. Na potężnej, podanej do tyłu czaszce tkwiła biała czapeczka – furażerka, jak zwykle niemiłosiernie wymiętoszona, z jakimiś sterczącymi rożkami i wgniecionym środkiem. Pierś Lwa Leonidowicza rozsadzała biały fartuch i przypominała przód czołgu w zimowym kamuflażu. Chirurg kroczył ze zmrużonymi oczami i groźną miną, ale Wiera wiedziała, że ta groźna mina w każdej chwili może zmienić się w uśmiech.

Tak właśnie się stało, gdy oboje wpadli na siebie u podnóża schodów.

– Jak się cieszę, że wróciłeś! Okropnie cię tu brakowało! – powiedziała Wiera.

Uśmiechnął się jeszcze serdeczniej i opuszczoną ręką, hen, gdzieś tam w dole ujął ją pod łokieć, skierował ku schodom.

– Co ci tak wesoło? Masz jakąś dobrą wiadomość?
– Nie, nie mam. No i jak tam podróż?
Lew Leonidowicz westchnął.
– I dobrze, i źle. Moskwa bruździ.
– Musisz mi wszystko opowiedzieć!
– Przywiozłem ci płyty. Trzy.
– Naprawdę? Jakie?
– Przecież wiesz, że nie odróżniani tych twoich Saint-Saënsów... W GUM-ie mają teraz specjalne stoisko z płytami, pokazałem im twoją listę i zapakowali mi trzy sztuki. Jutro ci przyniosę. Wierusia, słuchaj: chodź dziś ze mną na rozprawę!
– Na jaką znowu rozprawę?
– Nic nie wiesz? Będą sądzić chirurga z III Kliniki. Prawdziwy sąd! Na razie koleżeński. Śledztwo trwało osiem miesięcy.
– Za co?
Pielęgniarka Zoja skończyła właśnie dyżur; mijając ich na schodach powiedziała „Dzień dobry" i błysnęła żółtymi rzęsami.
– Operował dziecko, zmarło po operacji... Wiesz – pójdę tam i narobię rabanu. Póki mam w sobie ten moskiewski rozpęd! Jak człowiek posiedzi tydzień w domu, to od razu podkula ogon. Pójdziesz ze mną?
Wiera nie zdążyła odpowiedzieć – wchodzili już do pokoju lekarzy, gdzie stały fotele w pokrowcach, a na stole leżała błękitna narzuta.
Wiera bardzo lubiła Lwa i szanowała go. On i Ludmiła Afanasjewna byli dla niej jedynymi bliskimi tu ludźmi. Łączyło ją z Lwem coś, co bardzo rzadko zdarza się w kontaktach niezamężnej kobiety i nieżonatego mężczyzny: Lew nigdy, ani razu nie spojrzał na nią szczególnym wzrokiem, nie zrobił żadnej aluzji, nie adorował. Była to po prostu naturalna i bezpieczna przyjaźń. Unikali tylko tematu miłości i małżeństwa, jakby sprawy te w ogóle nie istniały. Lew Leonidowicz z pewnością domyślał się, że taki stan rzeczy odpowiada Wedze. Sam był kiedyś żonaty, potem wolny, potem miał „przyjaciółkę", babska część personelu przychodni (czyli cała przychodnia) lubiła plotkować na jego temat, ostatnio chodziły słuchy, że Lew Leonidowicz ma romans z jakąś pielęgniarką. Jedna z młodych lekarek, chirurg Angelina, trąbiła o tym na lewo i prawo, ale inne podejrzewały, że sama ma ochotę poderwać chirurga.
Ludmiła Afanasjewna przez całą odprawę rysowała na kartce. Wiera zaś siedziała spokojnie jak nigdy. Czuła w sobie jakąś niezwykłą równowagę.

Po odprawie zaczęła obchód. Najpierw poszła do dużej sali kobiecej. Miała tam wiele pacjentek i obchód z reguły zajmował mnóstwo czasu. Przysiadała na każdym łóżku, badała chore albo rozmawiała z nimi po cichu, nie starając się uciszać pozostałych, gdyż w sali zapanowałaby przykra atmosfera, a zresztą kobiety i tak by nie zamilkły. (W salach kobiecych musiała zachowywać się jeszcze bardziej taktownie i dyplomatycznie niż w męskich. Tu nie wystarczał autorytet i ranga lekarza. Gdy tylko zjawiała się w zbyt dobrym humorze albo zbyt gorliwie zapewniała, że wszystko będzie dobrze – zgodnie z wymogami psychoterapii – natychmiast czuła na sobie spojrzenia pełne niechęci lub jawnej zawiści: „Dobrze ci mówić! Ty jesteś zdrowa! Ty nic nie rozumiesz!" W ramach tejże psychoterapii zalecała pacjentkom, by dbały o swój wygląd, układały włosy, malowały się – lecz sama nie mogła tego robić – kobiety nie wybaczyłyby jej.)

Szła więc od łóżka do łóżka skromna, powściągliwa, skupiona wyłącznie na kolejnym przypadku. Nie słuchała pogaduszek innych kobiet, lecz nagle spod przeciwległej ściany dobiegł jakiś szczególnie wstrętny, mamlający głos:

– Jacy tam oni chorzy! Są tu tacy, co tak latają za babami, że i zdrowy lepiej by nie latał! O, ten kosmaty, paskiem podwiązany – jak tylko nocny dyżur, to się z Zojką miętosi!

– Słucham? Słucham? – jeszcze raz spytała Ganhart swoją pacjentkę. – Proszę powtórzyć.

Pacjentka zaczęła powtarzać.

(Zoja miała dziś nocny dyżur! Dziś w nocy, gdy płonęło zielone oko radioodbiornika...)

– Przepraszam, proszę powtórzyć wszystko do początku, tylko dokładnie!

26

Kiedy denerwuje się doświadczony chirurg? Nie, nie podczas operacji. Operacja to uczciwa, konkretna robota, wiadomo, co i jak, trzeba tylko precyzyjnie i dokładnie usunąć zaatakowany organ, żeby później nie mieć do siebie pretensji o niedoróbki. Oczywiście zdarzają się komplikacje, krwotoki i człowiek ponuro przypomina sobie, że Reserford umarł w trakcie operacji przepukliny. Zmartwienia chirurga zaczynają się p o operacji, gdy z niewiadomych powodów utrzymuje się wysoka temperatura albo „ostry brzuch" i teraz, poniewczasie, trzeba bez skalpela, w wyobraźni otworzyć ten brzuch jeszcze raz, sprawdzić, ustalić przyczynę i naprawić własny błąd. Chirurg nie ma prawa szukać usprawiedliwienia w powikłaniach pooperacyjnych czy innych przypadkowych komplikacjach.

I właśnie dlatego Lew Leonidowicz miał zwyczaj zaglądać do swoich pacjentów pooperacyjnych – chociaż na chwilę, przed poranną odprawą. Dziś czekał go czasochłonny obchód ogólny, a przecież nie mógł przez całe półtorej godziny nie wiedzieć, co z jego żołądkowcem i z Diomką. Zajrzał więc do żołądkowca – stan był niezły; poinstruował pielęgniarkę, co i w jakiej ilości podawać pacjentowi do picia, po czym wszedł do małej dwuosobowej salki, w której leżał Diomka.

Drugi pacjent czuł się dobrze, ale o Diomce nie można było tego powiedzieć. Miał szarą twarz, leżał na plecach okryty kocem po pierś i wpatrywał się w sufit. Wpatrywał się niespokojnie, napinał mięśnie wokół oczu, wyglądało to, jakby szukał na suficie jakiegoś drobnego szczegółu i nie mógł go znaleźć.

Lew Leonidowicz w milczeniu przystanął nieco z boku na lekko rozstawionych nogach, ugiął ręce, prawą nawet uniósł i przyglądał się spode łba. Sprawiał wrażenie, że waży w myślach, czy rąbnąć Diomkę prawym sierpowym, czy nie.

Diomka odwrócił głowę, zobaczył – i roześmiał się.

Groźna twarz chirurga też zmieniła wyraz, na surowo zaciśniętych ustach pojawił się uśmiech. I Lew Leonidowicz mrugnął do Diomki jak do swojego, rozumiejącego:

– Wszystko w porządku?

– Gdzież tam w porządku? – na wiele rzeczy chciał się poskarżyć Diomka, ale jako mężczyzna nie mógł przecież skarżyć się drugiemu mężczyźnie.

– Boli?

– Uhm.

– W tym samym miejscu?

– Uhm.

– I jeszcze długo będzie boleć. Jeszcze za rok będziesz się chwytać za puste miejsce. Ale jak tylko zaboli, to zawsze sobie pomyśl: n i e m a! Wtedy ci ulży. Najważniejsze, że będziesz teraz ż y ć, rozumiesz? A nogi – n i e m a!

Z jaką ulgą to powiedział! Rzeczywiście, nie ma już tej zarazy, przepadła! Bez niej lżej! Ma rację Lew Leonidowicz!

– No, jeszcze zajrzę! Później.

I popędził na odprawę – ostatni, prawie spóźniony (Nizamutdin nie lubił spóźnialskich), niecierpliwie roztrącając powietrze. Nie mieścił się w zawiązywanym z tyłu fartuchu i napięte tasiemki daremnie usiłowały ściągnąć poły na plecach. Po klinice chodził zawsze bardzo szybko, schody przeskakiwał po dwa stopnie, ruchy miał energiczne i zamaszyste – widok ten utwierdzał pacjentów w przekonaniu, że Lew Leonidowicz nie traci czasu na próżno, że stale jest zajęty.

A potem zaczęła się półgodzinna „pięciominutówka". Nizamutdin wkroczył dostojnie (we własnym mniemaniu) do sali, przywitał się i z przyjemnością (własną), bez pośpiechu przystąpił do rzeczy. Wyraźnie rozkoszował się swoim głosem i był pełen podziwu dla samego siebie – och, jaki jestem poważny, wykształcony i mądry! W rodzinnym aule opowiadano o nim legendy, znali go mieszkańcy miasta, nawet w gazecie od czasu do czasu pojawiało się jego nazwisko.

Lew Leonidowicz usiadł na odsuniętym od stołu krześle, wyciągnął długie nogi, a rozczapierzone łapska wsunął pod biały pasek na brzuchu. Zmarszczył ponuro brwi pod wygniecioną furażerką. W obecności dyrekcji zawsze miał taką ponurą minę, toteż lekarz naczelny nie mógł wziąć tego do siebie.

Lekarz naczelny nie uważał swego stanowiska za żmudną, uciążliwą i odpowiedzialną powinność, lecz za niewyczerpane źródło pochwał, nagród i przywilejów. Obdarzony godnością lekarza naczelnego święcie wierzył, że dzięki temu naprawdę jest lekarzem naczelnym, najmądrzejszym i najważniejszym, że zna się na medycynie lepiej niż pozostali lekarze – no, może z wyjątkiem jakichś mało istotnych szczegółów – i że tylko jego światłe rady i kompetentne polecenia pozwalają podwładnym unikać błędów, które niewątpliwie by popełnili. Właśnie dlatego musiał tak długo trzymać lekarzy na odprawie. Widział zresztą, że im też odprawa sprawia wyraźną przyjemność. Ilość praw, związanych ze stanowiskiem le-

karza naczelnego, tak znacznie i sympatycznie przewyższała ilość
obowiązków, że beztrosko przyjmował do pracy każdą osobę – lekarza, pracownika administracji, pielęgniarkę – którą protegowano
z komitetu, z wydziału zdrowia albo z Akademii Medycznej, gdzie
miał nadzieję obronić niebawem doktorat. Czasem byli to po prostu
przypadkowi znajomi, poznani podczas wesołej kolacji, lub krew-
niacy z rozlicznych gałęzi starodawnego rodu, do którego należał.
A kiedy ordynatorzy uskarżali się, że nowo przyjęty nic nie umie,
Nizamutdin Bachramowicz wyrażał najwyższe zdumienie: „To go
nauczcie, towarzysze! Od czego tu jesteście?”

Z tą siwizną, jaka od pewnego wieku otacza jednakowo szlachet-
ną aureolą głowy geniuszy i głupców, ludzi ofiarnych i obiboków,
z tym pompatycznym wyglądem i niezachwianą pewnością siebie
jaką natura rekompensuje kompletną bezmyślność; z tą smagłą czer-
stwością cery, która tak świetnie harmonizuje z siwizną – Nizamutdin Bachramowicz wytykał podwładnym ich liczne błędy i pouczał
jak skuteczniej mają walczyć o bezcenne ludzkie istnienia. A na służ
bowych kanapach, w fotelach i na krzesłach wokół narzuty o barwi
pawiego pióra siedzieli ci, których nie zdążył jeszcze zwolnić, ora
ci, których zdążył już zatrudnić.

Naprzeciwko Lwa Leonidowicza siedział kędzierzawy Chałmu
chamiedow. Wyglądał jak mieszkaniec dżungli z ilustracji podróży
kapitana Cooka – głowę pokrywał splątany gąszcz włosów, brązową
twarz znaczyły czarne ślady po ospie, dziko-radosny uśmiech obna-
żał wielkie śnieżnobiałe zęby i brakowało tylko kółka w nosie. Nie
chodziło jednak o wygląd ani o dyplom lekarza medycyny: problem
polegał na tym, że Chałmuchamiedow nie umiał przeprowadzić ani
jednej operacji, żeby nie zarżnąć pacjenta. Lew Leonidowicz dopu-
ścił go do skalpela dwa razy – i obiecał sobie, że więcej tego nie
zrobi. Wyrzucić Chałmuchamiedowa nie mógł – byłoby to szykano-
wanie kadr lokalnych. I od czterech lat Chałmuchamiedow wypisywał co łatwiejsze historie choroby, z ważną miną uczestniczył w obchodach, pełnił (przesypiał) nocne dyżury, a ostatnio wziął nawet
półtora etatu, wychodząc zresztą do domu po ustawowych ośmiu
godzinach pracy. Siedziały też dwie kobiety z dyplomami chirurga.
Jedną z nich była Pantiochina, bardzo tęga, mniej więcej czterdziestoletnia, wiecznie zabiegana i nieprzytomna, miała sześcioro dzieci
z dwóch małżeństw, ciągle brakowało jej pieniędzy, a dzieciom –
opieki. Domowe troski i kłopoty zaprzątały myśl Pantiochiny również w tak zwanych godzinach pracy – czyli wtedy, gdy dla pieniędzy musiała oderwać się od domu i tracić czas w klinice. Druga –

Angelina – młodziutka (studia skończyła trzy lata temu), ruda, niebrzydka, znienawidziła Lwa Leonidowicza za obojętność na jej kobiece wdzięki i knuła przeciwko niemu coraz to nowe intrygi. Obie nadawały się wyłącznie do pracy w przychodni, w żadnym wypadku nie wolno było powierzyć im skalpela – lecz z wielu ważnych powodów lekarz naczelny nigdy nie zwolniłby ani jednej, ani drugiej.

Pięciu chirurgów! Plan operacji uwzględniał całą piątkę, a operować mogło tylko dwoje.

Siedziały też pielęgniarki, równie zdolne jak i tamci lekarze, ale – przyjęte po protekcji przez Nizamutdina Bachramowicza i wobec tego nietykalne.

Lew Leonidowicz miał czasem ochotę rzucić to wszystko w diabły i odejść – tylko dokąd? W każdym nowym miejscu pracy będzie jakiś naczelny, może jeszcze gorszy; będzie taka sama dęta lipa i niepracownicy zamiast pracowników. No, chyba że sam zostałby szefem kliniki i zabłysnął oryginalnością, czyli zatrudniał wyłącznie kompetentnych, pracowitych lekarzy. Któż by mu jednak powierzył kierownicze stanowisko? Za wysokie progi. Najwyżej w bardzo zapadłej dziurze na końcu świata. Nie, i tak porządnie oddalił się już od Moskwy...

Jeszcze jedno: władza wcale go nie pociągała. Wiedział, że wysoki stołek przeszkadza w prawdziwej pracy. Miał też jeszcze w pamięci ten okres życia, gdy na własne oczy widział upadek wywyższonych, poznał ulotność władzy: pamiętał dowódców dywizji, którzy marzyli o funkcji dyżurnego, a swego pierwszego nauczyciela, chirurga Koriakowa, wyciągnął z dołu na odpadki.

Czasem zaś ogarniał go nastrój rezygnacji i wydawało mu się, że nie warto odchodzić, w końcu nie jest tu tak źle. Wtedy zaczynał się bać, że Nizamutdin wygryzie jego, Doncową i Ganhart, że sytuacja będzie coraz trudniejsza. Z niechęcią myślał o ewentualnych zakrętach życia i zmianach: po czterdziestce organizm potrzebuje komfortu i stabilizacji.

Jakoś nie układało mu się to wszystko. Nie wiedział, czy ma dokonać bohaterskiego zrywu, czy płynąć z prądem. Nie tu i nie tak zaczynała się jego kariera i prawdziwa praca – zaczynała się z niesłychanym rozmachem. Był rok, gdy zaledwie parę kroków dzieliło go od nagrody stalinowskiej. I nagle rozleciał się cały instytut, za dużo i za szybko od nich wymagano – nawet nie zdążył obronić doktoratu. Trochę zawinił Koriakow, mawiał: „Pracować, pracować! Napisać zawsze pan zdąży!" Kiedy miał „zdążyć"?

A właściwie po jaką cholerę pisać doktorat?

Maskując niechęć Lew Leonidowicz ze zmarszczonymi brwiami udawał, że słucha lekarza naczelnego. Musiał uważać – w przyszłym miesiącu musiał przeprowadzić pierwszą operację klatki piersiowej.

Na szczęście wszystko ma swój kres. Odprawa też. Chirurdzy wyszli z pokoju i zgromadzili się przy schodach na piętrze. I z łapskami za paskiem fartucha, Lew Leonidowicz jak chmurny roztargniony wódz poprowadził za sobą na obchód siwą Jewgienię Ustinownę, kudłatego Chałmuchamiedowa, grubą Pantiochinę, rudą Angelinę i dwie pielęgniarki.

Bywały obchody-obloty, gdy wszyscy śpieszyli się do innych zajęć. Dziś też należałoby się pośpieszyć, ale zgodnie z harmonogramem musieli odbyć dokładny obchód ogólny i szczegółowo omówić każdy przypadek. Wchodzili więc w siedmioro do sal, zanurzali się w zatęchłym powietrzu, gęstym od mdlącego zapachu leków i nie mytych chorych ciał, tłoczyli się i przeciskali obok siebie w wąskich przejściach między łóżkami, a potem zaglądali kolegom przez ramię. A otaczając kolejne łóżko musieli na trzy czy cztery minuty zanurzyć się w ludzkim bólu jak w tym zastarzałym ciężkim powietrzu – w bólu człowieka, w jego męce, w jego chorobie, w jego zmaganiach z chorobą, wniknąć w jego stan i przywołać na pomoc całą swą wiedzę i doświadczenie.

I gdyby było ich mniej; gdyby to byli najlepsi, a nie protegowani; gdyby na każdego z nich nie przypadało po trzydziestu pacjentów; gdyby nie musieli łamać sobie głowy, jak najbezpieczniej opisać historię choroby – ewentualny materiał dla prokuratora; gdyby nie byli ludźmi, czyli istotami, które oddzielone od innych barierą własnego bytu, psychiki i zdrowia cieszą się, że te cierpienia nie są ich udziałem – to nikt nie zdołałby wymyśleć czegoś bardziej pożytecznego niż taki obchód.

Ideał ideałem, a obchód – obchodem. Lew Leonidowicz wysłuchiwał pokornie informacji lekarek prowadzących (oczywiście odczytywały je z historii choroby, któż by spamiętał wszystkich chorych!) – skąd pacjent przybył, kiedy został przyjęty, z jakim rozpoznaniem, jaką terapię zastosowano, w jakich dawkach, jaka jest morfologia, czy wyznaczono już termin operacji, jakie są przeciwwskazania i co dotychczas ustalono. Lew Leonidowicz słuchał, niekiedy siadał na łóżku, oglądał zaatakowane miejsce, obmacywał, po badaniu osobiście okrywał pacjenta kocem albo proponował kolegom, żeby też rzucili okiem.

Podczas takiego obchodu trudno było podejmować decyzje w naprawdę skomplikowanych przypadkach – aby to uczynić, trzeba by zabrać pacjenta do gabinetu i zbadać go indywidualnie. Lekarze nie mogli też rozmawiać przy chorym o jego stanie, a co za tym idzie – naradzać się między sobą. Jak powiedzieć wprost, że stan się pogorszył? Najwyżej: „wystąpiły drobne komplikacje". Stosowali więc swoisty szyfr, różne pojęcia umowne i aluzje, mówili półsłówkami albo coś wręcz odwrotnego niż było w istocie. Nie tylko nie używali w ogóle słowa „rak" czy „nowotwór", lecz unikali nawet określeń, których znaczenia pacjent mógłby się domyślać: „kancer", „kanceroma", „ce – er", „es – a". Zamiast nich posługiwali się zupełnie niewinnymi eufemizmami w rodzaju: „wrzód", „nieżyt żołądka", „zapalenie", „polipy" – i dopiero po obchodzie uzgadniali, co kto miał na myśli. Żeby jednak móc się jako tako porozumieć, uznawali za dopuszczalne takie zwroty jak „rozszerzony cień śródpiersia", „tymponit", „przypadek nieresekcyjny", „niewykluczony efekt letalny" (czyli: może umrzeć pod nożem). Gdy brakowało słów, Lew Leonidowicz mawiał:

– Proszę odłożyć historię choroby. I przechodzili do następnego łóżka.

A gdy byli zupełnie bezsilni wobec choroby, gdy nie mogli uzgodnić stanowisk, Lew Leonidowicz starał się podnieść pacjenta na duchu. Z czasem zaczął przywiązywać coraz większą wagę do tej psychoterapii i uważać ją za prawdziwy cel takich obchodów.

– Status idem – mówiła lekarka prowadząca (czyli – bez zmian).

– Tak?! – wykrzykiwał radośnie Lew Leonidowicz i szukał potwierdzenia u pacjentki: – Czuje się pani trochę lepiej, prawda?

– Może troszeczkę – odpowiadała pacjentka z wahaniem. Wcale nie czuła się lepiej, ale skoro lekarze tak twierdzą, to kto wie...

– No właśnie! Zaczyna się stopniowa poprawa! Inna pacjentka niepokoiła się:

– Panie doktorze, dlaczego tak mnie boli kręgosłup? Może coś tam mam?

– Ależ skąd – uśmiechał się Lew Leonidowicz. – To zjawisko uboczne.

(Mówił prawdę: przerzut był zjawiskiem ubocznym.) Przy łóżku strasznego starca o wyostrzonych rysach i trupioszarej cerze lekarka prowadząca meldowała:

– Pacjent otrzymuje środki wzmacniające i przeciwbólowe.

A więc koniec: dalsze leczenie nie ma sensu, można najwyżej łagodzić cierpienia.

Lew Leonidowicz marszczył ciężkie brwi i mówił z wahaniem, jakby decydując się na ujawnienie całej prawdy:

– Wiecie, ojczulku, powiem wam szczerze: źle się czujecie, bo osłabliście po leczeniu. Leżcie teraz spokojnie, nie popędzajcie nas – pomalutku wyleczymy. Leżycie, odpoczywacie, niby nic wam nie robią, ale organizm broni się. On umie się bronić! To najlepsze lekarstwo!

I skazany człowiek przytakiwał z wdzięcznością. Prawda wcale nie okazała się straszna! Budziła – nadzieję...

– W okolicy lędźwiowej twór guzowaty takiego a takiego rodzaju – mówiła lekarka i podawała zdjęcie rentgenowskie.

Lew Leonidowicz oglądał pod światło czarno-mętnie-przeźroczyste zdjęcie i wykrzykiwał z zadowoleniem:

– Bardzo dobre zdjęcie! Doskonałe! Tak, w tym stanie nie będziemy operować! Świetne zdjęcie!

I pacjentka czuła się raźniej: lekarz powiedział, że nawet zdjęcie jest bardzo dobre.

A zdjęcie rzeczywiście było bardzo dobre: nie pozostawiało cienia wątpliwości co do rozmiarów i umiejscowienia nowotworu. Operacja nie miała już sensu.

Przez półtorej godziny ordynator oddziału chirurgii mówił co innego, niż myślał, pilnował się, by ton głosu nie zdradził jego uczuć, i bacznie śledził, czy lekarze prowadzący prawidłowo wypełniają historie choroby – te pliki rozmaitych papierków, które mogły ich zaprowadzić na ławę oskarżonych. Ani razu nie wykonał gwałtownego gestu, nie spojrzał zatroskanym wzrokiem; po jego życzliwie znudzonej minie pacjenci widzieli, że ich choroby są całkiem zwyczajne, znane lekarzom od dawna i właściwie wcale niegroźne.

Półtorej godziny udawania, połączonego z ogromnym napięciem umysłowym, zmęczyły Lwa Leonidowicza, toteż marszczył i rozprostowywał skórę na czole.

Jakaś staruszka poskarżyła się, że dawno nikt jej nie opukiwał – więc opukał.

A inny staruszek oznajmił:

– Tak, doktorze! Coś panu powiem!

I zaczął rozwijać mętne teorie na temat przyczyn i źródeł swoich dolegliwości. Lew Leonidowicz słuchał cierpliwie, a nawet kiwał głową.

– Pan też chciał coś powiedzieć – łaskawie zezwolił staruszek.

Chirurg uśmiechnął się.

– Cóż ja mogę powiedzieć? Znakomicie pan to wszystko ujął. Mamy ten sam cel: pan chce wyzdrowieć i my chcemy, żeby pan wyzdrowiał. Musimy połączyć nasze wysiłki.

Z Uzbekami zamienił parę słów po uzbecku. Zrezygnował z publicznego badania kulturalnej kobiety w okularach, którą przykro było widzieć w szlafroku i na szpitalnym łóżku. Z powagą podał rękę malutkiemu chłopczykowi, przytulonemu do matki. Siedmiolatka połaskotał w brzuch i obaj się roześmiali.

I tylko nauczycielce, która stanowczo domagała się konsultacji neuropatologa, udzielił niezbyt uprzejmej odpowiedzi.

Skończyli. Wyszedł z sali zmęczony jak po dobrej operacji i obwieścił:

– Pięć minut na papierosa.

I zaciągnął się dymem tak łapczywie, jakby cały obchód był jedynie przygotowaniem do tej właśnie chwili. Jewgienija Ustinowna sekundowała mu dzielnie (choć oboje zawsze powtarzali pacjentom, że palenie jest rakotwórcze i stanowczo niewskazane).

Potem wszyscy usiedli wokół stołu w małym pokoiku i znów posypały się te same nazwiska, co na obchodzie, ale krzepiący obraz powszechnej poprawy i powrotu do zdrowia zniknął bez śladu. Przypadek „status idem" nie kwalifikował się do operacji, naświetlania miały charakter objawowy, czyli uśmierzano nimi bóle: leczenie nie rokowało żadnych szans. Dziecko, któremu Lew Leonidowicz uścisnął rączkę, miało przerzuty w całym organizmie, nie było dla niego ratunku. Trzymali malca w klinice jedynie ze względu na błagania rodziców i pozorowali naświetlania – nie włączali aparatu rentgenowskiego.

O staruszce domagającej się opukania Lew Leonidowicz powiedział:

– Ma sześćdziesiąt osiem lat. Jeśli zastosujemy radioterapię, może dociągnie do siedemdziesiątki. Po operacji nie przeżyje roku. Jak pani sądzi, Jewgienijo Ustinowno?

Skoro nawet taki zwolennik skalpela nie widział sensu w operacji, to Jewgienija Ustinowna tym bardziej.

Lew Leonidowicz wcale nie był zwolennikiem skalpela. Był tylko sceptykiem. Wiedział, że żaden przyrząd optyczny nie zastąpi oka, a żadna terapia – skalpela.

Sprawę pacjenta, który nie mógł się zdecydować na operację i chciał zasięgnąć opinii rodziny, Lew Leonidowicz rozstrzygnął tak:

– Rodzina mieszka daleko stąd. Zanim ją zawiadomimy, zanim ktoś przyjedzie, zanim się naradzą, człowiek umrze. Trzeba go przekonać i brać na stół. Jak najszybciej. Ryzyko jest oczywiście duże. Zobaczymy. Najwyżej zaszyjemy z powrotem.

– A jeśli umrze pod nożem? – spytał Chałmuchamiedow z taką powagą, jakby to on ryzykował.

Lew Leonidowicz poruszył gęstymi, zrośniętymi brwiami.

– „Jeśli" – to szansa. Bez nas – umrze na pewno. – Zastanowił się. – Mamy bardzo niski wskaźnik śmiertelności. Stać nas na to ryzyko.

Przy każdym przypadku pytał:

– Kto jest innego zdania?

Tak naprawdę liczył się jednak tylko ze zdaniem Jewgienii Ustinowny.

Mimo różnicy wieku, doświadczeń i podejścia do wielu spraw ich opinie były z reguły zgodne, co dowodziło, że myślący ludzie zawsze się porozumieją.

– A ta żółtowłosa? – spytał Lew Leonidowicz. – Czy nie ma innego wyjścia, Jewgienijo Ustinowno? Czy koniecznie trzeba odjąć pierś?

– Nie ma. Koniecznie. – Ruchliwe umalowane usta Jewgienii Ustinowny drgnęły. – A potem solidna porcja radioterapii.

– Szkoda! – westchnął Lew Leonidowicz i zwiesił masywną głowę w wygniecionej czapeczce. Zapatrzył się w swoje paznokcie i przesunął końcem kciuka – bardzo dużego kciuka – po pozostałych czterech palcach. – Odejmować piersi takim młodziutkim dziewczynom... Człowiek ma wrażenie, że działa wbrew naturze.

Końcem palca wskazującego przejechał po łuku kciuka. Nie pomogło. Podniósł głowę:

– Tak, towarzysze! Wiecie już, co z Szułubinem?

– Ce-er rectis? – spytała Pantiechina.

– Tak, ale jak wykryty! Dzięki propagandzie onkologicznej! Orieszczienkow dobrze powiedział: lekarz, który brzydzi się wsadzić pacjentowi palec w zadek, to żaden lekarz! Ależ jesteśmy ciemni! Szułubin chodził po różnych przychodniach, narzekał na częste parcia, krwotoki, wreszcie bóle, robili mu wszystkie możliwe badania – tylko nikt nie wsadził palca! Leczyli go na dyzenterię, na hemoroidy – bez sensu! W końcu popatrzył w poczekalni na plakat, poczytał i jako człowiek inteligentny – domyślił się! Sam! I s a m s o b i e wymacał guz! A lekarze nie wpadli na to przez pół roku!

– Głęboko?

– Na początku było siedem centymetrów, bezpośrednio za zwieraczem. Wtedy można było jeszcze operować, uratować mięsień zwieracza i człowiek żyłby jak człowiek! A teraz! Zwieracz zaatakowany, trzeba wycinać, a potem – wiadomo: niekontrolowane wydalanie stolca, sztuczny odbyt... Takie sympatyczne chłopisko...

Zaczęli ustalać plan operacji na jutro. Zanotowali, co komu podać przed operacją, kogo zaprowadzić do łaźni.

– Czałego nie trzeba przygotowywać – powiedział Lew Leonidowicz. – Rak żołądka, a taka znakomita kondycja psychiczna, prawdziwe kuriozum.

(Gdybyż wiedział, że Czałyj sam się przygotuje – spirytusem!)

Uzgodnili skład zespołów operacyjnych. Lwu Leonidowiczowi przypadła oczywiście Angelina. A więc znowu to samo: Angelina gapi się na niego, siostra łazi po całej sali i zamiast podawać instrumenty zezuje na Angelinę, Angelina krzyczy na nią, siostra wpada w histerię, obrażona podaje nie wyjałowioną gazę – i operacja na nic... Przeklęte baby, nie znają prostej męskiej zasady: w miejscu pracy nie...

Rodzice lekkomyślnie obdarzyli dziewczynkę imieniem Angelina i ani im przez myśl nie przeszło, jaki szatan z niej wyrośnie. Lew Leonidowicz zerkał na ładną, choć lisią mordkę i miał ochotę powiedzieć pojednawczo:

– „Pani Angelino czy Angelo – jak pani woli, przecież nie jest pani takim kompletnym beztalenciem! Gdyby skupiła się pani na chirurgii, a nie na łapaniu męża, efekty byłyby całkiem niezłe. Nie kłóćmy się, stoimy przy tym samym stole operacyjnym..."

Nie. Uznałaby, że zmęczył się walką i kapituluje.

Chciał też z kimś porozmawiać o wczorajszej rozprawie. Zaczął co prawda opowiadać Jewgienii Ustinownie, ale przy tych koleżankach i kolegach nie warto było otwierać ust.

Gdy skończyli naradę, Lew Leonidowicz wstał, zapalił papierosa, po czym wymachując zbytecznymi ramionami i roztrącając powietrze szeroką piersią poszedł do klitki rentgenologów. Postanowił opowiedzieć wszystko Wierze Ganhart. Siedziała z Doncową nad jakimiś papierami.

– Przerwa obiadowa! – obwieścił od progu. – Dajcie krzesło! – Wrzucił krzesło pod siebie, usiadł. Nastawił się na wesołą, przyjacielską pogawędkę, ale zauważył:

– Coście dziś dla mnie takie niełaskawe?

Doncowa uśmiechnęła się blado. Obracała w palcach rogowe okulary.

– Wprost przeciwnie, właśnie się zastanawiam, jak pozyskać pańską przychylność. Zoperuje mnie pan?

– Panią? Za żadne skarby!

– Dlaczego?

– Bo jeśli panią zarżnę, to powiedzą, że z zawiści. Miała lepszy oddział, więc...

– Lwie Leonidowiczu, ja nie żartuję, pytam poważnie. Rzeczywiście, Doncowa nigdy nie żartowała.

Wiera siedziała smutna, zgarbiona, kuliła ramiona jak pod wpływem nagłego chłodu.

– Lew, lada dzień będziemy badać Ludmiłę Afanasjewnę. Od dłuższego czasu ma bóle żołądka. Oczywiście nic nikomu nie mówiła. I to się nazywa onkolog!

– I od razu ustaliłyście, że wszystkie objawy wskazują na raka? – Lew Leonidowicz wygiął swoje zadziwiające brwi. Zawsze ironizował, nawet w najzwyklejszej rozmowie.

– Jeszcze nie wszystkie – powiedziała Doncowa.

– No więc jakie?

Wymieniła je.

– Mało! – stwierdził Lew Leonidowicz. – Jak mówi Rajkin: *mała*! Niech Wieroczka podpisze diagnozę: jak potwierdzi własnoręcznym podpisem, to pogadamy! Niedługo zostanę szefem kliniki i ukradnę pani Wieroczkę. Będzie diagnostą. Odda mi ją pani?

– Wieroczkę? Nigdy! Niech pan kradnie inną.

– Ta albo żadna! Musi być Wieroczka. A w nagrodę – zoperuję panią!

Żartował, śmiał się, dopalał papierosa, ale myślał całkiem poważnie. Jak mawiał Koriakow: młodemu brak doświadczenia, a staremu i sił. Ganhart była (tak jak i on) w tym optymalnyın wieku, kiedy kłos doświadczenia jest już dojrzały, a łodyga sił – jeszcze mocna. Na jego oczach z dziewczyny-stażystki przeistoczyła się w tak bezbłędnego diagnostę, że stawiał ją na równi z Doncowa. Mając do dyspozycji takich diagnostów, chirurg może żyć jak u Pana Boga za piecem. Tyle że ten rozkwit trwa u kobiet jeszcze krócej niż u mężczyzn.

– Masz śniadanie? – spytał Wierę. – Przecież i tak nie zjesz. Dawaj!

Żartowali, Wiera wyciągnęła kanapki z serem i Lew Leonidowicz zaczął je pochłaniać, częstując obie lekarki.

– Wy też jedzcie! No więc byłem wczoraj na rozprawie sądu koleżeńskiego. Żałujcie, że nie poszłyście – bardzo pouczająca historia! Sąd odbywał się w szkole, przyszło czterysta osób. Okoliczności sprawy są takie: chirurg operuje dziecko. Niedrożność jelit, skręt kiszek. Zrobione. Wszystko w porządku, dzieciak czuje się dobrze, bawi się. Po kilku dniach – znów niedrożność i zgon. A chirurg? Osiem miesięcy przesłuchań, dochodzeń! Nie mam pojęcia, jak ten człowiek mógł pracować! Wreszcie – rozprawa. Zwala się wydział zdrowia, chirurg naczelny, oskarżyciel publiczny – z akademii medycznej, wyobrażacie sobie? I grzmi: błąd w sztuce! Przestępstwo! Lekceważenie obowiązków! Wzywają na świadków rodziców dziecka – też mi świadków.

I zarzuty: koc krzywo leżał, to, tamto – same bzdury! A publiczność siedzi, gapi się – no tak, co za dranie z tych lekarzy! A my, lekarze? Uszy po sobie – patrzymy na ten cyrk i wiemy, że znowu się zaczyna: dziś ciebie, jutro mnie, pojutrze – wszystkich! I milczymy. Gdyby nie to, że dopiero co wróciłem z Moskwy, też bym siedział cicho. Ale po dwóch miesiącach Moskwy to lokalne piekiełko wydaje się śmiechu warte. No i wtrąciłem swoje trzy grosze!

– To tam można było zabierać głos?

– Tak, było coś w rodzaju dyskusji. Wstaję i powiadam: „Jak wam nie wstyd urządzać tę farsę?" Tak powiedziałem! A oni: „Odbierzemy wam głos!" „Jesteście pewni, że sąd myli się rzadziej niż chirurg? Ten przypadek powinien być wyjaśniony n a u k o w o, a nie sądownie! Powinni się nim zająć kompetentni lekarze, specjaliści – i nikt inny! My, chirurdzy, w każdy wtorek i piątek idziemy na niesłychane ryzyko, na pole minowe! Cała nasza praca opiera się na zaufaniu: matka, która powierza chirurgowi własne dziecko, powinna mu ufać, a nie ciągać po sądach!"

Lew Leonidowicz zdenerwował się, zapomniał o nie dojedzonej kanapce, wyszarpnął papierosa z pudełka, zapalił:

– Całe szczęście, że ten chirurg był Rosjaninem. A gdyby ta historia przytrafiła się Niemcowi albo Żydowi – wysuwając wargi miękko przeciągnął „ż" – to co – pewnie od razu powiesić? Jasne, na co czekać!?... Dostałem brawa. Przecież nie wolno milczeć! Kiedy zakładają pętlę na szyję, trzeba ją zrywać, nie ma na co czekać!

Poruszona Wiera kręciła głową. W jej oczach pojawił się wyraz skupionego zrozumienia – właśnie dlatego Lew Leonidowicz tak lubił z nią rozmawiać. Natomiast Ludmiła Afanasjewna słuchała ze zdumieniem, a potem energicznie potrząsnęła popielatymi włosami.

· Nie zgadzam się z panem! Czyż lekarzy można traktować inaczej? To serwetkę w brzuchu zaszyją, to podadzą płyn fizjologiczny zamiast nowokainy! Zagipsowali nogę i spowodowali martwicę tkanki! Podali dziesięciokrotnie wyższe stężenie, niż należało! Przetaczamy pacjentom krew bez sprawdzenia grupy! Powodujemy oparzenia! Jak można nam ufać? Trzeba nas prowadzić za rączkę jak dzieci!

– Ludmiło Afanasjewno, pani mnie dobija! – Lew Leonidowicz zasłonił się ogromną dłonią jak przed ciosem. – Jak pani może tak mówić? Przecież tu chodzi nie tylko o medycynę! To walka o nastawienie całego społeczeństwa!

– Spokój, spokój! – łagodziła Ganhart chwytając ich za ręce. – Lekarze powinni być bardziej odpowiedzialni, to oczywiste, ale trzeba to osiągnąć innymi metodami! Na przykład – obniżyć normy! Dwa, trzy razy! W przychodni przyjmujemy po dziewięciu pacjentów na godzinę! Przecież to się nie mieści w głowie! Lekarz musi mieć czas, żeby spokojnie porozmawiać z pacjentem, pomyśleć, zastanowić się. Chirurg powinien przeprowadzać jedną operację dziennie, a nie trzy!

Nie pomagało, Lew Leonidowicz i Ludmiła Afanasjewna przekrzykiwali się nawzajem jeszcze przez ładnych parę minut. Wreszcie Wiera uspokoiła ich i spytała:

– No i jak się skończyło?

Lew Leonidowicz uśmiechnął się zwycięsko.

– Uniewinnili człowieka! Stwierdzili tylko, że niewłaściwie prowadzono historię choroby. Ale poczekajcie, to jeszcze nie koniec! Po rozprawie zabrał głos naczelnik wydziału zdrowia: „Źle wychowujemy lekarzy, powiada, źle wychowujemy pacjentów, za mało jest zebrań związkowych!" Po nim wystąpił naczelny chirurg miasta. Wiecie, jakie wnioski wyciągnął z tej hecy? Co zrozumiał? „Takie sądy nad lekarzami – powiada – to c e n n a i n i c j a t y w a, towarzysze, bardzo cenna inicjatywa!"

27

Zwyczajny dzień, zwyczajny obchód. Wiera Korniljewna szła do swoich „rentgenowców". Na piętrze przyłączyła się do niej pielęgniarka.

Pielęgniarka Zoja.

Przystanęły przy Sibgatowie, ale tylko na chwilę, gdyż jego przypadek prowadziła osobiście Ludmiła Afanasjewna, i weszły do sali.

Były dokładnie tego samego wzrostu: usta, oczy, czepki – wszystko na identycznej wysokości. Znacznie tęższa Zoja sprawiała jednak wrażenie wyższej. Oleg pomyślał, że za dwa lata Zoja, kiedy już zostanie lekarzem, będzie wyglądać bardziej imponująco niż Wiera Korniljewna.

Zaczęły obchód od rzędu naprzeciwko i przez cały czas widział tylko ich plecy oraz wymykające się spod czepków włosy – ciemny koczek Wiery i złote pukle Zoi.

Naprzeciwko leżeli rentgenowcy, Wiera Korniljewna siadała przy każdym, badała, rozmawiała. Trwało to w nieskończoność.

Obejrzała skórę Achmadżana, sprawdziła w historii choroby jego ostatnią morfologię i powiedziała:

– No, niedługo kończymy! Pojedziesz do domu!

Achmadżan wyszczerzył zęby w uśmiechu.

– Gdzie mieszkasz?

– Karabair.

– A więc wrócisz do Karabairu.

– Wyzdrowiałem? – jaśniał Achmadżan.

– Wyzdrowiałeś.

– Zupełnie?

– Na razie zupełnie.

– Więcej nie przyjadę?

– Przyjedziesz za pół roku.

– Po co, skoro zupełnie?

– Pokazać się.

Przechodziła od łóżka do łóżka i w ogóle nie patrzyła na Olega, nawet nie odwróciła głowy w jego stronę. A Zoja zerknęła tylko raz.

Przy Wadimie Wiera Korniljewna zatrzymała się na dłużej: obejrzała nogę, obmacała pachwinę, potem drugą, potem brzuch, podbrzusze i co chwilę pytała, czy nie boli. A kończąc zadała jeszcze jedno pytanie: czy nie odczuwa bólów po jedzeniu.

Wadim odpowiadał cicho i w skupieniu. Gdy zaczęła ugniatać prawą stronę brzucha, spytał:

– Bada pani wątrobę?

Przypomniał sobie, że mama przed wyjazdem niby przypadkiem nacisnęła go w tym samym miejscu.

– Wszystko musi wiedzieć – pokręciła głową Wiera Korniljewna. – Tacy teraz ci pacjenci mądrzy, że niedługo trzeba będzie zamienić się miejscami!

Wyprostowany, kruczowłosy, ze smagło-żółtą twarzą, patrzył na nią z białej poduszki poważnym i przenikliwym wzrokiem jak święty młodzieniec z ikony.

– Przecież rozumiem – powiedział cicho. – Czytałem książki na ten temat.

Nie miał pretensji, nie nalegał, by Ganhart przyznała mu rację albo wytłumaczyła, co bada, ale Wiera Korniljewna zmieszała się i nie znajdując słów siedziała na łóżku jak winowajca. Taki przystojny, młody i na pewno bardzo zdolny przypominał jej pewnego znajomego, który długo umierał z pełną świadomością swego stanu, żaden lekarz nie mógł mu pomóc i właśnie dlatego Wiera, uczennica ósmej klasy, postanowiła zostać lekarzem.

A teraz sama nie mogła pomóc temu chłopakowi.

Na parapecie za łóżkiem Wadima stał słoik z brunatnym wywarem z czagi. Inni pacjenci oglądali go z zawiścią.

– Pije pan?

– Tak.

Ganhart nie wierzyła w czagę – po prostu nikt o niej przedtem nie słyszał i nie mówił. Czaga była przynajmniej nieszkodliwa dla zdrowia, to nie to, co korzeń z Issyk-Kułu. A skoro pacjent wierzył w skuteczność huby, to już przez to była pożyteczna.

– Co ze złotem koloidowym? – spytała.

– Na razie obiecują. Może dadzą – poinformował zwięźle i z lekkim rozgoryczeniem. – Nie mogą wydać do rąk własnych, muszą przesłać drogą służbową. Proszę mi powiedzieć – w jego oczach błysnęło żądanie – za... dwa tygodnie, kiedy dostanę już złoto, na wątrobie będą przerzuty czy jeszcze nie?

– Ależ skąd! Co pan opowiada! Absolutnie nie! – skłamała z przekonaniem. – Jeśli chce pan wiedzieć, to taki proces trwa miesiącami!

(Po co wiec miętosiła prawą stronę brzucha? Po co pytała o bóle po jedzeniu?)

Wadim był jednak skłonny jej uwierzyć.

Kiedy człowiek wierzy, jest mu lżej...

Ganhart rozmawiała z Wadimem, a Zoja z nudów odwróciła głowę i zerknęła na książkę Olega, potem na niego samego i spytała o coś, wzrokiem. O co – nie miał pojęcia. Jej pytające oczy pod uniesionymi brewkami były bardzo ładne, lecz Oleg patrzył na nią obojętnie i bez wyrazu. Tamto minęło i nie rozumiał tej gry spojrzeń. Właśnie swoje niezrozumienie chciał wyrazić obojętnym i niezmąconym wzrokiem. Na co, jak na co, ale na takie zabawy czuł się trochę za stary.

Nastawił się na szczegółowe badanie, zdjął górę piżamy i czekał, gotów zdjąć podkoszulek.

Wiera Korniljewna skończyła z Zacyrką i wycierając ręce odwróciła głowę do Kostogłotowa, lecz nie uśmiechnęła się, nie zaczęła o nic wypytywać, nie usiadła na łóżku, a tylko zerknęła na niego przelotnie, po prostu sprawdziła, kto następny. Przez ten ułamek sekundy dostrzegł, że jej oczy stały się całkiem obce, zniknęła z nich tamta świetlista radość, jaką promieniały w gabinecie zabiegowym, zniknęła sympatia, a nawet współczucie. Oczy były puste.

– Kostogłotow – powiedziała Ganhart patrząc na Rusanowa. – Leczenie bez zmian. Dziwne – spojrzała na Zoję – bardzo słaba reakcja na sinestrol.

Zoja wzruszyła ramionami.

– Może specyficzna właściwość organizmu?

Sądziła, że doktor Ganhart konsultuje się z nią (studentką przedostatniego roku) jako z przyszłą koleżanką po fachu.

Ganhart niczego nie chciała konsultować. Ignorując przypuszczenie Zoi spytała:

– Czy pacjent regularnie dostaje zastrzyki?

Zoja błyskawicznie zorientowała się w sytuacji, wyprostowała głowę, szerzej otworzyła oczy – wypukłe, szczerze zdziwione – i wlepiła je w lekarkę.

– Czy ma pani jakieś wątpliwości? Wszystkie zastrzyki, wszystkie zalecenia... zawsze! – Jeszcze chwila, a obraziłaby się. – W każdym razie podczas moich dyżurów...

Za inne dyżury nie mogła oczywiście ręczyć. Słowa „w każdym razie" wysyczała jednym tchem i właśnie ten podejrzany pośpiech utwierdził Ganhart w przekonaniu, że Zoja kłamie. Zastrzyki nie skutkowały, bo ktoś ich nie robił. Nie mogła to być Maria. Ani Olimpiada Władysławowna. A na dyżurach Zoi, jak wiadomo...

Zmierzyły się wzrokiem. Zoja patrzyła wyzywająco, bojowo i Wiera Korniljewna poczuła, że niczego jej nie udowodni, że Zoja postanowiła: niczego mi nie udowodnią! I Wiera Korniljewna nie wytrzymała tego ostentacyjnego spojrzenia, spuściła oczy. Zawsze tak robiła, gdy myślała o człowieku coś przykrego.

Skapitulowała, a Zoja, pewna już zwycięstwa, nadal wpatrywała się w nią ze szczerym oburzeniem.

Zoja zwyciężyła, ale natychmiast zdała sobie sprawę, że nie wolno aż tak ryzykować: jeśli weźmie ją na spytki Doncowa, a któryś z pacjentów, na przykład Rusanow, potwierdzi, że nie dawała Kostogłotowowi żadnych zastrzyków, to może wylecieć z pracy; kto wie, może nawet zawiadomią uczelnię!

Ryzykować – właściwie w imię czego? Posłała wiec Olegowi spojrzenie, które mówiło: koniec z umową, od dziś będą zastrzyki!

Oleg widział, że Wiera nie chce nawet na niego patrzeć, ale nie rozumiał, dlaczego. Skąd ta nagła zmiana? Przecież nic się nie stało. Nic a nic. Wczoraj w korytarzu odwróciła się na jego widok plecami, uznał to jednak za przypadek. Babski charakter! Zapomniał, że kobiety są zmienne i kapryśne. Dziś tak, jutro siak. Tylko mężczyźni są stali w uczuciach.

Proszę, Zoja też: zatrzepotała rzęsami, patrzy z wyrzutem. Stchórzyła. Jeśli zacznie mu robić te zastrzyki, to co zostanie z ich wspólnej tajemnicy?

Czego chce Ganhart? Żeby koniecznie dostał całą hormonoterapię? Czy to nie za wysoka cena za przychylność jednej kobiety? A poszła żesz... dalej!

Wiera Korniljewna przeszła do Rusanowa, rozmawiała z nim ciepło i prawie serdecznie. Ten życzliwy ton jeszcze bardziej podkreślał oschłość, z jaką potraktowała Olega.

– No, znakomicie, przyzwyczaił się już pan do zastrzyków, organizm znosi je bardzo dobrze, będzie pan prosić o więcej! – żartowała.

(Ale go obskakuje! Myślałby kto!)

Czekając na swoją kolej Rusanow widział i słyszał całą scysję Ganhart z Zoją. Doskonale wiedział, że dziewucha kłamie ze względu na swojego gacha, że zwąchała się z Ogłojedem. Gdyby chodziło o samego Ogłojeda, Paweł Nikołajewicz na pewno szepnąłby słówko lekarzom – oczywiście nie na obchodzie, w gabinecie. Nie chciał jednak zaszkodzić Zojce – po miesiącu leżenia tutaj orientował się, że nawet takie nic jak pielęgniarka może zemścić się, i to bardzo dotkliwie. W szpitalu istniał specyficzny system władzy i nie warto było zadzierać z pielęgniarką z powodu byle głupstwa.

Skoro Ogłojed z głupoty nie chce brać zastrzyków, to proszę bardzo, niech mu się pogorszy. Niech sobie zdycha.

Co do własnej osoby Paweł Nikołajewicz był już pewien, że nie umrze. Guz szybko się cofał i Rusanow niecierpliwie czekał na każdy obchód, żeby po raz kolejny usłyszeć z ust lekarzy potwierdzenie tego faktu. Wiera Korniljewna też to potwierdziła i dodała, że leczenie przebiega bardzo dobrze, a osłabienie i bóle głowy z czasem ustąpią. I że zrobi mu jeszcze jedną transfuzję.

Zależało też Pawłowi Nikołajewiczowi na świadectwie tych pacjentów, którzy pamiętali jego stan sprzed miesiąca. Nie licząc Ogłojeda, świadkiem takim był tylko Achmadżan, no i Federau – właśnie wrócił z chirurgii. Rana pooperacyjna goiła się bardzo dobrze, Federau wyglądał zupełnie inaczej niż kiedyś Poddujew i po każdej zmianie opatrunku ubywało mu bandaży. Federau zajął łóżko Czałego i stał się sąsiadem Pawła Nikołajewicza.

Było to oczywiście upokorzenie, złośliwość losu, że on, Rusanow, musiał leżeć między dwoma zesłańcami. Dawniejszy Paweł Nikołajewicz nie zniósłby takiego stanu rzeczy, bądź co bądź, chodziło o pryncypia: jak można umieszczać pracowników aparatu kierowniczego obok elementu szkodliwego społecznie i ze wszech miar podejrzanego? Lecz przez pięć tygodni szarpania się na haczyku nowotworu Paweł Nikołajewicz złagodniał, a może nawet zmiękł. Ogłojeda mógł po prostu ignorować, zresztą Ogłojed ostatnio prawie się nie odzywał i ciągle leżał. Zaś Federau jako sąsiad był całkiem znośny – o ile, rzecz jasna, traktowało się go z pewną wyrozumiałością. Przede wszystkim wyrażał szczery zachwyt, że guz Pawła Nikołajewicza zmniejszył się o dwie trzecie; na każde żądanie skwapliwie oglądał gulę, oceniał jej wielkość i podziwiał postępy w leczeniu. Uprzejmy, zgodny i cierpliwy, chętnie i o dowolnej porze wysłuchiwał wszystkiego, co Paweł Nikołajewicz uznał za stosowne mu powiedzieć. Ze zrozumiałych względów Paweł Nikołajewicz nie mógł mówić o pracy, czemu jednak nie miałby opowiedzieć o swoim mieszkaniu, które tak lubił i do którego spodziewał się niebawem wrócić? Mieszkanie nie było żadną tajemnicą, a poza tym Federau na pewno czuł się uszczęśliwiony, że może dowiedzieć się, w jakim komforcie mieszkają niektórzy ludzie (w przyszłości wszyscy będą tak mieszkać!). Po czterdziestce mieszkanie świadczy o wartości i pozycji człowieka. I Paweł Nikołajewicz opowiedział sąsiadowi – nie za jednym zamachem oczywiście – jak ma urządzony pierwszy pokój, drugi pokój, trzeci pokój, jak wygląda balkon i co na nim jest. Paweł Nikołajewicz miał doskonałą pamięć, niczego nie pominął, opisał szczegółowo każdą szafę i każdą kanapę – gdzie, kiedy, za ile ją kupił i jakie są zalety tych mebli. Jeszcze dokładniej opowiedział o łazience, o kolorze płytek na podłodze, o deseniach kafelków na ścianach, o półeczce, o mydelniczce, o armaturze, o kranie z gorącą wodą i o przełączniku prysznica, o wieszakach na ręczniki. Nie były to drobiazgi bez znaczenia, drobiazgi tworzyły warunki bytowe, a byt, jak wiadomo, określa świadomość. Gdy byt jest przyjemny i komfortowy, człowiek ma prawidłową świadomość. Jak powiedział Gorki: w zdrowym ciele – zdrowy duch.

A cichutki, nijaki blondyn Federau słuchał z otwartymi ustami, słuchał całymi godzinami, nigdy nie przerywał i tylko kiwał głową, na ile pozwalała na to obandażowana szyja.

Mimo że Niemiec i zesłaniec, był w gruncie rzeczy całkiem przyzwoitym człowiekiem, formalnie rzecz biorąc – nawet komunistą, toteż Paweł Nikołajewicz wygarnął z właściwą sobie szczerością:

– Wasze zesłanie, Federau, było koniecznością państwową. Rozumiecie to?

– Rozumiem, rozumiem – kiwał Federau sztywną głową.

– Państwo nie mogło postąpić inaczej.

– Oczywiście, oczywiście.

– Wszystkie decyzje i działania władz należy właściwie interpretować, zesłanie też. Musicie docenić, że nie wydalono was z partii.

– Oczywiście, oczywiście!

– Nie pełniliście żadnych funkcji partyjnych?

– Nie, nie pełniłem.

– Byliście prostym robotnikiem?

– Mechanikiem.

– Ja też byłem kiedyś zwyczajnym robotnikiem, a patrzcie, jak wysoko zaszedłem!

Rozmawiali też o dzieciach i okazało się, że córka Federaua, Henrietta, studiuje na drugim roku pedagogiki.

– Pomyślcie tylko! – wykrzyknął poruszony Paweł Nikołajewicz. – Przecież to coś wspaniałego: wy – na zesłaniu, a córka kończy studia! W carskiej Rosji nikomu by się o tym nawet nie śniło! Żadnych przeszkód, żadnych ograniczeń!

Tu jednak Heinrich Jakobowicz nie zgodził się:

– Dopiero od tego roku. Przedtem potrzebne było zezwolenie komendantury. Uczelnie zwracały dokumenty: pisano, że nie zdała egzaminu. Przecież nikt nie sprawdzi...

– Ale wasza córka studiuje.

– Bo dobrze gra w koszykówkę. Dlatego ją przyjęli.

– Nieważne, za co przyjęli, ważne, że studiuje! Trzeba patrzeć obiektywnie, Federau. A od tego roku przyjmują bez ograniczeń. Sami widzicie!

Koniec końców Federau był przedstawicielem rolnictwa i Rusanow jako przedstawiciel przemysłu musiał objąć nad nim kierownictwo.

– Dzięki uchwałom styczniowego plenum sytuacja w rolnictwie znacznie się polepszy – wyjaśniał życzliwie.

– Oczywiście, oczywiście.

– Powołanie grup instruktorskich w POM-ach zdecydowanie podniesie poziom wydajności gospodarki rolnej.

– Tak, tak.

Przytakiwanie nie wystarczało Rusanowowi, toteż wytłumaczył, dlaczego właśnie POM-y po utworzeniu grup instruktorskich staną się prawdziwymi bastionami postępu. Dyskutowali też o apelu KC Komsomołu w sprawie zwiększania areału kukurydzy i o tym, jak młodzież z zapałem zajmie się uprawą kukurydzy, co niewątpliwie zmieni obraz rolnictwa radzieckiego. A we wczorajszej gazecie przeczytali artykuł o zmianie zasad planowania w rolnictwie – i ileż rozmów ich jeszcze czekało!

Federau okazał się jednostką do tego stopnia pozytywną, że Paweł Nikołajewicz czytał mu czasem gazetę na głos, i to takie rzeczy, na które w innych okolicznościach sam by nie zwrócił uwagi: oświadczenie, dlaczego nie można podpisać umowy z Austrią bez uprzedniego zawarcia umowy z Niemcami; tekst przemówienia Rákosiego w Budapeszcie; o walce z haniebnymi układami paryskimi; o tym, jak opieszale sądzi się w Niemczech Zachodnich oprawców z obozów koncentracyjnych. A czasem częstował sąsiada: ponieważ miał pełną szafkę zapasów, oddawał mu część szpitalnych posiłków.

Rozmawiali po cichu, ale Pawła Nikołajewicza stale krępowała obecność Szułubina, tego puchacza, który tkwił nieruchomo na swoim łóżku i pewnie wszystko słyszał. Odkąd zjawił się w sali, ani na moment nie można było zapomnieć, że – jest, że patrzy tymi sowimi oczami i słucha, a do tego mruga czasem powiekami jakby mu się nie podobało. Jego obecność ciążyła Pawłowi Nikołajewiczowi. Zagadywał, próbował wybadać, kim tamten jest, albo przynajmniej dowiedzieć się, na co choruje, ale Szułubin mruczał coś w odpowiedzi i nie sposób było zrozumieć, co. Nie raczył nawet opowiedzieć o swoich dolegliwościach.

Jeśli siedział, to jakiś spięty, ze wstrzymanym oddechem, nie tak jak wszyscy, siedział z wysiłkiem, sztywno – właśnie to napięcie sprawiało wrażenie czujności. Czasem wstawał, ale chodzenie też musiało sprawiać mu ból, bo po kilku krokach stawał. Potrafił tak stać pół godziny, godzinę – jego stanie również działało na nerwy. Nie mógł stać ani koło swojego łóżka, tarasował drzwi, ani w przejściu, więc upatrzył sobie miejsce między oknami, obok Zacyrki i Kostogłotowa. Sterczał tam jak złowieszczy strażnik akurat nad Pawłem Nikołajewiczem i nad wszystkim, co Paweł Nikołajewicz jadł, robił i mówił. Opierał się plecami o ścianę i stał.

Dziś po obchodzie też tam stanął. Wyglądał jak kamienny Atlas, podpierający ścianę dokładnie w punkcie przecięcia się linii wzroku Olega i Wadima.

Oleg i Wadim często spotykali się wzrokiem, ale niewiele ze sobą rozmawiali. Po pierwsze, obaj mieli mdłości i mówienie ich męczyło. Po drugie, Wadim osadził towarzyskie zapędy współpacjentów, stwierdzając wkrótce po przybyciu do sali:

– Towarzysze, żeby gadaniem zagotować kubek wody, trzeba mówić po cichu przez dwa tysiące lat, a głośno – przez siedemdziesiąt pięć lat, a i to przy założeniu, że nie będzie żadnych strat ciepła. Sami widzicie, jaki jest pożytek z gadaniny!

Mieli też inne powody: obaj powiedzieli sobie coś przykrego, może nawet niechcący. Wadim palnął kiedyś Olegowi: „Trzeba było w a l c z y ć! Nie rozumiem, dlaczego nie walczyliście!" (Miał rację. A Oleg nie miał jeszcze odwagi otworzyć ust i wytłumaczyć, że jednak w a l c z y l i.) Oleg zaś powiedział do Wadima: „Dla kogo oni trzymają to złoto? Twój ojciec oddał życie za ojczyznę, a oni żałują ci złota? Żałują – tobie?"

I też miał rację. Wadim coraz częściej zadawał sobie to samo pytanie. Jeszcze miesiąc temu mógł uważać starania mamy za niepotrzebne, a powoływanie się na zasługi ojca – za upokarzające. A teraz miotał się, niecierpliwie czekał na radosną depeszę od mamy, zgadywał, czy już załatwiła! Ratunek ze względu na zasługi ojca nie był rzeczą sprawiedliwą, ale ratunek ze względu na własny talent – tak, po stokroć tak! Tylko że dysponenci złota nic nie wiedzieli o talencie Wadima. Nosić w sobie talent, jeszcze nie rozkwitły, potężny – to męka i brzemię, ale umierać z nim – bezużytecznym, gasnącym – jest o wiele ciężej niż zwykłemu, przeciętnemu człowiekowi, ciężej niż któremukolwiek z tych tu, w sali.

I straszna była samotność Wadima – nie dlatego, że nie miał przy sobie mamy czy Gali, nie dlatego, że nikt go nie odwiedzał, ale dlatego, że ani współpacjenci, ani lekarze, ani ci, którzy decydowali o złocie, nie wiedzieli, jak ważne jest jego życie, ważniejsze niż życie wszystkich innych!

I tak miotał się między nadzieją a rozpaczą, aż przestał rozumieć, co czyta. Czytał stronę, a potem uświadamiał sobie, że nie chwyta sensu, że nie potrafi już skakać po ludzkich myślach jak kozica po górach. I zastygał nad książką: niby czytał, ale – nie czytał.

Noga tkwiła w potrzasku – a wraz z nią całe życie.

Siedział, a nad nim sterczał Szułubin – ze swoim bólem, ze swoim milczeniem. Kostogłotow leżał z głową zwieszoną ku podłodze i też milczał.

Mogli tak milczeć godzinami jak trzy czaple z bajki.

I zdziwili się, gdy największy milczek, Szułubin, spytał nagle Wadima:

– Czy jest pan pewien, że nie męczy się pan niepotrzebnie? Po co pan to czyta? Akurat to?

Wadim uniósł głowę. Zmierzył starca ciemnymi, prawie czarnymi oczami, jak gdyby nie wierząc, że to on zadał tak długie pytanie, a może dziwiąc się samemu pytaniu.

Nic jednak nie wskazywało, by autorem dziwnego pytania był ktoś inny. Opuchnięte, zaczerwienione oczy wpatrywały się w Wadima z wyraźną ciekawością.

Należało odpowiedzieć. Wiedział, jak, ale nie czuł w sobie dawnego sprężystego impulsu. Odpowiedział więc cicho, choć dobitnie:

– Czytam, ponieważ mnie to interesuje. To najbardziej interesująca rzecz na świecie.

Mimo wszystkich rozterek, mimo bólu, mimo nieubłaganych ośmiu miesięcy Wadim był dumny ze swego opanowania i starał się rozmawiać takim tonem, jakby znajdowali się w sanatorium, a nie na onkologii.

Szułubin wpatrywał się w podłogę. Potem nie zmieniając pozycji tułowia wykonał dziwny okrężny ruch szyją – sprawiało to wrażenie, że chce ją uwolnić z uścisku. I powiedział:

– „Interesująca" to żaden argument. Kupiectwo też jest „interesujące". Kupować, sprzedawać, gromadzić pieniądze, liczyć je, dorabiać się majątku – kupiec powie tak samo jak pan. Nauka w pańskim ujęciu niczym nie różni się od czysto egoistycznych i wypranych z wszelkiej moralności dziedzin działalności człowieka.

Dziwny punkt widzenia. Wadim wzruszył ramionami:

– A jeśli naprawdę mnie to interesuje? Jeśli nie ma nic bardziej interesującego?

– Tu, w szpitalu? Czy w ogóle?

– W ogóle.

Szułubin z trzaskiem rozprostował palce jednej dłoni.

– Z taką motywacją nigdy nie stworzy pan żadnej wartości moralnej.

Dziwny tok rozumowania.

– Nauka nie tworzy wartości moralnych – wyjaśnił Wadim – Nauka tworzy wartości materialne, to jest jej cel. A propos, jakie wartości zalicza pan do moralnych?

Szułubin przymknął powieki. Potem jeszcze raz. Wreszcie powiedział:

– Te, które służą wzajemnemu poznaniu ludzkich dusz.

– Przecież nauka też służy poznaniu – uśmiechnął się Wadim.

– Ale nie dusz! – Szułubin pomachał palcem. – Skoro dla pana jest tylko „interesująca"... Czy miał pan kiedyś okazję spędzić pięć minut w kołchozowym kurniku?

– Nie.

– A więc proszę sobie wyobrazić: długi, niski barak. Ciemny, bo okna to wąskie szczeliny zasłonięte siatką, żeby kury nie pouciekały. Na jedną drobiarkę przypada dwa i pół tysiąca kur. Pod nogami – klepisko, kury grzebią się w ziemi, kurz taki, że trzeba by chodzić w masce przeciwgazowej. Drobiarka parzy w otwartym kotle pokarm – gnijące ryby. Smród. Zmienniczki nie ma. Latem dzień pracy trwa od trzeciej nad ranem do zmroku. W wieku trzydziestu lat kobieta wygląda na pięćdziesiąt. Jak pan myśli, czy praca w kurniku jest dla niej interesująca?

Wadim zdziwił się, uniósł brwi.

– A cóż mnie to może obchodzić?

Szułubin oskarżycielsko wymierzył w niego palec.

– Tak właśnie rozumuje kupiec!

– To kwestia postępu technicznego i nauki – Wadim znalazł mocny argument. – Dzięki nauce praca w kurniku stanie się kiedyś łatwa i przyjemna. Nauka się rozwija.

– A zanim się rozwinie, spokojnie wrzuca pan rano trzy jajeczka na patelnię, tak? – Szułubin zamknął jedno oko, przez co drugie nabrało szczególnie nieprzyjemnego wyrazu. – A może do tego czasu sam popracowałby pan w kurniku, co?

– Ich to nie interesuje – wtrącił ironicznie Kostogłotow.

Rusanow już dawno zwrócił uwagę na pewność, z jaką Szułubin wypowiadał się w kwestiach rolnictwa. Paweł Nikołajewicz mówił kiedyś o uprawach zbóż, a Szułubin wytknął mu błąd. Teraz Paweł Nikołajewicz zapragnął trafić go w czułe miejsce:

– Czy przypadkiem nie kończył pan Akademii Timiriaziewa?

Szułubin wzdrygnął się i odwrócił ku niemu głowę.

– Tak – przyznał ze zdziwieniem.

I nagle zgarbił się, zmarkotniał, zmalał – i niezdarnym krokiem ptaka o podciętych skrzydłach powlókł się do łóżka.

– To czemu jest pan bibliotekarzem? – triumfował Rusanow.

Lecz tamten umilkł na dobre.

Nie szanował Paweł Nikołajewicz ludzi, którzy w życiu idą nie w górę, a na dno.

28

Ujrzawszy pierwszy raz Lwa Leonidowicza Kostogłotow z miejsca uznał, że to fachowiec. Z nudów obserwował go podczas obchodów. Byle jaka czapeczka na czubku głowy – widać, że nie dla fasonu; za długie ręce, czasem zwinięte w pięści schowane do kieszeni fartucha; wargi, ściągnięte jak do gwizdnięcia; żartobliwy ton, jakim rozmawiał z pacjentami – wszystko to wzbudzało sympatię Kostogłotowa. Miał ochotę pogadać z Lwem Leonidowiczem i zadać mu parę pytań, na które żadna z tutejszych bab-lekarek nie mogła albo nie chciała odpowiedzieć.

Nie było jednak okazji: na obchodach Lew Leonidowicz zajmował się wyłącznie swoimi pacjentami (rentgenowców w ogóle nie zauważał); na korytarzach i schodach odpowiadał co prawda uprzejmie na każde powitanie, ale twarz miał zaaferowaną i wiecznie się śpieszył.

A pewnego razu o jakimś pacjencie, który najpierw coś ukrywał przed lekarzami, a potem się przyznał, Lew Leonidowicz powiedział: „No proszę, jednak p ę k ł!" – I jeszcze bardziej zaintrygował Olega. Dlatego, że nie każdy człowiek mógł użyć tego słowa w takim znaczeniu.

Ostatnimi czasy Kostogłotow mniej chodził po klinice i rzadziej widywał chirurga. Kiedyś jednak zobaczył, że Lew Leonidowicz otwiera drzwi małego pokoiku obok sali operacyjnej i wchodzi do środka. A więc był tam sam! Kostogłotow bez namysłu zapukał w białą matową szybę i też wszedł.

Lew Leonidowicz zdążył już przysiąść bokiem na taborecie, tak jak się siada tylko na chwilę, i coś pisał.

– Słucham? – uniósł głowę bez zdziwienia, ale widać było, że myślami jest przy swojej pisaninie.

Wszyscy ciągle zajęci! W ciągu minuty decydują o całym ludzkim życiu.

– Przepraszam, Lwie Leonidowiczu – Kostogłotow starał się mówić najuprzejmiej, jak tylko potrafił. – Wiem, że nie ma pan czasu, ale nikt oprócz pana... Dwie minutki – pozwoli pan?

Chirurg skinął głową. Widać było, że nie słucha.

– Przepisano mi hormonoterapię... domięśniowe iniekcje sinestrolu w dawkach po... – (Kostogłotow stawiał sobie za punkt honoru rozmawiać z lekarzami ich językiem – miał nadzieję, że docenią jego znajomość przedmiotu i będą naprawdę szczerzy.) – Chciałbym wiedzieć, czy działanie tego leku wywołuje skutki uboczne.

Następne sekundy nie zależały już od niego, stał więc i milczał, patrząc z wysokości swego wzrostu na siedzącego chirurga.

Lew Leonidowicz zmarszczył brwi: przestawiał myśl na nowe tory.

– Ależ nie, nie powinno – powiedział niezbyt pewnie.

– A ja czuję, że wywołuje – upierał się Kostogłotow, jakby chciał uzyskać potwierdzenie tych przypuszczeń albo powątpiewał w prawdomówność Lwa Leonidowicza.

– Nie, nie powinno – powtórzył chirurg bez przekonania, może dlatego, że sprawa nie dotyczyła jego specjalności, a może nadal błądził myślami gdzie indziej.

– To dla mnie bardzo ważne – w spojrzeniu i głosie Kostogłotowa było coś z pogróżki. – Po tych zastrzykach nie będę mógł... no, z kobietami... Nie wiem, czy na zawsze, czy na jakiś czas... Czy te hormony zostają w organizmie? Czy później będzie można usunąć skutki hormonoterapii... no, na przykład zastrzykami kontrastowymi?

– Tego bym nie radził. To niewskazane – Lew Leonidowicz patrzył na kosmatego pacjenta, ale jego uwagę przykuła interesująca blizna na twarzy tamtego. Wyobraził sobie świeżą ranę i czynności, które musiałby wykonać jako chirurg. – A właściwie dlaczego się pan tym przejmuje? Nie rozumiem.

– Jak to pan nie rozumie? – Kostogłotow nie rozumiał, jak można tego nie rozumieć. A może to tylko solidarność zawodowa każe temu roztropnemu człowiekowi nakłaniać pacjenta do posłuszeństwa.

– Naprawdę pan nie rozumie?

Pytanie wykraczało poza ramy zwyczajnej rozmowy lekarza z pacjentem, ale Lew Leonidowicz z tą samą prostotą, która od początku tak ujęła Olega, powiedział nagle przyjacielskim i wcale nie służbowym głosem:

– Człowieku, przecież na babach świat się nie kończy! Ten miód też się przeje... W życiu trzeba dokonać czegoś naprawdę ważnego. Po co tracić siły na baby? To tylko przeszkadza.

Powiedział zupełnie szczerze, nawet ze znużeniem. Przypomniał sobie, że w najważniejszej chwili życia zabrakło mu woli i energii – kto wie, może właśnie przez takie niepotrzebne trwonienie sił. Lecz nie mógł go zrozumieć Kostogłotow! Nie mógł sobie wyobrazić, że taka namiętność może się przejeść! W lewo, w prawo obracała się jego głowa i pustka była w spojrzeniu.

– To jedyna w a ż n a rzecz, jaka mi w życiu została.

Nie, nie uwzględniał regulamin szpitalny takich rozmów! Nie przewidywał konsultacji w sprawie sensu życia, w dodatku z lekarzem z innego oddziału! Zajrzała i od razu weszła bez pytania filigranowa lekarka w pantoflach na wysokich obcasach. Kołysząc biodrami podeszła do Lwa Leonidowicza, stanęła bardzo, bardzo blisko, położyła przed nim wynik laboratoryjny, przycisnęła się do stołu (Olegowi wydało się, że do Lwa Leonidowicza, i to mocno) i powiedziała:

– Owidienko ma dziesięć tysięcy leukocytów.

Delikatny rudy dymek jej rozwianych włosów unosił się tuż przed twarzą Lwa Leonidowicza.

– No i co z tego? – wzruszył ramionami Lew Leonidowicz.

– To jeszcze nie dowodzi leukocytozy. Zwykły stan zapalny. Trzeba będzie zlikwidować rentgenem.

Ruda lekarka zaczęła mówić dużo i szybko, usta jej się nie zamykały (i oczywiście przylgnęła ramieniem do ręki Lwa Leonidowicza!). Kartka, na której Lew Leonidowicz miał zamiar coś pisać, leżała na stole nietknięta, palce chirurga obracały bezczynne pióro.

Oleg czuł, że powinien już wyjść. Rozmowa urwała się w najciekawszym momencie.

Angelina obejrzała się przez ramię, zrobiła zdziwioną minę, że Kostogłotow jeszcze tu jest, ale sponad jej rudej głowy patrzył Lew Leonidowicz – z lekkim rozbawieniem. Coś w jego twarzy kazało Olegowi zostać i ciągnąć dalej:

– Lwie Leonidowiczu, słyszał pan o czadze?

– Słyszałem – potwierdził chirurg dość ochoczo.

– I co pan o niej sądzi?

– Trudno powiedzieć. Niektóre rodzaje nowotworów mogą być podatne na jej działanie, na przykład rak żołądka. Cała Moskwa zwariowała na punkcie tego grzyba. Podobno ludzie ogołocili lasy w promieniu dwustu kilometrów.

Angelina oderwała się od stołu, wzięła swoją karteczkę i wyszła z pogardliwą miną, manifestacyjnie (i z wdziękiem!) kręcąc biodrami.

Wyszła, lecz – niestety! – nie mogli już wrócić do poprzedniego tematu: Lew Leonidowicz odpowiedział przecież na pytanie, a zaczynać od nowa dyskusję o roli kobiet w życiu było jakoś niezręcznie.

Iskierki humoru w oczach Lwa Leonidowicza i jego bezpośredni sposób bycia skłoniły jednak Olega do zadania trzeciego ważnego pytania, które sobie zaplanował:

– Lwie Leonidowiczu! Proszę mi darować śmiałość – zerknął z ukosa. – Jeśli się mylę, zapomnijmy o tym pytaniu. Czy nie był pan... – zniżył głos i przymrużył jedno oko – tam, gdzie wiecznie tańczą i śpiewają?

Lew Leonidowicz ożywił się:

– Byłem.

– Naprawdę? – ucieszył się Oleg. A więc w jakimś sensie byli sobie równi! – Z jakiego artykułu?

– Z żadnego. Byłem wolny.

– Ach, w-o-lny? – rozczarował się Oleg.

Nie, nie byli sobie równi.

– A po czym pan poznał? – spytał chirurg z zaciekawieniem.

– Po jednym słowie: „pękł". I powiedział pan kiedyś: „kibel".

Lew Leonidowicz śmiał się:

– No proszę, już się człowiek nie oduczy!

Równi, nie równi, ale łączyło ich już coś więcej niż dziesięć minut temu.

– Długo pan tam był? – bezceremonialnie pytał Kostogłotow. Wyprostował się, odżył.

– Trzy lata. Po wojsku. Dostałem przydział i nie miałem nic do gadania.

Nie musiał tego dodawać. Ale dodał. No proszę: taka zaszczytna służba, taka honorowa – dlaczego więc uczciwi ludzie czują potrzebę usprawiedliwiania się z niej? Tak, tkwi w człowieku ten wieczny sygnalizator...

– I co pan tam robił?

– Kierowałem izbą chorych.

Oho! Kłania się madame Dubinskaja – pani życia i śmierci. Ale Dubinskaja na pewno by się nie usprawiedliwiała. A ten – wyrwał się, nie chciał tam być.

– Zdążył pan skończyć medycynę przed wojną? – Kostogłotow czepiał się pytaniami jak rzep. Pytał nie z ciekawości, po prostu zadziałał dawny nawyk z więzień tranzytowych: w ciągu paru minut, między jednym szczęknięciem zamka w drzwiach celi a drugim poznać całe życie innego człowieka. – Z którego pan jest rocznika?

– Nie, po czwartym roku zgłosiłem się do wojska na ochotnika – Lew Leonidowicz wstał, podszedł do Olega, z ciekawością dotknął palcem jego blizny. – To stamtąd?

– Uhm.

– Dobrze zrobione... Bardzo dobrze. Szył któryś z lekarzy-więźniów?

– Uhm.

– A nie pamięta pan nazwiska? Może Koriakow?

– Nie pamiętam, to było na tranzytce. A ten Koriakow? Z jakiego artykułu siedział? – Kostogłotow uczepił się i Koriakowa.

– Siedział za to, że jego ojciec był carskim pułkownikiem.

Weszła pielęgniarka o japońskich oczach i z białą koroną na głowie: Lew Leonidowicz musiał zejść do gabinetu zabiegowego. (Pierwszej zmiany opatrunków u swoich pacjentów zawsze doglądał osobiście.)

Kostogłotow zgarbił ramiona i powlókł się korytarzem.

Jeszcze jeden niedopowiedziany życiorys. Nawet dwa. Resztę można sobie dośpiewać. Jak różnie ludzie tam trafiają... Nie, nie to. Inaczej: leżysz w sali, idziesz po korytarzu, spacerujesz po parku – a obok ciebie, przed tobą, z naprzeciwka idzie człowiek. Człowiek jak człowiek, ani jemu, ani tobie nie przychodzi do głowy, żeby przystanąć, powiedzieć: „Odchyl klapę!" I – jest, jest znaczek tajnego stowarzyszenia! – tamten był, widział, posmakował, wie! Ilu takich jest? Ilu? I – wszyscy milczą! I – nic po nich nie widać! Ukryte, schowane!

Co za idiotyzm – dojść do stanu, w którym kobiety przeszkadzają! Jak człowiek może tak nisko upaść? W głowie się nie mieści!

Tak, nie ma się z czego cieszyć. Lew Leonidowicz nie zaprzeczał na tyle stanowczo, by można było mu uwierzyć.

A więc wszystko stracone.

Wszystko...

Zupełnie jakby zamieniono Kostogłotowowi czapę na dożywocie. Niby się żyje, ale nie wiadomo, po co.

Zapomniał, dokąd miał iść, doszedł do podnóża schodów i stanął tam.

A z którychś drzwi – chyba z trzecich od niego – wyłonił się biały fartuch, bardzo wcięty w talii i od razu znajomy.

Wega!

Szła tutaj! Była blisko, ale musiała wyminąć dwa łóżka pod ścianą. Oleg nie poszedł jej naprzeciw – i miał sekundę, sekundę, jeszcze sekundę – żeby pomyśleć.

Od tamtego obchodu, przez trzy dni – oschła, rzeczowa, żadnego cieplejszego spojrzenia.

W pierwszej chwili pomyślał: czort z nią, on też taki będzie! Tłumaczyć się, przepraszać... Nie!

Ale – szkoda! Szkoda sprawić jej przykrość. I samego siebie szkoda. Co, mają się minąć jak obcy?

Nie był winien! To ona była winna! Oszukała z tymi zastrzykami, źle mu życzyła! To on miał prawo się obrazić!

Przechodziła obok nie patrząc na niego (ale widząc!) i Oleg wbrew swoim zamiarom poprosił cicho:

– Wiero Korniljewno...

(Głupio to brzmi, ale jest przyjemne.)

Podniosła zimny wzrok, dostrzegła go.

(No nie, czemu właściwie jej wybacza?)

– Wiero Korniljewno... czy nie chce pani... zrobić mi jeszcze jednej transfuzji?

(Poniża się, ale to takie przyjemne.)

– Przecież się pan wykręcał do transfuzji? – patrzyła zimno i odpychająco, lecz w oczach zamigotała niepewność. W tych miłych kawowych oczach.

(Przecież nie czuła się winna!)

– W t e d y mi się podobało. Chciałbym jeszcze raz. Uśmiechał się. W uśmiechu jego blizna stawała się bardziej zygzakowata, ale krótsza.

(Teraz – wybaczyć, a później – wszystko wyjaśnić.)

A jednak coś naprawdę błysnęło w jej oczach, chyba skrucha.

– Może jutro przywiozą krew.

Jeszcze opierała się o jakiś niewidzialny słupek, lecz słupek ten ni to chwiał się, ni to uginał pod jej ręką.

– Tylko musi mi ją przetoczyć pani! Nikt inny! – żarliwie żądał Oleg. – Nie dam się nikomu innemu!

Pokręciła głową, starając się unikać jego wzroku.

– Tego nie mogę obiecać. I poszła dalej.

Miła, mimo wszystko bardzo miła!

Tylko – o co właściwie zabiegał? On, skazany na takie d o ż y w o c i e – o co właściwie zabiegał?

Stał nadal koło schodów i zastanawiał się, dokąd miał iść.

Ach tak! Miał odwiedzić Diomkę.

Diomka leżał w malutkiej dwuosobowej salce, ale drugi pacjent opuścił już chirurgię, a na nowego trzeba było poczekać do jutra.

Minął tydzień beznogiego życia. Operacja była już przeszłością, ale noga żyła, dokuczała tak samo jak przed operacją, Diomka czuł każdy utracony palec.

Ucieszył się Diomka na widok Olega, zobaczył jakby starszego brata. To byli wszyscy jego najbliżsi – przyjaciele z dawnej sali. I jeszcze z sali kobiecej dostał coś Diomka, leżał ten podarek na szafce, przykryty serwetką. A spoza szpitala nie miał kto ani do niego przyjść, ani przynieść czegoś dobrego.

Diomka leżał na plecach, uważając na nogę – na to, co z niej zostało: kikut poniżej biodra i ogromny zawój z bandaża. Ale głową i rękami mógł poruszać swobodnie.

– Jak się masz! – uścisnął dłoń Olega. – Siadaj, opowiadaj! Co tam w sali?

Sala, którą opuścił, była dla niego swojskim i znajomym światem.

Tu, na dole, kręciły się inne pielęgniarki, inne salowe, panowały inne porządki, nie takie jak należy. Wszyscy ciągle się kłócili, kto i co ma zrobić.

– Po staremu – Oleg patrzył na wychudłą, pomarszczoną twarz Diomki. Cierpienie przeorało bruzdami policzki, czoło, wyostrzyło nos i podbródek. – Nic się nie zmieniło.

– K a d r a jeszcze jest?

– K a d r a? Jest.

– A Wadim?

– Kiepsko z nim, nie załatwili mu złota. Boi się przerzutów.

Diomka zafrasował się i powiedział jak o młodszym bracie:

– Biedaczysko.

– Dziękuj Bogu, że tobie w porę amputowali.

– No, ja też mogę mieć przerzuty.

– Nie sądzę.

Któż mógł wiedzieć, nawet spośród lekarzy, czy przepłynęły te śmiercionośne pojedyncze komórki, te zdradzieckie łodzie desantowe, czy nie? I do jakiego brzegu przybiły?

– Naświetlają?

– Wożą na wózku.

– Teraz to już prosta sprawa – wyzdrowiejesz, nauczysz się chodzić o kuli...

– Muszę mieć dwie. Dwie kule.

Wszystko już sobie biedak obmyślił. Dawniej też marszczył czoło jak dorosły, a teraz wydoroślał jeszcze bardziej.

– Gdzie ci je zrobią? Tutaj?

– W protezowni.

– Za darmo?

– Napisałem podanie. Przecież nie mam pieniędzy. Westchnęli obaj jak ludzie, którym życie przynosi same zgryzoty i końca tym zgryzotom nie widać.

– Co z dziesiątą klasą?

– Muszę skończyć, choćbym pękł.

– A z czego będziesz żył? Do maszyny nie staniesz.

– Obiecali rentę inwalidzką. Nie wiem tylko, czy drugą grupę, czy trzecią.

– Trzecia to jaka? – Kostogłotow nie wyznawał się w tych grupach inwalidzkich tak samo jak w cywilnych przepisach.

– Taka w sam raz. Na chleb wystarczy, na cukier już nie.

Mężczyzna! Spychał go rak z życia, spychał, a on i tak wracał na swoje.

– A potem na uniwersytet?

– Trzeba próbować.

– Na literaturę?

– Aha.

– Diomka, posłuchaj, mówię poważnie: zamęczysz się. Zacznij lepiej reperować radia – i zarobisz, i robota spokojna...

– Co mi tam radia! – prychnął Diomka. – Chodzi mi o prawdę!

– Aleś ty głupi! Będziesz naprawiać radia i mówić prawdę, jedno drugiemu nie przeszkadza!

Nie zrozumieli się. Potem pogadali jeszcze o tym i owym. Rozmawiali też o sprawach Olega. Jeszcze jedną dorosłą cechę miał w sobie Diomka: przejmował się innymi. Niedojrzała młodość myśli tylko o sobie.

I Oleg opowiedział mu jak dorosłemu o swoim stanie.

– Niedobrze... – mruknął Diomka.

– Pewnie byś się ze mną nie zamienił, co?

– Czy ja wiem...

Wyglądało na to, że Diomka pomęczy się z rentgenem jeszcze z półtora miesiąca i wyjdzie ze szpitala dopiero w maju.

– I dokąd pójdziesz?

– Najpierw do zoo! – rozpromienił się Diomka. O tym zoo opowiadał Olegowi wiele razy. Stawali obaj na tarasie i Diomka pokazywał, że tam, za rzeką, za gęstymi drzewami jest zoo. Przez tyle lat Diomka czytał i słuchał w radiu o rozmaitych zwierzętach, a nigdy nie widział na własne oczy ani lisa, ani niedźwiedzia, ani tym bardziej słonia i tygrysa. Tam, gdzie mieszkał, nie było żadnego cyrku, zwierzyńca ani lasu. I takie miał najskrytsze, największe marzenie – żeby chodzić i poznawać zwierzęta. Marzył o tym od maleńkości i z wiekiem wcale mu nie przeszło. Po spotkaniu ze zwierzętami spodziewał się czegoś szczególnego, nowego. Od razu po przyjeździe do miasta powlókł się na bolącej nodze do ogrodu zoologicznego, ale ogród był akurat zamknięty. – Oleg, ty też idź! Pewnie niedługo cię wypiszą?

Zgarbił się Oleg.

– Chyba tak. Krew nie trzyma. Wymioty mnie wykańczają.

– I nie pójdziesz do zoo? – Diomka w ogóle nie dopuszczał takiej myśli: Oleg straciłby w jego oczach.

– Mogę pójść.

– Koniecznie! Proszę cię, pójdź do zoo! I wiesz co – napisz potem do mnie kartkę, dobrze? Co ci zależy? Taką radość byś mi sprawił! Napiszesz, jakie zwierzęta tam są, które najciekawsze... Dobrze? Będę wiedzieć o miesiąc wcześniej! Pójdziesz? Napiszesz? Podobno jest tam nawet krokodyl! I lwy!

Oleg obiecał.

Poszedł do siebie (też się położyć), a Diomka w malutkiej salce długo jeszcze nie sięgał po książkę, patrzył w sufit, patrzył w okno i myślał. Za oknem nic nie mógł zobaczyć, zasłaniała je ozdobna krata, a poza tym wychodziło na mur szpitalny. Nie docierały tu promienie słoneczne, ale salkę spowijało jakieś mętne półświatło, jak od zamglonego, lecz widocznego słońca. Zapewne na dworze był jeden z tych bezbarwnych wiosennych dni, gdy mimo pozornego bezruchu czuje się wytężoną, niezmordowaną pracę wiosny.

Diomka leżał i myślał o przyjemnych sprawach: jak z czasem przestanie doskwierać ucięta noga; jak on sam nauczy się chodzić o kulach szybko i zgrabnie; jaki będzie ten majowy dzień, kiedy Diomka od rana aż do wieczornego pociągu będzie zwiedzać zoo; jak dużo będzie mieć teraz czasu na naukę i ile przeczyta dobrych książek, których jeszcze nie czytał. Skończą się te zmarnowane wieczory, gdy chłopaki idą na tańce, a ty jesteś w rozterce, bo też byś chciał pójść, ale nie umiesz tańczyć. A teraz już po tańcach... Zostało wkuwanie.

Ktoś zapukał do drzwi.

– Proszę! – powiedział Diomka. (To „proszę!" powtarzał z wielkim ukontentowaniem. Nigdy jeszcze nie mieszkał na tyle luksusowo, by ktokolwiek musiał pukać przed wejściem.)

Drzwi otworzyły się i wpuściły Asię.

Nie weszła – wdarła się z pośpiechem, jakby ją ktoś gonił, zatrzasnęła drzwi i natychmiast znieruchomiała, zastygła w miejscu z jedną ręką na klamce, a drugą przytrzymując poły szlafroka.

W niczym nie przypominała tamtej Asi, która wpadła do szpitala „na trzy dni, na badania" prosto ze swoich bieżni i stadionów. Zwiędła, zmarniała i nawet żółte włosy, te pyszne włosy, zwisały teraz w żałosnym nieładzie.

Tylko szlafrok miała ciągle ten sam – wstrętny, bez guzików, na Bóg wie ilu ramionach noszony, w Bóg wie ilu mydlinach gotowany. Pasował już Asi, nie raził...

Patrzyła na Diomkę nieprzytomnie: czy dobrze trafiła? Czy nie trzeba biec dalej?

Lecz właśnie taka, złamana, już nie starsza od Diomki o jedną klasę, trzy dalekie podróże i znajomość życia, była mu naprawdę bliska. Ucieszył się:

– Asia! Siadaj! Co ci jest?

Od pierwszego spotkania często ze sobą rozmawiali, o nodze też (Asia radziła nie zgadzać się na operację), po operacji odwiedziła go dwa razy, przyniosła jabłka i ciastka. Byli wobec siebie szczerzy i bezpośredni. Po jakimś czasie Asia opowiedziała mu o swojej chorobie: boli ją prawa pierś, lekarze wykryli tam zgrubienia czy guzki, naświetlają pierś lampami i każą trzymać tabletki pod językiem.

– Siadaj, siadaj!

Oderwała się od drzwi i wodząc ręką po ścianie jak ślepiec podeszła do taboretu u wezgłowia łóżka.

Usiadła.

Usiadła, ale nie patrzyła Diomce w oczy, tylko gdzieś obok, na koc. Siedziała z wzrokiem utkwionym w koc, a Diomka nie mógł się do niej odwrócić.

– No, co ci jest? – Teraz musiał być starszy! Przerzucił głowę w jej stronę, samą głowę, tułów pozostał nieruchomy.

Zamrugała powiekami, wargi zaczęły się trząść.

– A-asieńko! – zdążył powiedzieć Diomka (bardzo mu jej było żal i dlatego ośmielił się tak powiedzieć), a ona runęła w jego poduszkę, twarz przy twarzy, pasemko włosów połaskotało go w ucho.

– No, Asieńko! – prosił i bezradnie szukał rękami jej ręki na kocu, szukał na oślep i nie znajdował.

A ona szlochała w poduszkę.

– Co się stało? Powiedz!

Już się prawie domyślał.

– O-dej-mą!...

I płakała, płakała. A potem jęczała:

– O-o-oj!

Tak strasznego głosu ludzkiego nieszczęścia jak to przeciągłe „o-o-oj!" Diomka nigdy nie słyszał.

– Może nie odejmą? – pocieszał. – Może wymyślą coś innego?

Czuł jednak, że tego „o-o-oj!" nie przekona.

A ona płakała i płakała w poduszkę. Mokra plama podpełzała pod policzek.

Wreszcie znalazł rękę i zaczął ją głaskać.

– Asieńko, może to nic pewnego?

– Nie-e... Wyznaczyli na piątek...

Od tego jęku dusza rwała się w strzępy.

Diomka nie widział jej zalanej łzami twarzy, tylko niteczki włosów właziły mu prosto do oczu. Miękkie, łaskotliwe.

Szukał jakichś słów, ale nie znajdował, więc mocno, mocno ściskał rękę Asi – żeby przestała. Żal mu jej było, jeszcze bardziej niż siebie samego.

– Po-co-żyć? – zawodziła. – Po co?

Miał Diomka różne własne przemyślenia, ale nie potrafił ich wyrazić. A gdyby nawet potrafił, to po jęku Asi zrozumiał, że ani on, ani nikt i nic na świecie nie zdoła jej przekonać. Z jej doświadczenia wynikało jedno: nie ma już po co żyć!

– Kto-mnie-te-raz-ze-ze-chce? – zachłystywała się swoim nieszczęściem. – Kto?...

I znów zalewała się łzami. Poduszka była całkiem mokra.

– No jak to... – pocieszał Diomka nie puszczając ręki. – Przecież wiesz, jak się ludzie pobierają... Kochają się... Patrzą na charakter...

– Który dureń kocha za charakter? – szarpnęła się gniewnie jak znarowiony koń, wyrwała rękę. Dopiero teraz zobaczył Diomka jej czerwoną, rozgorączkowaną, mokrą, biedną i rozzłoszczoną twarz,

– Komu potrzebna taka bez piersi? Komu?! Mam siedemnaście lat! – krzyczała na niego, na winowajcę.

Nawet pocieszyć nie umiał.

– Jak ja się pokażę na plaży? – zachwiała się, tknięta nową myślą. – Na plaży! Jak będę się kąpać? – Skręciło ją, cisnęło o łóżko gdzieś poza Diomką, w dół, ku podłodze runęło jej ciało i głowa objęta rękami.

Z okrutną dokładnością wyobraziła sobie Asia kostiumy kąpielowe wszystkich możliwych mód: z ramiączkami i bez, jednoczęściowe, dwuczęściowe, kostiumy wszystkich mód dzisiejszych, najnowszych i przyszłych, kostiumy pomarańczowe i błękitne, czerwone i koloru morskiej wody, gładkie i w paski, z lamówką i bez, kostiumy jeszcze nie noszone, ale już przymierzone przed lustrem, których już nigdy nie kupi, których już nigdy nie włoży! I właśnie ta perspektywa, ta niemożność pójścia na plażę wydawała się Asi najokropniejsza, najbardziej upokarzająca! Właśnie dlatego życie traciło cały sens!

A Diomka z wysokości poduszek mamrotał coś nieskładnie i bez sensu:

– Wiesz... jeśli cię nikt nie zechce... Wiem oczywiście, jaki teraz jestem... To ja się z tobą ożenię... Zawsze... Pamiętaj...

– Diomka, słuchaj – pod wpływem nowej myśli wyprostowała się i spojrzała na niego szeroko otwartymi oczami. – Słuchaj, przecież ty jesteś ostatni! Ostatni, który może ją jeszcze zobaczyć i pocałować! Już nigdy nikt jej nie pocałuje! Pocałuj ją! Przynajmniej ty!

Gwałtownie szarpnęła i tak luźne klapy szlafroka, szlochając odciągnęła, zsunęła ramiączko koszulki – i wyłoniła się spod materiału jej skazana prawa pierś.

I jakby słońce rozbłysło! Zajaśniała, napełniła się blaskiem cała salka! A różowy rumieniec sutka – większy, niż Diomka sobie wyobrażał! – znieruchomiał tuż przed jego oczami i oczy zabolały od tej różowości!

Pochyliła się ku niemu Asia blisko, bliziutko, i podsunęła pierś.

– Całuj! Całuj! – czekała, ponaglała, żądała.

I wdychając żywe, podarowane mu ciepło, z zachwytem i wdzięcznością zaczął jak prosiak miętosić łapczywymi ustami tę giętką sprężystość, zaklętą w kształt tak doskonały, że żaden malarz ani rzeźbiarz nie zdołałby stworzyć piękniejszego.

Łzy Asi kapały na jego ostrzyżoną głowę.

Nie odsuwała się, nie zabierała piersi, więc znowu i znowu powracał do sutka i delikatnie robił ustami to, czego nigdy nie zrobi z tą piersią przyszłe dziecko Asi. Nikt nie zaglądał do salki i Diomka bez końca obcałowywał nawisłe nad nim cudo.

Dziś cudo – a jutro do kubła.

29

Po powrocie z inspekcji Jura niezwłocznie przyjechał do ojca na całe dwie godziny. Przed odwiedzinami Paweł Nikołajewicz zadzwonił do domu i polecił, żeby Jura przywiózł mu ciepłe buty, płaszcz i kapelusz. Obrzydła Pawłowi Nikołajewiczowi wstrętna sala i ci prostacy ze swoimi głupimi rozmowami, obrzydł hall i mimo osłabienia ciągnęło go na powietrze.

Poszli więc na spacer. Guz z łatwością mieścił się pod szalikiem, wprawdzie trochę bolał przy ruchach głowy, ale był o wiele mniejszy niż przedtem. Na alejkach parku nikt nie mógł spotkać Pawła Nikołajewicza, a gdyby nawet spotkał, to w tym na poły miejskim ubraniu nie rozpoznałby w nim pacjenta, toteż spacerował bez żadnych obaw. Jura podtrzymywał ojca pod rękę. Przyjemnie było stąpać po suchym, czystym asfalcie, a co najważniejsze – przeczuwało się w tym stąpaniu rychły powrót: najpierw do ukochanego mieszkania, a potem do ulubionej pracy. Nie tylko leczenie wyczerpało Pawła Nikołajewicza, lecz także ta ogłupiająca szpitalna bezczynność, myśl, że przestał być użytecznym i ważnym trybem ogromnego mechanizmu. Odebrano mu siłę i jakiekolwiek znaczenie. Chciał jak najszybciej wrócić tam, gdzie wszyscy go lubili i nie mogli się bez niego obejść.

Od paru dni było zimno i deszczowo, ale dziś znów wróciła wiosna. W cieniu budynków ciągnęło jeszcze chłodem, lecz na słońcu tak przypiekało, że Paweł Nikołajewicz nie mógł wytrzymać w jesionce i zaczął rozpinać guziki.

Nadarzała się wyjątkowa okazja, żeby porozmawiać z synem; dzisiejsza sobota liczyła się jako ostatni dzień delegacji i Jura nie musiał iść do pracy. Paweł Nikołajewicz też się nie śpieszył, bo i dokąd? Już dawno powinien porozmawiać z synem, pouczyć, poradzić, udzielić wskazówek. Ojcowskie serce czuło, że znów coś jest nie w porządku. Syn musiał mieć nieczyste sumienie, uciekał wzrokiem, nie patrzył na ojca. A przecież w dzieciństwie był taki szczery, taki prostolinijny! Unikanie spojrzenia pojawiło się w latach studenckich i zwłaszcza wobec ojca. Paweł Nikołajewicz irytował się, drażniła go ta wstydliwość czy nieśmiałość i czasem pokrzykiwał: „Patrz mi w oczy!"

Dziś jednak postanowił panować nad nerwami i rozmawiać zupełnie spokojnie. Poprosił Jurę, by opowiedział mu szczegółowo, jak wypadła inspekcja i czym zabłysnął w terenie jako przedstawiciel prokuratury republikańskiej.

Jura zaczął opowiadać, ale bez specjalnej ochoty. Opowiedział o jednej sprawie, o drugiej, lecz wciąż uciekał oczami i nie patrzył na ojca.

– No mów, mów!

Przysiedli na ławeczce w pełnym słońcu. Jura w kurtce skórzanej i ciepłej cyklistówce (nic nie mogło go skłonić do noszenia filcowego kapelusza) wyglądał dość poważnie i stanowczo, ale były to tylko pozory.

– Zajmowałem się też sprawą kierowcy... – powiedział z wzrokiem utkwionym w ziemię.

– No i co z tym kierowcą?

– Wiózł w zimie zaopatrzenie do spółdzielni. Siedemdziesiąt kilometrów. W połowie drogi zaskoczyła go zamieć. Utknął w zaspie, mróz, dokoła ani żywej duszy. Zamieć trwała ponad dobę. Nie wytrzymał w szoferce, zostawił wóz z ładunkiem i poszedł szukać noclegu. Rano wrócił z traktorem, sprawdza ładunek – brakuje jednego pudła z makaronem.

– A konwojent?

– Jechał sam, tak się jakoś złożyło.

– Co za bałagan! To karygodne!

– Oczywiście.

– Po prostu wykorzystał okazję.

– Nie wiem. Tato, za drogo go kosztował ten makaron! – Jura podniósł jednak wzrok. Na jego twarzy malował się jakiś niedobry upór. – Dostał pięć łat. A wiózł skrzynki wódki, ani jedna nie zginęła...

– Jura, nie można być tak łatwowiernym i naiwnym! A kto mógł ukraść, jeśli nie on? W taką zamieć?

– Może ktoś przejeżdżał saniami? Śnieg zasypał wszystkie ślady.

– Jeśli nawet nie ukradł, to zszedł z posterunku! Jak można porzucić dobro państwowe i po prostu sobie pójść?

Sprawa była czysta jak łza, wyrok – kryształowy, ba, za mało mu dali! – i Pawła Nikołajewicza zbulwersowało, że syn ma jakieś wątpliwości, że trzeba mu tłumaczyć tak oczywiste rzeczy. Niby bez ikry, ale gdy wbije sobie coś do głowy, robi się uparty jak osioł.

– Tato, sam pomyśl: zamieć, minus dziesięć stopni, jak miał nocować w szoferce? Przecież to pewna śmierć!

– Co znaczy – śmierć? Jaka śmierć? A pierwszy lepszy wartownik?

– Wartownicy zmieniają się co dwie godziny.

– A jeśli ich nie zmieniają? A na froncie? Ludzie stoją do końca, do śmierci, ale z posterunku nie schodzą! – Paweł Nikołajewicz wyciągnął nawet palec i pokazał, gdzie tak stoją i nie schodzą. – Zastanów się, co mówisz! Jeśli darujesz jednemu, to wszyscy kierowcy zaczną zostawiać ciężarówki na pastwę losu i ludzie rozkradną całe państwo, nie rozumiesz tego?

Nie, Jura nie rozumiał! Po tępym milczeniu widać było, że – nie rozumie!

– No dobrze, jesteś młody, naiwny, niedoświadczony... Mam nadzieję, że nikomu nie mówiłeś o tych wątpliwościach?

Syn poruszył spierzchniętymi wargami.

– Ja... Napisałem wniosek o ponowne rozpatrzenie sprawy. Wstrzymałem egzekucję wyroku.

– Wstrzymałeś egzekucję wyroku?! I będzie rewizja procesu? Ojojoj! Ojojoj! – Paweł Nikołajewicz ukrył twarz w dłoniach. Tego się właśnie obawiał! Jura zaprzepaścił swoją szansę, złamał sobie karierę, rzucił cień na ojca! Ogarnęła Pawła Nikołajewicza bezsilna ojcowska rozpacz, że nie może natchnąć własną rozwagą głupiego i krnąbrnego syna.

Wstał. Jura też wstał. Poszli dalej i Jura znów chciał podtrzymać ojca, ale Paweł Nikołajewicz potrzebował rąk, by z pomocą gestykulacji jeszcze dobitniej uzmysłowić Jurze znaczenie popełnionego błędu.

Najpierw mówił mu o prawie i praworządności, o żelaznych zasadach, których nie wolno lekkomyślnie naruszać i podważać, zwłaszcza gdy się pracuje w prokuraturze. Natychmiast jednak zastrzegł, że choć każda prawda jest konkretna i właśnie dlatego prawo musi być prawem, to nie wolno nie uwzględniać pewnych okoliczności i określonej sytuacji. Starał się wyjaśnić synowi, że istnieje organiczna więź wszystkich szczebli aparatu państwowego: dlatego też przyjeżdżając na inspekcję jako przedstawiciel jednostki nadrzędnej nie powinien narzucać własnego zdania, lecz wręcz przeciwnie – liczyć się z lokalnymi realiami i nie popadać w konflikt z pracownikami lokalnego aparatu, gdyż są oni lepiej zorientowani w sytuacji i miejscowych realiach. Skoro wlepili kierowcy pięć lat, to widocznie mieli w tym swoje racje.

Tak rozmawiając wchodzili w cień budynków i wychodzili z niego, szli prostymi i krętymi alejkami szpitalnego parku, a także ścieżką wzdłuż rzeki. Jura słuchał, słuchał, ale odezwał się tylko raz:

– Nie zmęczyłeś się? Może znów usiądziemy?

Paweł Nikołajewicz oczywiście zmęczył się i zgrzał, usiedli więc na ławeczce w gęstych krzakach – gęste były jedynie gałązki; nie chroniły przed wiatrem, gdyż maleńkie uszka liści dopiero wyłaniały się z pąków. Słońce przypiekało. Paweł Nikołajewicz wyszedł na przechadzkę bez okularów: twarz odpoczywała, oczy odpoczywały. Zmrużył je i siedział tak w milczeniu. W dole, pod urwiskiem, szumiała rzeka. Paweł Nikołajewicz słuchał tego górskiego szumu, grzał się i myślał, jak przyjemnie jest wracać do życia, wiedzieć, że niebawem zazielenią się drzewa i krzaki – a ty będziesz żyć, przeżyjesz wiosnę i następną też.

Przede wszystkim należało jednak uzyskać pełny obraz postępowania Jury. Wziąć się w garść – i wypytywać. Spokojnie, żeby go nie spłoszyć. I po chwili odpoczynku ojciec poprosił o dalszą opowieść.

Jura przy całym swym braku wyczucia doskonale rozumiał, za co ojciec go pochwali, a za co zgani. I opowiedział o sprawie, do której Paweł Nikołajewicz nie mógł mieć najmniejszych zastrzeżeń. Mimo to nadal nie patrzył prosto w oczy, nie umiał kłamać i ojciec wyczuł, że i za tą sprawą coś się kryje.

– Mów wszystko, wszystko! Przecież wiesz, że oprócz rad nic ci nie mogę dać. Pragnę tylko twojego dobra, chcę, żebyś nie popełniał błędów!

Jura westchnął i opowiedział taką historię. W ramach kontroli musiał przeglądać wiele sądowych ksiąg i dokumentów, nawet sprzed pięciu lat. Zauważył, że na niektórych aktach brakuje znaczków skarbowych za rubla albo za trzy ruble, choć powinny być. To znaczy ślady po znaczkach zostały, ale znaczków nie było. Gdzie się mogły podziać? Zaczął Jura myśleć, zaczął dociekać i wykrył, że na niektórych nowych dokumentach naklejono stare znaczki – naddarte i pogięte. Wtedy domyślił się wszystkiego. Pracownice archiwum – Katia albo Nina – pobierają od petentów pieniądze na znaczki skarbowe, a przyklejają stare.

– Coś podobnego! – Paweł Nikołajewicz załamał ręce. – Czego to ludzie nie wymyślą, żeby tylko okraść państwo! Wszędzie złodziejstwo, wszędzie!

Jura nikomu nie powiedział o swoim odkryciu i prywatnym śledztwie. Postanowił doprowadzić je do końca i ustalić, która z dziewczyn jest złodziejką. W tym celu obmyślił fortel: zaczął na niby adorować najpierw Katię, a potem Ninę. Z każdą poszedł do kina i do jej mieszkania: wiadomo, która mieszka bogato, ma lepsze meble, dywany – ta jest złodziejką.

– Świetny pomysł! – Paweł Nikołajewicz aż klasnął w ręce

– Sprytnie pomyślane! I rozrywka, i pożytek! Zuch z ciebie! Okazało się jednak, że obie mieszkają biednie, jedna z rodzicami, druga z siostrą: w obu mieszkaniach nie było nie tylko dywanów, ale i wielu rzeczy, bez których w mniemaniu Jury człowiek w ogóle nie mógł się obejść. Po namyśle poszedł więc do sędziego i opowiedział mu o wszystkim; poprosił jednak, żeby nie nadawać sprawie biegu, a po prostu ostrzec dziewczyny. Sędzia gorąco dziękował, że Jura nie rozdmuchał tej historii – ewentualny rozgłos zaszkodziłby także sędziemu. Wezwali więc jedną dziewczynę, potem drugą i w ciągu paru godzin wycisnęli z nich wszystko: obie się przyznały. Każda miała z tych znaczków około stu rubli miesięcznie.

– Trzeba było nadać bieg! Ach, trzeba było! – nie mógł odżałować Paweł Nikołajewicz, jakby to on sam poszkapił sprawę. Chociaż z drugiej strony Jura postąpił bardzo dyplomatycznie. – Powinny przynajmniej wszystko zwrócić! Co do grosza!

Dalszy ciąg Jura opowiadał coraz bardziej niechętnie. Sam nie rozumiał, co się stało. Kiedy poszedł do sędziego i zaproponował, by nie nadawać sprawie biegu, wiedział i czuł, że postępuje wspaniałomyślnie, był dumny ze swej decyzji. Wyobrażał sobie radość obu dziewczyn, gdy po trudnym przecież przyznaniu się do winy będą czekać na karę – i nagle dowiedzą się, że im darowano! Z tym większą więc surowością demaskował dziewczyny, ciskał na nie gromy, krzyczał, jak haniebnego i podłego czynu się dopuściły. Upajając się własnym prokuratorskim głosem podawał im przykłady ze swojego dwudziestotrzyletniego życia i stawiał za wzór ludzi, którzy nie kradli, choć mogliby to robić. Chłostał je twardymi słowami, bo wiedział, że radość z darowania kary wynagrodzi dziewczynom wszystkie przykrości. Darowali, dziewczyny wyszły – ale nazajutrz wcale nie przybiegły do Jury z podziękowaniami za szlachetność, ba! – udawały, że go nie widzą! Zupełnie nie mógł tego zrozumieć. Przecież pracując w sądownictwie zdawały sobie sprawę, czego dzięki niemu uniknęły! Nie wytrzymał, podszedł do Niny i spytał, czy się cieszy. A Nina odpowiedziała: „Z czego się tu cieszyć? Z samej pensji człowiek nie wyżyje, trzeba będzie poszukać innej pracy!" A Kati, ładniejszej, zaproponował następną randkę. I usłyszał: „Nie, ja się umawiam uczciwie. Tak nie umiem!"

Do dziś łamał sobie głowę nad tą zagadką. Niewdzięczność dziewczyn dotknęła go do żywego. Wiedział, że życie jest bardziej skomplikowane, niż sądził bezkompromisowy i prostolinijny ojciec: teraz okazało się, że przerasta nawet jego własne wyobrażenia. Jak miał postąpić? Skazać te dziewczyny? A może nic nie mówić, przymknąć na wszystko oczy? Jaki sens miałaby w takim razie jego praca? Ojciec o nic więcej nie pytał, Jura też wolał milczeć.

Po wysłuchaniu całej tej historii Paweł Nikołajewicz upewnił się ostatecznie, że jeśli człowiek od dziecka nie ma kręgosłupa, to nigdy go mieć nie będzie. Nie mógł się jednak gniewać na rodzonego syna; było mu go tylko bardzo, bardzo żal.

Zasiedzieli się. Paweł Nikołajewicz zaczął marznąć w nogi, ciągnęło go już do łóżka. Dał się pocałować, odprawił Jurę i wrócił do sali.

W sali tymczasem trwała ogólna i niezwykle ożywiona dyskusja. Rej wodził bezgłosy przystojny filozof, którego po operacji krtani przeniesiono do sali rentgenowców na piętrze. W najbardziej widocznym miejscu gardła miał jakieś metalowe urządzenie, podobne do węzła chusty pionierskiej. Docent był człowiekiem uprzejmym i uczynnym, toteż Paweł Nikołajewicz starał się nie sprawiać mu przykrości i nie okazywać odrazy, jaką budziła w nim ta okropna konstrukcja. Aby móc mówić jako tako słyszalnym głosem, filozof naciskał ją palcami. Lubił dużo mówić, nawykł do publicznych wystąpień, toteż po operacji chętnie korzystał z odzyskanego daru mowy.

Stał teraz na środku sali i głucho, lecz głośniej od szeptu, perorował o jakichś kompletach mebli, wazonach, rzeźbach, lustrach ściągniętych przez pewnego intendenta z całej niemal Europy, uzupełnianych zakupami w komisach, co było tym łatwiejsze, że ów intendent wziął za żonę kierowniczkę jednego z nich.

– A gdzie on pracuje? – dopytywał się Achmadżan.

– Nigdzie. Przeszedł na emeryturę mając czterdzieści dwa lata. Chłop z głową na karku! Wsunie rękę za pazuchę i chodzi jak feldmarszałek. Myślicie, że jest zadowolony z życia? Gdzie tam! Nie może spać po nocach, bo jego były dowódca armii ma dziesięciopokojową willę, dwa samochody i zatrudnia palacza centralnego ogrzewania!

Paweł Nikołajewicz uznał opowieść za niestosowną i wcale niezabawną.

Nie śmiał się też Szułubin. Patrzył na wszystkich takim wzrokiem, jakby przeszkadzali mu spać.

– Żarty żartami – odezwał się Kostogłotow, który znów leżał z głową poniżej poziomu łóżka – ale jak...

– Zaraz, kiedy to było? Parę dni temu! – przypomnieli sobie. – No, ten artykuł w gazecie obwodowej! Zbudował jeden taki willę za państwowe pieniądze i nakryli go. No i co? Nic! Uznał swój b ł ą d, przekazał willę na przedszkole – i udzielono mu u p o m n i e n i a!

– Towarzysze! Skoro złożył samokrytykę, uznał swój błąd i przekazał willę na przedszkole, to po co uciekać się do tak drastycznych środków? – wyjaśniał Rusanow.

– Żarty żartami – ciągnął dalej Kostogłotow – ale jak pan jako filozof to wytłumaczy?

Docent rozłożył rękę (drugą trzymał na gardle):
– No cóż – relikty mentalności burżuazyjnej.
– Dlaczego burżuazyjnej? – warknął Kostogłotow.
– A jakiej? – zirytował się Wadim. Akurat miał ochotę poczytać, a tu awantura na całą salę.
Kostogłotow dźwignął głowę, przeniósł się na poduszkę, żeby lepiej widzieć Wadima i pozostałych.
– Nijakiej! Zwyczajna ludzka chciwość, a nie mentalność burżuazyjna! Co ma piernik do wiatraka? Chciwi byli p r z e d burżuazją i będą p o burżuazji!
Rusanow jeszcze się nie położył. Patrząc z góry na Kostogłotowa powiedział pouczająco:
– W takich przypadkach trzeba dobrze pogrzebać w życiorysie. Zawsze wyjdzie na jaw pochodzenie burżuazyjne!
Kostogłotow odwrócił głowę jak do splunięcia.
– Pochodzenie społeczne! Przecież to jedna wielka bzdura!
– Co? Jak to – bzdura?! – Paweł Nikołajewicz chwycił się za serce – zakłuło. Takiej prowokacji nie spodziewał się nawet po Ogłojedzie.
– Jak to – bzdura? – Wadim uniósł czarne brwi.
– Zwyczajnie – Kostogłotow podciągnął się wyżej, prawie usiadł. – Nakładli wam głupot do głowy, i tyle.
– Co to znaczy – „nakładli"? Niech się pan liczy ze słowami! – krzyknął Rusanow niespodziewanie silnym głosem.
– „Wam" – to znaczy komu? – wyprostował się Wadim, nie wypuszczając książki z rąk.
– Wam.
– Nie jesteśmy robotami – Wadim poważnie pokręcił głową. – My niczego nie przyjmujemy na wiarę.
– „My" – to znaczy kto? – wyszczerzył zęby Kostogłotow. Kosmyk włosów opadł mu na czoło.
– My! Nasze pokolenie.
– Tak? To czemu uwierzyliście w „pochodzenie społeczne"? Przecież to nie marksizm, a rasizm!
– Co-o-o? – Rusanow prawie ryknął z bólu.
– A to-o-o! – odryczał mu Kostogłotow.
– Słuchajcie! Słuchajcie! – aż zachwiał się Rusanow i gestami przywoływał do siebie wszystkich, całą salę. – Jesteście świadkami! Jesteście świadkami! To – dywersja ideologiczna!
Kostogłotow energicznie usiadł na łóżku i zginając łokieć pokazał Rusanowowi jeden z najbardziej nieprzyzwoitych gestów. Blu-

znął przy tym rynsztokowym słowem, wypisywanym na wszystkich płotach:

– Taki..., a nie dywersja ideologiczna! Przyzwyczaili się, ...ich mać, że jak człowiek ma choć trochę inne zdanie, to od razu – dywersja!!!

Oszołomiony, zaszokowany tą bandycką napaścią, obrzydliwym gestem i przekleństwami, Rusanow z trudem łapał oddech i bez przerwy poprawiał spadające z nosa okulary. A Kostogłotow darł się na całą salę, a nawet na korytarz (aż zajrzała zaniepokojona Zoja):

– Co mi pan tu powtarza jak zaklęcie: „pochodzenie, pochodzenie"? Wie pan, jak pytano w latach dwudziestych? Pokażcie odciski na rękach! A pana rączki – no, czemu są takie bielutkie i delikatniutkie?

– Ja pracowałem! Ja pracowałem! – pokrzykiwał Rusanow, ale słabo widział swego krzywdziciela, bo okulary ciągle spadały.

– A jakże! – drwił Kostogłotow. – Wie-e-e-rzę! Raz na subotniku nosił pan drąg, tyle że pośrodku, między pomocnikami! A jeśli ja, dajmy na to, syn kupca trzeciej gildii, haruję jak wół, tyram całe życie, odciski mam – patrz pan! – to co? Choćbym się zaharował, to i tak zostanę burżujem? Jestem burżuj, tak? Co, mam jakieś szczególne erytrocyty? A może leukocyty? Powtarzam: to rasizm, a nie marksizm! Jest pan rasistą!

Piskliwym głosem krzyczał niesprawiedliwie skrzywdzony Rusanow, szybko i ze wzburzeniem mówił coś Wadim, ale nikt go nie słyszał, filozof z dezaprobatą kręcił majestatyczną głową – któż w tym zgiełku zwróciłby uwagę na jego chory szept!

Przecisnął się więc do Kostogłotowa i póki tamten nabierał oddechu, wyszeptał:

– A zna pan takie pojęcie: „proletariusz z dziada pradziada"?

– Człowiek może być potomkiem dziesięciu pokoleń proletariuszy, ale jeśli sam nie pracuje – to nie jest proletariuszem! – znów rozdarł się Kostogłotow. – To pazerny cwaniak, a nie proletariusz! Aż się trzęsie, żeby dostać tę swoją specjalną emeryturę, sam słyszałem! – I widząc, że Rusanow otwiera usta, ciskał mu prosto w twarz:

– Pan kocha swoją emeryturę, a nie ojczyznę! Byle dali jak najwcześniej, najlepiej zaraz po czterdziestce! A ja byłem ranny pod Woroneżem, jestem goły i bosy, a ojczyznę kocham! Za te dwa miesiące zwolnienia nie zapłacą mi ani grosza, a ja i tak ją kocham!

Wymachiwał długimi rękami tuż przed nosem Rusanowa. Buzowała w nim złość, odżyła dawna więzienna zaciekłość, wraz z nią napływały ówczesne słowa i argumenty, zasłyszane od ludzi, którzy być może już nie żyli. W ferworze kłótni ta ciasna sala, pełna łóżek i ludzi skazanych na siebie wydała mu się celą, dlatego klął z taką łatwością i gotów był rzucić się z pięściami – w razie czego.

Czując, że Kostogłotow może nawet uderzyć w twarz – co to dla niego – Rusanow skurczył się i zamilkł, ustąpił pod naporem tej wściekłości.

– A ja nie potrzebuję emerytury! – zwycięsko wykrzykiwał Kostogłotow. – Nie mam złamanego grosza i jestem z tego dumny! I nie dbam o pieniądze! Nie zależy mi na wysokiej pensji! Ja nią g a r d z ę!

– Ćśś, ćśś – hamował go filozof. – Socjalizm zakłada zróżnicowany system wynagrodzeń.

– A idź pan ze swoim zróżnicowaniem! – szalał Kostogłotow. – Co, w drodze do komunizmu jedni mają mieć coraz większe przywileje, a inni guzik z pętelką, tak? Żeby wszyscy byli równi, niektórzy muszą być równiejsi, tak? Dialektyka, tak?

Krzyczał, ale od krzyku bolało nad żołądkiem i ból zrywał głos.

Wadim kilka razy próbował się wtrącić, lecz Kostogłotow tak szybko ciskał i ciskał wciąż nowe argumenty, że Wadim nie nadążał za jego myślą.

– Oleg! – usiłował zatrzymać tamtego. – Oleg! Najłatwiej krytykować system społeczny, który dopiero powstaje. Musisz jednak pamiętać, że to młody system, nie ma nawet czterdziestu lat.

– Ja też nie mam jeszcze czterdziestu lat! – odpalił Kostogłotow. – I zawsze będę młodszy od tego twojego systemu! I dlatego mam milczeć?

Prosząc o litość dla swego chorego gardła filozof szeptał błyskotliwe argumenty o nierównej wartości pracy – na przykład salowej i ministra zdrowia.

Pewnie i na to znalazłby Kostogłotow jakąś niedorzeczną odpowiedź, lecz ze swego kąta wyłonił się nagle Szułubin, o którym wszyscy zapomnieli. Szedł ku nim chwiejnym krokiem, niechlujny i rozmemłany, jak człowiek, gdy wstaje w środku nocy. Popatrzyli na niego ze zdumieniem. A on stanął naprzeciwko filozofa, uniósł palec i spytał:

– A pamięta pan, co obiecywały „Tezy kwietniowe"? Minister zdrowia nie powinien zarabiać więcej niż nasza Nelka.

I powlókł się do swojego kąta.

– Cha, cha, cha! – ucieszył się Kostogłotow z tak niespodziewanego wsparcia. Właśnie takiego argumentu mu brakowało, wyręczył staruszek!

Rusanow usiadł i odwrócił się do wszystkich plecami: na Kostogłotowa nie mógł wprost patrzeć, trzęsło go z oburzenia, a tamten puchacz spod drzwi od razu wydał mu się podejrzany – jak można porównywać ministra zdrowia ze sprzątaczką?

Wszyscy rozeszli się do łóżek i Kostogłotow nie miał się już z kim kłócić.

Wadim przywołał go do siebie, usadowił na łóżku i zaczął przekonywać spokojnym, opanowanym głosem:

– Oleg, mierzy pan złą miarką. Błąd w pańskim rozumowaniu polega na tym, że ocenia pan dzisiejszą rzeczywistość z pozycji przyszłego ideału, a należałoby ją porównywać z tymi wrzodami i ropą, które składały się na historię Rosji przed 1917 rokiem.

– Nie widziałem, nie wiem – ziewnął Kostogłotow.

– Łatwo się dowiedzieć. Wystarczy poczytać chociażby Sałtykowa-Szczedrina.

Kostogłotow znów ziewnął. Zacietrzewienie opuściło go równie nagle, jak się pojawiło. Natężając płuca, boleśnie uraził żołądek albo guz – bolało, a więc nie powinien podnosić głosu.

– Wadim, był pan w wojsku?

– Nie, a co?

– Jak to się stało?

– Na studiach mieliśmy zajęcia z obrony cywilnej.

– Aha... A ja służyłem w wojsku siedem lat. Byłem sierżantem. Nasza armia nazywała się wtedy robotniczo-chłopska. Dowódca drużyny dostawał dwie dychy żołdu, a dowódca plutonu – sześćset rubli. Na froncie oficerowie dostawali specjalne racje żywnościowe – ciasto, masło, konserwy i kiedy jedli, chowali się przed nami. Ze wstydu. Kiedy budowaliśmy ziemianki, to najpierw dla oficerów, a dopiero potem dla siebie. Powtarzam – byłem sierżantem.

Wadim zmarszczył brwi.

– Po co mi pan o tym mówi?

– W związku z tą mentalnością burżuazyjną. K t o ją ma?

Nagadał dziś za dużo niepotrzebnych rzeczy, można by je podciągnąć pod właściwy paragraf, ale ogarnęło go dziwne uczucie gorzkiej ulgi; że i tak ma już niewiele do stracenia.

Znów głośno ziewnął i poszedł się położyć. Ziewnął jeszcze raz. I jeszcze raz.

Ze zmęczenia? Z bólu? A może dlatego, że wszystkie te swary, dyskusje, kłótnie, rozgorączkowane i złe oczy wydały mu się nagle śmiechu wartym brzęczeniem, które nie miało znaczenia wobec ich choroby, wobec ich trwania na progu śmierci.

A pragnął dotknąć czegoś innego. Czystego. Wiecznego.

Lecz gdzie tego szukać – nie wiedział.

Dziś rano dostał list od Kadminów. Doktor Nikołaj Iwanowicz pisał w nim między innymi, skąd się wzięło porzekadło: „Łagodne słowo kości łamie". Była w Rosji w piętnastym wieku „Tołkowaja Paleja" – jakby ręcznie pisana książka, czy coś takiego (Nikołaj Iwanowicz znał się na tych wszystkich starożytnościach). W książce tej znajdowała się przypowieść o Kitowrasie. Mieszkał Kitowras na pustyni, a chodził tylko po linii prostej. Król Salomon zwabił go podstępem do siebie i zakuł w łańcuchy. Potem zapędzono Kitowrasa do ociosywania kamieni. A że chodził po prostej, strażnicy musieli burzyć domy na jego drodze, kiedy prowadzili go przez Jerozolimę. I stał na tej drodze domek wdowy. Uderzyła wdowa w płacz i błaganie, żeby Kitowras oszczędził jej ubogie domostwo – i ubłagała. Zaczął skręcać, bokiem się obracać, przeciskać się, przeciskać – aż żebro złamał. A domku nie zburzył. I rzekł: „Łagodne słowo kości łamie, a twarde – gniew wzbudza!"

Zamyślił się Oleg: ten Kitowras, ci pisarze z piętnastego wieku mieli w sobie więcej człowieczeństwa niż my, współcześni. Jesteśmy przy nich – jak wilki.

Kto dziś złamie sobie żebro za czyjeś dobre słowo?

Lecz nie od tego zaczynał się list Kadminów (Oleg namacał go na szafce). Pisali:

„Drogi Olegu!

Stało się wielkie nieszczęście.

Zabili Żuka.

Rada wiejska wynajęła dwóch myśliwych, żeby wystrzelali psy. Szli przez auł i strzelali. Tobika ukryliśmy, ale Żuk wyrwał się na podwórko i zaczął na nich szczekać. A przecież zawsze bał się nawet aparatu fotograficznego, jakby coś przeczuwał! Trafili go prosto w oko, upadł na brzegu aryku, leżał z głową zwieszoną w dół. Kiedy podeszliśmy, jeszcze drgał, takie duże ciało – a drgał, straszne to było.

I wie pan – dom opustoszał. Zostało tylko poczucie winy – nie przytrzymaliśmy, nie ukryliśmy.

Pochowaliśmy Żuka w ogrodzie, koło altanki..."

Oleg leżał i wyobrażał sobie Żuka, lecz nie zabitego, nie z krwawym okiem, nie z głową zwieszoną do aryku – ale tamte dwie łapy i ogromny, dobry, kochany łeb w oknie, kiedy Żuk przychodził do chaty Olega i prosił, żeby go wpuścić.

30

Po siedemdziesięciu pięciu latach życia i pięćdziesięciu praktyki lekarskiej doktor Orieszczienkow nie dorobił się co prawda pałacu, ale drewniany domek z ogródkiem kupił, jeszcze w latach dwudziestych. Mieszkał w nim do dziś. Domek stał przy jednej z cichych ulic z szerokimi chodnikami i trawnikami, dzięki czemu domy były oddalone od jezdni o dobre piętnaście metrów. Na trawnikach rosły rozłożyste, ponad stuletnie drzewa, latem ich korony splatały się w jeden gęsty, zielony baldachim, a każde drzewo było okopane, zadbane i ogrodzone żelaznym płotkiem. Podczas upałów ludzie szli chodnikiem nie czując spiekoty; wzdłuż chodnika ciągnął się obmurowany aryk, którym wartko płynęła zimna, orzeźwiająca woda. Ulica biegła łukiem wokół najładniejszej dzielnicy miasta i sama była jej ozdobą. (Mimo to w radzie miejskiej rozlegały się głosy, że te parterowe domki zajmują zbyt rozległy teren, co zwiększa koszty komunikacji, i że najwyższy czas wszystko wyburzyć, a dzielnicę zabudować blokami.)

Autobus zatrzymywał się dość daleko od domu Orieszczienkowa i Ludmiła Afanasjewna musiała dojść kawałek piechotą. Był bardzo ciepły i suchy wieczór, jeszcze się nie zmierzchało, jeszcze było widać, jak szykują się do snu drzewa, pokryte pierwszą delikatną zielenią – jedne bardziej, inne mniej – i podobne do świec, na razie bezlistne topole. Doncowa nie patrzyła jednak na drzewa, szła ze zwieszoną głową. Niewesoła była ta wiosna, bardzo niewesoła, nie wiadomo, co będzie z Ludmiłą Afanasjewną, zanim drzewa wypuszczą liście, poszeleszczą nimi przez lato, a potem zrzucą na ziemię, pożółkłe i suche. Nigdy zresztą nie miała czasu przystanąć, rozejrzeć się wokół siebie i popatrzeć zmrużonymi oczami – choćby na drzewa.

Do domu Orieszczienkowa wchodziło się przez furtkę albo drzwiami frontowymi – rzeźbionymi, ze staroświecką mosiężną klamką. W takich domach takie drzwi są najczęściej zabite na głucho i trzeba wchodzić przez furtkę: tu jednak nie zarosły trawą i mchem dwa kamienne schodki, wiodące do progu, a na drzwiach tak jak dawniej lśniła czystością mosiężna tabliczka z pochyłymi literami: „Doktor D. T. Orieszczienkow". Puszka dzwonka elektrycznego też była czysta, zadbana.

Ludmiła Afanasjewna nacisnęła dzwonek. Dały się słyszeć kroki, drzwi otworzył sam Orieszczienkow, w znoszonym, lecz niegdyś eleganckim brązowym garniturze i w koszuli z rozpiętym kołnierzykiem.

– A-a, Ludoczka – uniósł leciutko kąciki ust, co oznaczało u niego najserdeczniejszy uśmiech. – Czekam, czekam, bardzo się cieszę. Cieszę się, ale i nie cieszę. Przecież nie przyszłaby pani bez powodu. Kto by tam odwiedzał starego?

Telefonowała do niego, prosząc o to spotkanie. Mogła oczywiście opowiedzieć wszystko przez telefon, ale nie chciała być nietaktowna. Teraz usprawiedliwiała się, że skądże, przyszłaby i bez powodu, a on nie pozwalał, żeby sama zdjęła płaszcz.

– Pomogę pani, w końcu nie jestem jeszcze takim starym grzybem!

Powiesił płaszcz na kołku długiego wieszaka, obliczonego na większą liczbę pacjentów lub gości, i poprowadził ją po gładkich, malowanych deskach podłogi. Idąc korytarzem minęli najładniejszy widny pokój, gdzie stał fortepian z pulpitem, wesołym od nut i gdzie mieszkała najstarsza wnuczka Orieszczienkowa; minęli jadalnię, której okna, przesłonięte suchymi splotami winorośli, wychodziły na ogród i w której stała duża kosztowna radiola; wreszcie dotarli do gabinetu z mnóstwem książek wzdłuż ścian, staromodnym masywnym biurkiem, starą kanapą i wygodnymi fotelami.

– Dormidoncie Tichonowiczu – Doncowa rozejrzała się po regałach – mam wrażenie, że tych książek jeszcze przybyło!

– Ależ skąd – Orieszczienkow zaprzeczył nieznacznym ruchem głowy, wszystkie jego gesty były równie powściągliwe i oszczędne. – Chociaż nie: odkupiłem ostatnio ze dwadzieścia książek od... zgadnie pani, od kogo? – Spojrzał na nią z lekkim rozbawieniem. – Od Aznacziejewa! Przeszedł na emeryturę, skończył sześćdziesiątkę. I tego samego dnia ogłosił, że nie chce więcej słyszeć o medycynie, że ma dość radiologii, że zawsze czuł w sobie powołanie do pszczelarstwa i na emeryturze zajmie się wyłącznie pszczołami. Jak to możliwe? Skoro człowiek jest urodzonym pszczelarzem, to po co marnował najlepsze lata na medycynę? Ale, ale, Ludoczka, gdzie by tu panią posadzić? – pytał siwiejącą babcię Doncową jak małą dziewczynkę. Wreszcie zadecydował za nią:

– W tym fotelu będzie pani bardzo wygodnie.

– Dormidoncie Tichonowiczu, dziękuję, ja tylko na chwileczkę, nie chcę panu zabierać czasu – opierała się Doncowa, ale zapadła w ten miękki fotel i od razu poczuła uspokojenie, a nawet pewność, że podjęta tu decyzja będzie najlepszą z możliwych. Brzemię bezustannej odpowiedzialności, brzemię codziennego ryzyka, brzemię wyboru, którego musiała teraz dokonać – wszystko to zsunęło się z jej ramion wraz z płaszczem, w korytarzu, a tu, w fotelu – zniknęło ostatecznie. Odprężona, powiodła rozczulonym wzrokiem po dobrze znanym gabinecie i ze wzruszeniem zauważyła w kącie starą marmurową umywalnię – nie nowoczesną umywalkę, a umywalnię z podstawionym wiadrem, ale przykrytym i czystym.

I popatrzyła na Orieszczienkowa, ciesząc się, że żyje, że jest i weźmie na siebie cały jej strach. Orieszczienkow jeszcze stał. Stał prosto, nie miał skłonności do garbienia się, zachował dawną młodzieńczą sylwetkę, równą linię ramion, wyprostowaną głowę. Zawsze wyglądał tak pewnie, jak gdyby lecząc innych sam nie mógł zachorować. Ze środka podbródka spływał niewielki, przystrzyżony, srebrny strumyczek brody. Doktor nie był jeszcze łysy, nawet nie całkiem siwy, włosy układały się w gładki, pozornie niezmienny od lat przedziałek. Orieszczienkow należał do tego typu ludzi, których twarze nie zdradzają żadnych uczuć i nigdy nie zmieniają wyrazu. Jedynym świadectwem nastroju i przeżyć były niemal niedostrzegalne ruchy brwi.

– Ludoczko, proszę mi wybaczyć, ale usiądę przy biurku. Nie dlatego, żeby było oficjalniej, po prostu z przyzwyczajenia.

Jakże się miał nie przyzwyczaić! Dawniej często, prawie każdego dnia, potem rzadziej, ale jeszcze i dziś przychodzili do tego gabinetu pacjenci i siedzieli tu długo, odbywając trudne rozmowy, od których zależała cała przyszłość. A podczas takiej rozmowy nie wiadomo dlaczego zapamiętywali na zawsze zielony sukienny blat biurka w obramowaniu z ciemnobrązowego dębu, stary drewniany nóż do papieru, niklowany pręcik (do badania gardła), kałamarz z mosiężną pokrywką i bordową herbatę w szklance. Doktor siedział przy biurku, a czasem wstawał, podchodził do umywalni albo do regału, żeby pacjent mógł odpocząć od jego wzroku i pomyśleć. W rozmowie oczy Orieszczienkowa nie uciekały w bok, nie szukały czegoś na biurku, w papierach, ani na sekundę nie traciły kontaktu z pacjentem czy z rozmówcą. Oczy były podstawowym narzędziem pracy doktora Orieszczienkowa. Oczami badał pacjentów, oceniał uczniów, oczami przekazywał im swoją wolę i decyzje.

Wśród wielu szykan, jakich nie szczędzono Dormidontowi Tichonowiczowi: za działalność rewolucyjną w 1902 roku (odsiedział wówczas tydzień razem z innymi studentami), za to, że jego nieboszczyk ojciec był duchownym, za to, że podczas pierwszej wojny był lekarzem na szczeblu brygady – właściwie nie za bycie lekarzem; za to, że w chwili panicznego odwrotu pułku wskoczył na konia i zawrócił żołnierzy, wciągając ich z powrotem w tę imperialistyczną awanturę i zmuszając do strzelania do niemieckich proletariuszy – najbardziej zaciekłe i najdotkliwsze szykany spadały nań za niezłomny upór, z jakim walczył o swoje prawo do prywatnej praktyki, choć zjawisko to tępiono bezlitośnie jako źródło wszelkiego burżujstwa i bogactwa. Co pewien czas zdejmował więc z drzwi mosiężną tabliczkę i stanowczo odprawiał pacjentów, nie zważając na ich stan i rozpaczliwe błagania – zewsząd czyhali etatowi i społeczni agenci wydziału finansowego. Pacjenci nie umieli trzymać języka za zębami, nie zawsze byli dyskretni – a to groziło doktorowi nie tylko utratą pracy, ale i domu.

A właśnie praktykę prywatną cenił sobie najbardziej. Bez tej wygrawerowanej tabliczki na drzwiach żył jak gdyby nielegalnie, pod cudzym nazwiskiem. Programowo nie napisał ani doktoratu, ani habilitacji: twierdził, że doktorat wcale nie świadczy o wartości lekarza, tytuł profesorski onieśmiela pacjenta, a czas zmarnowany na pisanie tego rodzaju prac można wykorzystać na opanowanie nowej specjalności. W tutejszej akademii medycznej w ciągu trzydziestu lat Orieszczienkow zgłębił terapię, pediatrię, chirurgię, choroby zakaźne, urologię i nawet okulistykę, a dopiero potem został radiologiem i onkologiem. Leciutkim skrzywieniem warg wyrażał swoją opinię o „zasłużonych luminarzach nauki". Mawiał, że jeśli człowieka za życia określa się mianem „luminarza", w dodatku „zasłużonego", to oznacza to jego koniec: sława przeszkadza w leczeniu jak zbyt bogaty strój w chodzeniu. „Zasłużony luminarz" kroczy na czele swej świty i nie ma prawa się pomylić, nie ma prawa czegoś nie wiedzieć, nie ma nawet prawa zawahać się – a może jest zmęczony, może ma już dosyć, może zestarzała się jego wiedza? Nikt na to nie zważa, wszyscy oczekują od niego cudów.

Orieszczienkow nie pragnął takich zaszczytów. Chciał tylko mieć mosiężną tabliczkę na drzwiach i dzwonek, dostępny dla każdego przechodnia.

Szczęśliwym trafem uratował kiedyś umierającego syna jednego z miejscowych dygnitarzy. A innym razem – samego dygnitarza, nie tego, ale też ważnego. A później paru pociotków różnych grubych ryb. Wszystko tu, w tym mieście. W ten sposób we wpływowych kręgach zrodziła się sława doktora Orieszczienkowa, co zapewniło mu pewien parasol ochronny. Być może w Rosji nie ułatwiłoby mu to życia, ale bardziej skłonni do kompromisu ludzie Wschodu przymknęli oczy na tabliczkę, którą doktor znów umieścił na drzwiach. Po wojnie nie podjął już stałej pracy, ale pozostał konsultantem kilku klinik i często bywał na posiedzeniach towarzystw naukowych. W wieku sześćdziesięciu pięciu lat zaczął prowadzić taki tryb życia, jaki uważał za najwłaściwszy dla każdego lekarza.

– Dormidoncie Tichonowiczu, przyszłam do pana z prośbą: czy mógłby pan przyjechać do kliniki i rzucić okiem na moje prześwietlenie? Oczywiście dostosujemy się do pana, proszę tylko podać dzień, kiedy będzie pan mógł, a my wyznaczymy...

Mówiła słabym głosem, twarz miała szarą i zmęczoną. Orieszczienkow nie spuszczał z niej uważnego wzroku. Jego kanciaste brwi nie wyraziły ani milimetra zdziwienia.

– Oczywiście, Ludmiło Afanasjewno, wybierzemy jakiś dzień. A teraz chciałbym wiedzieć, jakie są objawy i co pani sama o tym myśli.

– Objawy zaraz panu podam, ale co sama o tym myślę... Dormidoncie Tichonowiczu, ja staram się n i e m y ś l e ć! To znaczy myślę aż za dużo, nie śpię po nocach... Byłoby lepiej, gdybym nic nie wiedziała! Naprawdę! Jeśli każe mi się pan położyć do szpitala, to się położę, ale wiedzieć – nie chcę! Wolę nie znać diagnozy! Lepsze to niż zastanawiać się w czasie operacji – co oni teraz robią? Co tam wycinają? Rozumie pan?

Czy to z powodu głębokiego fotela, w którym siedziała, czy bezsilnie opuszczonych ramion, Ludmiła Afanasjewna nie sprawiała wrażenia kobiety mocnej, dorodnej.

– Może i rozumiem, Ludoczko, ale nie zgadzam się z tym. Dlaczego od razu nastawia się pani na operację?

– No, trzeba być przygotowanym na...

– Czemu więc nie przyszła pani wcześniej? Kto jak kto, ale p a n i przecież wie.

– Tak się złożyło – westchnęła Doncowa. – Ciągle nie ma czasu, wiecznie urwanie głowy. Wiem, że trzeba było wcześniej... Ale zaniedbanie nie jest zbyt duże, zapewniam pana. – Z przyzwyczajenia przeszła na swój szpitalny styl. – Skąd taka niesprawiedliwość? Ja, onkolog, zapadam na chorobę nowotworową! Ja, która znam wszystkie stadia, skutki, komplikacje!

– Nie ma w tym żadnej niesprawiedliwości – jego głęboki i zrównoważony głos działał krzepiąco. – Wprost przeciwnie. – To najlepszy sprawdzian dla lekarza: zachorować zgodnie ze swoją specjalnością.

(Gdzież tu sprawiedliwość? Jaki sprawdzian? Tak mówi, bo sam nie zachorował!)

– Pamięta pani Panię Fiodorową, pielęgniarkę? Mawiała: „Oj, pacjenci zaczynają działać mi na nerwy, pora samej poleżeć w szpitalu!"

– Nigdy bym nie pomyślała, że będę to aż tak przeżywać! – Doncowa z chrzęstem wyłamywała palce.

A jednak czuła się teraz spokojniejsza niż przedtem.

– A więc co pani u siebie zaobserwowała?

Zaczęła opowiadać – najpierw w ogólnych zarysach, ale doktor zażądał szczegółów.

– Ależ Dormidoncie Tichonowiczu, przecież nie mogę panu zawracać głowy przez cały wieczór! Kiedy przyjedzie pan obejrzeć moje zdjęcia rentgenowskie...

– Jeszcze pani nie wie, że ze mnie straszny heretyk? Że mam za sobą dwadzieścia lat praktyki w czasach, kiedy nikt nie słyszał o rentgenie? A jakie wtedy stawiano diagnozy! Według bardzo prostej zasady: nie lekceważyć żadnego objawu, analizować je w kolejności pojawiania się i nie szukać diagnozy dla każdego z osobna, tylko postawić taką, żeby obejmowała wszystkie – bo ta dopiero jest trafna! W dziesiątkę! A z rentgenem to jak z eksponometrem w aparacie fotograficznym albo z zegarkiem: kiedy człowiek się do nich przyzwyczai, od razu traci naturalne wyczucie czasu i umiejętność określania go na oko. A bez tych przyrządów – znów odzyskuje orientację. Lekarzom było wówczas trudniej, ale pacjentom lżej: nie musieli przechodzić tylu badań.

Doncowa zaczęła więc opisywać objawy dokładnie i systematycznie, starając się nie omijać szczegółów, które mogłyby zamienić diagnozę w wyrok (choć bardzo pragnęła zataić to i owo, żeby usłyszeć: „Ludoczka, nic pani nie jest, niech się pani nie martwi!"). Podała też wyniki analizy krwi – niedobre wyniki, podwyższone OB. Wysłuchał wszystkiego uważnie i zadał jeszcze kilka pytań. Czasem przytakiwał ze zrozumieniem, ale „nic pani nie jest" – nie powiedział. Doncowej przemknęło przez myśl, że pewnie ma już gotową diagnozę i można by go zapytać wprost, nie czekać na badania rentgenowskie. Ale pytać tak obcesowo, bez owijania w bawełnę, dowiedzieć się czegoś – nieważne czego, lecz dowiedzieć się – już teraz, tutaj... Nie, to byłoby zbyt straszne! Trzeba odwlec tę chwilę, koniecznie, złagodzić ją kilkoma dniami oczekiwania!

Tyle razy widywali się na różnych posiedzeniach naukowych, tak przyjaźnie ze sobą gawędzili! Lecz oto przyszła do niego, przyznała się do choroby jak do przestępstwa – i pękła struna ich równości! Nie, nie równości – zawsze czuła respekt wobec swego nauczyciela, to było coś znacznie bardziej bolesnego: przyznając się do choroby wykluczała siebie samą ze szlachetnego stanu lekarskiego i spadała do żałosnego, niewolnego stanu pacjenta.

Orieszczienkow nie zaproponował, że ją zbada, od początku rozmawiał z nią taktownie, jak z gościem: prawdopodobnie chciał utrzymać ją w obu stanach naraz – lecz ona, przytłoczona nieszczęściem, nie mogła już być dawną doktor Doncową.

– Wieroczka Ganhart jest na tyle dobrym diagnostą, że w zasadzie mogłabym się oddać w jej ręce – wróciła do swego szybkiego sposobu mówienia – ale przecież mam pana, Dormidoncie Tichonowiczu, postanowiłam więc...

Orieszczienkow patrzył na nią i patrzył. Teraz zajęta sobą niewiele widziała, ale od dwóch lat dostrzegała w jego przenikliwym wzroku cień zobojętnienia, cień pojawił się po śmierci żony.

– No dobrze, Ludoczka, a jeśli trzeba będzie wziąć... parę dni wolnego? Zastąpi panią Wieroczka, tak?

(„Parę dni wolnego"! Wybrał najłagodniejsze słowa! A więc coś było!)

– Tak. Nabrała doświadczenia, może pokierować oddziałem. Jestem tego pewna.

Orieszczienkow pogłaskał się po bródce.

– Dojrzeć – dojrzała. A – za mąż?

Doncowa pokręciła głową.

– Z moją wnuczką jest tak samo – Orieszczienkow zupełnie niepotrzebnie zniżył głos do szpetu. – Pewnie nikogo sobie nie znajdzie. Ciężka sprawa.

Końce jego brwi nieznacznym ruchem wyraziły zatroskanie.

Sam zaproponował, żeby nie zwlekać i przeprowadzić badania w poniedziałek.

(Dlaczego tak się śpieszy?)

Nadeszła, jak się zdawało, chwila, gdy należało wstać, podziękować, pożegnać się i wyjść. Doncowa wstała. Orieszczienkow uparł się jednak, że musi poczęstować ją herbatą.

– Dziękuję, ale naprawdę nie mam ochoty! – zapewniała Ludmiła Afanasjewna.

– Za to ja mam! O tej porze zawsze pijam herbatę.

A jednak starał się wydostać ją, przeciągnąć z żałosnej kategorii chorych do beztroskiej kategorii zdrowych!

– Młodzi w domu?

„Młodzi" Orieszczienkowowie byli w wieku Doncowej.

– Nie. Wnuczki też nie ma. Jestem sam.

– Dormidoncie Tichonowiczu, proszę nie robić sobie kłopotu! I to jeszcze dla mnie!

– Żaden kłopot. Mam pełen termos herbaty. Zresztą może mi pani pomóc i podać z kredensu ciasteczka i talerzyki.

Przeszli do jadalni i zasiedli przy kwadratowym dębowym stole, na którym bez trudu mógłby zatańczyć słoń i którego na pewno nie dałoby się wynieść z pokoju przez żadne drzwi. Zegar ścienny, też nie pierwszej młodości, wskazywał dość wczesną jeszcze godzinę.

Dormidont Tichonowicz opowiadał o wnuczce, swojej ulubienicy. Niedawno ukończyła konserwatorium, wspaniale gra i jest mądra, co się muzykom rzadko zdarza. I ładna. Pokazał zdjęcie wnuczki, ale nie narzucał się z tematem, nie starał się zaprzątnąć całej uwagi Ludmiły Afanasjewny. C a ł e j uwagi i tak nie mogła mu poświęcić: uwaga rozpadła się w kawałki i nic nie było w stanie jej skupić. Jak dziwnie jest siedzieć przy towarzyskiej herbatce z człowiekiem, który na pewno wie już wszystko o grożącym ci niebezpieczeństwie i być może przewiduje już dalszy przebieg choroby, ale – nic nie mówi i całkiem spokojnie podsuwa ci ciasteczka.

Ludmiła Afanasjewna też opowiadała o dzieciach, ale nie o rozwiedzionej córce, to było zbyt bolesne, a o synu. Syn chodził do ósmej klasy i właśnie oświadczył, że nie widzi sensu w dalszej nauce! Ani ojciec, ani matka nie mogli go przekonać, żadne argumenty nie trafiały do tego zakutego łba. – Trzeba być kulturalnym człowiekiem!

– A po co? – Bo kultura jest najważniejsza! – Najważniejsze – to wesoło żyć! – Ale bez wykształcenia nie zdobędziesz dobrego zawodu! – No i dobrze. – To co, będziesz zwyczajnym robotnikiem? – Nie, harować nie mam zamiaru! – To z czego będziesz żył? – Zawsze coś się wykombinuje! – Wpadł w podejrzane towarzystwo. Ludmiła Afanasjewna bardzo się o niego martwiła.

Po twarzy Orieszczienkowa było widać, że zna tę historię, choć słyszy ją po raz pierwszy.

– Tak, pozbawiliśmy młodzież wielu autorytetów – powiedział – a wśród nich jednego, bardzo ważnego: pozbawiliśmy ją lekarza domowego. Czternastoletnie dziewczynki i szesnastoletni chłopcy muszą odbyć rozmowę z lekarzem. Koniecznie. I to nie w klasie przy czterdziestu kolegach (nawiasem mówiąc w klasie i tak nikt z nimi nie rozmawia); nie w szkolnym gabinecie, gdzie lekarz uświadamia ich w cztery oczy, ale ma parę minut czasu na każdego ucznia. To musi zrobić ten sam stary wujek doktor, któremu od najmłodszych lat pokazywali gardziołko i który przesiadywał w ich domu na herbacie. A jeśli teraz ten niewzruszony wujek doktor, dobry i srogi zarazem, którego nie można było nabrać na fochy i kaprysy jak rodziców – zamknie się nagle z chłopcem czy dziewczynką w gabinecie? Jeśli powoli zacznie jakąś dziwną rozmowę o sprawach wstydliwych i strasznie ciekawych, i nie wiadomo jak domyśli się, o co chciałby zapytać młody człowiek, a potem odpowie na najważniejsze i najtrudniejsze pytania? A może nawet poprosi na jeszcze jedną rozmowę? Przecież taki lekarz ustrzeże ich od błędów i fałszywych kroków, nauczy szacunku dla własnego ciała, ba! – spowoduje, że cały obraz świata stanie się czystszy i prostszy. Gdy młodzi poczują, że nie są sami ze swoim największym niepokojem, z najbardziej gorączkowym poszukiwaniem – przestaną myśleć, że dorośli w ogóle ich nie rozumieją. I z tym większą uwagą zaczną słuchać argumentów rodziców również w innych kwestiach.

Ludmiła Afanasjewna sama skłoniła go do tych rozważań opowieścią o synu. Powinna więc słuchać teraz w skupieniu i zastanawiać się, jak wykorzystać słowa doktora. Orieszczienkow mówił dźwięcznym, przyjemnym głosem, w którym nie pobrzmiewały żadne tony starości, spojrzenie miał jasne i żywe, wspierał tą żywością siłę swoich racji. Lecz Doncowa zauważyła, że z minuty na minutę słabnie to odprężające uspokojenie, jakie ogarnęło ją w gabinecie, a w piersi narasta, wzbiera ciężkie i nieznośne poczucie czegoś utraconego, a nawet traconego tu, w tej chwili, gdy siedzi i słucha tych rozważnych słów, a przecież powinna wstać, wyjść, dokądś pędzić – tylko nie wiadomo dokąd, po co i z czym.

– Ma pan rację – zgodziła się. – Nikt dziś nie zaprząta sobie głowy wychowaniem seksualnym.

Orieszczienkow dostrzegł oczywiście cień roztargnionego zniecierpliwienia na twarzy Doncowej, ale przed poniedziałkowym badaniem koniecznie należało oderwać ją od bezustannych myśli o chorobie, porozmawiać o czymś zupełnie innym – a czyż dla lekarzy mógł istnieć lepszy temat niż ten?

– W ogóle lekarz domowy to najpotrzebniejsza postać w życiu każdego człowieka, a my wypleniliśmy ją ze szczętem. Poszukiwanie lekarza jest sprawą równie istotną co poszukiwanie żony. Ba, w dzisiejszych czasach łatwiej znaleźć żonę niż takiego lekarza.

Ludmiła Afanasjewna zmarszczyła czoło.

– No tak, ale ilu musiałoby być tych lekarzy domowych! Tego nie da się już wpisać w nasz powszechny i bezpłatny system opieki zdrowotnej.

– W powszechny – da się. W bezpłatny – nie – Orieszczienkow twardo obstawał przy swoim.

– Bezpłatne leczenie to nasze najważniejsze osiągnięcie.

– A cóż to za osiągnięcie? Co to znaczy „bezpłatne"? Przecież lekarze nie pracują za darmo. Tyle że płaci im nie pacjent, a budżet państwowy, czyli wszyscy pacjenci. To nie jest leczenie bezpłatne, ale – bezosobowe.

Człowiek zapłaciłby każde pieniądze, żeby tylko lekarz potraktował go po ludzku, z sercem, a nie ma się do kogo zwrócić: wszędzie plany, normy, przepustowość, następny proszę! Po co zresztą ludzie chodzą do lekarza? Po zaświadczenia, po zwolnienia, po skierowanie na komisję lekarską – a lekarz musi demaskować ich kombinacje. Pacjent i lekarz są dla siebie wrogami – co to za medycyna?

Nie twierdzę, że całe lecznictwo powinno być płatne, ale pierwszy kontakt z lekarzem – tak. Później, gdy w grę wchodzi szpital, leczenie kliniczne, skomplikowana aparatura – tam mogłoby być bezpłatne. Przykład z waszej kliniki: dlaczego operuje tylko dwóch chirurgów, a pozostała trójka stoi i się gapi? Bo dostają pensję i nic ich nie obchodzi. A gdyby zarobek lekarza zależał od liczby jego pacjentów i żaden by się nie chciał u niego leczyć – ale by się starał wasz Chałmuchamiedow! Albo Pantiochina! Tak czy owak, Ludoczko, lekarz powinien być zależny od opinii, jaką ma wśród pacjentów. Od swojej popularności. A u nas nie jest zależny.

– Nie daj Boże! Być zależnym od wszystkich pacjentów? Od pierwszej lepszej pieniaczki?

– A co, lepiej być zależnym od lekarza naczelnego? A stać co miesiąc w kolejce do kasy jak urzędnik – to uczciwsze? Dlaczego?

– Pacjenci bywają różni. Zamęczają lekarzy pytaniami, wybrzydzają. I co – miałabym odpowiadać na te wszystkie bzdury?

– Tak, trzeba odpowiadać na wszystko!

– A kiedy to robić! – żachnęła się Doncowa. Dobrze mu spacerować w bamboszach po pokoju! – Nawet pan sobie nie wyobraża, jakie jest tempo pracy w klinikach! Za pańskich czasów...

Orieszczienkow widział po zmęczonej twarzy Ludmiły Afanasjewny, że rozmowa, która miała ją oderwać od myśli o chorobie, nie odniosła zamierzonego skutku. Nagle otworzyły się drzwi od werandy i wszedł – wszedł pies, ale tak ogromny, swojski i niezwykły, że bardziej przypominał człowieka na czworakach niż psa. Ludmiła Afanasjewna była gotowa przestraszyć się, że pies ją ugryzie, lecz nie mogła się przecież bać rozumnego człowieka o smutnych oczach.

Szedł przez pokój miękko, nawet w zadumie, nie podejrzewając, że może kogoś zdziwić swoim wejściem. Na powitanie powściągliwie i tylko raz uniósł pyszną białą miotłę ogona, zamiótł nią powietrze i opuścił. Z wyjątkiem czarnych obwisłych uszu był biało-rudy i oba te kolory tworzyły na jego sierści zawiły łaciaty wzór: grzbiet miał jak gdyby przykryty białą peleryną, boki rude, a zad wręcz pomarańczowy. Podszedł wprawdzie do Ludmiły Afanasjewny i powąchał jej kolana, ale uczynił to taktownie i niezobowiązująco. I nie usiadł w pobliżu stołu na swoim pomarańczowym zadzie, jak zrobiłby to każdy inny pies, nie okazał żadnego zainteresowania jedzeniem, lecz znieruchomiał na czterech łapach i stał tak, patrząc przed siebie okrągłymi, soczyście brązowymi oczami z jakąś transcendentalną obojętnością.

– Co to za rasa? – zdumiała się Ludmiła Afanasjewna i pierwszy raz tego wieczoru rzeczywiście zapomniała o swoim nieszczęściu.

– Bernardyn – Orieszczienkow zaprosił psa wzrokiem. – Wszystko byłoby dobrze, tylko uszy ma za długie, wpadają do miski.

Ludmiła Afanasjewna przyglądała się psu z niekłamanym zachwytem. Nie wyobrażała go sobie na ruchliwej ulicy, a tramwajem pewnie w ogóle nie wolno było takich przewozić. Jedynym miejscem schronienia dla tak ogromnego psa mógł być tylko parterowy dom z ogrodem – zupełnie jak Himalaje dla człowieka śniegu.

Orieszczienkow odkroił kawałek ciasta i zaproponował psu – lecz nie rzucił. Orieszczienkow poczęstował go ciastem jak równego sobie i tamten jak równy niespiesznie wziął zębami poczęstunek z dłoni, jak z talerza, chyba raczej przez uprzejmość niż z łakomstwa.

I nie wiadomo czemu pojawienie się tego spokojnego, zamyślonego psa odprężyło i pocieszyło Ludmiłę Afanasjewnę, że może nie jest z nią tak źle, że może nie wszystko jeszcze stracone – nawet jeśli grozi operacja. Zrobiło się jej przykro – tak nieuważnie słuchała Dormidonta Tichonowicza, a poza tym:

– Ależ to okropne! Zawracam panu głowę własnymi kłopotami, a nawet nie spytałam, jak p a ń s k i e zdrowie! Jak się pan czuje?

Stał naprzeciwko – wyprostowany, czerstwy, nie miał ani starczych łzawiących oczu, ani przytępionego słuchu i nie chciało się wprost wierzyć, że jest o dwadzieścia pięć lat starszy.

– Na razie dobrze – jego uśmiech nie był serdeczny, lecz dostatecznie życzliwy. – Postanowiłem nie chorować aż do śmierci. Umrę, jak to mówią, we właściwym czasie.

Odprowadził ją, wrócił do jadalni i usiadł w fotelu na biegunach – giętym, czarnym, z żółtą plecionką, zniszczoną przez lata używania. Fotel kiwnął się lekko i znieruchomiał. Orieszczienkow nie rozbujał go. Zastygł w tym osobliwym poczuciu chwiejności i swobody, jakiego dostarcza fotel na biegunach, i siedział zupełnie bez ruchu.

Ostatnio często musiał tak odpoczywać. Jak ciało – regeneracji sił, tak jego psychika, zwłaszcza po śmierci żony, potrzebowała pogrążenia się w ciszy – wolnej od wszelkiego dźwięku, od rozmów, od myśli o pracy, nawet od tego wszystkiego, co czyniło go lekarzem. Pragnął oczyszczenia, przejrzystości.

I czuł wtedy, że cały sens istnienia – jego własnego istnienia w długiej przeszłości i krótkiej przyszłości, sens istnienia zmarłej żony, młodziutkiej wnuczki i w ogóle wszystkich ludzi wcale nie zawierał się w działalności, której poświęcali się z takim zapałem, którą uważali za najważniejszą sprawę w życiu i z której byli znani. Sens ów polegał na tym, by nie zatracić w sobie czystej, niezmąconej i nieskalanej cząstki wieczności, jaka trwa w każdej ludzkiej istocie.

Jak srebrny księżyc w spokojnym stawie.

31

Ogarnęło go i już nie opuszczało jakieś wewnętrzne napięcie, ale nie przykre, wprost przeciwnie – radosne. Wiedział nawet dokładnie, gdzie jest jego źródło – w przedniej części klatki piersiowej, pod żebrami. Napięcie to rozpierało go delikatnie jak rozgrzane powietrze; ćmiło przyjemnie i dźwięczało – lecz nie dźwiękami ziemskimi, nie tymi, które odbiera ucho.

Uczucie było nowe – nie tamto, które w minionych tygodniach ciągnęło go wieczorami do Zoi; tamto tkwiło gdzie indziej, nie w piersi.

Nosił w piersi to napięcie i wsłuchiwał się w nie bezustannie. Przypomniał sobie, że odczuwał je w młodości, ale później zniknęło. Co to jest? Czy zależy wyłącznie od kobiety, która je wzbudza? Czy znów zniknie, jeśli kobieta nie stanie się naprawdę bliską, najbliższą?

Słowa s t a ć s i ę b l i s k ą nie miały teraz dla niego żadnego sensu.

A może jednak miały? Dziwne uczucie w piersi było jedyną nadzieją, toteż Oleg chronił je jak mógł. Napełniło treścią jego życie, upiększyło je. Konstatował ze zdumieniem, że w obecności Wegi cały oddział rozkwitał, mienił się kolorami i nie usychał tylko dlatego, że oni... przyjaźnili się. Co prawda Oleg widywał ją bardzo rzadko i najwyżej przelotnie. Parę dni temu robiła mu jeszcze jedną transfuzję. Rozmawiało się przyjemnie, ale już nie tak swobodnie jak wtedy, a poza tym przy pielęgniarkach.

Kiedyś chciał się stąd wyrwać za wszelką cenę, a teraz, gdy leczenie dobiegało końca, żal mu było opuszczać szpital. W Usz-Tereku nie ma Wegi. Jak to będzie?

Dziś, w niedzielę, nie mógł jej spotkać. Dzień był ciepły, słoneczny, nieruchome powietrze zastygło w oczekiwaniu upału; Oleg wyszedł na dwór i wdychając to rozleniwiające, zgęstniałe ciepło usiłował sobie wyobrazić, jak o n a spędza niedzielę. Co robi?

Poruszał się teraz ospale, nie tak jak dawniej, nie maszerował energicznie po obranej prostej. Szedł powoli i ostrożnie, często przysiadał na ławce, a jeśli była wolna, to nawet kładł się, żeby odpocząć.

Również i dziś wlókł się przed siebie ospale, zgarbiony, w niechlujnie rozpiętym szlafroku, co chwilę przystawał, zadzierał głowę i patrzył na drzewa. Jedne pokryły się już młodą zielenią, inne dopiero wypuszczały pierwsze listki, a dęby nie miały jeszcze pączków. Wszystko było – takie dobre!

Z ziemi, bezdźwięcznie i nie wiadomo kiedy, gęsto wysunęły się języczki trawy, tu i ówdzie tak duże, że gdyby nie świeża wiosenna zieloność, można by je wziąć za zeszłoroczne.

Na jednej z alejek, w słońcu, Oleg ujrzał Szułubina. Szułubin siedział na lichej ławce bez oparcia, siedział na biodrach, wychylony nieco do przodu i nieco do tyłu, zaciskając ręce między kolanami. Na tej ustronnej ławeczce, w ostrych smugach światła i cienia, ze zwieszoną głową wyglądał jak uosobienie smutku i rozpaczy.

Oleg chętnie by się do niego przysiadł: nie miał jeszcze okazji pogadać z tym człowiekiem, a chciał to zrobić, bo jeszcze z łagru wiedział, że kto milczy – ma najwięcej do powiedzenia. Pamiętał też włączenie się Szułubina do kłótni i jego nieoczekiwane wsparcie: bardzo go to ujęło.

Mimo to postanowił ominąć ławkę: tam zrozumiał i nauczył się szanować święte prawo człowieka do samotności. Nie mógł naruszyć tego prawa.

Przechodził więc obok, ale wolniutko, kopał czubkiem buta grudki żwiru, gotów dać się zaprosić. Szułubin dostrzegł buty i powiódł po nich wzrokiem do góry. Spojrzenie miał obojętne, po prostu rejestrował znajomą twarz: „Aha, leżymy w tej samej sali". I Oleg przeszedł jeszcze dwa kroki, zanim usłyszał z tyłu ni to pytanie, ni to propozycję:

– Usiądzie pan?

Szułubin miał na nogach nie zwyczajne szpitalne laczki, ale domowe wysokie bambosze, w których można było spacerować. Jego głowę zdobiły rzadkie kępki szarych włosów.

Oleg zawrócił i usiadł od niechcenia – że niby co za różnica: chodzić, siedzieć, proszę bardzo, mogę usiąść.

Mógł oczywiście z miejsca rzucić Szułubinowi odpowiednie pytanko – klucz, gdy po odpowiedzi od razu rozgryza się całego człowieka, ale zapytał tylko:

– A więc pojutrze, Aleksieju Filippyczu?

I bez odpowiedzi wiedział, że pojutrze. Cała sala wiedziała. Pojutrze Szułubin szedł na operację. Najważniejsze w pytaniu było to: „Aleksieju Filippyczu" – w sali nikt ani razu nie zwrócił się tak do milczącego Szułubina. Teraz jednak rozmawiali dwaj weterani.

– Trzeba się pogrzać na słoneczku ostatni raz – przekrzywił głowę Szułubin.

– Nie ostaaatni – pocieszył basem Kostogłotow. A zerkając z ukosa na Szułubina pomyślał, że może jednak ostatni. Szułubin słabł, mało jadł – mniej, niż pozwalał mu apetyt: po jedzeniu miał bóle. Oleg już wiedział, jaki to nowotwór, toteż spytał:

– A więc zadecydowali? Założą sztuczny odbyt z boku? Szułubin ściągnął wargi jak do cmoknięcia i pokiwał głową. Pomilczeli.

– A jednak rak rakowi nierówny – powiedział Szułubin patrząc przed siebie, a nie na Olega. – Nie ma tego złego, co by nie wyszło na jeszcze gorsze. Jestem w takiej sytuacji, że ani ludziom powiedzieć, ani się kogo poradzić.

– To tak jak ja.

– Nie, mój przypadek jest znacznie gorszy. To jakaś wyjątkowo poniżająca choroba. Wyjątkowo obrzydliwa. A co potem? O ile pozostanę przy życiu – a to bardzo wątpliwe „o ile" – ludziom będzie przykro stać i siedzieć koło mnie. Nikt nie podejdzie bliżej niż na dwa kroki. A jeśli nawet, to z kolei mnie będzie przykro: przecież ten człowiek ledwo wytrzymuje, przeklina mnie. Będę musiał trzymać się od ludzi z daleka.

Kostogłotow zamyślił się, pogwizdując leciutko – nie ustami, lecz przez zaciśnięte zęby.

– Wie pan, trudno jest się licytować, komu ciężej. To trudniejsze niż przechwalanie się sukcesami. Własne nieszczęście ciąży najbardziej. Ja na przykład mógłbym powiedzieć, że miałem wyjątkowo nieudane życie. Ale skąd mam wiedzieć, czy pan nie miał jeszcze cięższego? Jak mogę to ocenić?

– Niech pan nie ocenia, bo się pan pomyli – Szułubin odwrócił głowę i popatrzył na Olega z bliska swymi zbyt wyrazistymi okrągłymi oczami o przekrwionych białkach. – Najcięższe życie mają wcale nie ci, którzy toną w morzu, harują pod ziemią albo poszukują wody na pustyni. Najcięższe życie ma człowiek, który wychodząc co dzień z domu wali za każdym razem głową o futrynę – bo za niska... Pan, o ile dobrze zrozumiałem, walczył, a potem siedział, tak?

– Tak. A oprócz tego – nie ukończyłem studiów. Nie zostałem oficerem. I przebywam na wiecznym zesłaniu – Oleg nie skarżył się, po prostu wyliczał z zastanowieniem. – I mam raka.

– No, pod tym względem jesteśmy kwita. A co do reszty, młody człowieku...

– Do diabła, jaki tam ze mnie „młody człowiek"? Uważa pan, że życia nie znam, świata nie widziałem?

– ...Co do reszty, to powiem panu tak: zgoda, miał pan trudne życie, ale przynajmniej nie musiał pan kłamać! Nie musiał się pan płaszczyć! To bardzo wiele. Pana aresztowano – a nas zapędzano na zebrania, żeby s z c z u ć na takich jak pan! Pana skazano – a my musieliśmy na stojąco oklaskiwać wyroki. Nie, żebyż to tylko oklaskiwać – musieliśmy żądać, *żądać* rozstrzelania! Pamięta pan, jak pisano w gazetach? „Na wieść o tych bezprzykładnych podłych knowaniach cały naród jak jeden mąż..." Czy pan wie, jaka jest cena tego „jak jeden mąż"? Ludzie są przecież różni, zupełnie różni i nagle – „jak jeden mąż"! Klaskać, klaskać, rączki wyżej, jeszcze wyżej, żeby wszyscy widzieli, zwłaszcza prezydium! Kto nie chce żyć? Każdy chce! Kto był przeciw? Kto zaprotestował? Gdzie są teraz ci ludzie? Jeśli ktoś wstrzymuje się od głosu – nie, nie jest przeciw, skądże! *wstrzymuje się* od głosu podczas głosowania nad wnioskiem o rozstrzelanie członków Prompartii: „Niech się wytłumaczy!" – krzyczą w sali. – „Niech się wytłumaczy!" Wstaje, w gardle mu zasycha: „Od rewolucji upłynęło już dwanaście lat, uważam, że można znaleźć inne sposoby ukrócenia..." A łajdak! Agent! Poplecznik! Następnego dnia – notateczka do GPU! I – na całe życie!

Szułubin wykonał ten straszny spiralny ruch szyją i okrężny – głową. Wychylony do przodu i do tyłu wyglądał jak wielki niespokojny ptak na drążku.

Kostogłotow starał się być obiektywny:

– Aleksieju Filippyczu, to loteria: wszystko zależy od losu, jaki się wyciągnie. Wy na naszym miejscu też bylibyście męczennikami, my na waszym – takimi samymi konformistami. Ludziom takim jak pan było ciężko, bo – rozumieli. Prędko zrozumieli. Ale ci, którzy w to naprawdę wierzyli, spali spokojnie. Mieli krew na rękach, lecz nie czuli się winni, bo – nie rozumieli.

Szułubin posłał mu miażdżące spojrzenie.

– A kto w to wierzył?!

– Na przykład ja. Przed wojną z Finlandią.

– Ilu wierzyło? Ilu nie rozumiało? Pan był smarkaczem, miał pan prawo nie rozumieć. A inni? Co – cały naród raptem zgłupiał? Nie wierzę! Dawniej, jak dziedzic przemawiał z ganku, to chłopi tylko uśmiechali się pod wąsem – gadaj sobie zdrów! Po cichu, bo dziedzic patrzy. A pokłonić się – a jakże, wszyscy jak jeden mąż! Czy z tego wynika, że wierzyli dziedzicowi? Kim musi być człowiek, żeby w to *wierzyć*? – Szułubin wpadał w coraz większe rozdrażnienie. Należał do tego typu ludzi, których twarze pod wpływem silnej emocji zmieniają się nie do poznania. – Wszyscy profesorowie, wszyscy inżynierowie stali się nagle szkodnikami i sabotażystami – a człowiek wierzy? Najlepsi dowódcy okazują się szpiegami japońsko-niemieckimi – a on wierzy? Stara leninowska gwardia to krwawi zdrajcy! – a on wierzy? Wszyscy jego przyjaciele i znajomi to wrogowie ludu – a on wierzy? Kim wiec, za przeproszeniem, jest taki człowiek – d u r n i e m? Cały naród składa się z samych durniów? Pan wybaczy, ale co to, to nie! Naród jest mądry – chce żyć. Duże narody kierują się zasadą: wszystko przetrwać – i ocaleć. A gdy historia stanie nad grobem każdego z nas i spyta: kim był ten człowiek? – będziemy mieć do wyboru jedną z trzech puszkinowskich możliwości:

W nasz wiek nikczemny cnota ginie:
Człowiek żywiołów jest jedynie
Tyranem, zdrajcą albo więźniem!

Olega przeszył dreszcz. Nie znał tych strof, ale była w nich prawda, która zapierała dech w piersi.

A Szułubin pogroził mu palcem:

– Widzi pan? Durniów nie wymienił, choć wiedział, że też się trafiają. Nie, nie pozostawiono nam czwartej możliwości. W więzieniu nie siedziałem, tyranem nie byłem, więc...

Rozkaszlał się, balansując do przodu i do tyłu.

– I takie życie uważa pan za lżejsze od swojego, tak? Ciągle w strachu, ale teraz mam dość.

Kostogłotow – też zgięty, też chwiejąc się w przód i w tył – siedział na ławeczce jak nastroszone ptaszysko.

Na ziemi ukośnie czerniały ich cienie z podwiniętymi nogami.

– Nie, Aleksieju Filippyczu, zbyt surowo pan osądza. Za ostro. Za zdrajców uważam tych, którzy pisali donosiki, występowali jako świadkowie. Takich są miliony. Na dwóch, trzech skazanych musi przypadać jeden donosiciel – prosty rachunek, no i już pan ma miliony. Ale nawet miliony – to jeszcze nie wszyscy. A pan zalicza do zdrajców wszystkich bez wyjątku. To dlatego, że jest pan wzburzony. Puszkina też poniosło. Jeśli w czasie burzy wiatr łamie drzewa, a trawę przygina do ziemi – to co, trawa zdradziła drzewa? Każdy dba o własne życie. Sam pan powiedział, że dla społeczności najważniejsza jest zasada przetrwania.

Szułubin zmarszczył całą twarz, tak zmarszczył, że ust prawie nie było widać, a oczy całkiem zniknęły. Na miejscu gałek ocznych fałdowała się zaciśnięta skóra.

Rozprostował ją i uniósł powieki. Nie zmieniła się tęczówka barwy tytoniu w siatce czerwonych żyłek, ale oczy patrzyły jaśniej, jak umyte:

– A wiec instynkt stadny podniesiony do rangi cnoty! Lęk przed osamotnieniem. Żeby tylko nie znaleźć się p o z a k o l e k t y w e m.

Nawiasem mówiąc, to nic nowego. Już w XVI wieku Francis Bacon wysunął taką teorię – teorię i d o l i. Twierdził, że ludzie nie są skłonni kierować się własnym doświadczeniem, lecz podporządkowywać się różnym konwenansom, bo tak wygodniej. Właśnie te konwenanse stają się idolami, jak je nazwał Bacon. Są więc idole jaskini...

Powiedział „idole jaskini" i Oleg wyobraził sobie jaskinię: ognisko, pełno dymu, dzikusy pieką mięso, a w głębi stoi niebieskawy bożek.

– ... idole teatru...

Idole w teatrze? Gdzie? W foyer? Na kurtynie? Nie, raczej na placu przed teatrem, na skwerze.

– A co to są idole teatru?

– Idole teatru to cudze argumenty, na które powołuje się człowiek, gdy mówi o czymś, czego sam nie doświadczył.

– O, to się często zdarza!

– Czasem dotyczy to czegoś, co człowiek sam przeżył, ale wygodniej mu wierzyć innym niż samemu sobie.

– Takich też znam...

– Idole teatru to także bezkrytyczna wiara w osiągnięcia i argumenty nauki. Jednym słowem cudze błędy, które dobrowolnie uznajemy za własne.

– Dobre! – Oleg był wniebowzięty. – Cudze błędy, które dobrowolnie uznajemy za własne! Tak.

– I idole rynku.

O, to było najłatwiejsze! Gęsty tłum na rynku, a ponad tłumem góruje alabastrowy idol.

– Idole rynku – to błędy wynikające z wzajemnych związków między ludźmi w społeczności. Człowiek pada ich ofiarą, gdyż ogół posługuje się pojęciami sprzecznymi z rozumem. Na przykład: wróg ludu! Nie nasz! Zdrajca! – i wszyscy się od takiego odsuwają.

Nerwowym wymachiwaniem rąk wspierał Szułubin swoje wywody – i znów przypominało to koślawe, niezdarne próby wzlotu ptaka, po którego skrzydłach chlasnęły rozwarte nożyce.

Mocno przygrzewało w plecy całkiem niewiosenne już słońce: jeszcze nie dawały cienia bezlistne gałęzie, jeszcze zieleniały każda z osobna, nie zwierając się w szumiący gąszcz. Jeszcze niebo nie zbielało od upału południa i błękit prześwitywał między strzępami przepływających po nim obłoczków. Szułubin nie dostrzegał tego i z palcem wzniesionym nad głową perorował:

– A nad wszystkimi idolami – niebo strachu! Szare, pochmurne, ciężkie – niebo strachu! Na pewno pan widział, jak czasem wieczorem bez żadnej burzy napływają takie szaro-czarne, niskie i pękate chmury, zapadają ciemności, świat staje się ponury, nieprzyjazny i człowiek pragnie tylko jednego: schronić się w bezpiecznym murowanym domu, pod dachem, znaleźć się blisko pieca i rodziny. Przez dwadzieścia pięć lat żyłem pod takim niebem – i uratowało mnie tylko to, że milczałem i giąłem się jak trawa. Milczałem przez dwadzieścia pięć lat, a może nawet dwadzieścia osiem, milczałem ze strachu o żonę, ze strachu o dzieci, ze strachu o własne grzeszne ciało. Lecz żona umarła. Ciało stało się workiem gówna, które będzie teraz wypływać przez rurkę w boku. A dzieci wyrosły na ludzi bez serca, sam nie wiem, dlaczego. I jeśli moja córka zaczyna nagle pisać listy, właśnie przyszedł trzeci – nie tutaj, do domu! – trzeci list w ciągu dwóch lat, to tylko dlatego, że organizacja partyjna poleciła jej u n o r m o w a ć stosunki z ojcem, rozumie pan? A syn nie dostał takiego polecenia...

Nastroszony, z krzaczastymi brwiami, popatrzył na Olega i Oleg zrozumiał nagle, kim był Szułubin – był szalonym młynarzem z „Rusałki"! „Jaki tam ze mnie młynarz! Jestem krukiem!"

– Sam nie wiem – może te dzieci tylko mi się przyśniły? Może w ogóle ich nie miałem? Niech mi pan powie – czy człowiek to jedynie kawał drewna? Bo tylko jemu może być wszystko jedno, czy leży samo, czy z innymi kawałkami drewna. A ja żyję tak, że jeśli stracę przytomność, upadnę, umrę, to nikt mnie nie znajdzie, żaden sąsiad nie zajrzy! A mimo to – niech pan słucha! – Wczepił się w ramię Olega jakby w obawie, że tamten go nie usłyszy – a mimo to ciągle mam się na baczności, ciągle się boję! Tego, co powiedziałem w sali, nigdy bym się nie odważył powiedzieć u siebie, w Kokandzie! Ani w pracy! Teraz rozmawiam z panem tylko dlatego, że pojutrze idę pod nóż. Ale przy świadkach – nie rozmawiałbym! Za nic! Widzi pan, do czego mnie doprowadzili... A przecież ukończyłem akademię rolniczą. A potem wyższy kurs materializmu historycznego i dialektycznego. Byłem wykładowcą – w samej Moskwie... Po jakimś czasie zaczęły padać dęby. W akademii rolniczej upadł Murałow. Dziesiątkowano kadrę profesorską. Trzeba było uznać b ł ę d y? Uznałem je! Trzeba było odciąć się? Odciąłem się! Jakiś tam procent ocalał. Ja też. Uciekłem w czystą biologię – znalazłem sobie zaciszną przystań! Nie na długo. Tam też zaczęły się czystki – i to jakie! Wszystkie katedry, wszystkie wydziały! Trzeba oddać wykłady – dobrze, zrezygnowałem z wykładów! Zostałem asystentem, zgodziłem się być niczym, zerem!

Taki milczek – z jaką swadą mówił! Słowa płynęły tak szybko, jakby krasomówstwo było dlań chlebem powszednim.

– Usuwano podręczniki wybitnych uczonych, zmieniano programy – dobrze, proszę bardzo, będziemy uczyć po nowemu! Zamiast anatomii, mikrobiologii i neurologii wprowadza się sadownictwo i teorię ignoranckiego agronoma – brawo, popieram, jestem za! Nie, asystentura to dla was za dużo, musicie zrezygnować – zgoda, rezygnuję, zajmę się metodyką. Nie, nie wystarcza – usuwają mnie i z tego stanowiska. Dobrze, zostanę bibliotekarzem, bibliotekarzem w dalekiej Kokandzie! Poświeciłem wszystko, ale za to żyję, a moje dzieci pokończyły studia. A do biblioteki przychodzą poufne zalecenia: zniszczyć książki o pseudonauce genetyce! Zniszczyć książki takich to a takich autorów! Oburzać się, protestować? A czyż sam przed dwudziestu pięciu laty nie grzmiałem z katedry, że teoria względności to kontrrewolucyjne brednie? Sporządzam więc protokół zniszczenia, podpis partorga, podpis przedstawiciela wydziału specjalnego – i komisyjnie do pieca! Genetykę! Estetykę! Etykę! Cybernetykę! Arytmetykę!

Jeszcze żartował, szalony kruk!

– ...Po co ogniska na ulicach, po co ten niepotrzebny efekt dramatyczny? My to robimy po cichutku, w kąciku, do piecyka, a piecyk cieplutki, miło się przy nim pogrzać... Tak mnie przyparli – plecami do... piecyka! No, ale za to wychowałem dzieci. Moja córka, redaktorka gazety rejonowej, napisała takie oto liryczne strofy:

Przebaczeń nie umiem przebaczać!
Swojego bronię do końca!
Jeśli już walczyć – to walczyć!
Ojciec? Mam wroga, nie ojca!

Poły szlafroka zwisały jak bezsilne skrzydła.

– Ta-a-a-k – tylko tyle mógł powiedzieć Kostogłotow. – Panu też nie było lekko.

– No właśnie – Szułubin wysapał się, usiadł spokojniej i spokojniej ciągnął dalej:

– Jak pan myśli: skąd te kaprysy Historii? Jak to się dzieje, że jeden i ten sam naród w ciągu dziesięciu lat traci całą energię społeczną, a te same impulsy, które skłaniały ludzi do bohaterstwa, nagle zaczynają popychać ich do tchórzostwa? Przecież jestem bolszewikiem od tysiąc dziewięćset siedemnastego roku. Z jaką odwagą rozpędzałem w Tambowie dumę eserowsko-mieńszewicką, choć nie mieliśmy nawet broni! Brałem udział w wojnie domowej. W ogóle nie dbaliśmy wtedy o życie! Byliśmy szczęśliwi, że możemy zginąć za rewolucję światową! Co się z nami stało? Jak mogliśmy się poddać? Co nas pokonało? Strach? Idole rynku? No dobrze, jestem zwykłym szarym człowiekiem, ale Nadieżda Konstantinowna Krupska? Co – ona nic nie widziała, nic nie rozumiała? Dlaczego o n a milczała? A przecież jedno jej wystąpienie, nawet za cenę życia – ile by znaczyło dla nas wszystkich! Może ludzie by oprzytomnieli, zaparli się, zebrali – i powstrzymali bieg wydarzeń? A Ordżonikidze? Przecież to był orzeł! Nie złamał go Szlisselburg, nie złamała katorga – czemu więc nie zdobył się na jedno wystąpienie, na chociażby jedno jedyne publiczne wystąpienie przeciwko Stalinowi? Nie, oni woleli umierać w tajemniczych okolicznościach albo popełniać samobójstwo. Czy to jest męstwo? Niech mi pan wytłumaczy!

– Aleksieju Filippyczu, ja – panu? Ja? Raczej pan – mnie!

Szułubin westchnął i spróbował usiąść inaczej. Bolało i tak, i tak.

– Interesuje mnie coś innego. Pan urodził się już po rewolucji. Ale – potem pan siedział. I co – rozczarował się pan do socjalizmu czy nie?

Kostogłotow odpowiedział nieokreślonym uśmiechem.

– Sam nie wiem. T a m człowiek tak dostawał czasem w kość, że ze złości różne rzeczy przychodziły mu do głowy.

Szułubin uniósł słabą rękę, którą trzymał się ławki, i ciężko oparł ją o ramię Olega.

– Młody człowieku! Niech pan nie popełnia tego błędu! Cierpiał pan, życie pana nie oszczędzało, ale proszę nie dopatrywać się w tym winy socjalizmu. Chce pan czy nie, ale Historia odrzuciła kapitalizm raz na zawsze!

– Tam, u nas... często dyskutowaliśmy, że prywatna inicjatywa ma swoje dobre strony. Łatwiej się żyje, rozumie pan? Zawsze wszystko jest. Zawsze człowiek wie, gdzie co kupić.

– To drobnomieszczańskie rozumowanie. Gospodarka prywatna jest elastyczna, ale jej zalety to tylko margines! Jeśli prywatnej inicjatywy nie weźmie się w żelazne karby, zaczyna kształtować ludzi - drapieżców, ludzi giełdy, bezwzględnych i nienasyconych w swej chciwości. Kapitalizm rozpada się ekonomicznie, ale moralnie jest już trupem. Od dawna!

– Wie pan – Oleg pokręcił głową – prawdę mówiąc, chciwych i u nas pełno. I to wcale nie prywaciarze.

– Słusznie! – ręka coraz ciężej opierała się o ramię Olega. – Mówimy: socjalizm. Ale jaki? Myśleliśmy, że wystarczy zmienić system ekonomiczny – i od razu zmienią się ludzie. A – takiego! Wcale się nie zmienili. Człowiek ma uwarunkowania biologiczne, zmiany mentalności trwają tysiące lat!

– No to jaki ma być socjalizm?

– Właśnie: jaki? To dopiero zagadka! Mówi się, że „demokratyczny", ale to ogólna wskazówka, charakteryzuje nie istotę socjalizmu, a jedynie formę jego realizacji, rodzaj systemu państwowego. To tylko informacja, że nie będą stawiać pod ścianę, lecz nie wyjaśnienie, na czym ma być budowany socjalizm. Nie na obfitości towarów, bo jeśli ludzie pozostaną bydlętami, to rozdrapią i zmarnują te towary. Nie może to być też socjalizm oparty na nienawiści, bo życia społecznego nie zbudujesz na nienawiści. Ktoś, kto przez lata pałał nienawiścią, nie powie sobie: „Stop! Od dziś przestaję nienawidzić i będę tylko kochać!" Nie, będzie nadal nienawidzić, szybko znajdzie sobie nowy obiekt nienawiści. Nie zna pan takiego wiersza Herwegha:

Wir haben lang genug geliebt,

Oleg podchwycił:

...Und wollen endlich hassen!*

– Pewnie, że znam. Przerabialiśmy to w szkole.

– No tak, uczyliście się w szkołach... Przecież to straszne! Uczyli was słowo w słowo, a powinni zupełnie na odwrót:

Wir haben lang genug gehaßt,
und wollen endlich lieben!**

Do diabła z waszą nienawiścią. Chcemy wreszcie kochać! – Taki powinien być socjalizm!

– A więc chrześcijański, tak? – domyślał się Oleg.

– „Chrześcijański" to zbyt uproszczona interpretacja. Nie wyobrażam sobie, z kim miałyby budować socjalizm partie, które określają się mianem „chrześcijańskich", w społeczeństwach rządzonych niegdyś przez Hitlera i Mussoliniego. Gdy Tołstoj w końcu ubiegłego stulecia zaczął wcielać w życie ideały chrześcijaństwa, okazało się, że jego nauki w ogóle nie przystają do rzeczywistości. A ja bym powiedział tak: właśnie dla Rosji z naszymi skruchami, spowiedziami, buntami, z Dostojewskim, z Tołstojem, z Kropotkinem możliwy jest tylko jeden socjalizm: moralny!

---

* Miłości mieliśmy już dość, pragniemy nienawiści!

* Dość! Nienawiści mamy dość, pragniemy wreszcie kochać!

Kostogłotow zmarszczył brwi.
– Co to jest „moralny socjalizm"? Nie rozumiem.
– To bardzo proste! – znów ożywił się Szułubin, ale bez tego rozgorączkowania, które czyniło go podobnym do szalonego młynarza-kruka. Widać było, że pragnie za wszelką cenę przekonać Kostogłotowa. Mówił z naciskiem, dobitnie, tonem nauczyciela: – Budować taki socjalizm – to objawić światu społeczeństwo, w którym wszystkie prawa, stosunki i zasady będą wynikać z moralności i tylko z niej! Wszystkie kwestie – jak wychowywać dzieci? do czego je przygotowywać? na co ukierunkować wysiłek dorosłych? czym zająć ich czas wolny? – powinny opierać się na moralności. Badania naukowe? Tylko takie, które nie przyniosą uszczerbku moralności, zwłaszcza moralności badacza! W polityce zagranicznej – to samo! Na przykład konflikt o jakąś granicę: nie wolno myśleć o prestiżu, ambicjach czy potędze, lecz zadać sobie pytanie: czy nasze posunięcia są moralne?
– E, to raczej nierealne. Może za dwieście lat... Chwileczkę! – zastanawiał się Kostogłotow. – Czegoś tu nie rozumiem. Nic pan nie mówi o bazie materialnej. Co z nią? Przecież podstawą jest gospodarka.
– Podstawą? Zależy od punktu widzenia. Taki Władimir Sołowjow rozwija całkiem przekonującą teorię, że gospodarkę można i należy budować na bazie moralności.
– Jak to? – zdumiał się Kostogłotow. – Najpierw moralność, a później gospodarka?
– Tak! Pan, Rosjanin, oczywiście nie czytał Sołowjowa?
Kostogłotow skrzywił się.
– A słyszał pan chociaż to nazwisko?
– W pudle.
– A Kropotkina? „Pomoc wzajemna wśród ludzi"?
Kostogłotow znów się skrzywił.
– No oczywiście, przecież ma niesłuszne poglądy, po co go czytać! A Michajłowskiego pan zna? Też nie, racja: potępiony, zakazany, wycofany z bibliotek...
– Kiedy miałem czytać? – zdenerwował się Kostogłotow. – Całe życie haruję jak wół, a wszyscy tylko w kółko: czytałeś? Czytałeś? W wojsku nie wypuszczałem łopaty z rąk, w łagrze też, na zesłaniu – motyka! Kiedy mam czytać?
Lecz Szułubin, nie słuchał i perorował dalej z natchnioną twarzą:
– Oto na czym polega socjalizm moralny! Jego celem nie powinno być szczęście, bo „szczęście" to tylko idol rynku, ale otwartość w stosunku do innych ludzi. Zwierzę, które pożera zdobycz, też

jest szczęśliwe, natomiast otwarci w stosunku do innych mogą być wyłącznie ludzie! To najwyższa wartość, jaką można sobie wyobrazić!

– Nie, szczęście niech mi pan zostawi! – stanowczo zaprotestował Oleg. – Proszę mi zostawić szczęście chociaż na te parę miesięcy, które mam przed sobą! Bo jeśli nie – to po kiego diabła...?

– Szczęście to złudzenie – resztkami sił przekonywał Szułubin. Był bardzo blady. – Wychowywałem dzieci, byłem szczęśliwy. A dzieci napluły mi w duszę. I dla takiego szczęścia prawdę w piecu paliłem, prawdę!! Albo tak zwane „szczęście przyszłych pokoleń". Któż może przewidzieć, co one uznają za szczęście? Kto rozmawiał z tymi przyszłymi pokoleniami, kto pytał, jakim idolom będą oddawać cześć? Pojęcie szczęścia jest zbyt względne, by szykować je komuś z góry i zawczasu. Kąpiąc się w mleku i miodzie wcale nie będziemy szczęśliwi. A dzieląc się tym, czego brakuje – będziemy! I to już dziś! Nie możemy myśleć wyłącznie o szczęściu i rozmnażaniu się, bo przeludnimy ziemię i stworzymy straszne społeczeństwo... Jakoś źle się czuję... Muszę się położyć...

Dopiero teraz Oleg zauważył śmiertelną bladość umęczonej twarzy Szułubina.

– Aleksieju Filippyczu, chodźmy, odprowadzę pana!

Szułubin podniósł się z trudem i pomalutku powlekli się do sali.

Choć otoczeni wiosenną nieważkością, sami ciążyli ku ziemi, a kości ich i żywe jeszcze ciało, i ubrania, i buty, i nawet lejący się na nich strumień słońca – wszystko przygniatało jak brzemię. Szli w milczeniu, zmęczeni rozmową.

A przy schodkach tarasu, już w cieniu pawilonu, Szułubin uniósł głowę, popatrzył na topole, na skrawek wiosennego nieba i powiedział:

– Byle nie umrzeć pod nożem. Boję się... Jakiekolwiek by było to życie; pieskie, parszywe – a żyć się chce...

Weszli do hallu, owionęło ich zatęchłe, śmierdzące powietrze. I wolno, stopień po stopniu zaczęli pokonywać szpitalne schody. Oleg spytał:

– Aleksieju Filippyczu, proszę mi powiedzieć: to wszystko przemyślał pan przez te dwadzieścia pięć lat, kiedy tak pan ustępował, rezygnował?

– Tak. Ustępowałem – i myślałem – nieobecnym, słabnącym głosem odpowiedział Szułubin. – Ciskałem książki do pieca – i rozmyślałem. Cóż ja? Za swoją mękę. Za zdradę. Czy nie zasłużyłem choć na odrobinę myśli?

32

Żeby wszystko tak dobrze znane, po stokroć, na wylot, na wskroś znane mogło stać się nagle czymś zupełnie nowym i obcym – tego Doncowa nie była w stanie pojąć. Od trzydziestu lat zajmowała się chorobami innych, ponad dwadzieścia lat przesiedziała przed ekranem rentgena, odczytywała zdjęcia, czytała w błagalnych, przerażonych oczach, porównywała swoje domysły z wynikami analiz, szukała potwierdzenia w literaturze fachowej, pisała artykuły, spierała się z kolegami, przekonywała pacjentów – i z roku na rok wzrastała jej lekarska pewność siebie, nieomylność sądów i przekonanie o słuszności teorii medycznej. Liczyła się etiologia, patogeneza, objawy, przebieg choroby, terapia, rokowania, profilaktyka – zaś opory, wątpliwości, obawy i lęki pacjentów, choć zrozumiałe i godne współczucia jako przejawy ludzkiej słabości, nie miały żadnego znaczenia i z punktu widzenia logiki nie mogły być brane pod uwagę.

Do dziś wszystkie ludzkie ciała były dokładnie takie same, nie odbiegały od wzorca z atlasu anatomicznego. Nie różniły się ani fizjologią czynności, ani fizjologią doznań, zaś wszelkie odchylenia od normy znajdowały przekonujące wytłumaczenie w pracach najwyższych autorytetów medycznych.

I nagle, w ciągu kilku dni, jej własne ciało znalazło się poza tym precyzyjnym i niezawodnym systemem, w zderzeniu z ziemią okazało się jedynie workiem pełnym narządów – narządów, z których każdy lada chwila mógł zachorować, rozkrzyczeć się z bólu.

W ciągu tych kilku dni wszystko wywróciło się na opak i chociaż pozornie było takie samo jak dawniej, stało się zatrważająco obce i nieznane.

Kiedyś, gdy jej syn był jeszcze mały, oglądali we dwójkę obrazki: znajome przedmioty – czajnik, łyżka, krzesło – narysowane pod nietypowym kątem, zmieniały się nie do poznania.

I jak wtedy przedmiotów na obrazkach, tak teraz nie potrafiła rozpoznać przebiegu własnej choroby i odnaleźć swojego miejsca w jej leczeniu. Nie miała już siły zdolnej pokierować procesem leczenia – była rozdygotanym kłębkiem przerażenia. Pierwsza myśl o chorobie zgniotła ją. Pierwsze chwile oswajania się z chorobą były nie do wytrzymania: walił się cały świat, walił się cały porządek rzeczy. Jeszcze za życia musiała opuścić męża, syna, córkę, pracę – choć właśnie praca miała teraz przetoczyć się po niej i przez nią. W jednej chwili trzeba było wyrzec się wszystkiego, co składało się na życie, a potem snując się jak bladozielony cień, długo jeszcze nie wiedzieć: umrze czy powróci do świata żywych.

Życie na pozór nie dostarczało jej żadnych radości, żadnych jaśniejszych chwil – praca i zmartwienia, praca i zmartwienia – a teraz okazywało się, jak cudowne było to życie, jak rozpaczliwie nie chciało się go utracić!

Niedziela nie była już dla niej niedzielą, a jedynie przygotowywaniem własnych wnętrzności do jutrzejszego badania.

W poniedziałek, piętnaście po dziesiątej, zgodnie z obietnicą zjawił się w gabinecie Dormidont Tichonowicz. Towarzyszyła mu Wiera Ganhart oraz asystentka. Zgasili światło i usiedli, żeby przyzwyczaić wzrok do ciemności. Ludmiła Afanasjewna rozebrała się i stanęła za ekranem. Biorąc od pielęgniarki kubek płynu kontrastowego rozlała go niezdarnie: jej ręka – ta sama ręka, która, obleczona gumową rękawiczką, tu, w tym gabinecie, tak pewnie ugniatała brzuchy pacjentów – drżała.

Zaczęły się znajome czynności – naciskanie, miętoszenie, obmacywanie, podnoszenie rąk, oddychać – nie oddychać. Kładli ją na leżance i robili zdjęcia pod różnymi kątami. Potem trzeba było poczekać, aż płyn kontrastowy wypełni przewód pokarmowy: rentgen nie mógł mieć przestoju i asystentka przyjmowała przez ten czas kolejnych pacjentów. Ludmiła Afanasjewna próbowała jej pomóc, ale nie potrafiła się skupić i nie pomogła. I znów musiała wejść za ekran, pić roztwór baru i czekać na nowe zdjęcia.

Badanie odbiegało od ustalonego wzorca: zamiast skupionej ciszy, przerywanej zwięzłymi poleceniami, bez przerwy słychać było Orieszczienkowa. Żartował ze swoich młodych pomocnic, z Ludmiły Afanasjewny, z siebie. Opowiadał, jak za czasów studenckich wyproszono go z sali w młodym podówczas MCHA-cie za niestosowne zachowanie na premierze „Władcy ciemności": Akim tak naturalistycznie smarkał i przewijał onuce, że Dormidont wraz z jednym z przyjaciół zaczął gwizdać. Do dziś – opowiadał dalej – będąc w Moskwie unika MCHAT-u w obawie, że mogą go rozpoznać i znów wyrzucić za drzwi. Wszyscy starali się dużo mówić, żeby zapełnić męczącą ciszę w przerwach między oglądaniem kolejnych serii zdjęć. Doncowa wiedziała, że robią to ze względu na nią: Ganhart wyraźnie zmuszała się do tych pogaduszek, miała suche i ściśnięte gardło.

A przecież Ludmiła Afanasjewna sama tego chciała! Wycierając usta po wypiciu roztworu powtórzyła jeszcze raz:

– Nie, pacjent nie powinien za dużo wiedzieć! Zawsze tak uważałam i teraz też tak uważam! Kiedy zaczniecie ustalać diagnozę, wyjdę na korytarz.

Przystali na to i Ludmiła Afanasjewna kilkakrotnie wychodziła, usiłując znaleźć sobie jakieś zajęcie – porozmawiać z laborantami, uzupełnić historie choroby; spraw było mnóstwo, ale w ogóle nie mogła się skoncentrować. I znów wołali ją do gabinetu – i szła z nadzieją w łomoczącym sercu, że może zobaczy rozradowane twarze, a Wieroczka Ganhart obejmie ją z ulgą i pogratuluje. Nic takiego nie nastąpiło, znowu zaczynały się badania, polecenia i oględziny.

Wykonując te polecenia, z przyzwyczajenia analizowała je i wyciągała własne wnioski.

– Chyba już wiem, co podejrzewacie – wyrwało się jej mimo woli.

Zrozumiała, że podejrzewają nowotwór przy wejściu do żołądka – najgorsze umiejscowienie, gdyż operacja wymagałaby częściowego otwarcia klatki piersiowej.

– Ależ Ludoczko! – huczał w ciemności Orieszczienkow. – Sama pani wie, że wstępne rozpoznanie to jeszcze nic pewnego. Jeśli pani chce, to zaczekamy trzy miesiące, wtedy będzie wiadomo na pewno. No co, zaczekamy?

– O nie, dziękuję!

Największego zdjęcia, które zrobili pod koniec dnia, też nie chciała obejrzeć. Skulona, siedziała bezradnie na krześle pod jaskrawą lampą i czekała na konkluzję Orieszczienkowa – na słowa, na decyzje – byle nie na diagnozę!

– A więc, szanowna koleżanko – życzliwie ciągnął Orieszczienkow – opinie zgromadzonych tu znakomitości są podzielone.

Mówił, a spod kanciastych brwi patrzył i patrzył na zdenerwowanie Ludmiły Afanasjewny. Po kim jak po kim, ale po stanowczej i twardej Doncowej można się było spodziewać większej odporności w godzinie próby. Jej zaskakująco szybkie załamanie się jeszcze raz utwierdziło Orieszczienkowa w przekonaniu, że człowiek współczesny jest zupełnie bezradny w obliczu śmierci.

– A kto wydał najsurowszy wyrok? – usiłowała zażartować Doncowa. (Miała nadzieję, że – nie on!!!)

– Pani c ó r e c z k i. Tak je pani wychowała. Ja jestem większym optymistą – kąciki ust drgnęły leciutko, lecz bardzo życzliwie.

Ganhart siedziała blada, jakby diagnoza dotyczyła jej samej.

– Dziękuję – Doncowej nieco ulżyło. – I... co?

Ileż razy z takim samym wstrzymaniem tchu po „i" czekali na jej decyzję pacjenci – i decyzja ta zawsze opierała się na racjonalnych kalkulacjach, na cyfrach, zawsze był to logiczny, beznamiętny i precyzyjny wniosek. I dopiero teraz zdała sobie sprawę, jaki bezmiar grozy krył się w tym króciutkim westchnieniu.

– No cóż, Ludoczko – uspokajał Orieszczienkow. – Świat jest pełen niesprawiedliwości. Gdyby pani nie była n a s z a, oddalibyśmy panią chirurgom, chirurdzy coś by tam ciachnęli, coś by wycięli. To tacy niegodziwcy, że zawsze zabierają coś na pamiątkę. Wycięliby i byłoby wiadomo, kto ma rację. Ale pani jest n a s z a. W Moskwie, w instytucie radiologii, też są nasi – Lenoczka, Sierioża. A oto nasza propozycja: niech pani jedzie do Moskwy! No jak? Pojedzie pani? Zapoznają się z naszą diagnozą, sami rzucą okiem. Im więcej opinii, tym lepiej. A nawet gdyby trzeba było krajać – to tam są lepsi specjaliści. W Moskwie wszystko jest lepsze, no nie?

(Powiedział: „Gdyby trzeba było krajać". A więc dopuszcza inną ewentualność? Może obejdzie się bez operacji? A może miał na myśli, że jednak... To gorzej...)

– A więc – powiedziała Doncowa – operacja jest na tyle skomplikowana, że nie da się jej przeprowadzić tu, na miejscu?

– Ależ skąd! – obruszył się Orieszczienkow. – Powiedziałem tylko to, co powiedziałem! Proszę nie doszukiwać się Bóg wie czego! Po prostu załatwimy pani... coś w rodzaju protekcji. A jeśli mi pani nie wierzy – wskazał stół – proszę popatrzeć na zdjęcia!

Jakie to proste! Wystarczy wyciągnąć rękę – i wiedzieć!

– Nie, nie – odwróciła wzrok od zdjęcia. – Nie chcę.

Ustalili, co i jak. Porozmawiali z naczelnym. Doncowa pojechała do wydziału zdrowia. Tam – o dziwo – bez żadnych korowodów załatwiła zezwolenie na wyjazd i skierowanie do Moskwy. I nagle okazało się, że właściwie nic jej już nie trzyma w mieście, w którym przepracowała dwadzieścia lat.

Dobrze wiedziała, co robi, ukrywając swoje nieszczęście: wystarczy, że powiesz jednej osobie – i koniec, rusza niepowstrzymana lawina wydarzeń i nic już nie zależy od ciebie. Wszystkie więzi, łączące ją z normalnym życiem, pozornie tak mocne, tak wieczne – rwały się i pękały już nie z dnia na dzień, lecz z minuty na minutę.

Taka niezbędna, taka niezastąpiona – miała już zastępstwo.

Tak kurczowo trzymamy się ziemi – a przecież nic nas na niej nie trzyma!

Po cóż było zwlekać? Już we środę szła na swój ostatni obchód w asyście Wiery Ganhart, której przekazywała obowiązki ordynatora oddziału radiologii.

Obchód zaczął się rano, a potrwał prawie do obiadu. Wprawdzie Doncowa darzyła Wieroczkę Ganhart pełnym zaufaniem, a Ganhart wiedziała o pacjentach tyle samo co Doncowa, ale gdy przechodziła obok swoich chorych ze świadomością, że wróci tu nie wcześniej niż za miesiąc, a może nawet w ogóle nie wróci – po raz pierwszy w ciągu tych dni wzięła się w garść. Odzyskała równowagę i zdolność logicznego myślenia. Jeszcze rano miała zamiar jak najszybciej przekazać sprawy i wrócić do domu pakować się; teraz całkowicie pochłonęła ją praca. Tak przywykła do decydowania, że i dziś nie mogła odejść od pacjenta bez oceny rokowań na najbliższy miesiąc: jak będzie przebiegać choroba, jakie środki trzeba będzie zastosować, jakie mogą wystąpić komplikacje. Chodziła po salach prawie tak jak dawniej i były to pierwsze godziny ulgi w tych strasznych dniach.

Oswajała się z nieszczęściem.

A równocześnie szła jak gdyby pozbawiona prawa wykonywania zawodu, jak zdyskwalifikowana za jakiś niewybaczalny czyn, o którym na szczęście jeszcze nie poinformowano pacjentów. Badała, oceniała, wydawała dyspozycje, patrzyła na pacjentkę pozornie rzeczowym wzrokiem, lecz po plecach spływał lodowaty strumyczek strachu, że przecież nie wolno jej wyrokować o życiu i śmierci innych ludzi, bo za kilka dni sama będzie leżeć w szpitalnym łóżku równie bezradna, ogłupiała i niechlujna jak te kobiety i czekać, co powiedzą starsi i mądrzejsi. I bać się bólu. I być może narzekać, że trzeba było iść do innego szpitala. I podejrzewać, że źle ją leczą. I jak o najwyższym szczęściu marzyć o prozaicznym prawie noszenia własnej piżamy i wracania na noc do własnego domu.

Wszystko to chwilami mąciło myśl, paraliżowało wolę i nie pozwalało się skoncentrować.

A Wiera Korniljewna bez cienia radości przyjmowała na siebie brzemię, którego nie chciała za taką cenę. W ogóle zresztą nie chciała.

Słowo „mama" nie było dla niej pustym dźwiękiem. Wiera postawiła najbardziej pesymistyczną diagnozę, przewidywała operację, której Ludmiła Afanasjewna, osłabiona skutkami wieloletniego przebywania w pobliżu aparatów rentgenowskich, mogła po prostu nie wytrzymać. Wiera szła teraz za Doncową i myślała, że może to już ostatni raz – a później przez wiele lat będzie chodzić wśród łóżek i co dzień boleśnie wspominać tę, która uczyniła z niej lekarza.

I ukradkiem ocierała łzy.

A przecież powinna dziś być szczególnie skupiona, żeby wszystko zapamiętać, niczego nie przegapić, zadać wszystkie niezbędne pytania – bo oto po raz pierwszy brała na siebie pełną odpowiedzialność za te pół setki istnień ludzkich i od dziś nikt już nie mógł jej pomóc.

Strapione i roztargnione chodziły tak aż do południa. Najpierw obeszły sale kobiece. Potem zbadały leżących na korytarzu. I oczywiście przystanęły przy Sibgatowie.

Ileż wysiłku włożyły w ratowanie tego spokojnego Tatara! A wygrały jedynie kilka miesięcy zwłoki. Cóż to zresztą były za miesiące! Żałosna wegetacja w ciemnym i zatęchłym kącie korytarza. Kręgosłup nie podtrzymywał już Sibgatowa, a tylko dwie silne ręce, założone za plecami. Całym jego światem była sąsiednia sala, gdzie mógł posiedzieć i posłuchać, o czym rozmawiają pacjenci; całym świeżym powietrzem – to, co napłynęło przez lufcik z drugiego końca korytarza; całym niebem – sufit.

Lecz nawet za to żałosne życie, w którym nie pozostało nic oprócz zabiegów, kłótni salowych, szpitalnego jedzenia i gry w domino – nawet za to życie z gnijącymi plecami dziękowały na obchodach umęczone oczy Sibgatowa.

I pomyślała Doncowa, że gdyby zmierzyć siebie nie własną miarą, a miarą Sibgatowa – to była szczęśliwym człowiekiem.

A Sibgatow już skądś wiedział, że Ludmiła Afanasjewna opuszcza klinikę.

Patrzyli na siebie jak pokonani, lecz wierni sojusznicy, których za chwilę rozdzieli bat zwycięzcy.

„Widzisz, Szaraf – mówiły oczy Doncowej – zrobiłam wszystko co było w mojej mocy. A teraz też jestem ranna i padam."

„Wiem, matko – odpowiadały oczy Tatara. – Zawdzięczam ci więcej niż tej, która mnie urodziła. A ratować cię – nie mogę."

Z Achmadżanem wszystko było w znakomitym porządku: w porę wykryty przypadek, terapia zgodna z teorią, wyniki potwierdzają słuszność teorii. Podliczyły łączną dawkę promieniowania i Ludmiła Afanasjewna oznajmiła:

– Wypisujemy cię!

Powinna powiedzieć to rano, żeby siostra oddziałowa miała czas przynieść jego mundur z przechowalni, ale i teraz Achmadżan zapominając o kuli popędził na parter do Mity. Nie wytrzymałby tu ani chwili dłużej – dziś wieczorem w starym mieście czekali na niego przyjaciele.

Wadim też wiedział, że Doncowa przekazuje oddział i wyjeżdża do Moskwy. A dowiedział się tak: wczoraj wieczorem przyszła depesza od mamy – do niego i do Ludmiły Afanasjewny. Mama zawiadamiała, że złoto koloidowe wysłano już do ich kliniki. Wadim od razu pokuśtykał na dół. Doncowa była w wydziale zdrowia, ale Wiera Korniljewna wiedziała o depeszy, pogratulowała Wadimowi i zapoznała go z Ellą Rafaiłowną, radiologiem, która miała przejąć leczenie, gdy tylko złoto dotrze na miejsce. Potem przyszła zgnębiona Doncowa, przeczytała depeszę i choć wyraźnie nieobecna myślami, próbowała wyrazić radość z tego powodu.

Wczoraj Wadim cieszył się jak dziecko, nie mógł zasnąć, ale nad ranem ogarnął go niepokój: kiedy to złoto nadejdzie? Gdyby wydano je mamie do rąk własnych – byłoby już dziś. Ile czasu zajmie transport? Trzy dni? Tydzień? Tym pytaniem przywitał Wadim obie lekarki.

– Na dniach! Oczywiście na dniach! – zapewniła Ludmiła Afanasjewna. (Wiedziała coś niecoś o tych d n i a c h: pamiętała przypadek, gdy na opakowaniu wysyłanego preparatu jakaś panienka zamiast „riazański" napisała „kazański", a w ministerstwie – bez ministerstwa ani rusz! – ktoś przeczytał: „kazachski" i przesyłka zawędrowała do Ałma-Aty.)

Co też może zrobić z człowiekiem dobra wiadomość! Te same czarne oczy, tak ostatnio posępne, błyszczały teraz nadzieją, te same spierzchnięte i zastygłe w krzywym grymasie usta wyprostowały się i odmłodniały, a cały Wadim – ogolony, czyściutki, schludny, uprzejmy – jaśniał jak solenizant, od rana obsypywany prezentami.

Jak mógł tak upaść na duchu, tak osłabić wolę przez ostatnie dwa tygodnie! Przecież wola – to ratunek, wola – to wszystko! Teraz – wyścig!!! Teraz liczyło się tylko jedno: żeby złoto zdążyło przebyć trzy tysiące kilometrów szybciej niż przerzuty te trzydzieści centymetrów. Złoto zlikwiduje przerzut w pachwinie. Złoto zabezpieczy organizm. Noga? No cóż, ostatecznie można ją poświęcić. A może złoto spowoduje cofnięcie się nowotworu – czyż jakakolwiek nauka jest w stanie odebrać człowiekowi wiarę? – i wyleczy nawet nogę?

To, że właśnie on powinien pozostać przy życiu, było oczywiste, sprawiedliwe i logiczne. A myśl o tym, żeby pogodzić się ze śmiercią, dać się zagryźć tej czarnej panterze była głupia, niska! W płomieniu swego talentu hartował przekonanie, że – będzie żyć, będzie żyć, będzie żyć! Przez pół nocy rozpierało go radosne podniecenie, nie spał, wyobrażał sobie, co się dzieje z ołowianym pojemnikiem ze złotem: czy jedzie w wagonie pocztowym? A może właśnie załadowano pojemnik do samolotu? Może już leci? Przenikał wzrokiem trzy tysiące kilometrów nocnej ciemności i ponaglał, ponaglał, był gotów wzywać na pomoc anioły, gdyby anioły istniały.

Podczas obchodu podejrzliwie obserwował zachowanie obu lekarek. Nic nie mówiły, niczego nie mógł wyczytać z ich twarzy, ale – obmacywały. Obmacywały co prawda nie tylko wątrobę i wymieniały jakieś zdawkowe uwagi, lecz Wadim bacznie śledził, czy badają wątrobę dłużej niż inne części ciała.

(Widziały, jaki to spostrzegawczy i nieufny pacjent, toteż bez żadnej potrzeby badały nawet śledzionę, ale jedynym celem ich dociekliwych palców była wątroba.)

W żaden sposób nie zdołałyby pominąć Rusanowa: czekał na swoją specjalną porcję uwagi. Ostatnio patrzył na tutejszych lekarzy znacznie łaskawszym okiem: choć nie byli to zasłużeni i utytułowani specjaliści, ale mimo wszystko wyleczyli go. Gula na szyi zrobiła się mała i płaska, prawie jej nie czuł. Pewnie od samego początku nie było to nic poważnego.

– A więc, towarzyszki – oznajmił lekarkom – róbcie sobie co chcecie, ale ja jestem już zmęczony. Ponad dwadzieścia zastrzyków. Może już wystarczy, co? A może brałbym je w domu?

Mimo czterech transfuzji miał fatalną morfologię, a twarz tak żółtą i wynędzniałą, że nawet tiubietiejka na głowie sprawiała wrażenie za dużej.

– A w ogóle to dziękuję, towarzyszki – przyznał uczciwie Rusanow. Lubił uznawać własne błędy. – Wyleczyłyście mnie – i dziękuję.

Doncowa wykonała nieokreślony ruch głową. Nie ze skromności, nie ze zmieszania: po prostu dlatego, że Rusanow nie wiedział, co mówi. Przerzuty atakowały inne gruczoły. Tylko od tempa ich wzrostu zależało, czy przeżyje najbliższy rok.

Zresztą tak samo jak ona.

We dwójkę ze wszystkich sił ugniatały go pod pachami i w okolicach nadobojczykowych. Rusanow aż stękał, tak mocno to robiły.

– Przecież tam nic nie ma! – zapewniał. Był absolutnie pewien, że od początku tylko niepotrzebnie go straszono. Nie załamał się jednak, zniósł wszystko, wszystko wytrzymał. Niezłomność, którą w sobie odkrył, napawała go szczególną dumą.

– Tym lepiej. Trzeba jednak mieć się na baczności, towarzyszu Rusanow, i stale obserwować organizm – pouczała Doncowa. – Damy wam jeszcze jeden zastrzyk, może dwa, i wypiszemy. A jeśli coś zauważycie, to natychmiast – do nas. Natychmiast! I co miesiąc – na kontrolę.

Radośnie podniecony Rusanow wiedział jednak swoje: te obowiązkowe kontrole to tylko formalność, ot, żeby zapełnić odnośne rubryki. I niezwłocznie poszedł do telefonu przekazać rodzinie wspaniałą wiadomość.

Następny był Kostogłotow. Czekał na obchód z mieszanymi uczuciami: niby go tu uratowali, a równocześnie jakby wykończyli. Miód wymieszano z dziegciem tak dokładnie, że ani zjeść, ani osi posmarować.

Kiedy Wiera Korniljewna podchodziła do niego sama, zawsze była Wegą i choć rozmawiali wyłącznie o chorobie, patrzył na nią uszczęśliwiony. Nie wiadomo dlaczego wybaczył tę krzywdę, którą z lekarską sumiennością wyrządzała jego ciału. Wbrew samemu sobie uznał jej prawo do tego ciała i sprawiało mu to przyjemność. A na obchodach zawsze pragnął pogłaskać drobne dłonie Wegi albo potrzeć o nie mordą jak pies.

Dziś jednak przyszła z Doncową, w dodatku tak były pochłonięte swoją medycyną, że Oleg poczuł się obrażony.

– No jak tam? – spytała Doncowa siadając na łóżku.

A Wega stała za jej plecami i uśmiechała się leciutko. Znów ogarnęła ją fala nieuniknionej życzliwości – kiedy widziała Olega, musiała się do niego uśmiechnąć. Dziś przychodziło jej to z trudnością.

– Nie za dobrze – powiedział Kostogłotow znużonym głosem. Przedtem leżał ze zwieszoną głową, ale teraz przeniósł się na poduszkę. – Kiedy się ruszam, to ściska mnie tu... w śródpiersiu. Czuję, że za dużo już tego leczenia. Mam dość. Proszę mnie wypisać.

Mówił zupełnie obojętnie, bez dawnego żaru, jak o sprawie dotyczącej kogoś innego i zbyt oczywistej, żeby się nad nią dłużej rozwodzić.

Doncowa nie oponowała, też była zmęczona.

– Jak pan sobie życzy. Ale leczenia nie zakończyliśmy.

Obejrzała skórę w miejscach naświetlania. Skóra kategorycznie domagała się odpoczynku. Po zakończeniu zabiegów mogło się jeszcze pogorszyć.

– Nadal ma po dwa zabiegi dziennie? – spytała.

– Już po jednym – odparła Ganhart.

(Powiedziała takie zwyczajne słowa: „Już po jednym", ale zabrzmiało to tak czule, że na sercu musiało zrobić się cieplej!)

Dziwne żywe nici, jak długie kobiece włosy, omotały ją i związały z tym pacjentem. I tylko ona odczuwała ból, gdy wyciągały się i rwały, tylko ona – on nie. Tamtego dnia, gdy dowiedziała się o nocnych schadzkach z Zoją, miała wrażenie, że wyrywano jej cały pukiel. Tak, wtedy powinna była z tym skończyć. Bolesne szarpnięcie przypomniało o znanej zasadzie: mężczyźni szukają młodszych, a nie rówieśnic. Zapomniała, że jej czas minął, minął.

Potem jednak Oleg tak ostentacyjnie szukał okazji, żeby ją spotkać, tak chciwie słuchał jej głosu, tak serdecznie patrzył i rozmawiał! I niteczki-włosy po jednym, po jednym znów zaczęły splątywać ich ze sobą.

Czym były te niteczki? Czymś niepojętym i bezsensownym. Lada dzień miał wyjechać – i żelazna ręka będzie go trzymać w miejscu zamieszkania. Przyjedzie dopiero wtedy, gdy znowu mu się pogorszy, gdy trafi w objęcia śmierci. A jeśli wyzdrowieje – nie przyjedzie w ogóle. Nigdy.

– Ile dostał sinestrolu? – dopytywała się Ludmiła Afanasjewna.

– Więcej, niż potrzeba – ubiegając Wierę Korniljewnę nieprzyjaźnie burknął Kostogłotow. – Na całe życie wystarczy!

W innych okolicznościach Ludmiła Afanasjewna nie darowałaby takiej chamskiej repliki i raz-dwa ustawiłaby go jak trzeba. Dziś jednak nie znajdowała w sobie dawnej energii i ochoty – ledwo wytrzymywała obchód. A pozbawiona swej funkcji, żegnając się z nią, nie mogła nie przyznać Kostogłotowowi racji. Terapia była rzeczywiście barbarzyńska.

– Chcę panu coś poradzić – powiedziała pojednawczo i tak, żeby inni nie słyszeli. – Niech się pan nie śpieszy z zakładaniem rodziny. Jeszcze przez wiele lat będzie się pan musiał obejść bez... pełnowartościowej rodziny.

Wiera Korniljewna spuściła oczy.

– Niech pan weźmie pod uwagę, że pański przypadek był bardzo zaniedbany. Bardzo. Przyjechał pan prawie za późno.

Wiedział Kostogłotow, że sprawy mają się kiepsko, ale gdy usłyszał to od samej Doncowej – zatkało go.

– Nno taak – wymamrotał. Znalazł jednak pocieszającą myśl: – Z tą rodziną... Komendantura mnie przypilnuje.

– Wiero Korniljewno, proszę kontynuować tezan i pentaksil. A tak w ogóle będziemy musiały puścić go na odpoczynek. Wie pan co, Kostogłotow, zrobimy tak: przepiszemy panu zapas sinestrolu na trzy miesiące, można go kupić w aptece, kupi pan – i będzie leczyć się w domu. Jeśli nie ma kto robić panu zastrzyków, to dostanie pan w tabletkach.

Kostogłotow chciał jej przypomnieć, że po pierwsze – nie ma żadnego d o m u, po drugie – nie ma pieniędzy, a po trzecie – nie jest takim durniem, żeby popełniać ciche samobójstwo.

Miała jednak tak ziemistą i zmęczoną twarz, że nic nie powiedział.

Na tym zakończył się obchód.

Przybiegł Achmadżan: wszystko załatwione, siostra poszła po jego mundur. Jeszcze dziś będzie pić z koleżkami! A papierek dostanie jutro. Był podniecony, mówił głośno i szybko – nigdy go takim nie widzieli. Poruszał się tak sprawnie, tak żwawo, jakby w ogóle nie spędził tu dwóch miesięcy. Pod gęstym czarnym jeżykiem, pod mazutowo-czarnymi brwiami płonęły oczy, pijane żądzą życia, ciało rwało się do tego życia – za próg, już, teraz, natychmiast! Achmadżan zaczął pakować rzeczy, rzucił to, pobiegł poprosić, żeby pozwolono mu zjeść obiad wcześniej, na parterze.

A Kostogłotow poszedł na naświetlanie. Czekał, potem leżał pod lampą, potem wyjrzał na taras sprawdzić, dlaczego jest tak pochmurno.

Na niebie kłębiły się szybkie szare chmury, a za nimi pełzła zupełnie fioletowa, zwiastująca ulewę. Było jednak bardzo ciepło i mógł spaść tylko wiosenny deszcz.

Spacer odpadał, toteż Oleg wrócił do sali. Już na korytarzu usłyszał donośny głos poruszonego Achmadżana:

– Żarcie dostają lepsze niż żołnierze, słowo daję! – No – nie gorzej! Przydział – kilo dwieście! Gównem trzeba by ich karmić! A pracować – nie pracują! Tylko do zony doprowadzisz – od razu rozłażą się, chowają po kątach i śpią! Cały dzień!

Kostogłotow cicho stanął w drzwiach. Achmadżan, gotów do wyjścia, z węzełkiem w garści, wymachując wolną ręką, błyskając białymi zębami, kończył ostatnią opowieść.

W sali nie było już Federaua, filozofa, Szułubina. W ich obecności Achmadżan jakoś nigdy nie mówił o tych sprawach.

– I nie pracują? Nic nie budują? – nie podnosząc głosu spytał Kostogłotow. – Nic a nic? W zonie nie ma żadnej budowy?

– No, budują – speszył się trochę Achmadżan. – Ale źle budują. Słabo budują.

– Moglibyście im – pomóc... – jeszcze ciszej, jakby słabnąc powiedział Kostogłotow.

– Nasza robota – karabin, ich robota – łopata! – dziarsko odpalił Achmadżan.

Oleg patrzył na twarz swojego współtowarzysza niedoli, jak gdyby widział go pierwszy raz w życiu, albo nie – jak gdyby przez wiele lat widział go wyłącznie w kożuchu, z karabinem. Choć umysłowo na poziomie gry w domino, Achmadżan był prostolinijny i absolutnie szczery.

Jeśli przez dziesiątki lat nie wolno mówić prawdy – zasklepiają się ludzkie mózgi i trudniej zrozumieć rodaka niż Marsjanina.

– Dlaczego tak mówisz? – nie ustępował Kostogłotow. – Ludzi karmić gównem? Zażartowałeś, tak?

– Wcale nie żartowałem! Oni – to nie ludzie! Wcale nie ludzie! – z gorącym przekonaniem zapewniał Achmadżan.

Miał nadzieję, że Kostogłotow mu uwierzy tak samo jak pozostali słuchacze. Wiedział wprawdzie o zesłaniu Olega, ale nie wiedział o – łagrze.

Kostogłotow zerknął na łóżko Rusanowa. Zastanawiał się, dlaczego Rusanow nie staje po stronie Achmadżana, ale tamtego po prostu nie było w sali.

– I pomyśleć, że uważałem cię za żołnierza. A ty w ta-a-a-kim wojsku służyłeś... – ciągnął Kostogłotow. – Berii służyłeś, tak?

– Nie znam żadnej Berii! – rozzłościł się i poczerwieniał Achmadżan. – Kto tam na górze rozkazuje – nie wiem, moja rzecz – wykonać! Przysięgę składałem – i służyłem! Tobie kazali – ty też służyłeś!

33

Tamtego dnia lunął deszcz. I lał przez całą noc, a wiatr wiał coraz zimniejszy, we czwartek nad ranem sypnęło nawet mokrym śniegiem i wszyscy, którzy przepowiadali wiosnę i otwierali okna – Kostogłotow, oczywiście! – zamilkli. A po południu śnieg stopniał, deszcz ustał, wiatr ucichł – i zrobiło się tylko pochmurno, zimno i nieruchomo.

Wieczorem zaś od zachodu rozwarła się w niebie wąska złota szczelina.

A w piątek rano, kiedy wypisywano Rusanowa, niebo eksplodowało czyściutkim błękitem bez najmniejszej chmurki, a poranne słońce od razu zaczęło osuszać rozległe kałuże na asfalcie i ścieżki wydeptane na ukos przez trawniki.

I poczuli wszyscy, że oto nastała najprawdziwsza, nieodwracalna wiosna. I jeden przez drugiego wyrywali papierowe uszczelki z okien, szarpali zasuwki, otwierali, a łuski starej farby sypały się z ram na podłogę – dodatkowa robota dla salowych.

Paweł Nikołajewicz nie oddawał własnego ubrania do przechowalni, szpitalnej bielizny nie pobierał i mógł wypisać się w każdej chwili. Rodzina przyjechała po niego po śniadaniu.

I to kto przyjechał! Samochód prowadził Ławrik – właśnie wczoraj dostał prawo jazdy! Wczoraj też zaczęły się wakacje – z potańcówkami dla Ławrika, ze spacerami dla Majki, toteż oboje byli w doskonałych humorach. Kapitolina Matwiejewna zjawiła się z młodszą dwójką, bez starszych dzieci: Ławrik uprosił matkę, żeby pozwoliła mu zabrać potem przyjaciół na przejażdżkę – musiał wiec pokazać, jak pewnie prowadzi auto bez pomocy Jurki.

I niczym na filmie, wyświetlanym od końca, wszystko odbyło się w odwrotnej kolejności, ale – o ileż weselej! Paweł Nikołajewicz wszedł do klitki pod schodami w piżamie, a wyszedł stamtąd w szarym garniturze. Ławrik, zgrabny i przystojny chłopak w nowym granatowym ubraniu (gdyby nie zaczął awantury z Majką można by go wziąć za dorosłego) przez cały czas dumnie kręcił na palcu kluczyki od samochodu.

– Zamknąłeś wszystkie drzwi? – pytała Majka.

– Wszystkie.

– A szyby zakręciłeś?

– Idź sprawdź.

Majka wybiegała, potrząsając ciemnymi lokami, i wracała.

– W porządku. – I od razu robiła przestraszoną minę. – A bagażnik zamknąłeś?

– Idź sprawdź.

Przez hall tak samo jak wtedy przechodzili pacjenci, niosąc do laboratorium słoiki z żółtą cieczą. Tak samo siedzieli wynędzniali ludzie bez twarzy, oczekujący na wolne miejsce, ktoś nawet leżał na ławce. Paweł Nikołajewicz patrzył na to z pobłażliwą wyższością: sam okazał się mężnym człowiekiem i wychodził stąd jako zwycięzca!

Ławrik wziął walizkę ojca. Kapa w płaszczu koloru moreli, miedzianogrzywa, odmłodniała z radości, odprawiła pielęgniarkę skinieniem głowy i ujęła męża pod rękę. Majka uwiesiła się ojca z drugiej strony.

– Popatrz, jaką mam czapeczkę. Nowiutką, w paseczki!

– Pasza! Pasza! – dobiegł z tyłu czyjś głos. Obejrzeli się.

Korytarzem od strony chirurgii szedł Czałyj. Wyglądał jak zwykle kwitnąco i dziarsko, nawet cera straciła niezdrowy, żółtawy odcień. Tylko szpitalna piżama i łączki przypominały, że jest pacjentem.

Paweł Nikołajewicz wesoło uścisnął mu dłoń i powiedział:

– Kapa, a oto bohater szpitalnego frontu – poznajcie się! Żołądek mu wycięli, a on tylko się śmieje!

Witając się z Kapitoliną Matwiejewną Czałyj z gracją stuknął piętami i przekrzywił głowę – ni to żartobliwie, ni to z uszanowaniem.

– Pasza, zostaw mi swój telefonik! Telefonik, Pasza! – terkotał Czałyj.

Paweł Nikołajewicz udał, że mocuje się z klamką i nie słyszy. Sympatyczny ten Czałyj, ale to człowiek z innej sfery, innego pokroju i raczej nie wypadało utrzymywać z nim kontaktów towarzyskich. Rusanow zastanawiał się, jak taktownie odmówić.

Wyszli na taras i Czałyj od razu zauważył moskwicza. Ławrik włączył już silnik. Czałyj otaksował auto wzrokiem i nawet nie spytał: „Twoje?”, tylko rzucił:

– Jaki przebieg?

– Nie ma jeszcze piętnastu tysięcy.

– To czemu opony takie łyse?

– Kiepska jakość... Tak się u nas pracuje...

– Załatwić ci nowe?

– Naprawdę możesz załatwić? Maksim!

– Nie ma sprawy! Zapisz sobie mój telefon! No, zapisuj! – szturchał Rusanowa palcem w pierś. – Kiedy mnie stąd wypiszą – załatwię w ciągu tygodnia! U mnie jak w banku!

Nie było się co zastanawiać! Wyrwał Paweł Nikołajewicz kartkę z notesika i napisał na niej numery obu swoich telefonów – domowego i służbowego.

– W porządeczku! Będziemy w kontakcie! – żegnał się Maksim Majka usiadła obok Ławrika, rodzice usadowili się z tyłu.

– Będziemy kumplami! – obiecywał Maksim na pożegnanie.

Trzasnęły drzwiczki.

– Będziemy żyć! – wołał Maksim z ręką uniesioną w geście „rotfrontu".

– No? – egzaminował Majkę Ławrik. – Co teraz robić? Zapalać?

– Nie! najpierw sprawdzić, czy nie stoi na biegu – recytowała Majka.

Ruszyli, rozbryzgując kałuże, skręcili za róg pawilonu ortopedii. Środkiem asfaltowej drogi szedł niespiesznie tyczkowaty pacjent w szarym szlafroku i w wojskowych butach.

– Dalej, postrasz go porządnie! – zdążył powiedzieć Paweł Nikołajewicz.

Ławrik ochoczo nacisnął klakson. Tyczkowaty odskoczył gwałtownie i odwrócił się. Ławrik dodał gazu i przemknął o dziesięć centymetrów od niego.

– Mówiłem na niego – Ogłojed. Gdybyście wiedzieli, co to za nieprzyjemny i zawistny typ! Kapa, ty go zresztą widziałaś?

– Nie ma się co dziwić! – westchnęła Kapa. – Pasik, sam wiesz: gdzie szczęście, tam zawiść. Gdzie szczęście gości, tam pełno zazdrości.

– Wróg klasowy – burczał Rusanow. – W innych okolicznościach...

– To trzeba go było przejechać, czemu kazałeś tylko trąbić? – śmiał się Ławrik i na chwilę odwrócił głowę.

– Ani mi się waż rozglądać! – przeraziła się Kapitolina Matwiejewna.

Rzeczywiście, samochodem rzuciło.

– Ani mi się waż kręcić głową! – powtórzyła Majka i wybuchnęła dźwięcznym śmiechem. – Mamo, a ja mogę? – I kręciła głową to w prawo, to w lewo.

– Nie pozwolę mu wozić dziewczyn, będzie miał za swoje! Gdy wyjeżdżali z terenu szpitala, Kapa opuściła szybę i wyrzuciła coś do tyłu.

– Żeby tu nigdy nie wrócić! – wyjaśniła. – Nigdy! Niech się nikt nie odwraca!

A Kostogłotow posłał za nimi długą, serdeczną i wielopiętrową wiązankę.

Przyszło mu jednak na myśl, że i on musi wypisać się z samego rana. W środku dnia zupełnie mu nie pasowało: nigdzie człowiek nie zdąży.

A wypisać mieli go jutro.

Wstawał pogodny słoneczny dzień. Wszystko szybko nagrzewało się i parowało. Mieszkańcy Usz-Tereku przekopują już pewnie ogrody, oczyszczają aryki.

Spacerował i marzył. Jakie to szczęście: w srogi mróz wyjeżdżał umierać, a teraz wróci w środku wiosny i będzie mógł założyć ogródek. To wielka radość: zakopywać coś w ziemi, a potem obserwować, jak z niej wyrasta.

Tyle że w ogródkach ludzie zawsze pracują we dwoje. A on będzie sam.

Przechadzał się, przechadzał, aż wymyślił: trzeba pójść do siostry przełożonej. Minęły czasy, gdy Mita osadzała go krótkim: „Nie ma miejsc!" Od dawna żyli w zgodzie.

Mita siedziała w swojej dusznej klitce pod schodami przy świetle elektrycznym – po wejściu z dworu istna tortura dla oczu i płuc – i przekładała z kupki na kupkę jakieś formularze.

Kostogłotow schylił się w ukośnych drzwiach i powiedział:

– Mito! Mam prośbę. Ogromną.

Mita podniosła długą nieładną twarz. Taka brzydka twarz dostała się dziewczynie od urodzenia i przez czterdzieści lat nikt nie zapragnął jej pocałować, pogłaskać dłonią – i cała czułość, która mogła ożywić tę twarz, pozostała uśpiona. I Mita stała się – koniem pociągowym.

– Jaką?

– Jutro wychodzę.

– Bardzo się cieszę! – Mita była dobra, tylko na pierwszy rzut oka wyglądała tak groźnie.

– Problem polega na tym, że w ciągu dnia muszę załatwić sporo spraw na mieście, a wieczorem wyjechać. Ubranie dostanę około południa. To za późno. Mitoczko, czy nie można by zrobić tak: pani przyniosłaby moje łachy dziś, na noc bym je gdzieś schował, a raniutko – tylko przebrać się i do widzenia!

– Nie wolno – westchnęła Mita. – Gdyby Nizamutdin się dowiedział...

– Nie dowie się! Wiem, że to wbrew przepisom, ale – Mitoczko, po to są przepisy, żeby je łamać!

– A jeśli jutro pana nie wypiszą?

– Wiera Korniljewna powiedziała, że na pewno.

– Musiałabym usłyszeć to od niej.
– Dobrze, zaraz ją poproszę.
– A słyszał pan nowinę?
– Nie, a jaką?
– Podobno do końca roku mają nas puścić wolno! Ludzie mówią, że to absolutnie pewne! – jej brzydka twarz wyładniała na samą myśl o tej plotce.
– Nas – to znaczy kogo? Was?
– Podobno i nas, i was! Nie wierzy pan? – z niepokojem czekała na jego opinię.
Oleg podrapał się w potylicę, skrzywił się i przymknął jedno oko:
– Czy ja wiem... To niewykluczone... Chociaż z drugiej strony – tyle razy słyszałem już te parasze...
– Ale tym razem to podobno pewne, na sto procent! – tak bardzo chciała wierzyć, tak bardzo chciała usłyszeć, że to prawda!
Oleg w zamyśleniu przygryzł wargi. Coś dojrzewało. Na pewno. Poleciał Sąd Najwyższy. Wszystko szło jednak za wolno. Sąd Najwyższy, a potem przez cały miesiąc – nic, nadzieja znów gasła. Nie śpieszy się Historia, nie zważa na krótkie ludzkie życie i niecierpliwość serc!
– Daj Boże – westchnął raczej dla niej niż dla siebie. – I co wtedy? Wyjedzie pani?
– Nie wiem – niemal bezgłośnie powiedziała Mita, zaciskając palce na znienawidzonych karteczkach.
– Pani pochodzi spod Salska?
– Tak.
– Myśli pani, że tam będzie lepiej?
– Wol-ność – wyszeptała.
Może miała nadzieję, że w rodzinnych stronach wyjdzie jeszcze za mąż?
Poszedł Oleg szukać Wiery Korniljewny. Nie od razu mu się to udało: to była w pracowni rentgenowskiej, a to na chirurgii. Wreszcie dostrzegł ją na korytarzu w towarzystwie Lwa Leonidowicza – i rzucił się w pościg.
– Wiero Korniljewno! Można panią na chwileczkę?
Przyjemnie było mieć do niej jakąś sprawę, mówić tylko do niej – i sam zauważył, że mówi zupełnie innym głosem niż normalnie. Obejrzała się – zaaferowana, pochłonięta rozmową, zatroskana.
Natychmiast jednak przystanęła, jak zawsze gotowa życzliwie wysłuchać każdego.
– Tak?

Nie dodała „Kostogłotow". Zwracała się do niego po nazwisku tylko w obecności osób trzecich. A sam na sam – nigdy.

– Wiero Korniljewno, mam gorącą prośbę... Czy nie mogłaby pani powiedzieć Micie, że jutro wychodzę?

– A po co?

– To bardzo ważne. Widzi pani, jutro wieczorem muszę wyjechać, ale żeby wyjechać...

– Lowa, nie czekaj na mnie, zaraz przyjdę!

Lew Leonidowicz odszedł – kołyszącym się krokiem, zgarbiony, z rękami w kieszeniach przyciasnego fartucha.

– Niech pan pozwoli do mnie.

Poprowadziła go do pracowni. Lekka. Lekka i słoneczna.

W pracowni rentgenowskiej nie było nikogo. Przez okna wpadał ukośny złoty słup słońca z wirującymi drobinkami kurzu i odbijał się w niklowanych częściach aparatów. Wesoły blask raził w oczy.

– A jeśli nie zdążę pana wypisać? Najpierw trzeba sporządzić epikryzę.

Nie mógł się zorientować, czy mówi serio, czy żartuje.

– Epi – co?

– Epikryzę. Podsumowanie całego leczenia, wniosek końcowy. Pacjenta nie można wypisać bez epikryzy.

Tyle spraw dźwigała na tych szczuplutkich ramionach! Wszędzie na nią czekano, wszędzie była potrzebna, a tu jeszcze on zawraca jej głowę i w dodatku będzie musiała pisać epikryzę.

Nie śpieszyła się jednak, siedziała – i jaśniała. Nie, nie ona, nie jej życzliwe, a nawet czułe oczy – po prostu jaskrawy blask słoneczny otoczył całą sylwetkę rozproszonymi wachlarzami światła.

– A więc chce pan od razu wyjechać?

– Wcale nie chcę, chętnie bym został. Po prostu nie mam gdzie przenocować. A spać na dworcu... O nie!

– No tak, do hotelu panu nie wolno – pokiwała głową. I zmartwiła się: – Ojej, niedobrze: ta salowa, u której zawsze nocują pacjenci, jest teraz na zwolnieniu. Co by tu zrobić? – przygryzła górną wargę i w zamyśleniu zaczęła kreślić na kartce jakieś zawijasy. – Wie pan... właściwie mógłby się pan zatrzymać... u mnie.

Co?! Co powiedziała? Czy się nie przesłyszał? Co wymyślić, żeby powtórzyła jeszcze raz?

Zarumieniła się. Unikała jego spojrzenia. A mówiła tak zwyczajnie, jakby to była najnormalniejsza rzecz pod słońcem – że lekarze proponują nocleg swoim pacjentom:

– Tak się składa, że jutro mam trochę nietypowy dzień: rano będę w klinice tylko dwie godziny, później wracam do domu, a po południu – znów do pracy... Przenocuję u znajomych, to żaden problem...

I – podniosła wzrok. Policzki płonęły, ale oczy miała jasne, bezgrzeszne. A on? Czy dobrze zrozumiał? Czy był godzien tego, co mu zaproponowała?

Oleg nic nie rozumiał. Czyż można cokolwiek zrozumieć, kiedy kobieta tak mówi? Czy ma na myśli wszystko, czy nic? Nie zastanawiał się, nie miał czasu na zastanowienie: patrzyła na niego i czekała.

– Dzię-kuję – wybąkał. – To... naprawdę wspaniale. – Zupełnie zapomniał, jak sto lat temu, w dzieciństwie, uczono go dobrych manier i eleganckich odpowiedzi. – To... bardzo dobrze... Ale... Przecież nie mogę pozbawiać pani... Mam wyrzuty sumienia, naprawdę...

– Ależ to żaden kłopot – zapewniała Wega z uśmiechem. – Jeśli trzeba będzie urządzić pana na dwa-trzy dni, to też coś wymyślimy. Przecież szkoda panu wyjeżdżać z miasta?

– Szkoda, pewnie, że szkoda... Tylko że... Jeżeli zostanę, to zaświadczenie o wypisie musi mieć późniejszą datę. Komendantura się przyczepi – dlaczego nie wyjeżdżam. Jeszcze mnie znowu zamkną!

– Trudno, popełnimy małe oszustwo. A więc: Micie mam powiedzieć dziś, pana wypisać jutro, a zaświadczenie pojutrze, tak? Co za skomplikowany człowiek!

Narzekała, ale oczy jej się śmiały.

– Wiero Korniljewno, ja jestem skomplikowany? To system jest skomplikowany! Nawet zaświadczenie o pobycie w szpitalu muszę mieć w dwóch egzemplarzach!

– Po co?

– Jeden dla komendantury jako podkładka zezwolenia na wyjazd, a drugi dla mnie.

(W komendanturze podniesie gwałt, że dostał tylko jeden egzemplarz; może uda się zatrzymać obydwa. Trzeba mieć na zapas! Nie po to się męczył, żeby oddawać tak cenną zdobycz!)

– A trzeci – na dworzec. – Napisała na kartce parę słów – A tu ma pan mój adres. Wytłumaczyć panu, gdzie to jest?

– Jakoś trafię!

(A więc naprawdę go zapraszała? Nie żartowała?...)

– No i – dołączyła do adresu kilka podłużnych kart – te recepty, o których mówiła Ludmiła Afanasjewna. Kilka, żeby rozdzielić dawkę.

Te recepty! T e!

Mówiła o nich beztrosko – ot, maleńki dodatek do adresu. Przez dwa miesiące ani razu o t y m nie wspomniała. Sprytnie.

Pewnie właśnie na tym polegał takt.
Już wstała. Już szła do drzwi.
Czekały na nią obowiązki. Czekał Lowa...
I nagle w rozproszonych smugach blasku zobaczył ją pierwsz
raz – bielutką, leciutką, wciętą w talii – zobaczył naprawdę, taką bli
ską, dobrą i – jedyną! Pierwszy raz!
Ogarnęła go radość i – szczerość. Spytał:
– Wiero Korniljewno! Za co się pani tak długo na mnie gniewa
ła? Obramowana słonecznymi wachlarzami patrzyła na niego z dziw
nie mądrym uśmiechem.
– A czy nic a nic pan nie zawinił?
– Nie.
– Zupełnie nic?
– Zupełnie nic!
– Proszę sobie przypomnieć.
– Nic sobie nie przypominam. Niech mi pani podpowie!
– Muszę już iść...
W ręku trzymała klucz. Musiała zamknąć pracownię. I odejść.
A tak było z nią dobrze! Mógłby tu stać choćby całą dobę. Oddala
ła się korytarzem coraz mniejsza i mniejsza, a on stał i patrzył za nią.
A potem znów wyszedł na dwór. Wiosna rozbuchała się na dobr
i wprost nie mógł się nią nasycić. Chodził bez celu dwie godzin
i chłonął, chłonął powietrze, ciepło. Żal mu było rozstawać się nawe
z tym skwerkiem, wokół którego krążył jak więzień, żal było, że do
piero po jego wyjeździe rozkwitną japońskie akacje, że dopiero wte
dy wychylą się z pąków późne liście dębu.
Jakoś nie czuł dziś mdłości i osłabienia. Chętnie skopałby kawa
łek ogródka. Czegoś chciał, czegoś pragnął, ale sam nie wiedział
czego. Zauważył, że środkowy palec ślizga się po wskazującym
w poszukiwaniu papierosa. Nic z tego – rzucił i koniec!
Po spacerze poszedł do Mity. Zuch Mita! Torba z ubraniem Ole
ga czekała już w umywalni, klucz od umywalni będzie mieć pielę
gniarka, która obejmie nocny dyżur. A pod koniec urzędowania m
zgłosić się do przychodni po dokumenty.
Wyjście ze szpitala nabierało coraz bardziej realnych kształtów.
Nie po raz ostatni, ale już prawie ostatni wszedł na piętro.
Na górze spotkał Zoję.
– Co słychać? – spytała beztrosko.
Zwyczajnie i po prostu przeszła na ten niewymuszony ton, jak
gdyby nigdy nic między nimi nie było: ani pieszczotliwych przezwisk
ani tańca z „Włóczęgi", ani butli z tlenem.

Chyba miała rację. Po co ciągle rozpamiętywać? Przypominać? Dąsać się?

Któregoś wieczoru Oleg nie poszedł z nią flirtować i położył się spać. Któregoś wieczoru Zoja przyszła ze strzykawką, a on dał sobie zrobić zastrzyk. A to, co narastało między nimi – napięte, sprężone, podobne do poduszki tlenowej, którą nieśli kiedyś razem – zaczęło cicho wiotczeć, znikać. I nic z tego nie zostało poza przyjacielskim „Co słychać?"

Oparł się o biurko długimi rękami, zwiesił czarną czuprynę.

– Leukocytów dwa tysiące siedemset. Od dwóch dni nie chodzę na lampy. Jutro się wypisuję.

– Już jutro? – zatrzepotała złotymi rzęsami. – Gratuluję!

– A jest czego?

– Niewdzięcznik! – Zoja pokręciła głową. – A jak było pierwszego dnia? Czy myślał pan wtedy, że pożyje dłużej niż tydzień?

Też prawda.

Fajna dziewczyna z tej Zojki, wesoła, pracowita, szczera, co w myśli, to na języku. Gdyby zacząć od zera, zapomnieć o tamtej nieudanej grze, mogliby zostać przyjaciółmi.

– Ano tak – uśmiechnął się Oleg.

– Ano tak – uśmiechnęła się Zoja.

Nie przypominała mu już o niciach do wyszywania.

Ot i koniec znajomości. Cztery razy w tygodniu będzie siedzieć tu na dyżurach. Wkuwać z podręczników. Czasem wyszywać. A po potańcówkach wystawać z kimś w mroku bramy.

Nie można gniewać się na nią za to, że ma dwadzieścia trzy lata i jest taka zdrowa.

– Powodzenia! – powiedział bez cienia urazy. I odszedł. Nagle zawołała go:

– Halo, Oleg! Odwrócił się.

– Może nie ma pan gdzie przenocować? Niech pan zapisze mój adres.

(Co? Ona też?)

Oleg patrzył oszołomiony. Wszystko to przekraczało jego pojęcie.

– Łatwo trafić. Tuż przy przystanku. Mieszkam z babcią, ale mamy dwa pokoje.

– Bardzo dziękuję – niepewnie wziął od niej karteczkę. – Tylko nie wiem... Jak mi się ułoży...

– A może jednak? – uśmiechnęła się.

Łatwiej było poradzić sobie z tajgą niż z kobietami!

Nieco dalej ujrzał Sibgatowa, który męczeńsko leżał na plecach na twardym łożu w dusznym i ciemnym kącie korytarza. Nawet dzisiejszy słoneczny dzień docierał tu jedynie pod postacią smętnych i nikłych odblasków.

Patrzył Sibgatow w sufit, w sufit.

Wyglądał o wiele gorzej niż dwa miesiące temu.

Kostogłotow przysiadł na brzegu łoża.

– Szaraf! Podobno mają puścić do domu całą zsyłkę. I s p e c, i a d m.

Szaraf zwrócił ku niemu oczy. Nie głowę, lecz same oczy. Wydawało się, że nie usłyszał nic oprócz głosu.

– Słyszysz? I was, i nas. A on – nie rozumiał.

– Nie wierzysz?... Wrócisz do domu!

Odwiódł Sibgatow wzrok na sufit. Rozchylił martwiejące wargi:

– Dla mnie – za późno.

Oleg położył dłoń na jego ręce, a rękę Szaraf trzymał na piersi, jak nieboszczyk.

Obok nich hałaśliwie przeszła Nella.

– Nie zostały tu jakie talerze? – rozejrzała się. – Ej, czubaty! Czego nie jesz obiadu? Jedz i oddawaj talerz, nie będę na ciebie czekać!

No tak! Przegapił obiad i nawet tego nie zauważył! Do czego to doszło! Jednego tylko nie rozumiał:

– A co ty masz do talerzy?

– Jak to co? Teraz jestem rozdawczynią! – dumnie oznajmiła Nella. – Fartuch – o! – widzisz, jaki czysty?

Poszedł Oleg zjeść swój ostatni szpitalny obiad. Zdradziecki, niewidzialny i niesłyszalny rentgen wypalił w nim cały apetyt, ale zgodnie z łagrowym kodeksem nie wolno było zostawiać jedzenia.

– Dalej, dalej, szybko! – dyrygowała Nella.

Nie tylko fartuch miała nowy – jeszcze i ondulację zakręciła.

– Aleś ty teraz ważna, no, no! – zdziwił się Kostogłotow.

– A jak! Głupia byłam, żeby za te trzysta pięćdziesiąt podłogi szorować! Ani człowiek zarobił, ani podjeść se nie mógł...

34

Jak starzec, który przeżył swoich rówieśników i czując brzemię tej nieuzasadnionej zwłoki powtarza: „Na mnie też już czas...", tak Kostogłotow tego wieczoru nie mógł już wytrzymać w sali, choć wszystkie łóżka były zajęte, leżeli w nich nowi pacjenci, a w powietrzu krzyżowały się niezmienne pytania: rak czy nie rak? Mogą tu wyleczyć czy nie? Czy na raka są jakieś inne lekarstwa?

Po południu odszedł Wadim: złoto dotarło do kliniki i Wadima przeniesiono na radiologię.

Nie pozostawało więc Olegowi nic innego, jak patrzeć na łóżka i wspominać, kto w nich leżał od samego początku i ilu ludzi zmarło. Wychodziło na to, że całkiem niewielu.

Tak duszno było w sali i tak ciepło na dworze, że Kostogłotow położył się spać przy otwartym oknie. Powietrze pełne wiosny przelewało się przez parapet. Wiosenne ożywienie ogarnęło też malutkie podwórka starych domów, które przytulały się do szpitalnego muru. Kipiało tam życie, niewidoczne zza ceglanej ściany, ale nasycone dźwiękami: w ciszy wieczoru słychać było trzaskanie drzwi, płacz dzieci, bełkot pijanego, dudniący rytm muzyki z płyty, a później – po ogłoszeniu ciszy nocnej – dobiegł stamtąd niski i mocny głos kobiecy, w którym pobrzmiewały nuty ni to udręki, ni to zadowolenia:

I gór-nika przo-downika
spro-wadziła pod swój da-ach!

Wszyscy śpiewali – o tym. Wszyscy myśleli – o tym. A Oleg musiał – o czymś innym.

Akurat tej nocy, kiedy należało dobrze wypocząć przed jutrzejszym dniem, Oleg nie mógł zasnąć. Zaprzątały mu myśli sprawy ważne i nieważne: nie dokończona kłótnia z Rusanowem; słowa, których nie dopowiedział Szułubin; argumenty, jakich mógł użyć w rozmowie z Wadimem; łeb zabitego Żuka; ożywione twarze Kadminów w żółtym blasku lampy naftowej, gdy zacznie dzielić się z nimi milionem wrażeń z miasta, a oni opowiedzą mu o najnowszych wydarzeniach w aule i o audycjach, których słuchali pod jego nieobecność – i ubożuchna lepianka będzie dla nich trojga całym wszechświatem; wyzywająco-zadumana twarz osiemnastoletniej Inny Sztrem, do której nie odważy się teraz podejść; i te dwa zaproszenia – zaproszenia od dwóch kobiet, żeby spędzić u nich noc. Zaproszenia intrygowały, zaprzątały myśl: jak miał je rozumieć?

W tamtym zlodowaciałym świecie, który urobił, przenicował duszę Olega, nie istniało takie zjawisko, takie pojęcie jak „bezinteresowna dobroć". I Oleg – zapomniał o nim. A teraz przychodziły mu do głowy najrozmaitsze wytłumaczenia, tylko nie – zwyczajna ludzka dobroć.

Co one chciały przez to powiedzieć? Jak powinien postąpić? Nie wiedział. Zupełnie nie wiedział.

Z boku na bok, z boku na bok, a palce miętosiły niewidzialnego papierosa...

Wstał Oleg powłóczyć się po korytarzu.

W półmroku, tuż przy drzwiach, siedział w miednicy Sibgatow, mocząc kręgosłup – ale już nie z dawniejszą cierpliwą nadzieją, a jakby zastygły w beznadziejności.

Zaś przy biurku dyżurnej pielęgniarki, plecami do Sibgatowa, pochylała się nad książką szczupła, niewysoka kobieta w białym fartuchu. Nie była to jednak pielęgniarka – dyżur miał Turgun i na pewno spał teraz w pokoju lekarzy. Przy biurku siedziała ta osobliwa, niezwykle kulturalna salowa w okularach, Jelizawieta Anatoljewna. Zrobiła już, co do niej należało, i usiadła odpocząć, poczytać książkę.

W ciągu tych dwóch miesięcy Oleg nieraz widział, jak sumiennie i bez słowa skargi szorowała na czworakach podłogę pod ich łóżkami; przestawiała ukryte tam buty Kostogłotowa i nigdy nie wyzywała z tego powodu; wycierała na mokro kaloryfery; opróżniała spluwaczki i czyściła je do połysku; przynosiła pacjentom puste słoiki, a pełne odnosiła do analizy; wykonywała wszystkie brudne i uciążliwe czynności, którymi nie mogły zajmować się pielęgniarki.

A im ofiarniej pracowała, tym mniej ją dostrzegano. Od dwóch tysięcy lat wiadomo, że mieć oczy – nie znaczy widzieć.

Ciężkie życie wyostrza jednak spojrzenie. I byli tu, w pawilonie, tacy, którzy rozpoznawali się na pierwszy rzut oka. Nie wyróżniały ich spośród innych żadne widoczne oznaki – ani dystynkcje, ani mundury, ani opaski – a jednak rozpoznawali się natychmiast, jakby mieli na czołach jakieś świecące znaki albo stygmaty na przegubach i kostkach. (W istocie oznak tych było całe mnóstwo: jedno słowo, którego prawdziwe znaczenie znali tylko oni; szczególny ton głosu przy jego wypowiadaniu; skrzywienie ust w pauzie między słowami; uśmiech, gdy inni są poważni; powaga, gdy inni się śmieją.) Jak Uzbecy albo Karałpacy od razu odnajdywali w klinice swoich, tak bezbłędnie rozpoznawali się ci, na których padł choćby cień drutu kolczastego.

Kostogłotow i Jelizawieta Anatoljewna już dawno wyczuli się nawzajem, już dawno wymienili porozumiewawcze spojrzenia – nie mieli tylko okazji porozmawiać ze sobą.

Teraz Oleg podszedł do biurka, głośno szurając kapciami, żeby jej nie przestraszyć:

– Dobry wieczór, Jelizawieto Anatoljewno!

Czytała bez okularów. Obejrzała się – był to zupełnie inny ruch niż służbowa reakcja na wezwanie.

– Dobry wieczór – uśmiechnęła się z godnością niemłodej już damy, która pod własnym dachem wita miłego gościa.

Popatrzyli na siebie życzliwie i bez pośpiechu.

Oznaczało to, że zawsze są gotowi sobie pomóc.

I że pomóc sobie – nie mogą.

Oleg przekrzywił kudłatą głowę, żeby lepiej widzieć książkę.

– Znowu po francusku? Co to jest?

Dziwna salowa odpowiedziała, miękko wymawiając „l":

– Claude Farrier.

– Skąd pani bierze francuskie książki?

– W mieście jest biblioteka obcojęzyczna. Pożyczam też od pewnej staruszki.

Kostogłotow gapił się na książkę jak cielę na malowane wrota.

– Dlaczego zawsze francuskie?

W kurzych łapkach zmarszczek koło oczu i ust widać było wiek, zmęczenie i inteligencję.

– To mniej boli – odpowiedziała.

Mówiła cicho i miękko.

– A dlaczego bać się bólu? – nie zgodził się Oleg.

Nie mógł długo stać. Zauważyła to i podsunęła mu krzesło.

– U nas, w Rosji, od ilu? – od dobrych dwustu lat! – różni tacy tylko cmokają: ach, Paryż, Paryż! W kółko to samo – zrzędził Kostogłotow. – Koniecznie musimy znać na pamięć każdy zaułek, każdą kafejkę. A mnie wcale nie ciągnie do Paryża!

– Wcale a wcale? – roześmiała się, a on zawtórował. – Lepiej żyć pod skrzydełkami komendantury?

Ich śmiech brzmiał identycznie: zaczynał się i szybko urywał.

– Francuzi! – wybrzydzał dalej Kostogłotow. – Ta ich paplanina, ta łatwość wpadania w zachwyt, jakaś beztroska, lekkość. Chciałoby się ich osadzić: e, przyjaciele! A gdyby tak – do łopaty? Na czarny chlebek i wodę?

– Jest pan niesprawiedliwy. Oni są już na innym poziomie. Zasłużyli na to.
– Możliwe. Może po prostu im zazdroszczę. Ale i tak chciałoby się przytrzeć im nosa.
Siedząc na krześle Kostogłotow kołysał się to w prawo, to w lewo, jak gdyby ciążył mu zbyt wysoki tułów. Po chwili spytał bez żadnych wstępów:
– A pani – przez męża? Czy – sama?
Odpowiedziała równie naturalnie:
– Całą rodziną. Nawet nie wiadomo, kto przez kogo.
– Jesteście razem?
– O nie! Córka zmarła na zesłaniu. Po wojnie przenieśliśmy się tutaj. Stąd zabrano męża na drugi krąg. Do łagru.
– Została pani sama?
– Z synkiem. Ma osiem lat.
Oleg patrzył na jej twarz. Nie wyrażała żadnych uczuć.
– Na drugi – w czterdziestym dziewiątym?
– Tak.
– Normalne. Jaki obóz?
– Stacja Tajszet. Pokiwał głową.
– Jasne. Ozierłag. Mąż może przebywać nad samą Leną – Tajszet to tylko punkt pocztowy.
– Pan tam był? – A jednak nie mogła ukryć nadziei!
– Nie, po prostu wiem... Widywało się różnych ludzi...
– Duzarskij!?? Nie spotkał go pan? Nigdzie?
Wciąż miała nadzieję! Spotkał... Zaraz opowie...
– Duzarskij – cmoknął Oleg. – Nie, nie znam. Wszystkich nie spotkasz.
– Dwa listy rocznie! – poskarżyła się.
Znów pokiwał głową. Normalne.
– A w zeszłym roku przyszedł tylko jeden list. W maju. Od tego czasu – nic!
I już drżała na tej jednej jedynej niteczce. Kobieta!
– To o niczym nie świadczy! – powiedział z przekonaniem. – Każdy wysyła dwa listy rocznie – wyobraża pani sobie, ile to tysięcy? A cenzura jest leniwa. W łagrze spasskim poszedł zdun-zek przejrzeć latem piece i w piecu cenzury znalazł dwieście nie wysłanych listów! Zapomnieli podpalić.
Choć tak łagodnie jej to tłumaczył, choć już dawno powinna przyzwyczaić się, zrozumieć – patrzyła na niego wzrokiem pełnym zdumienia i lęku.

Czy człowiek naprawdę ma taką naturę, że nie może przestać się dziwić?

– A więc synek urodził się na zesłaniu?

Przytaknęła.

– I żyje pani z gołej pensji? I nie przyjmują do żadnej lepszej pracy? Wszędzie wypominają? Mieszka pani w jakiejś norze?

Niby pytał, ale pytania nie były pytaniami. I nie wymagały odpowiedzi.

Na grubej, starej książeczce bez okładek, wytwornie małego formatu, drukowanej na eleganckim zagranicznym papierze spoczywały drobne dłonie Jelizawiety Anatoljewny, zniszczone od prania, wrzątku, ścierek, całe w sińcach i zadrapaniach.

– To nie jest ważne! – mówiła. – Najgorsze, że dziecko rośnie, jest inteligentne i stale zadaje pytania. Jak mam je wychowywać? Powiedzieć, zwalić mu na barki całą prawdę? Przecież takiej prawdy dorosły nie udźwignie, taka prawda może złamać serce! A więc? Może lepiej nic nie mówić, niech rośnie w nieświadomości, niech się dostosuje? Czy to jednak słuszne? Co by ojciec powiedział? A poza tym – czy się uda? Przecież dziecko ma oczy i samo widzi!

– Mówić prawdę! – Oleg z przekonaniem uderzył dłonią o blat biurka. Powiedział to tak stanowczo, jakby osobiście wychował dziesiątki chłopców i nigdy nie popełnił błędu.

Przycisnęła dłonie do skroni i patrzyła na niego bezradnie. Poruszyli jej czułą strunę!

– Tak trudno jest wychowywać syna bez ojca! Ojciec to niezmienna opoka życia, drogowskaz! Kiedy go nie ma, człowiek stale błądzi, to tu, to tam...

Oleg milczał. Słyszał o takich problemach, ale ich nie rozumiał.

– I właśnie dlatego czytam stare powieści francuskie, nota bene wyłącznie na nocnych dyżurach. Nie wiem, czy przemilczały coś ważnego, nie wiem, czy w tamtych czasach życie też było tak okrutne – po prostu nie wiem i czytam spokojnie.

– Narkoza?

– Znieczulenie – pokręciła głową. Nasze książki mnie irytują. W jednych autorzy uważają czytelnika za durnia. W innych jest odrobinka prawdy i autorzy są z tego bardzo dumni. Tylko czego ona dotyczy? Dociekają na przykład, którą drogą przejechał wielki poeta w tysiąc osiemset którymś roku, o jakiej damie wspomina na stronie takiej to a takiej. Być może rzeczywiście wymagało to niesłychanego wysiłku, ale za to – jakie bezpieczne! Znaleźli sobie wdzięczną dziedzinę! A żywi, współcześni, cierpiący ludzie nic ich nie obchodzą!

W młodości być może nazywano ją – Lilią. Nasada nosa jeszcze nie przeczuwała wgłębienia od okularów. Dziewczyna zalotnie strzelała oczami, śmiała się, świat był pełen bzu, koronek, wierszy symbolistów i żadna Cyganka nie wywróżyła jej, że zakończy życie jako sprzątaczka gdzieś w Azji.

– Najbardziej dramatyczna fikcja literacka wydaje mi się śmiechu warta w porównaniu z tym, co przeżywamy – ciągnęła Jelizawieta Anatoljewna. – Aidzie pozwolono umrzeć z ukochanym człowiekiem. A nam nie wolno nawet wiedzieć, gdzie on przebywa. Jeśli pojadę do Ozierłagu...

– Niech pani nie jedzie! To na nic.

– Dzieci piszą w szkołach wypracowania o nieszczęsnym, tragicznym, zaprzepaszczonym, zmarnowanym i Bóg wie jeszcze jakim życiu Anny Kareniny. A czyż Anna była nieszczęśliwa? Wybrała namiętność – i zapłaciła za namiętność; przecież to szczęście! Była wolnym, dumnym człowiekiem! A jeśli do domu, w którym się pan urodził i mieszka od najmłodszych lat, wchodzą, choć to nie wojna, ludzie w mundurach, z karabinami i każą wszystkim domownikom w ciągu dwudziestu czterech godzin opuścić ten dom, to miasto, i pozwalają im zabrać ze sobą tylko tyle dobytku, ile zdołają unieść w słabych rękach?

Jej oczy dawno już wypłakały wszystkie łzy. I chyba tylko bezsilny gniew mógł zapalić w nich suche, pełne napięcia ogniki.

– ... A jeśli otwiera pan drzwi i zwołuje przypadkowych przechodniów, żeby cokolwiek kupili, nie, żeby z łaski rzucili parę groszy na chleb? I wchodzą do domu obrotni cwaniacy, którzy wszystko wiedzą – wszystko oprócz tego, że na ich głowy też spadnie grom! – i za fortepian pańskiej matki bezwstydnie oferują jedną setną ceny, a pańska córka z kokardą we włosach ostatni raz zaczyna grać Mozarta, ale zrywa się z płaczem i wybiega – to po co mamy czytać „Annę Kareninę"? Po co? Gdzie mogę przeczytać o n a s, o n a s? Kiedy? Dopiero za sto lat? – Podniosła głos niemal do krzyku, ale działał wpajany przez wiele lat strach: nie krzyczała, to nie był krzyk. I słyszał ją tylko Kostogłotow.

I może jeszcze Sibgatow w miednicy.

Niewiele powiedziała, lecz wystarczająco dużo, żeby się domyśleć.

– Leningrad? – stwierdził Oleg. – Trzydziesty piąty?

– Pan wie?

– Na jakiej ulicy pani mieszkała?

– Na Fursztadzkiej – żałośnie, ale i z leciutką radością westchnęła Jelizawieta Anatoljewna. – A pan?

– Na Zacharjewskiej. Tuż obok!
– Obok... Ile pan miał wtedy lat?
– Czternaście.
– I nic pan nie pamięta?
– Niewiele.
– Nie pamięta pan? Jak po trzęsieniu ziemi: pootwierane mieszkania, ktoś wchodził, brał, wychodził, nikt nikogo nie pytał. Przecież wysiedlono jedną czwartą miasta. A pan – nie pamięta?
– Pamiętam... Tylko... Wstyd powiedzieć: wtedy nie wydawało mi się to takie ważne. W szkole wyjaśniano nam, dlaczego wysiedla się tylu ludzi i jakie to pożyteczne dla kraju.
Starzejąca się salowa rzuciła głową jak koń szarpnięty za uzdę.
– O blokadzie – wszyscy będą wiedzieć! O blokadzie pisze się poematy! Tak, o blokadzie wolno. A p r z e d blokadą? Oczywiście nic się nie zdarzyło! Nic a nic!
Tak, tak. Tak samo moczył plecy w miednicy Sibgatow, na tamtym krześle siedziała Zoja, na tym – Oleg, i tu, przy tym samym biurku, przy tej samej lampce rozmawiali – o blokadzie, oczywiście, że o blokadzie!
Przed blokadą nic się w tym mieście nie wydarzyło. Oleg westchnął, oparł głowę na dłoni i zbolałym wzrokiem patrzył na Jelizawietę Anatoljewnę.
– Wstyd – powiedział cicho. – Dlaczego jesteśmy tacy obojętni i spokojni, dopóki nie rąbnie nas samych i naszych najbliższych? Dlaczego człowiek ma taką naturę?
A jeszcze bardziej wstydził się tego, że cały świat przesłoniło mu pytanie: czego kobieta oczekuje od mężczyzny? Jakby nie było w jego ojczyźnie innych cierpień, innego nieszczęścia.
Poczuł wstyd – i uspokojenie. Cudze nieszczęścia porywały, unosiły ze sobą jego własne nieszczęście.
– Ma pan rację... Kilka lat wcześniej – wspominała Jelizawieta Anatoljewna – wysiedlano z Leningradu szlachtę – też pewnie ze sto tysięcy ludzi. A my – czy w ogóle coś zauważyliśmy? Kto został? Trochę starców i dzieci, zupełnie bezradnych. Wiedzieliśmy, patrzyliśmy na to – i nic: nas przecież nie ruszano.
– I kupowaliśmy fortepiany?
– Możliwe. Tak, oczywiście, że kupowaliśmy!
Dopiero teraz uświadomił sobie Oleg, że ta kobieta nie ma jeszcze pięćdziesiątki. A na ulicy brano ją za staruszkę. Spod białej chustki zwisało starcze, nie dające się zakręcić pasemko włosów.
– Za co was wysiedlono?

– Jak to za co? Jako element szkodliwy społecznie. A może jako SOE – element społecznie niebezpieczny. Literowe artykuły, wygodne, bez sądu.

– Kim był pani mąż?

– Nikim. Grał na flecie w filharmonii. Po kieliszku lubił pogadać o polityce.

Olegowi przypomniała się zmarła matka – była tak samo zabiegana, przedwcześnie postarzała, inteligentna i tak samo bezradna bez męża.

Gdyby mieszkali w tym samym mieście, mógłby jakoś pomóc Jelizawiecie Anatoljewnie. Zająć się jej synem.

Lecz jak owady w gablocie, każde miało własną przegródkę.

– W pewnej rodzinie – otworzyła się dusza, skazana dotąd na milczenie, i mówiła, mówiła – były dorosłe dzieci, syn i córka, oboje płomienni komsomolcy. I nagle całą rodzinę wyznaczono do wysiedlenia. Dzieci pobiegły do rajkomu Komsomołu: „Brońcie!" „Obronimy – powiedziano im – macie tu papier i piszcie: «Proszę od dnia dzisiejszego nie uważać mnie za syna, córkę takich to a takich, gdyż wyrzekam się ich jako elementu szkodliwego społecznie i obiecuję nie utrzymywać z nimi żadnych kontaktów»".

Zgarbiły się kościste ramiona Olega, zwiesił głowę.

– Wielu tak pisało...

– Tak. A to rodzeństwo powiedziało: zastanowimy się. Wrócili do domu, cisnęli legitymacje komsomolskie do pieca i zaczęli się pakować.

Sibgatow zachrobotał miednicą. Wstawał, przytrzymując się łóżka.

Jelizawieta Anatoljewna poszła wynieść miednicę.

Oleg też wstał i po nieuniknionych schodach powlókł się na parter.

Na dole przechodził obok sali, w której leżał Diomka. Drugi pacjent zmarł w poniedziałek i jego miejsce zajął zoperowany Szułubin.

Drzwi, zazwyczaj zamknięte, były teraz uchylone. Z ciemności za nimi dobiegało chrypliwe rzężenie. Oleg nie widział w pobliżu żadnej pielęgniarki: pewnie zajmowały się innymi pacjentami albo spały.

Otworzył szerzej drzwi i wślizgnął się do środka.

Diomka spał. Rzęził Szułubin.

Oleg wszedł. Przez uchylone drzwi wpadało trochę światła z korytarza.

– Aleksieju Filippyczu!

Rzężenie ustało.

– Aleksieju Filippyczu. Źle się pan czuje?
– Co? – wychrypiał chory.
– Źle się pan czuje? Podać coś? Zapalić światło?
– Kto to? – przestraszony wydech i kaszel. I nowy jęk bólu.
– Kostogłotow. Oleg – pochylił się nad Szułubinem, widział już jego dużą głowę na poduszce.
– Co panu podać? Wezwać siostrę?
– Nie-trze-ba – wystękał Szułubin.
Nie kaszlał już i nie jęczał. Oleg widział go coraz wyraźniej, rozróżniał nawet kosmyki włosów.
– Nie wszystek umrę – szeptał Szułubin. – Nie wszystek umrę. Najwyraźniej bredził.
Kostogłotow namacał gorącą dłoń na kocu, ścisnął ją lekko...
– Aleksieju Filippyczu, będzie pan żył! Niech się pan trzyma! Aleksieju Filippyczu!
– Cząsteczka, prawda?... Cząsteczka?... – szeptał chory.
I zrozumiał Oleg, że Szułubin wcale nie bredzi, że nawet poznał go i mówił o ich ostatniej rozmowie. Powiedział wtedy: „Czasem czuję zupełnie wyraźnie, że ja – to coś więcej niż ja. Mam w sobie coś niezniszczalnego, coś bardzo wzniosłego, jakąś cząsteczkę Ducha Wszechświata. Pan tego nie odczuwa?”

35

O świcie, gdy wszyscy jeszcze spali, Oleg wstał po cichutku, regulaminowo zasłał łóżko – prześcieradło w kopertę – i stąpając na palcach w swoich ciężkich butach, wyszedł z sali.

Przy biurku dyżurnej, z czarną głową na splecionych ramionach, spał na siedząco Turgun.

Staruszka – salowa z parteru otworzyła umywalnię i Oleg przebrał się we własne ubranie, dziwnie obce po tych dwóch miesiącach: stare wojskowe spodnie z lampasami, półwełnianą bluzę, szynel. Wszystko to odleżało swoje w łagrowych kapciorach, lecz choć prawie doszczętnie znoszone, nadawało się jeszcze do użytku. Tylko zimową czapkę miał cywilną, kupioną już w Usz-Tereku. Była za ciasna i uciskała. Dzień zapowiadał się ciepły, toteż Oleg postanowił nie wkładać czapki – wyglądałby zbyt cudacznie. Pas zapiął pod płaszczem, na bluzie – w rozpiętym szynelu sprawiał wrażenie zdemobilizowanego lub zbiegłego z aresztu żołnierza. Czapkę wrzucił do worka – starego, zatłuszczonego, nadpalonego podczas suszenia przy ognisku, z zacerowaną dziurą od odłamka: ten frontowy worek żołnierski ciotka przyniosła mu do więzienia – specjalnie prosił o zniszczone rzeczy, żeby nie zabierać do łagru niczego porządnego.

Dziś jednak nawet takie ubranie po szpitalnych łachach od razu wprawiało w dobry, dziarski i po prostu zdrowy nastrój.

Kostogłotow chciał wyjść jak najszybciej, żeby w ostatniej chwili coś go nie zatrzymało. Salowa odryglowała zasuwę i otworzyła drzwi.

Wyszedł na taras – i stanął. Odetchnął głęboko – poczuł młode powietrze, niczym nie zmącone, niczym nie skalane! Rozejrzał się – zobaczył młody zielony świat! Zadarł głowę – niebo wzbierało różowością wschodzącego gdzieś daleko słońca. Zadarł głowę jeszcze wyżej – wrzeciona obłoków o żmudnie wycyzelowanych odwiecznych kształtach rozciągały się na całe niebo – tylko na kilka minut, tylko dla nielicznych, którzy o świcie zadzierają głowy, a może nawet wyłącznie dla niego, Olega Kostogłotowa!

A przez fryzy, koronki, bryzgi, pianę tych obłoków płynął dobrze jeszcze widoczny, połyskliwy i wyszczerbiony sierp księżyca.

To były narodziny świata! Świat tworzył się na nowo tylko po to, żeby wrócić do Olega i powiedzieć: idź! żyj!

I jedynie lustrzany, czysty księżyc nie był młody, nie był tym, który świeci zakochanym.

I rozpromieniony ze szczęścia, uśmiechając się do nikogo – do nieba i drzew, pełen tej wczesnowiosennej, wczesnoporannej radości, która dana jest starcom i chorym, ruszył Oleg znajomymi alejkami. Nie spotkał nikogo oprócz starego zamiatacza.

Obejrzał się i popatrzył na oddział. Ukryty za długimi miotłami topól wznosił się pawilon z popielatej cegły, trwał, nic a nic nie postarzały po siedemdziesięciu latach istnienia.

Oleg szedł – i żegnał się z drzewami szpitalnego parku. Na gałązkach klonów wisiały już kiście bazi. Rozkwitły pierwsze kwiaty. Kwitła ałycza, ale białe kwiaty kryły się wśród liści i drzewo wydawało się biało-zielone, a nie białe.

Uriuk tu nie rósł. Ludzie mówili, że już kwitnie. Podobno najłatwiej zobaczyć go w starym mieście.

Któż byłby w stanie zachować rozsądek w pierwszym dniu tworzenia? I wbrew wszelkim planom postanowił Oleg natychmiast, teraz, wczesnym rankiem pojechać do starego miasta i popatrzeć na kwitnący uriuk.

Minął zakazaną do dziś bramę i ujrzał pustawy plac z pętlą tramwajową. To stamtąd, przemoczony styczniowym deszczem, półżywy i pozbawiony wszelkiej nadziei, szedł do tej bramy, żeby za nią umrzeć.

Wyjście za szpitalną bramę – czyż nie było wyjściem z więzienia?

W styczniu, gdy Oleg jechał do kliniki, hałaśliwe, trzęsące się i zatłoczone tramwaje o mało go nie wykończyły. A teraz, gdy stał przy otwartym oknie, nawet jazgot tramwaju sprawiał mu przyjemność. Jazda tramwajem też była częścią życia, częścią wolności.

Tramwaj przejeżdżał przez most. Tam, w dole, pochylały się nad rzeką słabonogie wierzby, a ich sploty, zwieszone ku żółtobrązowej wodzie, ufnie się zieleniły.

Zazieleniły się też drzewa na chodnikach, ale nie zasłaniały jeszcze liśćmi domów – parterowych, murowanych, budowanych solidnie i bez pośpiechu przez ludzi, którym się nie śpieszyło. Oleg patrzył na nie z zawiścią: żyje się niektórym! Tramwaj mijał zadziwiające dzielnice: szerokie ulice, rozległe bulwary. A zresztą – któreż miasto nie wygląda pięknie, gdy widzi się je różowym wczesnym rankiem!

Stopniowo jednak dzielnice zmieniały wygląd: zniknęły bulwary, ulice zwęziły się, domy były byle jakie, bez żadnych pretensji do piękna i solidności; pewnie budowano je tuż przed wojną. I właśnie tutaj Oleg dostrzegł tabliczkę z nazwą ulicy, która wydała się mu znajoma.

No tak: na tej ulicy mieszka Zoja!

Wydobył tandetny notesik, sprawdził numer domu. Znów wyjrzał przez okno i niebawem zauważył sam dom: piętrowy, z oknami różnych rozmiarów, ze stale otwartą, a może wyłamaną bramą i oficynami w podwórzu.

No tak, to tu. Można wysiąść.

Nie był całkiem bezdomny w tym mieście! Zapraszano go do czyjegoś domu, zapraszała go dziewczyna!

Nie ruszył się jednak z miejsca, pojechał dalej, rozkoszując się łoskotem tramwaju, wstrząsami i poszturchiwaniem. Tramwaj nie był zatłoczony. Naprzeciwko Olega usiadł stary Uzbek w okularach, wyglądał jak dostojny dawny uczony. Konduktor wręczył mu bilet, Uzbek zwinął bilet w rurkę i wetknął go sobie do ucha. Ten prosty pomysł wprawił Olega w jeszcze radośniejszy nastrój.

Ulice zwężały się coraz bardziej, z obu stron napierały stłoczone i malutkie domki, potem zniknęły z nich okna, wzdłuż jezdni ciągnęły się teraz wysokie, gliniane ślepe mury – duwały, a jeśli nawet wystawały ponad nie ściany domów, to też ślepe, gładkie, powleczone gliną. W duwałach migały czasem furtki albo tuneliki – niziutkie, wchodzący człowiek musiał się garbić. Ze stopnia wagonu można było zeskoczyć wprost na chodnik, szeroki najwyżej na jeden krok. Jezdnia ginęła pod tramwajem.

Oleg domyślił się, że dojechał do starego miasta: nie widział jednak żadnych drzew, nie mówiąc już o uriuku.

Dalsza jazda nie miała sensu. Wysiadł.

Mógł teraz przyjrzeć się wszystkiemu dokładnie i bez pośpiechu. I usłyszeć. A najpierw usłyszał jakieś metaliczne postukiwanie. Po chwili zobaczył starego Uzbeka w czarno-białej tiubietiejce i czarnym pikowanym chałacie, przepasanego różową szarfą. Uzbek przykucnął na środku jezdni i na szynie tramwajowej klepał młotkiem ostrze motyki.

Oleg zatrzymał się i popatrzył z rozrzewnieniem: wiek atomu! A więc i tutaj, zupełnie jak w Usz-Tereku, stal jest taką rzadkością, że trzeba wykorzystywać szynę tramwajową! Obserwował, czy Uzbek zdąży przed następnym tramwajem. Uzbek jednak nie śpieszył się ani trochę, robił swoje, a na widok tramwaju odsunął się na pół kroku, przeczekał i znów przykucnął nad torem.

Oleg patrzył na cierpliwe plecy Uzbeka, na jego różową szarfę (która wchłonęła całą różowość błękitniejącego już nieba). Nie mógł zamienić z Uzbekiem choćby paru słów, ale czuł w nim bratnią robociarską duszę.

Klepać motykę w wiosenny poranek – czyż nie było to odzyskane życie?

Jak dobrze!...

Szedł powoli, zastanawiając się, gdzie są okna. Miał ochotę zajrzeć za duwały, do środka, lecz furtki były pozamykane, a pukać jakoś nie wypadało. Nagle w jednym z tunelików błysnęło słońce. Oleg schylił głowę i wszedł na podwórze.

Podwórze jeszcze spało, ale od razu rzucało się w oczy, że właśnie na nim koncentruje się życie domu. Pod drzewem stała wkopana ławka i stół; tu i ówdzie poniewierały się zabawki, zresztą całkiem współczesne. Hydrant zapewniał życiodajną wodę. Stało też koryto do prania. Na podwórze wychodziły wszystkie okna domu – bardzo dużo okien. A na ulicę – ani jedno.

Kawałek dalej zajrzał na jeszcze jedno takie podwórze. Było niemal identyczne. Krzątała się po nim młoda Uzbeczka z cienkimi warkoczami do pasa. Widziała Olega – i nie dostrzegała go. Wycofał się.

W Rosji było zupełnie inaczej! W rosyjskich wsiach i miasteczkach wszystkie okna chat wychodzą na ulicę, a za firankami i kwiatami jak w leśnej zasadzce czatują gospodynie – kto idzie? do kogo? po co? Lecz Oleg od razu zrozumiał i uznał za właściwą wschodnią zasadę: nie chcę wiedzieć, jak żyjesz, ale i ty nie wtykaj nosa w moje sprawy! Czyż on, były łagiernik, przez wiele lat stale na widoku, stale nadzorowany, rewidowany, kontrolowany, podglądany, obserwowany – mógł sobie wymarzyć lepszy sposób życia? Coraz bardziej podobało mu się stare miasto.

Już wcześniej zauważył w zakątku między domami pustą o tej porze czajchanę. Teraz natknął się na następną, na piętrze. Wszedł tam. W czajchanie siedziało już kilku mężczyzn w tiubietiejkach – wzorzystej, bordowej i niebieskiej – oraz starzec w białej wyszywanej czałmie. Nie było natomiast ani jednej kobiety. Oleg przypomniał sobie, że nigdy nie widywał kobiet w czajchanach. Żadne tabliczki nie zabraniały wstępu kobietom; po prostu nikt ich nie zapraszał.

Oleg zamyślił się. W tym pierwszym dniu nowego życia wszystko było dla niego naprawdę nowe, wszystkiego musiał się nauczyć, wszystko zrozumieć. Może gromadząc się we własnym gronie mężczyźni chcieli podkreślić, że kobiety nie są w ich życiu najważniejsze?

Usiadł koło balustrady balkonu. Miał stąd widok na całą ulicę. Ożyła, ale nie była to gorączkowa miejska krzątanina. Przechodnie poruszali się statecznie i bez pośpiechu albo z niezmąconym spokojem siedzieli w czajchanach.

Można było uznać, że sierżant Kostogłotow, więzień Kostogłotow, który odsłużył wszystko, czego żądali od niego ludzie, i odcierpiał wszystko, co kazała mu odcierpieć choroba – umarł w styczniu. A teraz, chwiejąc się na niepewnych nogach, wyszedł z kliniki jakiś zupełnie nowy Kostogłotow – „cienki, miękki, przeźroczysty", jak mawiano w łagrze, wyszedł nie po całe życie, ale po życie – dokładkę, taką jak dokładka chleba, przyszpilona sosnowym patyczkiem do dziennej porcji, żeby waga się zgadzała: niby ta sama porcja, a jednak – dodatkowe kawałątko.

I zaczynając dziś to malutkie, dodatkowe, darowane życie chciał Oleg, by nie było ono podobne do poprzedniego, dużego. Chciał przestać popełniać błędy.

Nie udało się ! Od razu popełnił błąd – wybrał nie ten czajnik, co trzeba. Należało bez wydziwiania nalać sobie ze zwyczajnego, czarnego, dobrze znanego. On jednak wybrał egzotyczny k o k-czaj, zieloną herbatę. Nie miała ani mocy, ani smaku herbaty i nadawała się wyłącznie do zlewu.

A tymczasem godziny mijały, słońce wznosiło się coraz wyżej. Oleg chętnie by coś zjadł, ale w czajchanie sprzedawano wyłącznie te dwa rodzaje herbaty, a i to bez cukru.

Nie wstał jednak, nie wyruszył na poszukiwanie jedzenia: przejmując tutejszy, nieskończenie powolny sposób bycia siedział nadal nad piałą – filiżanką, a nawet odwrócił nieco krzesło, żeby rozsiąść się jeszcze wygodniej. I wtedy z balkonu czajchany zobaczył nad zamkniętym kwadratem sąsiedniego podwórza jak gdyby przeźroczysty różowy dmuchawiec o średnicy sześciu metrów – wielką nieważką różową kulę. Nigdy w życiu nie widział takiego ogromu różowości!

Uriuk?...

Poczuł Oleg: oto nagroda za brak pośpiechu! Czyli nigdy nie pędź przed siebie na oślep, rozejrzyj się wokół siebie!

Podszedł do balustrady i stąd, z góry, patrzył i patrzył bez końca na przejrzyste różowe cudo.

Dawał je sobie w prezencie – na pierwszy dzień tworzenia.

Niczym świąteczna choinka ze świeczkami w pokoju domu na północy, jaśniało na tym otwartym tylko od strony nieba podwórzu jedno jedyne drzewo – kwitnący uriuk, a pod nim baraszkowały dzieci i przekopywała ziemię kobieta w czarnej chustce w zielone kwiaty.

Oleg patrzył. Różowość – to było ogólne wrażenie. Podobne do świeczek pąki miały kolor bordowy, wychylały się z nich różowe płatki kwiatów, ale w środku lśniły czystą bielą jak kwiaty jabłoni albo wiśni. Kolory te zlewały się w niewyobrażalną różową feerię – i Oleg starał się nasycić nią oczy, wchłonąć całą, żeby wspomnień starczyło na bardzo długo, żeby opowiedzieć Kadminom.

Wymyślił sobie cudo – i znalazł je.

Jeszcze wiele radości czekało go dzisiaj w nowo narodzonym świecie!

A wyszczerbiony księżyc zniknął bez śladu.

Oleg zszedł po schodkach na ulicę. Słońce przypiekało w gołą głowę. Należało kupić czterdzieści deka czarnego chleba, zjeść go i jechać do centrum. Wolnościowe ubranie tak podniosło go na duchu, że w ogóle zapomniał o mdłościach i poruszał się zupełnie swobodnie.

Dostrzegł stragan, wciśnięty w załom muru tak, że nie tarasował chodnika. Dwa ukośne słupki podtrzymywały płócienny daszek. Spod daszka wydobywał się siwy dymek. Oleg musiał schylić głowę, żeby wejść pod daszek, a potem stać z przekrzywioną szyją.

Całą przestrzeń pod daszkiem zajmowało długie żelazne palenisko. W jednym miejscu żarzył się węgiel, pozostałą część rynienki wypełniał biały popiół. W poprzek paleniska nad żarem, leżało około piętnastu długich, zaostrzonych na końcach, aluminiowych prętów z nanizanymi kawałkami mięsa.

Oleg domyślił się: to był szaszłyk! – jeszcze jedno odkrycie stworzonego świata! Ten szaszłyk, o którym tyle się nasłuchał podczas nie kończących się więziennych dyskusji gastronomicznych! Nigdy jednak nie widział szaszłyka na własne oczy: w życiu nie był na Kaukazie ani w restauracji, a w przedwojennych stołówkach karmiono gołąbkami i kaszą perłową.

Szaszłyk!

– Ile kosztuje? – spytał Kostogłotow.

– Trzy – sennie odpowiedział szaszłykarz.

Oleg nie zrozumiał: co trzy? Trzy kopiejki – za tanio, trzy ruble chyba za drogo. Może trzy pręciki za rubla? Tego rodzaju rozterki przeżywał od czasu wyjścia z łagru: zupełnie nie mógł się połapać w cenach.

– Ile za trzy ruble? – wykombinował sprytne pytanie. Leniwy szaszłykarz bez słowa podniósł za koniec jeden pręcik, pomachał nim Olegowi przed nosem jak dziecku i odłożył z powrotem.

Jeden szaszłyk – trzy ruble? Oleg pokręcił głową z niedowierzaniem. Jakaś wyższa matematyka. Pięć rubli musiało mu wystarczyć na cały dzień. Ale tak chciał spróbować! Pożerał wzrokiem każdy kawałeczek mięsa, wybierał najładniejszy szaszłyk. Wszystkie wyglądały równie kusząco.

W pobliżu czekali trzej kierowcy, ich ciężarówki stały tuż obok. Podeszła też kobieta, lecz szaszłykarz powiedział coś po uzbecku i oddaliła się niezadowolona. I nagle szaszłykarz zaczął zgarniać wszystkie szaszłyki na jeden talerz, a potem posypał je z wierzchu siekaną cebulą i polał czymś z buteleczki. I Oleg zrozumiał, że kierowcy kupują cały zapas, każdy po pięć sztuk!

Znowu te niepojęte piętrowe ceny i piętrowe zarobki! Oleg nie mógł sobie wyobrazić górnego piętra ani tym bardziej znaleźć się na nim. Szoferzy przejadali czterdzieści pięć rubli, po piętnaście każdy – a pewnie nie było to nawet ich śniadanie! Jego zarobku nie starczyłoby na takie życie: zresztą szaszłyki nie były dla takich jak on.

– Więcej nie ma – powiedział szaszłykarz.

– Nie ma? Nic nie zostało? – Oleg wpadł w rozpacz. Jak mógł się zastanawiać! Może to pierwsza i ostatnia okazja w życiu!

– Dziś nie przywieźli. – Szaszłykarz uprzątał przyprawy i najwyraźniej miał zamiar opuścić daszek.

Zdesperowany Oleg rzucił się do kierowców:

– Koledzy! Odstąpcie jeden szaszłyk! Koledzy – jeden szaszłyk! Szaszłyk!

Któryś z kierowców, mocno opalony, lnianowłosy chłopak, przywołał go:

– Bierz.

Jeszcze nie płacili, toteż Oleg w pośpiechu wysupłał z zapiętej na agrafkę kieszeni zieloną trzyrublówkę; szaszłykarz nie wziął jej nawet do ręki, tylko zmiótł do szuflady tym samym gestem co okruchy i śmieci.

Szaszłyk! Oleg upuścił swój worek na zakurzony chodnik, chwycił aluminiowy pręcik za oba zaostrzone końce, policzył plasterki mięsa – było ich pięć i jeszcze kawałeczek szóstego – i zaczął odgryzać je z pręcika, ale nie całe, tylko po troszeczku. Jadł statecznie jak pies, który zaszył się ze zdobyczą w bezpiecznym kącie, i rozmyślał o tym, jak łatwo jest rozbudzić w człowieku pragnienia i jak trudno je potem zaspokoić. Przez ileż lat najwspanialszym darem losu była dlań kromka czarnego chleba! Jeszcze przed chwilą miał zamiar kupić go sobie na śniadanie: wystarczyło jednak poczuć siwy dymek smażeniny, wybłagać szaszłyk – i już zaczynał myśleć o chlebie z lekceważeniem.

Kierowcy zjedli po pięć szaszłyków, wsiedli do ciężarówek, odjechali – a Oleg wciąż jeszcze rozkoszował się swoją porcją. Smakował wargami i językiem każdy kęs, odkrywał, jak ocieka sokiem delikatne mięso, jak pachnie, jak cudownie jest wysmażone, jak chrupie, zachowując równocześnie pierwotną jędrność. I im bardziej rozsmakowywał się w szaszłyku, im głębiej się w niego wgryzał, tym wyraźniej czuł, że do Zoi nie wstąpi. Znów będzie przejeżdżać obok jej domu, ale nie wysiądzie. Właśnie teraz uświadomił to sobie ostatecznie.

I znów jechał przez znajome już ulice do centrum miasta, tyle że bardziej zatłoczonym tramwajem. Poznał przystanek Zoi i przejechał jeszcze dwa. Nie wiedział, gdzie ma właściwie wysiąść. Na trzecim przystanku jakaś kobieta zaczęła sprzedawać pasażerom gazety przez okno i Oleg wysiadł, żeby na nią popatrzeć – ostatni raz widział gazeciarzy w dzieciństwie (a dokładniej w dniu, w którym zastrzelił się Majakowski i chłopcy biegali z wydaniem nadzwyczajnym). Tu jednak sprzedawała gazety niemłoda Rosjanka: szło jej niesporo, guzdrała się z wydawaniem reszty, ale za każdym razem, gdy nadjeżdżał tramwaj, pozbywała się paru sztuk. Oleg przyglądał się, jak jej to idzie.

– Milicja nie ściga? – spytał.

– Nie, innych ma na oku – odcięła się kobieta. Faktycznie. Zapomniał o własnym wyglądzie. Milicjant w pierwszej kolejności zażądałby dokumentów od niego, a nie od kobiety.

Uliczny zegar wskazywał dopiero dziewiątą, ale było już na tyle upalnie, że Oleg rozpiął górne haftki płaszcza. Ludzie wyprzedzali go i potrącali, a on szedł bez pośpiechu po nasłonecznionej stronie ulicy, mrużył oczy i uśmiechał się do słońca.

Jeszcze tyle radości czekało go dzisiaj!

To było słońce wiosny, której nie spodziewał się dożyć. Nikt tu nie cieszył się z powrotu Olega do życia, nikt nawet o tym nie wiedział, ale słońce – wiedziało i Oleg uśmiechał się do niego. Nieważne, że mogła to być ostatnia wiosna – i tak była d o k ł a d k ą! Dzięki i za nią!

Żaden przechodzień nie cieszył się na widok Olega, ale jego cieszył widok ich wszystkich! Cieszył się, że wrócił do ludzi! I do wszystkiego, co widział na ulicach! Nic nie mogło być nieciekawe, głupie albo bezsensowne w jego na nowo stworzonym świecie! Całe miesiące, całe lata życia nie dawały się w ogóle porównać z tym jedynym, niepowtarzalnym dniem!

Lody w tekturowych kubeczkach! Oleg już nie pamiętał, kiedy widział takie kubeczki. Półtora rubla? Proszę bardzo! Przestrzelony, przepalony worek – na plecy, obie ręce wolne, można jeść! Oleg szedł przed siebie jeszcze wolniejszym krokiem.

Natknął się na witrynę zakładu fotograficznego i oparty o żelazną barierkę długo patrzył na te wyretuszowane i upiększone twarze, zwłaszcza na twarze dziewcząt. Najpierw każda z tych dziewcząt wkładała najładniejszą sukienkę, potem fotograf wybierał najkorzystniejszy kąt ujęcia i dziesięć razy zmieniał oświetlenie, potem robił dziesięć zdjęć, wybierał najlepsze i retuszował je, potem z dziesięciu takich dziewczyn wybierał najpiękniejszą – i tak powstała ta wystawa. Oleg wiedział o tym, lecz mimo to przyjemnie było wierzyć, że na świecie są tylko takie śliczne dziewczyny. I za wszystkie stracone lata, za wszystkie, których nie dożyje, za wszystko, czego go pozbawiono – gapił się na nie bezwstydnie i długo.

Zjadł lody i powinien wyrzucić kubeczek, ale kubeczek był taki gładziutki, taki czyściutki, że szkoda go było cisnąć do kosza. Oleg uznał, że przyda się do picia w podróży, i schował zdobycz do worka. Schował też patyczek.

Zobaczył aptekę. Apteka to również bardzo ciekawe miejsce! Natychmiast wszedł do środka. Można tu było spędzić cały dzień! Na półkach stało mnóstwo przedmiotów, niezwykłych dla oczu łagiernika, Oleg nie widział ich od dziesiątków lat, a jeśli nawet kiedyś widział, to dawno zapomniał, do czego służą i jak się nazywają. Z bojaźliwym respektem przyglądał się niklowanym, szklanym i plastykowym kształtom. W następnym dziale leżały torebki ziół z opisem ich przeznaczenia i działania. Oleg bardzo wierzył w zioła – ale gdzie były t e, gdzie? Dalej ciągnęły się gabloty z tabletkami o zupełnie nieznajomych nazwach. Apteka odsłaniała przed Olegiem cały wszechświat nowych spostrzeżeń i przemyśleń. Chodził, patrzył, wzdychał, ale spytał tylko o rzeczy, które zamówili Kadminowie: o termometr, sodę i nadmanganian potasu. Termometrów nie było, sody nie było, a za nadmanganian musiał zapłacić trzy kopiejki.

Potem stanął w kolejce do okienka, w którym realizowano recepty, i odstał dwadzieścia minut. Brakowało mu powietrza. Wahał się, czy wykupić lekarstwo. Podał farmaceutce jedną z trzech recept, przepisanych przez Wegę. Miał nadzieję, że leku nie będzie i problem sam się rozwiąże. Lekarstwo niestety było. Kosztowało pięćdziesiąt osiem rubli z kopiejkami.

Oleg roześmiał się z ulgą i odszedł od okienka. Przywykł już, że liczba „pięćdziesiąt osiem” prześladuje go na każdym kroku, ale bulić sto siedemdziesiąt pięć rubelków za trzy recepty – o nie! Za te pieniądze mógł przeżyć cały miesiąc. Chciał od razu podrzeć recepty i wyrzucić je do spluwaczki; pomyślał jednak, że Wega może o nie zapytać – i schował.

Żal mu było opuszczać lustrzane komnaty apteki, lecz wzywał go dzień, dzień jego radości.

Jeszcze wiele radości czekało go dzisiaj!

Nie śpieszył się. Szedł od wystawy do wystawy, nie omijając żadnego zakątka. Wiedział, że na każdym kroku szykują się niespodzianki.

I rzeczywiście! Zobaczył pocztę i reklamę w oknie: „Korzystajcie z fototelegrafu!" Niesamowite! Przed dziesięciu laty pisano o tym w powieściach fantastyczno-naukowych – a tu proszę, czeka na przechodniów! Przeczytał spis miast – około trzydziestu – do których można było wysyłać fotodepesze. Zaczął się zastanawiać – dokąd i do kogo zadepeszować? Niestety, w żadnym z tych wielkich miast, rozrzuconych na jednej szóstej powierzchni lądów kuli ziemskiej, nie było ani jednego człowieka, któremu sprawiłby radość swoim telegramem.

Z ciekawości podszedł jednak bliżej i poprosił, żeby urzędniczka pokazała mu blankiet fototelegramu.

– Fototelegraf zepsuty – powiedziała kobieta. – Nie działa.

Nie działa! Czort z nim. Może to i lepiej. Jakoś normalniej.

Szedł dalej, czytał afisze. Cyrk, kilka kin. W każdym wyświetlali coś na dziennych seansach, ale nie mógł tracić na kino dnia, ofiarowanego mu na poznanie całego wszechświata.

No, gdyby zostać w mieście trochę dłużej, można by oczywiście pójść do kina. A nawet do cyrku: był przecież jak dziecko, dopiero co się narodził.

Właściwie mógł już iść do Wegi.

Tylko – czy w ogóle iść?

Jak to? Czyż mógł nie iść? Wega to przyjaciel. Zaprosiła go naprawdę szczerze. I była zmieszana. Jedyna bliska dusza w całym mieście – i miał nie pójść?

Tak naprawdę pragnął tylko tego – pójść do niej. Nawet bez zwiedzania i odkrywania wszechświata miasta – do niej.

Coś go jednak powstrzymywało i podsuwało wciąż nowe wątpliwości: Może jeszcze za wcześnie? Może jeszcze nie wróciła? Może nie jest gotowa?

Pójdzie później.

Na każdym skrzyżowaniu przystawał i zastanawiał się: dokąd teraz? Nikogo jednak nie pytał i szedł na los szczęścia.

Tak natknął się na winiarnię – nie sklep monopolowy, a właśnie winiarnię, pełną beczek wina. W mrocznym, nieco wilgotnym wnętrzu unosił się osobliwy cierpki zapach. Jakaś stara tawerna! Wino nalewano do szklanek prosto z beczek. Szklanka najtańszego kosztowała dwa ruble. Po szaszłyku była to zupełna taniocha! I Kostogłotow wyciągnął z przepastnej kieszeni kolejną trzyrublówkę.

Wino niezbyt mu smakowało, ale prawie natychmiast zaszumiało w osłabionej głowie. A kiedy wyszedł z winiarni, życie wydało mu się jeszcze piękniejsze, choć i tak od samego rana hojnie obsypywało go swymi darami. Nic nie mogło zepsuć mu nastroju. Przecież doświadczył już, zaznał całego zła, jakie mogło przynieść to życie – reszta musiała być lepsza!

Jeszcze wielu radości spodziewał się dzisiaj!

Szkoda, że nie widać następnej winiarni – można by wypić drugą szklankę.

Nie natrafił jednak na następną winiarnię.

Gęsty tłum zatarasował chodnik, ludzie tłoczyli się nawet na jezdni. Oleg uznał, że pewnie zdarzył się wypadek. Wszyscy stali jednak twarzami do szerokich schodów i drzwi – i najwyraźniej na coś czekali. Kostogłotow zadarł głowę i przeczytał: „Centralny Dom Towarowy". Sprawa była jasna: mieli coś r z u c i ć. Tylko co? Spytał jednego człowieka, drugiego, trzeciego, ale żaden nie potrafił udzielić sensownej odpowiedzi. Oleg dowiedział się tylko, że zbliża się chwila otwarcia. No cóż, zrządzenie losu. Wcisnął się w tłum.

Po kilku minutach dwaj mężczyźni otworzyli drzwi, przez moment bezskutecznie usiłowali powstrzymać napór ciżby, po czym w popłochu odskoczyli na bok jak przed cwałującą konnicą. Klienci runęli do drzwi i do schodów na piętro takim pędem, jakby uciekali z płonącego domu towarowego, a nie parli do środka. Za młodymi i silnymi żwawo biegli pozostali i każdy starał się nie pozostawać w tyle. Nieduży strumyczek ludzi rozpłynął się po parterze, ale większość pędziła na piętro. W tym rozszalałym nurcie nie można było iść spokojnie, pobiegł więc i Oleg – spocony, rozkudłany, z workiem na plecach (w ścisku wyzywano go od „żołnierzy").

Na piętrze potok rozdzielał się: ludzie gnali w trzech różnych kierunkach, hamując na śliskich zakrętach. Oleg miał ułamek sekundy na dokonanie wyboru. Jaki tam wybór! Pobiegł na chybił-trafił za najbardziej rączymi klientami.

Wylądował w skłębionym ogonku przy stoisku z konfekcją. Kolejka wrzała, jednakże sprzedawczynie snuły się tak sennie i leniwie, jakby przed ladą nie było nikogo i czekał je nudny, bezczynny dzień.

Oleg odsapnął i dowiedział się, że mają sprzedawać damskie bluzki, a może sweterki. Zaklął pod nosem i odszedł od lady.

Nie miał pojęcia, gdzie zniknęły pozostałe dwa potoki. Klienci mrowili się wszędzie, przy każdym stoisku. Przy jednym było szczególnie tłoczno i Oleg pomyślał, że może ludzie pędzili właśnie tutaj. Podszedł bliżej. Tłum czekał na głębokie talerze: właśnie wypakowywano je ze skrzynek. To było coś! W Usz-Tereku nikt nie miał takich talerzy, Kadminowie jedli z nadtłuczonych płaskich. Ech, przywieźć by z dziesiątek! Niestety! Dowiózłby najwyżej skorupy.

Zrezygnowany, zaczął systematycznie zwiedzać dom towarowy. Zainteresował go dział fotooptyki. Aparaty fotograficzne, o których przed wojną można było tylko pomarzyć, zawalały wszystkie półki, kusiły – i kosztowały. Dziecięce marzenie Olega – fotografowanie...

Zapatrzył się na męskie płaszcze. Bardzo mu się podobały. Po wojnie marzył o takim szykownym cywilnym płaszczu – płaszcz wydawał mu się szczytem elegancji. Cóż – płaszcz kosztował trzysta pięćdziesiąt rubli, jego miesięczny zarobek. I poszedł Oleg dalej.

Nic nie kupował, a czuł się tak, jakby miał grubo wypchany portfel – i żadnych potrzeb. Wino wesoło szumiało mu w głowie.

Obok sprzedawano koszule stylonowe. Na dźwięk słowa „stylon" kobiety w Usz-Tereku rzucały wszystko i pędziły do sklepu. Obejrzał Oleg koszule, pomacał – podobały mu się. I nawet wybrał sobie jedną: zieloną w białe paski. (Wybrał w myślach – kosztowała sześćdziesiąt rubli i nie mógł jej kupić.)

Kiedy tak medytował nad koszulami, do stoiska podszedł mężczyzna w solidnym palcie (nie podszedł jednak do tych koszul, tylko do jedwabnych) i uprzejmie spytał sprzedawczynię:

– Czy ma pani rozmiar pięćdziesiąty z kołnierzykiem numer trzydzieści siedem?

I – jakby piorun strzelił w Olega! Nie – jakby tarnikiem szarpnęli go po bokach! Obejrzał się i w osłupieniu popatrzył na tego starannie ogolonego, statecznego mężczyznę w eleganckim filcowym kapeluszu, w białej koszuli z krawatem, popatrzył tak, jak gdyby tamten uderzył go w twarz i ktoś tu zaraz powinien zlecieć ze schodów.

Jak to?! Ludzie gnili żywcem w okopach, ludzi zwalano do zbiorowych grobów, do płytkich jam w wiecznej zmarzlinie, ludzi wywożono do łagrów – raz, drugi, trzeci, ludzie męczyli się w bydlęcych wagonach, ludzie harowali do upadłego, żeby zarobić na połatane szmaty – a ten czyścioszek pamięta nie tylko rozmiar swojej koszuli, ale nawet numer kołnierzyka?!

Numer kołnierzyka dobił Olega! Nigdy by się nie domyślił, że kołnierzyk może mieć numer! Tłumiąc jęk bólu odszedł od stoiska z koszulami. Numer kołnierzyka? Numer kołnierzyka!!! A cóż to za dziwaczne życie? Po co do niego wracał? Przecież żeby zapamiętać numer kołnierzyka – trzeba o czymś zapomnieć! O czymś ważniejszym!

Wykończył go ten kołnierzyk!

W dziale gospodarstwa domowego przypomniał sobie, że Jelena Aleksandrowna, choć nie prosiła, żeby kupił – marzyła o żelazku turystycznym. Oleg miał nadzieję, że żelazka nie będzie – w sklepach nigdy nie ma tego, co akurat potrzebne – to pozwoli mu wrócić z czystym sumieniem i z pustymi rękami. Sprzedawczyni podała mu jednak takie właśnie żelazko.

– A czy to na pewno turystyczne? – nieufnie ważył je w dłoni.

– Po co miałabym pana oszukiwać? – wydęła usta sprzedawczyni. Miała nieobecne, wręcz metafizyczne spojrzenie i w ogóle przebywała w jakimś nieziemskim czwartym wymiarze, z którego ledwie dostrzegała przeźroczyste i bezkształtne cienie klientów.

– Nie mówię, że pani mnie oszukuje, ale może się pani pomyliła? – powątpiewał Oleg.

Ściągnięta wbrew własnej woli na doczesny prozaiczny padół dokonała nadludzkiego wysiłku i sięgnęła po inne żelazko. Wygłoszenie paru słów przekraczało jej siły. Znów uleciała w swoje metafizyczne przestrzenie. Cóż – przez porównanie do prawdy. Żelazko „turystyczne" rzeczywiście okazało się lżejsze od zwyczajnego o dobry kilogram. Należało spełnić obowiązek moralny i kupić je.

Wyczerpana podawaniem żelazka dziewczyna musiała jeszcze wypisać paragon i zdobyć się na gasnący szept: „Sprawdzić..." (Jakie znów sprawdzanie? Co sprawdzić? Oleg zupełnie nie pamiętał. Jakże trudny był powrót do tego świata!). Musiała więc pomóc i osobiście wlec brzemię żelazka do kontroli technicznej, Oleg czuł się winny, że wyrwał sprzedawczynię z jej sennego letargu.

Ramiona od razu odczuły ciężar żelazka. Olegowi było duszno, musiał czym prędzej wyjść na powietrze.

Schodząc po schodach, ujrzał własne odbicie o ogromnym lustrze na całą ścianę. Wprawdzie mężczyźnie nie przystoi gapić się w lustro, ale tak ogromnego nie było w całym Usz-Tereku. Poza tym nie widział się w takim od dziesięciu lat. Nie zważał na otoczenie, stanął i przyjrzał się sobie najpierw z daleka, potem z bliska, a potem z całkiem bliska.

Wcale nie wyglądał na żołnierza, jak mu się dotychczas wydawało. Szynel jedynie z nazwy przypominał szynel, buty przestały być podobne do butów. Do tego zgarbione ramiona, krzywa sylwetka. Bez czapki i pasa przypominał raczej zbiegłego więźnia albo wiejskiego chłopaka, który przyjechał do miasta na handel. Tyle że żaden wiejski chłopak nie miałby tak umęczonej, wynędzniałej i żałosnej twarzy.

Niepotrzebnie patrzył w to lustro. Jeszcze przed chwilą myślał, że jest dziarski i bojowy, że nie różni się od innych przechodniów, na mężczyzn patrzył z góry, a na kobiety – jak równy. A teraz, z tym brudnym tobołkiem na plecach, bardziej podobnym do torby żebraczej niż do żołnierskiego worka, mógłby stanąć pod płotem i wyciągać rękę – i ludzie nie pożałowaliby kopiejki...

A przecież miał iść do Wegi... Jak mógł iść do niej t a k i?

Odszedł od lustra i znalazł się w dziale galanterii, a może upominków – ogólnie mówiąc, damskich ozdób.

I stanął bezradnie ten pół żołnierz – pół żebrak z blizną na policzku wśród rozszczebiotanych, podnieconych zakupami kobiet, i stał tak bez ruchu, gapiąc się na wszystko z tępym zdumieniem.

Sprzedawczyni uśmiechnęła się ironicznie – co też taki chce kupić swojej wsiowej narzeczonej? – popatrywała na niego bacznie, żeby czegoś nie buchnął.

Lecz on o nic nie prosił, niczego nie brał do rąk. Stał i patrzył.

Ten tęczowy, migotliwy dział barwnych szkiełek, kamieni, metali i tworzyw sztucznych opuścił się przed nim jak błyszczący szlaban. Szlaban nie do ominięcia. Nie do pokonania.

Kostogłotow – zrozumiał. Zrozumiał, jak wspaniałą rzeczą jest kupić kobiecie coś ładnego i przypiąć jej to do piersi albo zawiesić na szyi. Dopóki nie wiedział, nie pamiętał – był niewinny. Teraz jednak uświadomił to sobie tak jasno, że nie mógł już przyjść do Wegi z pustymi rękami.

A przecież nie odważy się, nie ośmieli kupić żadnego prezentu! Na drogą biżuterię nie było nawet co patrzeć. A o tańszych błyskotkach – co wiedział? Nic! Na przykład te broszki niebroszki albo tamte wymyślne zapinki, szczególnie taka sześciokątna, z mnóstwem skrzących się szkiełek – czy jest ładna? Chyba tak!

A może – tandetna, ordynarna? Może kobieta o dobrym guście nawet na nią nie spojrzy? A może już się takich nie nosi, może są niemodne? Skąd miałby wiedzieć, co kobiety noszą, a czego nie?

A poza tym, jak to ma być? – przyjdzie, przenocuje, a potem czerwony jak burak i zakłopotany wręczy jej – broszkę?

Wątpliwości sypały się na niego jak ciosy pałek.

I osaczyła go, przygniotła cała złożoność tego świata, w którym trzeba znać się na kobiecej modzie, umieć wybierać odpowiednie damskie ozdoby, elegancko wyglądać w lustrze, pamiętać numer kołnierzyka koszuli... A Wega żyła właśnie w tym świecie – i dobrze się w nim czuła, i wszystko wiedziała.

Był zbity z tropu i załamany. Jeśli miał do niej iść – to teraz, o tej porze!

A – nie mógł. Upadł na duchu. Bał się.

Rozdzielił ich – dom towarowy.

I z tej świątyni idoli rynku, do której wpadł z tak głupią pożądliwością, wywlókł się Oleg zupełnie zgnębiony i taki skonany, jakby wydał tu tysiące rubli, jakby w każdym dziale coś przymierzał i kupował, jakby dźwigał teraz na zgarbionych plecach całą górę tych paczek, toreb i pakunków.

A dźwigał tylko – żelazko.

Był śmiertelnie zmęczony. Gdzie się podział ten przeczysty różowy poranek, zwiastujący nowe i piękne życie? Gdzie tamte pierzaste obłoki o cyzelowanych kształtach? Gdzie sierp księżyca?

Gdzie rozmienił na drobne swoją poranną duszę, tak pełną radosnej harmonii? W domu towarowym... A wcześniej – przepił z winem. A jeszcze wcześniej – przejadł z szaszłykiem.

A powinien był popatrzeć na kwitnący uriuk – i od razu pędzić do Wegi...

Mdliło go od widoku witryn, szyldów i gęstniejącego roju zabieganych, wesołych ludzi. Miał ochotę położyć się gdzieś w cieniu nad rzeczką i leżeć. A w mieście – pójść najwyżej do zoo, bo Diomka prosił.

Świat zwierząt wydawał się Olegowi jakiś bliższy – bardziej zrozumiały, czy co. Na właściwym poziomie.

W szynelu było za gorąco, ale nie chciał go nieść na ręku. Zaczął wypytywać o drogę do zoo. I poprowadziły tam Olega szerokie ciche ulice z kamiennymi chodnikami, wysadzane szpalerami rozłożystych drzew. Nie widział żadnych sklepów, wystaw, zakładów fotograficznych, teatrów i winiarni. Nawet tramwaje zostały gdzieś daleko. Przez gałęzie sączył się dobry, spokojny, słoneczny dzień. Na chodniku dziewczynki grały w klasy. Gospodynie sadziły coś w ogródkach albo wkopywały paliki dla winorośli.

W pobliżu zoo zaczynało się królestwo dzieciarni – przecież wakacje! I taki piękny dzień!

Pierwszym napotkanym zwierzęciem był kozioł. W jego wybiegu wznosiła się stroma skała z urwiskiem. I właśnie tam, tuż nad urwiskiem, dumnie i nieruchomo stał na cienkich mocnych nogach kozioł o zadziwiających rogach: były długie, zakręcone, podobne do zwiniętej kościanej wstęgi. Nie miał brody, raczej bujną grzywę, która zwisała po obu stronach szyi aż do kolan jak włosy rusałki. Kozioł wyglądał jednak tak godnie, że grzywa nie raziła śmiesznością i nie ujmowała zwierzęciu dostojeństwa. Każdy, kto przystanął popatrzeć na kozła, czekał na choćby najdrobniejszy ruch jego kopytek po gładkiej skale. Kozioł zaś stał jak posąg, jak przedłużenie tej skały: gdy wietrzyk przestawał poruszać kosmykami grzywy, nikt nie był w stanie powiedzieć, czy to żywe zwierzę, czy tylko atrapa.

Oleg gapił się na niego przez pięć minut i odszedł zachwycony: kozioł ani drgnął! To się nazywa charakter! Oto jak można znosić życie!

A w innej alejce zobaczył zbiegowisko przy jakiejś klatce. Coś się w niej miotało, ale w jednym miejscu. Podszedł bliżej: była to wiewiórka w kole, całkiem jak ta z przysłowia. Przysłowie nie przemawiało do wyobraźni: dlaczego wiewiórka? dlaczego akurat w kole? Tu jednak wszystko zrozumiał. W klatce wiewiórka miała do dyspozycji pień drzewa i gałęzie, ale na jednej z nich podstępnie zawieszono – koło: ażurowy bęben, którego obwód tworzyły poprzeczne szczebelki, coś w rodzaju zamkniętego kręgu nie kończącej się drabinki. I oto gardząc drzewem, rozłożystymi gałęziami i podniebną wysokością, wiewiórka wolała tkwić w bębnie-kieracie, choć nikt jej tam nie więził – porwała zwierzątko fałszywa idea pozornego działania i pozornego ruchu. Zapewne najpierw poruszyła szczebelki z ciekawości, leciutko, tylko troszeczkę, nie wiedziała jeszcze, jaka to okrutna i wciągająca zabawa (za pierwszym razem nie wiedziała, a potem po tysiąckroć wiedziała – i mimo to!). A teraz bęben wirował jak szalony! Rude wrzecionowate ciałko wiewiórki i popielato-rudy ogonek wyprężały się w wariackim pędzie, szczebelki bębna zlewały się w oczach widzów, wiewiórka gnała przed siebie co tchu, do pęknięcia serca! – ale ani o centymetr nie mogła posunąć się do przodu.

Oleg stał i patrzył przez kilka minut, a wiewiórka wciąż niezmordowanie pędziła w miejscu. Nie było takiej siły, która zdołałaby zatrzymać bęben albo wydostać z niego wiewiórkę, nie było głosu rozsądku, który powiedziałby jej: „Przestań! To daremny trud!" Nie! Przerwać zaklęty bieg mogła jedynie śmierć zwierzątka. Oleg nie chciał tego doczekać. I poszedł dalej. Takimi dwoma symbolicznymi obrazkami – na lewo i na prawo od wejścia, dwoma możliwymi wzorcami życia witało zoo swych małych i dużych zwiedzających.

Minął bażanta srebrzystego, bażanta złotego, bażanta o piórach czerwonych i niebieskich. Porozkoszował się turkusową szyją pawia i jego metrowym rozpostartym ogonem z różowymi i złotymi frędzelkami. Po ubogiej w barwy zsyłce, po monotonnym szpitalu oczy syciły się bajecznym przepychem kolorów.

Nie odczuwał spiekoty: nie było tu murów, a drzewa rzucały już pierwszy cień. Odpoczywając coraz bardziej, Oleg minął całą ptasią fermę – kury andaluzyjskie, gęsi tulskie, chołmogorskie – i wszedł na wzgórze, na którym mieściła się ptaszarnia. Trzymano tam żurawie, jastrzębie i sępy czarne, zaś na skale, ogrodzonej ze wszystkich stron siatką, gnieździły się sępy białogłowe. Gdyby nie tabliczka można by je wziąć za orły. Siatkowy dach prawie dotykał wierzchołka skały, i męczyły się te wielkie smutne ptaki, rozpościerały skrzydła, machały nimi, a wzlecieć nie mogły.

Oleg popatrzył na mękę ptaków i sam poruszył łopatkami, rozprostował je. (A może to tylko żelazko ciążyło plecom?)

Wszystko budziło w nim skojarzenia. Na przykład informacja na tabliczce: „Sowy źle znoszą niewolę". No proszę – wiedzą o tym, a mimo to zamykają!

A kto dobrze znosi niewolę!?

Inny napis: „Jeżozwierz prowadzi nocny tryb życia". Znamy ten tryb: o wpół do dziesiątej wzywają na przesłuchanie, o czwartej nad ranem kończą...

Albo: „Borsuk mieszka w głębokiej i rozbudowanej norze". Po naszemu żyje! Zuch borsuk – a co mu zostało? I mordę ma pasiastoszczeciniastą, wykapany katorżnik!

Widział to zoo jak w krzywym zwierciadle. Niepotrzebnie tu przyszedł!

Dzień mijał, a oczekiwanych radości nie było.

Zobaczył Oleg niedźwiedzie. Czarny z białym krawatem stał na tylnych łapach i wsuwał nos między pręty klatki. A potem nagle podskoczył i zawisł na kratach. Biały pas futra nie przypominał krawata, raczej łańcuch z krzyżem na piersi duchownego. Niedźwiedź podskoczył i uwiesił się kraty! A jak inaczej mógł okazać swą rozpacz?

W sąsiedniej celi siedziała jego niedźwiedzica z małym niedźwiadkiem.

A w następnej męczył się bury niedźwiedź. Bez przerwy niespokojnie przestępował z nogi na nogę, chciał pochodzić po celi, ale mógł się najwyżej obrócić, odległość między kratami nie przekraczała trzech długości jego ciała.

Wedle niedźwiedziej miary nie była to cela, ale b o k s.

Pochłonięte widowiskiem dzieci namawiały się ze sobą: „Ty, wiesz co – rzucimy mu kamień, pomyśli, że to cukierek!"

Oleg nie zwrócił uwagi, że dzieci gapią się i na niego. Sam był tu darmowym zwierzęciem do oglądania, tyle że siebie – nie widział.

Alejka opadała ku rzece. Tutaj trzymano dwa białe niedźwiedzie, na szczęście razem. Do ich wybiegu spływały aryki, tworząc lodowaty basen. Oba niedźwiedzie co parę minut wskakiwały do niego dla ochłody, a potem wyłaziły na cementowy taras, wyciskały łapami wodę z futer i chodziły, chodziły, chodziły po granicy tarasu i wody.

Ciekawe, jak musiały się czuć latem, w tutejszym czterdziestostopniowym upale? Pewnie jak my za kręgiem polarnym.

Najgorsza w tej zwierzęcej niewoli była myśl, że gdyby zechciał wystąpić w obronie więźniów, gdyby miał dość siły – nie zacząłby wyłamywać drzwi klatek i wypuszczać zwierząt. A to dlatego, że bez ojczyzny ich wolność nie miała sensu. I nagłe uwolnienie byłoby dla nich straszniejsze niż niewola.

Tak niedorzecznie rozmyślał sobie Kostogłotow. Tak przenicowany był jego mózg, że nie umiał już widzieć rzeczy takimi, jakimi są: wszystko, na co patrzył, powlekało się widmową szarością i wywoływało głuchy ból.

Obok smutnego jelenia, który tęsknił za przestrzenią bardziej niż inne zwierzęta, obok świętego hinduskiego zebu, obok złocistego zająca aguti przeszedł Oleg w kierunku małp.

Koło klatek kłębił się tłum dzieci i dorosłych, ludzie rzucali małpom jedzenie. Kostogłotow mijał małpy bez uśmiechu. Jednakowe, jakby ostrzyżone na zero, smutne, zajęte na narach swoimi pierwotnymi troskami i radościami, tak mu przypominały dawnych znajomych, że rozpoznawał nawet poszczególne twarze – również tych, którzy siedzieli do dziś dnia.

A w pewnym samotnym zamyślonym szympansie o okrągłych oczach zobaczył Szułubina. Tamten też trzymał bezwładne ręce między kolanami i siadywał w identycznej pozie.

W ten jasny, słoneczny dzień na szpitalnym łóżku miotał się Szułubin między życiem a śmiercią.

Małpy nie interesowały Kostogłotowa, toteż przechodził obok nich obojętnie i nawet przyśpieszył kroku – lecz nagle na jednej z klatek dostrzegł jakiś komunikat i kilka osób, które go czytały.

Podszedł bliżej. Klatka była pusta, a tabliczka informowała: „Makak – rezus". Zaś na karteczce, przypiętej do tabliczki, przeczytał:

„Małpka, która mieszkała w tej klatce, została oślepiona przez jednego ze zwiedzających. Z bezmyślnym okrucieństwem niedobry człowiek sypnął jej tytoniem w oczy."

I – aż zachwiał się Oleg! Do tej chwili spacerował sobie z pobłażliwym uśmieszkiem wszechwiedzącego mądrali, a teraz chciał wyć, skowyczeć na całe zoo – jakby to *jemu* sypnęli tytoniem w oczy!

Dlaczego!? *Ot, tak sobie!* – dlaczego?! Bez żadnego powodu, bez żadnego sensu! – dlaczego?!

Najbardziej chwytała za serce dziecięca prostota tych słów. O nieznanym człowieku, który odszedł sobie jak gdyby nigdy nic, nie napisano, że był agentem imperializmu amerykańskiego. Napisano tylko, że był n i e d o b r y. I właśnie to było Wstrząsające: dlaczego ten człowiek jest tak zwyczajnie, po prostu – n i e d o b r y? Dzieci! Nie wyrastajcie na niedobrych ludzi! Dzieci! Nie krzywdźcie bezbronnych!

Gapie przeczytali karteczkę, ale nikt nie odchodził, wszyscy stali i patrzyli na pustą klatkę.

I Oleg powlókł dalej swój przetłuszczony, przestrzelony i nadpalony worek z żelazkiem – do królestwa płazów, gadów i drapieżników. Leżały na piasku jaszczury jak przytulone do siebie łuskowate kamienie. Jaki ruch utraciły wraz z wolnością?

Leżał ogromny chiński aligator o barwie żelaza, z płaską paszczą, z łapami wykręconymi jak gdyby nie w tę stronę co trzeba. Tabliczka informowała, że podczas upałów jada mięso tylko co kilka dni.

Może ten urządzony świat ogrodu zoologicznego z posiłkami na zawołanie w zupełności mu odpowiadał?

Niczym gruby martwy konar przylgnął do drzewa potężny pyton. Nie poruszał się, wysuwał tylko mały ostry języczek.

Pod szklaną kopułą wiła się jadowita efa.

I kilka zwyczajnych żmij.

Oleg nie chciał ich oglądać. Wyobrażał sobie twarz oślepionej małpki.

Doszedł do drapieżników. Wspaniałe, o przepysznych futrach, siedziały tu wszystkie – i ryś, i irbis, i popielato-brązowa puma, i cętkowany jaguar. Te zwierzęta też były więźniami, też cierpiały w niewoli, też tęskniły do wolności. Ale Oleg widział w nich – błatnych. Od razu widać, kto jest wszystkiemu winien. Proszę: tu piszą, że jaguar w ciągu miesiąca zjada sto czterdzieści kilogramów mięsa. No nie!!! Czystego, czerwonego mięsa! A w łagrze ludzie jedzą same żyły i flaki, kilo na brygadę!

Oleg przypomniał sobie więźniów-furmanów, którzy okradali swoje konie: jedli ich owies, żeby przeżyć.

A dalej zobaczył – pana tygrysa. W wąsach – tak, w wąsach skupiła się cała jego drapieżność! A oczy miał żółte... Zamąciło się Olegowi w głowie, stał i patrzył na tygrysa z nienawiścią.

Pewien stary polityczny katorżnik, którego Oleg spotkał kiedyś na zsyłce turuchańskiej, a potem jeszcze raz w łagrze, opowiadał, że nie aksamitno-czarne, lecz właśnie żółte były t e oczy!

Skamieniały z nienawiści, stał Oleg przed klatką tygrysa.

O t t a k s o b i e, b e z p o w o d u – dlaczego?

Mdliło go. Miał dość tego zoo. Chciał stąd uciec. Nie poszedł już do lwów. Ruszył prosto do wyjścia.

Mignęła mu przed oczami zebra, zerknął w przelocie i szedł dalej.

I nagle – stanął jak wryty przed cudem.

Przed cudem uduchowionego piękna po tamtej galerii krwiożerczości: antylopa nilgau – jasnobrązowa, na zgrabnych, delikatnych nogach, z czujnie uniesioną główką, lecz ani trochę nie wystraszona, stała tuż za siatką i patrzyła na niego wielkimi, ufnymi i miłymi – tak, miłymi! – oczami!

Podobieństwo było uderzające, po prostu nie do wytrzymania! Patrzyła na Olega z łagodnym wyrzutem. Pytała: „Dlaczego nie przychodzisz? Minęło już pół dnia – a ciebie nie ma!"

To musiało być wcielenie, wędrówka dusz, przecież – ona, ona stała tu i czekała na niego! I ledwie podszedł, zaczęła pytać oczami pełnymi wyrzutu, lecz i wybaczenia: „Nie przyjdziesz? Naprawdę nie przyjdziesz? A ja tak czekałam..."

Oleg oprzytomniał – i pośpiesznie poszedł do wyjścia.

Może jeszcze ją zastanie!

Jeszcze mógł ją zastać!

Nie mógł teraz myśleć o Wedze z pożądaniem ani szaleć z namiętności – lecz rozkoszą było pójść do niej i paść u jej nóg jak pies, jak zbity, nieszczęśliwy pies. Położyć się na podłodze i dyszeć na jej stopy jak pies. To byłoby najwyższe szczęście!

Lecz na tę dobrą zwierzęcą prostotę – żeby przyjść i od progu paść u jej nóg – oczywiście nigdy sobie nie pozwoli. Będzie musiał mówić jakieś uprzejme słowa i słuchać jej równie uprzejmych słów, gdyż tak się to wszystko skomplikowało przez wiele tysięcy lat.

Jeszcze dziś miał przed oczami jej rumieniec, z jakim powiedziała: „Przecież może się pan zatrzymać u mnie!" Ten rumieniec trzeba było czymś zatrzeć, obrócić w żart, nie dopuścić, żeby zawstydziła się jeszcze raz – i dlatego musiał wymyślić pierwsze słowa, pierwsze zdania, na tyle taktowne i na tyle dowcipne, by rozładować tę niezwykłą sytuację – oto zjawia się u swojej lekarki, młodej samotnej kobiety i zostaje na noc w jej mieszkaniu. A tak dobrze by było stanąć w drzwiach i po prostu patrzeć na nią, nie siląc się na żadne zdawkowe uprzejmości. I koniecznie nazwać od razu Wegą: „Wego! Przyszedłem!"

Zresztą wszystko jedno – i tak czeka go nieziemskie szczęście! Spotka się z nią nie w sali, nie w gabinecie zabiegowym, a w zwyczajnym mieszkaniu – i będą o czymś rozmawiać. Oleg na pewno popełni mnóstwo nietaktów; zdziczał, odwykł od normalnego życia, lecz zdoła przecież wyrazić spojrzeniem: „Zlituj się nade mną! Słuchaj, zlituj się nade mną, tak mi źle bez ciebie!"

Jak mógł stracić tyle czasu! Jak mógł nie pójść do Wegi – dawno, dawno temu! Śpieszył się więc, szedł szybko, bez wahania, bał się tylko jednego – że jej nie zastanie. Znał już z grubsza układ miasta i wiedział, jak ma iść. I szedł.

Jeśli darzą się wzajemną sympatią. Jeśli lubią ze sobą rozmawiać.

Jeśli kiedykolwiek będzie mógł brać ją za rękę, przytulać, czule patrzeć w oczy – to czyż to nie wystarczy? A jeśli nawet poczują do siebie coś więcej – to czyż to nie wystarczy?

Zoi oczywiście by nie wystarczyło. Ale – Wedze? Antylopie nilgau?

Przecież dopiero co pomyślał, że można by wziąć ją za rękę – i już napięła się w piersi jakaś cięciwa, już przeszył go dreszcz wzruszenia.

I to – nie wystarczy?

W miarę zbliżania się do celu ogarniało Olega coraz większe zdenerwowanie. Czuł najprawdziwszy strach! – ale szczęśliwy strach, omdlewająco-radosny! I szczęście było w tym strachu!

Szedł i patrzył tylko na nazwy ulic, nie dostrzegał sklepów, wystaw, tramwajów, ludzi – i nagle na rogu natknął się na starą kobietę, prawie wpadł na nią, oprzytomniał – i zobaczył, że sprzedaje bukieciki małych niebieskich kwiatków.

Nigdzie, w najgłębszych zakamarkach jego wypalonej, przenicowanej, spustoszonej pamięci nie przetrwał nawet ślad wspomnienia, że idąc do kobiety kupuje się – kwiaty! Zapomniał o tym raz na zawsze, przecież coś takiego nie istniało! Szedł spokojnie ze swoim połatanym, uświnionym ciężkim workiem, bo – nie pamiętał!

I nagle zobaczył jakieś kwiaty. Ktoś je komuś po coś sprzedawał. I odległe wspomnienie wypłynęło z niepamięci jak topielec z mętnej wody. No tak! – w dawnym, niebyłym świecie jego młodości kupowano kobietom kwiaty!

– Jakie to kwiaty? – spytał nieśmiało.

– Fiołki! – obraziła się handlarka. – Po rublu sztuka.

Fiołki? Te słynne poetyczne fiołki? Pamiętał je jakoś inaczej. Łodyżki powinny być dłuższe i zgrabniejsze, a kwiaty bardziej podobne do dzwonków. No nic, może zapomniał. A może to jakaś miejscowa odmiana. Handlarka miała tylko te. Trudno. Skoro jednak przypomniał sobie o kwiatach – musiał je kupić. I wstydził się, że jeszcze przed chwilą szedł tak beztrosko – bez kwiatów.

Tylko – ile powinien kupić? Jeden bukiecik? Trochę za mało. Dwa? Też ubożuchno. Trzy? Cztery? Strasznie drogo. Lagrowy spryt podpowiadał, że można by utargować dwa bukieciki za półtora rubla albo pięć za cztery, ale Oleg liczył bez przekonania. Wyciągnął potulnie dwa ruble i podał handlarce.

Kupił dwa bukieciki. Pachniały, ale nie tak, jak powinny pachnieć fiołki jego młodości, fiołki poetów.

Nowy problem: jak nieść kwiaty? Musiał wyglądać komicznie: zdemobilizowany chory żołnierz bez czapki, z brudnym workiem – i z fiołkami! Najlepiej byłoby je schować do rękawa, żeby nikt nie zobaczył.

Dom Wegi! To tutaj!

Wejść na podwórze. Tak mówiła. Wszedł na podwórze. Teraz w lewo.

(A w piersi waliło jak młotem!)

Wzdłuż ścian ciągnęła się cementowa weranda – galeria, otwarta, ale pod okapem, z balustradą z ukośnych słupków. Na poręczach balustrady suszyły się prześcieradła, materace, poduszki, zaś na sznurach między słupkami wisiała bielizna.

Nie tak wyobrażał sobie dom Wegi. Zbyt trudne przedpole. No cóż, to nie jej wina. Tam dalej, za zasiekami rozwieszonej bielizny, będą drzwi do jej mieszkania, a za drzwiami – własny świat Wegi.

Dał nura pod prześcieradła i odnalazł drzwi. Drzwi jak drzwi. Orzechowa farba, trochę zniszczona. Zielona skrzynka na listy.

Oleg wyciągnął fiołki z rękawa szynela. Przygładził włosy. Denerwował się – i było to słodkie zdenerwowanie. Jaka będzie bez lekarskiego fartucha, we własnym domu?

Nie, nie przez te kilka dzielnic człapał w swoich ciężkich buciorach! Szedł nie kończącymi się drogami kraju, szedł dwa razy po siedem lat! – i oto, naprawdę zdemobilizowany, dotarł do tych drzwi, za którymi od czternastu lat czekała na niego kobieta.

I zgiętym środkowym palcem dotknął drzwi.

Zanim jednak zdążył zapukać jak należy – drzwi uchyliły się (O n a? Wypatrzyła go wcześniej? Przez okno?), otworzyły się i naparł z nich prosto na Olega jaskrawoczerwony motocykl, dziwnie duży w wąskich drzwiach, a za motocyklem wyłonił się rosły mordziasty chłopak ze spłaszczonym, jakby rozklepanym nosem. Nawet nie spytał, co Oleg tu robi, do kogo idzie – pchał swój motor, nie przywykł ustępować z drogi i Oleg cofnął się, żeby go przepuścić.

Oleg śpieszył się i nie od razu zrozumiał, co robi ten chłopak w domu samotnej Wegi, dlaczego wychodzi z jej drzwi? A przecież nie mógł tak zupełnie zapomnieć, nawet po tylu latach, że istnieje coś takiego jak mieszkania komunalne! Nie mógł zapomnieć, ale pamiętać – nie musiał. Z łagrowego baraku w o l a jawi się jako całkowite przeciwieństwo tego baraku, a więc w żadnym przypadku nie jako mieszkanie komunalne. Nawet w Usz-Tereku ludzie mieszkali osobno.

– Proszę pana – zwrócił się do chłopaka. Tamten jednak przepchnął motor pod rozwieszoną pościelą i ze stukotem zaczął go sprowadzać po schodach na podwórze.

A drzwi zostawił otwarte.

Oleg niepewnie wszedł do środka. W mrocznej głębi korytarza dostrzegł następne drzwi, drzwi, drzwi – które to? Z ciemności wyszła jakaś kobieta i spytała wrogo:

– Do kogo?

– Do Wiery Korniljewny – nieśmiało, nieswoim głosem wyjaśnił Oleg.

– Nie ma! – natychmiast i bezapelacyjnie ucięła kobieta.
– Niech pani zapuka – Kostogłotow odzyskiwał równowagę. Rozkleił się, czekając na Wegę, ale na powarkiwania sąsiadki mógł odpowiedzieć równie niegrzecznie. – Dziś ma wolne.
– Wiem. Nie ma. Była. Wyszła. – Kobieta miała niskie czoło i wystające kości policzkowe. Nie spuszczała wzroku z Olega.
Zobaczyła fiołki. Było już za późno, żeby je schować.
Gdyby nie fiołki, mógłby zachować się jak normalny człowiek – zapukać samemu, rozmawiać bez skrępowania, pytać – czy dawno wyszła, kiedy wróci – zostawić karteczkę (a może zostawiła jakąś wiadomość dla niego?).
Niestety – fiołki czyniły zeń petenta, proszącego, zakochanego durnia...
I cofnął się na werandę pod naporem niskoczołej.
Ta zaś szła krok w krok za nim i obserwowała: a nuż coś zwędzi ten włóczęga z podejrzanym workiem na plecach?
Z podwórza dobiegła ogłuszająca kanonada motocykla bez tłumika – motor strzelał i gasł, dławił się, strzelał i gasł...
Oleg zwlekał.
Kobieta patrzyła złym wzrokiem.
Jak mogło nie być Wegi – skoro obiecała? No tak; czekała, czekała, nie doczekała – i wyszła. Co za nieszczęście! Nie pech, nie rozczarowanie – nieszczęście!
Oleg wciągnął dłoń z fiołkami do rękawa jak odrąbaną.
– Proszę pani, a czy jeszcze wróci, czy już poszła do pracy?
– Poszła – warknęła kobieta. Nie zadowoliła go ta odpowiedź. Głupio jednak było tak stać i czekać.
Ryczał, charczał, krztusił się, strzelał motocykl – i milkł. A na poręczach leżały poduszki, materace, kołdry w powłokach. Wietrzyły się na słońcu.
– Na co czekacie, obywatelu?
Odebrały Olegowi mowę te bastiony poduszek...
A kobieta patrzyła i nie dawała pomyśleć.
I przeklęty motocykl rozrywał duszę na strzępy – silnik nie chciał zaskoczyć.
I wycofał się Oleg spod poduszkowych murów na podwórze, do bramy, tam, skąd przyszedł – odparty.
Gdyby nie te poduszki – z jednym rogiem podwiniętym, z dwoma zwisającymi jak krowie cycki i jednym sterczącym na kształt obelisku – gdyby nie poduszki, może by coś wymyślił, może by podjął jakąś decyzję. Przecież nie mógł tak po prostu odejść! Przecież

Wega jeszcze wróci! Niedługo wróci! I też nie będzie mogła odżałować! Ona też!

Lecz z poduszek, materaców, piernatów, kołder, jaśków, z rozpostartych sztandarów prześcieradeł tchnęła ta niezbita, odwieczna prawda, której nie miał siły się przeciwstawić. Nie miał siły – i prawa.

Właśnie – teraz. Właśnie – on.

Na gołych deskach może spać samotny mężczyzna, porwany ideą, entuzjazmem albo ambicją. Na gołych deskach nar śpi więzień, który nie ma innego wyboru. I więźniarka, siłą oddzielona od niego.

Gdy jednak kobieta i mężczyzna mają zamiar być razem – te obłe, miękkie białe mordy twardo domagają się swojego udziału i swoich praw. Wiedzą, że bez nich się nie obejdzie.

I spod tej twierdzy niezdobytej, niedostępnej dla niego, z bryłą żelazka na ramionach, z odrąbaną ręką, powlókł się, powlókł się Oleg za bramę – i poduszkowa forteca zwycięsko strzelała mu w plecy z karabinu maszynowego.

Nie dawał się uruchomić, cholernik!

Za bramą palba motocykla już tak nie dokuczała i Oleg przystanął, żeby jeszcze troszeczkę poczekać.

A nuż się doczeka? Jeżeli Wega wróci, to będzie musiała tędy przechodzić. Uśmiechną się do siebie, ucieszą się – „Dzień dobry! Wie pani... Bardzo zabawna sytuacja..."

I wyciągnie z rękawa zmięte, pogniecione, więdnące fiołki!

Doczeka się i oboje wejdą na podwórze – i znów zagrodzą im drogę niewzruszone puchate bastiony!

I nie przepuszczą. Nawet obojga – nie przepuszczą.

Nie dziś, to innego dnia Wega – smukłonoga, subtelna Wega o jasnokawowych oczach, ta nieziemska istota – też wynosi na werandę swoją rozkoszną, delikatną, zwiewną – ale pościel.

Ptak nie może żyć bez gniazda, a kobieta bez pościeli.

Nawet ta nierealna, wyśniona, wymarzona – nie ucieknie od nieuniknionych ośmiu godzin nocy!

Od zasypiań.

Od przebudzeń.

Wyjechał! Wyjechał purpurowy motocykl, w przelocie dostrzeliwując Kostogłotowa, a chłopak ze spłaszczonym nosem rozglądał się po ulicy wzrokiem zwycięzcy.

I poszedł precz Kostogłotow. Pokonany.

Wyciągnął fiołki z rękawa. Jeszcze nadawały się na prezent, ale były to ich ostatnie chwile.

Z naprzeciwka szły dwie pionierki – Uzbeczki z identycznymi warkoczykami, splecionymi ciasno jak sznur elektryczny. Oleg wyciągnął do nich dłonie z fiołkami.

– Dziewczynki, weźcie!

Zdziwiły się. Popatrzyły po sobie. Popatrzyły na niego. Zamieniły parę słów po uzbecku. Zrozumiały, że nie jest pijany i że ich nie zaczepia. A może nawet to, że wujek żołnierz daje im kwiatki, bo spotkało go nieszczęście.

Jedna wzięła i skinęła głową.

Druga wzięła i skinęła głową.

I poszły szybko, muskając się ramionami, pogrążone w ożywionej rozmowie.

I został ze swoim zaszarganym, przepoconym workiem na plecach.

Musiał od nowa przemyśleć sprawę noclegu.

W hotelach nie wolno.

Do Zoi nie wolno.

Do Wegi nie wolno.

To znaczy – można, można. I ucieszy się. I nic nie da po sobie poznać.

A jednak – nie wolno. Nawet więcej niż „nie wolno".

Bez Wegi całe to piękne, bogate, milionowe miasto ciążyło mu jak worek na plecach. Dziwił się, że jeszcze dziś rano tak go zachwyciło. Że chciał tu zostać parę dni.

I dziwił się własnej porannej radości. I nawet powrót do zdrowia nie wydawał mu się już jakimś nadzwyczajnym darem losu.

Oleg poczuł, jak jest głodny i zmęczony, jak bolą obtarte nogi, jak w brzuchu daje o sobie znać niedobity rak. I chyba chciał już wyjechać.

Zrozumiał jednak, że i powrót do Usz-Tereku stracił swój urok. Że w Usz-Tereku będzie tęsknić jeszcze bardziej.

Po prostu nie umiał sobie wyobrazić takiego miejsca i takiej rzeczy, które mogłyby sprawić mu radość.

Oprócz spotkania z Wegą.

Paść jej do nóg: „Nie wypędzaj mnie, nie wypędzaj! Przecież to nie moja wina!"

Ale – nie wolno. Nawet więcej niż „nie wolno".

Spytał przechodnia o godzinę. Trzecia. Należało coś przedsięwziąć.

Zobaczył na tramwaju ten sam numer, co wtedy, kiedy jechał do komendantury. Poszukał wzrokiem przystanku.

I ze zgrzytem żelastwa powiózł go tramwaj, też jakby ciężko chory, brukowanymi wąskimi ulicami. Trzymając się skórzanego uchwytu, Oleg pochylił głowę, żeby coś widzieć przez okno, ale widział tylko bruk i łuszczące się ściany domów. Mignął mu afisz z reklamą kina pod gołym niebem, w którym wyświetlano dzienne seanse – warto by zbadać, jak to możliwe – ale jakoś przestały go interesować takie nowości.

Jest dumna, wytrzymała czternaście lat samotności. Nie wie jednak, jaka może być cena sześciu miesięcy takiego: razem – nie razem...

Poznał przystanek, wysiadł. Teraz musiał przejść półtora kilometra przez dzielnicę fabryczną. Ulica była szeroka i ponura, po jezdni bezustannie pędziły w obie strony ciężarówki i traktory, a chodnik ciągnął się wzdłuż długiego muru, potem przecinał bocznicę kolejową, potem – hałdę drobnego węgla, potem biegł skrajem jakiegoś zrytego pustkowia, znów przecinał bocznicę, dalej zaczynał się następny mur, a jeszcze dalej parterowe drewniane baraki, o których pisze się zazwyczaj: „zastępcze budownictwo mieszkaniowe", a stoją po dziesięć, dwadzieścia i trzydzieści lat. Teraz przynajmniej nie było takiego błota jak w styczniu, kiedy przemoczony Kostogłotow szedł tędy pierwszy raz, ale i tak nie chciało się wprost wierzyć, że to fragment tego samego miasta, w którym są cieniste bulwary, stare dęby, rozkołysane topole i różowe cudo uriuka.

Im bardziej Wega będzie sobie wmawiać, że tak jest dobrze, że tak musi być, tym boleśniej przeżyje rozczarowanie.

Czym się kierowano, ukrywając na odległych peryferiach komendanturę – instytucję, która decydowała o losach wszystkich zesłańców w mieście? Nie wiadomo. Mieściła się jednak właśnie tu, wśród baraków, w labiryncie błotnistych zaułków, wśród powybijanych i zabitych dyktą okien, za kilometrami suszącej się bielizny, bielizny, bielizny. Właśnie tu.

Oleg przypomniał sobie wyniosłą minę komendanta, który nie przestrzegał nawet godzin urzędowania. Przypomniał sobie styczniową rozmowę i zwolnił kroku, żeby przybrać odpowiednio niezależny i kamienny wyraz twarzy. Kostogłotow nigdy nie zaszczycił uśmiechem żadnego funkcjonariusza administracji więziennej, nawet jeśli tamten się uśmiechał. Uważał za swój obowiązek przypominać im, że wszystko pamięta.

Zapukał, wszedł. Pierwszy pokój był całkiem pusty: stały w nim tylko dwie ławki bez oparcia i biurko za przepierzeniem. Przy biurku tym, dwa razy w miesiącu, celebrowano rytuał meldowania się miejscowych zesłańców.

Teraz jednak nie było tu nikogo, zaś drzwi do gabinetu z tabliczką „Komendant" stały otworem. Oleg zajrzał tam i spytał oschle:

– Można?

– Ależ proszę, proszę! – zaprosił go bardzo miły i uradowany głos.

Co? Takiego tonu nigdy nie słyszał w NKWD. Wszedł. Za biurkiem siedział komendant, ale nie tamten nadęty dureń, tylko Ormianin o łagodnej, a nawet inteligentnej twarzy – wcale nie butny, w eleganckim cywilnym garniturze, zupełnie nie pasującym do tego barakowego przedmieścia. Ormianin patrzył tak wesoło, jak gdyby był kolporterem biletów teatralnych i cieszył się, że Oleg przyszedł z dużym zamówieniem.

Po latach łagru Oleg nie przepadał za Ormianami: choć nieliczni, niestrudzenie pomagali sobie nawzajem, zawsze załatwiali swoim najlepsze funkcje – w magazynie, w kuchni, przy żywności. Z drugiej strony nie można było mieć im tego za złe: nie oni wymyślili łagry, nie oni wymyślili Syberię – więc dla jakiej idei mieliby nie pomagać rodakom, wyrzec się kombinacji i machać kilofem jak inni?

A teraz, na widok tego wesołego, życzliwego Ormianina przy urzędowym biurku, Oleg pomyślał z sympatią o ormiańskim sprycie i niefrasobliwym traktowaniu przepisów.

Podał nazwisko. Komendant mimo tuszy wstał ochoczo i zaczął przerzucać dokumenty w jednej z szaf. Przerzucał je i w ramach konwersacji z Olegiem odczytywał na głos nazwiska, choć w myśl przepisów absolutnie nie miał prawa tego robić:

– Ta-a-k... Poszukamy... Kalifotidi... Konstantinidi... Ależ proszę spocząć!... Kułajew... Karanurijew... O, rożek się zagiął.... Kazmagomajew... Kostogłotow! – i znów wbrew wszelkim zasadom NKWD nie spytał, lecz sam przeczytał imię i patronimikum: – Oleg Filimonowicz?

– Tak.

– Taaak... Od dwudziestego trzeciego stycznia na leczeniu w klinice onkologicznej... – odwrócił się i popatrzył na Olega ciepłym, ludzkim wzrokiem: – No i jak? Lepiej wam?

I Oleg poczuł niespodziewany przypływ wzruszenia, coś zaczęło ściskać w gardle. Jak niewiele trzeba: wystarczy, że przy tych znienawidzonych biurkach usiądą tacy ludzie – a życie od razu wydaje się całkiem inne. I odpowiedział swobodnie, bez wewnętrznego napięcia:

– Jak by tu powiedzieć... Pod pewnymi względami lepiej, pod innymi gorzej... (Gorzej? Co za niewdzięczność! Czyż mogło być coś gorszego niż leżenie na podłodze kliniki w oczekiwaniu na śmierć?) – Tak w ogóle – to lepiej.

– To świetnie! – ucieszył się komendant. – Ale dlaczego nie siadacie?

Zamówienie biletów teatralnych wymagało jednak paru formalności. Tu trzeba było postawić pieczątkę, tam wpisać datę, odnotować w grubej księdze, z innej wykreślić. Ormianin wykonał te czynności wesoło i od niechcenia. Wypisał Olegowi zaświadczenie o pobycie i zgodę na wyjazd. A potem spojrzał znacząco, ściszył głos i powiedział całkiem niesłużbowo:

– Nie martwcie się. Niedługo wszystko się skończy.

– Co? – zdziwił się Oleg.

– Co? Meldowania, zesłania. Ko-men-dan-ci! – uśmiechnął się beztrosko.

(Pewnie miał już na oku lepszą posadkę!)

– Tak? Jest już jakieś... rozporządzenie? – chciał wiedzieć jak najwięcej.

– Rozporządzenie, nie rozporządzenie – westchnął komendant – są takie... sygnały. Bardzo poważne. Skończy się! Trzymajcie się, wracajcie do zdrowia – jeszcze wyjdziecie na ludzi!

Oleg skrzywił twarz w gorzkim uśmiechu.

– Ja już w y s z e d ł e m. Ale – z ludzi.

– Jaki macie zawód?

– Żadnego.

– Żonaty?

– Nie.

– To dobrze! – powiedział komendant z przekonaniem. – Żona z zesłania to tylko kłopot. Wszyscy się potem rozwodzą. A wy wyjdziecie na wolność, wrócicie w rodzinne strony i tam się ożenicie.

Ożenić się...

– No, skoro tak, to dziękuję – Oleg wstał.

Komendant przyjaźnie skinął głową, ale ręki nie podał. Wychodząc z budynku Oleg zastanawiał się: Co to za komendant?

Dlaczego tak się zachowywał? Jakaś nowa moda? A może specjalnie NKWD zatrudnia właśnie takich? Bardzo go to interesowało, ale nie mógł przecież wrócić i spytać.

Znów wzdłuż baraków, znów przez tory, przez węgiel, długą fabryczną ulicą poszedł Oleg szybciej, równiej, zdjął nawet szynel – i stopniowo rozpływało się, rozchodziło się po ciele to wiadro radości, które wlał w niego komendant. Dopiero teraz uświadamiał sobie wagę tego, co usłyszał.

A stopniowo dlatego, że oduczył się wierzyć ludziom na takich stanowiskach. Jakże miał nie pamiętać kłamstw, rozgłaszanych po wojnie przez różnych komendantów, majorów i kapitanów, jakoby szykowała się wielka amnestia dla politycznych? Tak im ludzie wierzyli! – „Sam kapitan mi mówił!" A tamtym po prostu kazano kłamać: podnieść ludzi na duchu – żeby harowali! Żeby wykonywali normę! Żeby mieli nadzieję, dla której warto jeszcze trochę pożyć! Żeby nie chcieli zdechnąć!

Ormianinowi jednak – prawie uwierzył. Prawie, bo tamten trochę za dużo wiedział jak na swoje stanowisko. Czyż jednak sam Oleg w głębi ducha nie spodziewał się tego samego?

Boże, przecież – najwyższy czas! Najwyższy czas! Człowiek chory na raka – umiera. Jakże wiec może żyć kraj, chory na łagry i zsyłki?

Oleg znów poczuł się szczęśliwy. Tak czy owak – nie umarł. I niedługo kupi bilet do Leningradu. Do Leningradu... Czy naprawdę będzie można dotknąć kolumn Soboru Isaakijewskiego? Serce pęknie!

Co tam zresztą Isaakij! Wega! Teraz wszystko się zmieni! Teraz, jeśli naprawdę... Jeśli poważnie... Przecież to zupełnie realne! Będzie mógł być z nią tutaj, w tym mieście!

Być z Wegą! Razem! Tutaj! Kiedy się o tym pomyśli...

Jak by się ucieszyła, gdyby teraz pojechał do niej i wszystko opowiedział! A – czemu nie pojechać? Czemu nie opowiedzieć? Komu opowiedzieć, jeśli nie jej? Kogo jeszcze obchodzi jego wolność?

Doszedł do przystanku. Musiał wybrać: do Wegi – czy na dworzec? Musiał się śpieszyć, bo mogła przecież wyjść. Słońce staczało się coraz niżej.

Znów ogarnęła go fala czułości. Znów chciał jechać do Wegi. Wbrew wszelkim argumentom, którymi przekonywał samego siebie w drodze do komendantury.

Dlaczego miałby się trzymać od niej z daleka jak trędowaty, jak winny? Przecież musiała o tym myśleć, gdy go leczyła? Przecież znikała z kadru, milczała, kiedy prosił o przerwanie tej terapii?

Dlaczego nie miał pojechać? Dlaczego oboje nie mogliby się wznieść p o n a d t o? Czyż oboje nie są l u d ź m i? A przynajmniej Wega! Wega!

Zaczął wciskać się do tramwaju. Na przystanku czekało mnóstwo ludzi i wszyscy runęli akurat do tego wagonu! Wszyscy koniecznie musieli jechać akurat w tym kierunku! Oleg w jednej ręce trzymał worek, w drugiej szynel, nie mógł złapać się uchwytu –

i tłum zgniótł go, obrócił, porwał, wepchnął na pomost, a potem do środka.

Potwornie ściśnięty ze wszystkich stron, znalazł się za dwiema dziewczynami, wyglądały na studentki. Blondynka i czarnulka, stały tak blisko, że pewnie czuły jego tętno. Usiłując utrzymać równowagę, kurczowo obejmował dziewczyny obiema rękami, nie mógł nawet zapłacić za przejazd rozzłoszczonej konduktorce. Lewą ręką, tą z płaszczem, objął czarnulkę. A do blondynki przycisnęło go całym ciałem, czuł ją od kolan do podbródka, ona musiała czuć to samo, tłok zbliżył ich bardziej niż największa namiętność. Wtulał się w szyję dziewczyny, w jej uszy, włosy ponad wszelkie granice przyzwoitości. Przez stare sukno bluzy i spodni chłonął miękkość i młodość dziewczęcych kształtów. Czarnulka opowiadała o jakichś studenckich sprawach, blondynka przestała się odzywać.

W Usz-Tereku nie było tramwajów. Taki ścisk zdarzał się jedynie w schronach, ale bez kobiet. Od dziesiątków lat pozbawiony tego doznania – tym intensywniej je przeżywał!

Było szczęściem, było nieszczęściem. Miało próg, którego nie mógł pokonać – nawet gdyby bardzo chciał.

No tak, uprzedzano go przecież: zostanie tylko – l i b i d o. I tylko ono!

Przejechali dwa przystanki. Napór z tyłu zelżał i Oleg mógłby się odsunąć, ale nie zrobił tego. Nie miał na tyle silnej woli, żeby odkleić się od dziewczyny i przerwać tę błogość – udrękę. Tu, teraz, w tej chwili pragnął wyłącznie jednego: stać tak, stać w nieskończoność! Choćby tramwaj zajechał aż do starego miasta! Choćby oszalał i przez całą noc pędził z żelaznym łoskotem po ulicach! Choćby okrążył kulę ziemską! – Oleg nie miał dość silnej woli, żeby oderwać się od dziewczyny. Przedłużał to szczęście, jedyne, jakie mu pozostało i z wdzięcznością zapamiętywał loczki na karczku blondynki (a twarzy nie zobaczył!).

Dziewczyna odsunęła się od niego i przeszła do przodu.

A Oleg, prostując ugięte osłabłe kolana pojął, że jedzie do Wegi na mękę i oszustwo.

Jedzie żądać od niej więcej niż od siebie.

Tak szlachetnie, tak wzniośle uznali, że zespolenie duchowe to najwyższa wartość, ważniejsza niż wszystko inne! Rozpięli most rąk wysoko ponad ziemią, lecz Oleg dostrzegł, że jego ręce – uginają się. Jedzie do Wegi dziarsko zapewniać o jednym, a z rozpaczą myśleć o czymś innym. A kiedy Wega wyjdzie i on zostanie sam w pokoju, będzie płakać nad każdym jej drobiazgiem, nad każdą pachnącą chusteczką!

Nie, trzeba być mądrzejszym od dziewczyny. Trzeba jechać na dworzec.

I nie do przodu, nie do studentek, lecz na tylny pomost poszedł Oleg i wyskoczył z tramwaju, zrugany przez kogoś na pożegnanie.

A na przystanku znów ktoś sprzedawał fiołki...

Słońce chyliło się ku zachodowi. Oleg włożył szynel i pojechał na dworzec. W tym tramwaju nie było już takiego tłoku.

Pokręcił się bezradnie po dworcu, popytał ludzi, usłyszał kilka błędnych odpowiedzi i w końcu znalazł się w przeszklonej hali, gdzie sprzedawano bilety na pociągi dalekobieżne.

Przed każdym z czterech okienek stało co najmniej sto pięćdziesiąt – dwieście osób.

Obrazek ten – kolejki na dworcach i ludzi, którzy czekali w nich po kilka dni – Oleg doskonale pamiętał i miał wrażenie, że wyszedł stąd tylko na chwilę. Wiele rzeczy zmieniło się na świecie – moda, latarnie, sposób bycia młodzieży – wszystko, ale nie kolejki na dworcach. Tak samo było w czterdziestym szóstym roku, tak samo było w trzydziestym czwartym i w trzydziestym. Oleg pamiętał nawet wystawy pełne towarów (pamiętał je z lat NEP-u), lecz dworca bez kolejek w ogóle nie mógł sobie wyobrazić. Udręki czekania nie przeżywali jedynie posiadacze specjalnych legitymacji albo ci, którzy mieli specjalne zaświadczania.

Oleg miał. Mało ważne, szpitalne, ale – uprawniające.

Było duszno i Kostogłotow oblewał się potem: mimo to wyciągnął z worka przyciasną futrzaną czapkę i wbił ją na głowę jak na kopyto do rozciągania. Worek zawiesił na jednym ramieniu. Minę przybrał boleściwą, jakby dopiero co wyrwał się spod skalpela Lwa Leonidowicza – i z tą cierpiącą twarzą, ze wzrokiem zgaszonym i smętnym, powlókł się między kolejkami do okienka. Kręciło się tam więcej takich spryciarzy, ale nie pchali się do okienka i nie robili zamieszania, bo w pobliżu stał milicjant.

Tu, na oczach wszystkich, Oleg bezsilną dłonią pogmerał w kieszeni bluzy, wyciągnął zaświadczenie i ufnie podał je towarzyszowi milicjantowi.

Milicjant – młody wąsaty Uzbek o wyglądzie początkującego generała – z powagą przeczytał zaświadczenie i poinformował kolejkę:

– Tego przepuścimy. Po operacji.

I ustawił Olega jako trzeciego od okienka.

Oleg powiódł po kolejce rzewnym spojrzeniem i stanął z boku ze zwieszoną głową. Gruby niemłody Uzbek w płaskiej, podobnej do futrzanego talerza czapce wepchnął go między ludzi.

Przyjemnie było stać tuż przy okienku: obserwować ruchliwe palce kasjerki, bilety, przepocone banknoty, które ściskali w garści podróżni – już wydobyte z przepastnych kieszeni, już wyprute z zaszytych pasów – i słuchać nieśmiałych próśb pasażerów, kategorycznych odpowiedzi kasjerki, nazw stacji – czuło się, że praca wre i wszystko idzie sprawnie.

Schylił się do okienka.

– Poproszę jeden do Chan-Tau, druga klasa.

– Dokąd? – zdziwiła się kasjerka.

– Do Chan-Tau.

– Gdzie to jest? – wzruszyła ramionami i zaczęła wertować gruby informator.

– A czemuż to, kochanieńki, bierzesz drugą klasę? – użaliła się jakaś kobieta. – Po operacji? Wleziesz na półkę i szwy ci się rozejdą! Weź lepiej kuszetkę!

– Nie mam pieniędzy – westchnął Oleg.

Mówił prawdę.

– Nie ma takiej stacji! – kasjerka energicznie zamknęła spis. – Musicie kupić bilet do innej!

– Jak to nie ma? – Oleg przywołał na twarz cień uśmiechu.

– Jest. Od roku! Przecież z niej wyjeżdżałem. Gdybym wiedział, zachowałbym bilet. Sama by pani zobaczyła.

– Nic nie wiem! Jak nie ma w spisie, to stacja nieważna! Nie ma takiej!

– Jest, pociągi się zatrzymują! – zbyt żwawo jak na chorego upierał się Oleg. – Kasa sprzedaje bilety!

– Obywatelu, jeśli nie kupujecie, to odejdźcie! Następny!

– Słusznie, tylko czas zabiera! – huczało w kolejce. – Bierz do innej stacji i jazda! Po operacji, a jeszcze wybrzydza!

Och, jak chętnie Oleg by się pokłócił! Och, jaką by zrobił awanturę, jak by poszedł do kierownika kasy, do naczelnika stacji! Och, jak lubił wsiadać na takich z góry, walczyć o sprawiedliwość – malutką, ubożuchną, ale – sprawiedliwość! Udowodnić swoją rację i przynajmniej w ten sposób poczuć, że jest kimś!

Lecz żelazne były prawa kolejki, prawa podaży, popytu i planu przewozów! Ta dobra kobieta, która dopiero co namawiała go na kuszetkę – już podawała pieniądze kasjerce, już chciała kupować bilet! A milicjant podnosił rękę, żeby wyciągnąć Olega z kolejki, choć przed chwilą sam go w niej ustawił.

– Z Chan-Tau mam trzydzieści kilometrów, a z następnej stacji siedemdziesiąt – skarżył się jeszcze Oleg, ale w kategoriach łagru była to skarga ciężkiego frajera. Zgodził się więc skwapliwie: – Dobrze, poproszę bilet do Czu.

Tym razem poszło gładko: kasjerka znała tę stację, pamiętała cenę, były nawet wolne miejsca w pociągu. Nic, tylko się cieszyć. Oleg obejrzał pod światło dziurki w bilecie, sprawdził numer wagonu, sprawdził cenę, przeliczył resztę i dopiero wtedy odszedł od kasy.

Gdy zniknął z oczu podróżnym, którzy uważali go za chorego biedaka, wyprostował się i czym prędzej schował czapkę do worka. Miał przed sobą dwie godziny czekania. Można było pobalować: najeść się lodów, których w Usz-Tereku nie będzie, napić się kwasu (kwasu też nie będzie). I zaopatrzyć się w czarny chleb na drogę. Nie zapomnieć o cukrze. Nalać wody do butelki (ogromnie ważna rzecz w podróży – własny zapas wody!). I broń Boże nie kupować śledzi! Tak, jechać normalnym pociągiem – to nie to, co etapem w stołypinowskim wagonie! Nie będzie rewizji przy wsiadaniu, nie będzie krytych furgonów, nikt nie każe siedzieć na ziemi pod lufami karabinów, nie będzie dwóch dób bez kropli wody w ustach! A może zdoła zająć trzecią półkę, bagażową, i wyciągnie się tam na całą długość? – przecież nie na dwóch, nie na trzech będzie półka, sam na niej pojedzie! Leżeć i nie czuć bólu! Co za szczęście! Jest szczęśliwym człowiekiem! Nie ma prawa na nic się uskarżać!

A komendant napomknął o amnestii.

Przyszło wreszcie długo oczekiwane szczęście w życiu, uśmiechnęło się – a jednak Oleg się nie cieszył.

Jest przecież „Lowa" i na „ty". A może jeszcze ktoś. I tyle możliwości... Wybucha człowiek w życiu innego człowieka jak pocisk.

Gdy patrzył dziś na poranny księżyc – wierzył. Ale księżyc był – wyszczerbiony...

Teraz należało wyjść na peron – czekać na podstawienie pociągu, żeby szybko odnaleźć swój wagon, pobiec za nim i ustawić się blisko drzwi. Oleg przestudiował rozkład jazdy. Z rozkładu wynikało, że przy peronie stoi pociąg w przeciwnym kierunku, siedemdziesiąty piąty. Popędził więc do wejścia na peron, gorączkowo wypytując kogo popadło, zwłaszcza kontrolera w drzwiach (bilet trzymał w garści):

– Siedemdziesiąty piąty – stoi? Siem – piąty stoi?...

Tak bardzo chciał zdążyć na pociąg numer siedemdziesiąt pięć, że kontroler nie tylko nie sprawdził biletu, ale jeszcze popchnął Olega w plecy, objuczone wypchanym workiem.

Na peronie Oleg zwolnił kroku, stanął, zrzucił worek z pleców i oparł go o murek. Przypomniało mu się zabawne zdarzenie – było to w Stalingradzie, w trzydziestym dziewiątym roku, podczas ostatnich wakacji – już po podpisaniu paktu z Ribbentropem, ale jeszcze przed mową Mołotowa i dekretem o poborze. Tamtego lata Oleg popłynął z przyjacielem Wołgą do Stalingradu, tam sprzedali łódkę i mieli wracać do domu pociągiem – zaczynały się zajęcia. Ledwie mogli udźwignąć bagaże, a na dodatek przyjaciel wlókł ze sobą głośnik – kupił go w jakimś wiejskim sklepie. Była to wielka tuba bez futerału; przyjaciel bał się pognieść głośnik przy wsiadaniu. Przyszli na dworzec i wylądowali na końcu gigantycznej kolejki. Całą halę dworca zawalały worki, pudła, walizki, drewniane kuferki – jak tu wcześniej wyjść na peron? Groziły im dwie doby czekania na miejsca leżące. I wtedy Olega natchnęło: „Wejdziemy!" Wziął głośnik pod pachę i pewnym krokiem podszedł do zamkniętego wejścia służbowego. Zrobił ważną minę i przez szybę pokazał głośnik dyżurnej. Dyżurna otworzyła drzwi. „Jeszcze tylko ten jeden i koniec" – powiedział Oleg. Kobieta pokiwała głową bez zdziwienia, jakby przez cały dzień noszono tędy wyłącznie głośniki. A potem wskoczył do podstawionego pociągu i zajął dwie półki.

Nic się nie zmieniło przez tych szesnaście lat!

Oleg spacerował po peronie i popatrywał na innych cwaniaków, którym udało się wślizgnąć na peron przed podstawieniem pociągu: było ich sporo, ale i tak mniej niż ludzi w hali dworca.

Po peronie leniwie przechadzali się pasażerowie z „siedemdziesiątego piątego" – wolni, dostatnio ubrani, odprężeni. Mieli miejscówki i nie musieli walczyć o skrawek ławki w przedziale. Przechadzały się kobiety z bukietami kwiatów, mężczyźni z butelkami piwa, ktoś kogoś fotografował – toczyło się tu życie niedostępne i prawie niepojęte. W ciepły wiosenny wieczór peron przywodził na myśl jakieś dziecięce wspomnienia z południa – może Minieralnyje Wody.

Nagle zauważył otwartą budkę poczty. Bezpośrednio na peronie stał nawet stolik, na którym można było napisać list.

Olśniło go. List! trzeba napisać! Teraz, póki nie zatarło się, nie rozdrobniło!

Wziął worek, wszedł do budki, kupił kopertę – nie, dwie koperty i papier – nie, jeszcze pocztówkę – i wrócił na peron. Worek z żelazkiem i bochenkami chleba wsunął między nogi, usiadł przy spadzistym stoliku i zaczął od najłatwiejszego – od pocztówki:

„Cześć, Diomka!

Byłem w zoo. Powiem ci tylko tyle – to jest coś! W życiu nie widziałem czegoś takiego! Koniecznie musisz pójść! Białe niedźwiedzie – wyobrażasz sobie? Krokodyle, tygrysy, lwy. Planuj wycieczkę na cały dzień. Nie martw się o jedzenie – na miejscu można kupić różne ciastka. Nie przegap kozła z zakręconymi rogami! Popatrz na niego – i pomyśl. A jeśli zobaczysz antylopę nilgau – to też się przy niej zatrzymaj... Jest tam dużo małp – uśmiejesz się! Nie ma tylko maka-ka-rezusa: niedobry człowiek sypnął małpce tytoniem w oczy. Tak sobie, bez powodu. A ona oślepła.

Muszę kończyć, zaraz mam pociąg.

Wracaj do zdrowia – i wyrośnij na człowieka. Wierzę w ciebie!

Pozdrów ode mnie Aleksieja Filippycza. Mam nadzieję, że wyzdrowieje.

Trzymaj się!

Oleg"

Pisanie szło mu łatwo, tylko pióro strasznie zalewało, pogięte końce stalówki darły papier, wbijały się w niego, w kałamarzu pływały jakieś brudy. I mimo starania list wyglądał okropnie:

„Pszczółko Zoju!

Dziękuję, że pozwoliła mi pani skosztować smaku prawdziwego życia. Bez tych kilku wieczorów byłbym zupełnym, ale to zupełnym nędzarzem – jak człowiek okradziony ze wszystkiego.

Była pani bardziej rozważna niż ja – lecz dzięki temu wyjeżdżam ze spokojnym sumieniem. Zaprosiła mnie pani, a ja nie przyszedłem.

Dziękuję za to zaproszenie! Pomyślałem jednak, że lepiej pozostać przy tym, co było, nie psuć wspomnienia. Nigdy pani nie zapomnę!

Z całego serca życzę pani szczęścia – i szczęśliwego zamążpójścia.

Oleg"

Jak w więzieniu! W dni korespondencji wydawano tam identyczne błoto w kałamarzu, identyczne połamane stalówki i skrawek papieru

– mniejszy od tej pocztówki. Atrament się rozpływa, przesiąka na wylot. Pisz sobie, człowieku, co chcesz i do kogo chcesz!

Oleg przeczytał list, włożył go do koperty, chciał zakleić (z dzieciństwa pamiętał kryminał, którego akcja toczyła się wokół afery z zamienionymi listami) – ale nie mógł: na brzeżkach koperty zamiast kleju widniał ciut ciemniejszy od papieru pasek czort wie czego – w każdym razie nie kleju.

Odłożył kopertę, wybrał najmożliwszą stalówkę i zamyślił się nad drugim listem. Do Zoi pisał bez zastanowienia, nawet z uśmiechem. A teraz – zabrakło słów. Był pewien, że napisze: „Wiero Korniljewno", a napisał:

„Miła Wego!

(Przez wszystkie te tygodnie pragnąłem panią tak nazwać – a więc zrobię to przynajmniej teraz.)

Czy mogę pisać zupełnie szczerze – tak, jak nigdy ze sobą nie rozmawialiśmy, ale – myśleliśmy? Przecież ktoś, komu ofiarowuje się gościnę i nocleg, jest kimś więcej niż zwyczajnym pacjentem?

Szedłem dziś do pani kilka razy. Raz – doszedłem. Byłem przejęty jak szesnastolatek, nawet się trochę wstydziłem: człowiek z moim życiorysem nie powinien się tak wzruszać! Denerwowałem się, cieszyłem, bałem i krępowałem równocześnie. Wiele lat trzeba krążyć po świecie, zanim się zrozumie, że – Bóg prowadzi.

Lecz – Wego! Gdybym panią zastał, zaczęłoby się między nami coś fałszywego, coś – na siłę. To dobrze, że się rozminęliśmy. Życie pani nie oszczędzało, mnie też, ale wszystkie nasze dotychczasowe męki można było *nazwać*, wytłumaczyć. A to, co zaczęłoby się między nami, nie miałoby nawet nazwy. Pani, ja, a między nami jakiś szary, niepozorny, lecz bezustannie rosnący stwór – *to*.

Jestem od pani starszy – nie tyle wiekiem, co doświadczeniem Proszę mi wierzyć: ma pani słuszność we wszystkim, we wszystkim, we wszystkim! We wszystkim, co było i jest, ale nie zna pani – przyszłości. Wego! Zapewniam panią: jeszcze pobłogosławi pani dzień – i to wcale nie na starość, o wiele szybciej – w którym nie połączyła pani swojego losu z moim. (Nie mówię o zesłaniu – podobno ma się skończyć.) Jedną połowę życia zabiła pani jak jagnię – proszę więc oszczędzić drugą!

Teraz, przed rozstaniem (jeśli zesłanie rzeczywiście się skończy, będę się leczyć gdzie indziej, a więc – rozstajemy się!), chcę pani coś wyznać: wtedy, gdy rozmawialiśmy o tak wzniosłych sprawach i naprawdę byłem pełen wzniosłych myśli i uczuć – przez cały czas, przez *cały czas* pragnąłem po prostu wziąć panią w ramiona i całować. Całować pani usta!

No i bądź tu mądry!

Nie pytam więc o pozwolenie i całuję je – teraz".

Druga koperta nie różniła się od poprzedniczki: miała taki sam ciemny paseczek, który niczego nie kleił. Oleg zawsze podejrzewał, że brak kleju na kopertach to nie przypadek.

A za plecami – oho, zagapił się – podstawiano pociąg!

Chwycił worek, zgarnął koperty i wcisnął się do budki.

– Gdzie klej? Gdzie jest klej? Klej!!!

– Chowamy, bo ciągle kradną! – odpowiedziała poczciarka. Przyjrzała się Olegowi i niezdecydowanie podała mu słoiczek.

– Kleić tu, przy mnie! Nie wynosić!

Mały szkolny pędzelek na trwałe obrósł grudkami kleju. Żeby zakleić koperty, trzeba było szorować ich brzeżki całą oprawką pędzelka. A potem wytrzeć palcem nadmiar kleju. Zakleić. I znów wytrzeć palcem krople, które wycisnęło się spod papieru.

A ludzie – biegli!

Teraz: klej – oddać poczciarce, worek – do ręki (leżał między nogami, żeby nie ukradli), listy – do skrzynki, a samemu – biegiem!

Niby ledwie żywy, niby bez sił, ale biegiem – to biegiem! Lawirując wśród podróżnych z bagażami, którzy przez tory przełazili na inny peron, wymijając tych, którzy wybiegali z hali dworcowej, Oleg dopadł swojego wagonu. Był chyba dwudziesty. Do stojących przed nim dołączali swojacy – a więc trzydziesty. Na drugą półkę nie miał co liczyć, zresztą i tak mu nie pasowała – za krótka, nogi się nie zmieszczą. Ale na bagażową powinien się załapać.

Wszyscy ładowali identyczne kosze i wiadra – może z nowalijkami? Może wieźli je do Karagandy, jak opowiadał Czałyj – na handel?

Siwy konduktor krzyczał, żeby ustawić się wzdłuż wagonu, żeby się nie pchać, że miejsca starczy dla wszystkich. To ostatnie wykrzykiwał raczej bez przekonania, a tłum za plecami Olega gęstniał. I od razu zauważył Oleg coś, czego się obawiał: przygotowania do szturmu bez kolejki. Rej wodził jakiś dziobaty pokurcz – człowiek nieświadomy wziąłby go za psychopatę, lecz Oleg z miejsca rozpoznał w tym psychopacie p o ł u c w i e t a z typowymi dla kryminalistów zagrywkami – żeby zastraszyć. Za hałaśliwym lumpem parli zwyczajni pasażerowie: on może, to i my możemy.

Oleg też umiał tak atakować: mógł to zrobić i bez problemów zawładnąć półką, jednakże po latach obrzydły mu takie sposoby i wolał uczciwie, honorowo – jak siwiutki konduktor.

Staruszek nie wpuszczał dziobatego, dziobaty poszturchiwał go w pierś, a bluzgał przy tym z taką swobodą, jakby mówił normalnym ludzkim językiem. W kolejce rozległy się głosy współczucia:

– Niech wsiądzie! Przecie chory człowiek!

Oleg nie wytrzymał, zrobił kilka zamaszystych kroków, podszedł do dziobatego i ryknął mu w samo ucho:

- Te-e-e! Ja też jestem s t a m t ą d!

Dziobaty odskoczył, przetkał ucho palcem:

– Niby skąd?

Oleg wiedział, że jest za słaby, żeby się bić, że goni resztkami sił, ale zaryzykował: obie ręce miał wolne, a dziobaty trzymał w jednej kosz. Nachylił się nad tamtym i półgłosem, lecz dobitnie powiedział:

– G d z i e d z i e w i ę ć d z i e s i ę c i u d z i e w i ę c i u p ł a c z e, j e d e n s i ę ś m i e j e.

Ludzie w kolejce nie zrozumieli, co tak nagłe wyleczyło dziobatego: zobaczyli tylko, że przycichł, mrugnął i odezwał się do tyczkowatego w szynelu:

– Nic nie mówię. Chcesz, to wsiadaj pierwszy.

I został Oleg między nim a konduktorem. Trudno, wsiądzie na szarym końcu. Opanował jednak sytuację przy drzwiach: atakujący wrócili do kolejki.

– Proszę bardzo! – zakpił dziobaty. – Nam się nie śpieszy!

Podróżni wsiadali z koszami, z wiadrami. Spod szmatek połyskiwały dorodne podłużne, czerwono-fioletowe rzodkiewki. Na trzech pasażerów dwóch miało bilety do Karagandy. Oto dla kogo ustawiał kolejkę! Trafiali się też zwyczajni, nie handlarze. I porządnie ubrana kobieta w niebieskim żakiecie. Dziobaty wsiadł tuż za Olegiem.

Oleg pomaszerował wzdłuż wagonu i szybko wypatrzył prawie wolną półkę bagażową.

– Dobra jest – powiedział. – Koszyczek trochę przestawimy.

– Gdzie? Czego? – obruszył się jakiś kulawy, ale zdrowy.

– Tego! – przedrzeźniał Kostogłotow już z półki. - Ludzie nie mają się gdzie położyć!

Rozgościł się błyskawicznie: wyjął żelazko i ułożył worek przy ścianie w charakterze poduszki; zdjął szynel i rozesłał go; ściągnął bluzę – tu, na górze, mógł robić, co chciał. Jego nogi w wojskowych butach rozmiar czterdziesty czwarty wystawały nad przejście do połowy łydek, ale na tej wysokości nikomu nie przeszkadzały.

Ludzie na dole też się rozbierali, mościli, zawierali pierwsze znajomości.

Kulawy właściciel kosza opowiadał, że dawniej był felczerem weterynarii.

– To czegoś taką robotę rzucił? – spytał ktoś.

– A co! Owca zdechnie, a człowieka od razu n a ł a w ę: dlaczego zdechła? Wolę być inwalidą i handlować warzywem!

– Za Berii ścigali za warzywa – wtrąciła kobieta w niebieskim żakiecie. – A teraz już tylko za wyroby przemysłowe.

Słońce pewnie już zachodziło, zresztą zasłaniał je budynek dworca. W dole przedziału było jeszcze dość widno, lecz półka pogrążyła się już w mroku. Posiadacze miejscówek i biletów pierwszej klasy przechadzali się po peronie, tu zaś wszyscy pilnowali swoich miejsc, nie ruszali się z nich, układali bagaże. Oleg wyciągnął się na całą długość. Jak dobrze! Niewygodnie jest jechać ze skurczonymi nogami. Zwłaszcza dwie doby w stołypinowskim. Zwłaszcza dziewiętnastu ludziom w jednym przedziale. A jeszcze bardziej – dwudziestu trzem.

Inni nie dożyli. On dożył. I nie umarł na raka. I zsyłka zaczyna pękać jak skorupka jajka.

Przypomniał sobie radę komendanta. Ożenić się. Wkrótce wszyscy zaczną mu to radzić.

Jak dobrze jest leżeć. Jak dobrze.

I dopiero gdy pociąg targnął i ruszył – w sercu, a może w duszy, w najważniejszym miejscu piersi ścisnęło, zawołało ku sobie to, co opuszczał. Obrócił się, padł na szynel i z całej siły zaciskając powieki wtulił twarz w kanciasty worek z chlebem.

Pociąg nabierał szybkości – a buty Kostogłotowa bezwładnie podrygiwały nad przejściem czubkami w dół.

KONIEC

Spis treści